ITALIAANS
VERLEDEN

ITALIAANS VERLEDEN

Jenny Glanfield

VAN BUUREN  UITGEVERIJ BV

WEERT

Oorspronkelijke titel: The Cuckoo Wood
Oorspronkelijke uitgave: 1998 Victor Gollancz, Londen

© 1998 Jenny Glanfield

© 1999 voor het Nederlandse taalgebied:
Van Buuren Uitgeverij BV
Postbus 10356
6000 GJ Weert
e-mail: vanbuuren.uitgeverij@wxs.nl

Vertaling: Saskia Tijsma / MegaTekst, Baarn
Omslagontwerp: Teo van Gerwen Design, Leende
Omslagillustratie: Gary Benfield
Foto auteur: Colin Glanfield
Zetwerk: Teo van Gerwen Design, Leende

ISBN 90.5695.065.7
NUGI 301

Voor mijn liefste vriendin Julie Rose
met veel liefs

PROLOOG

Stel je voor dat je altijd hebt gedacht dat je wees was.

Wat je weet over de omstandigheden waaronder je geboren bent, is het volgende.

Op een dag in de herfst van 1945 dook je vader opeens onaangekondigd op bij zijn zus Biddie in Avonford, in Midden-Engeland, met een vijf maanden oude baby, een meisje, in zijn armen. Hij was doodop na een lange en aangrijpende tocht door het verwoeste Europa van vlak na de oorlog en de baby krijste van de honger.

Biddie had haar broer tien jaar niet gezien, want hij had het grootste deel van zijn volwassen leven op het vasteland van Europa gewoond en na het uitbreken van de oorlog had ze niets meer van hem gehoord. Hij legde uit dat hij in 1940 was hertrouwd en dat hij sindsdien in Italië had gewoond. Op 8 mei 1945, de dag dat de oorlog eindigde, was zijn dochter geboren, maar was haar moeder in het kraambed overleden.

Op de een of andere manier was hij er sindsdien in geslaagd voor de baby te zorgen. Nu kon hij het niet meer aan en dus vroeg hij Biddie en haar man Stephen om een tijdje op haar te passen, zodat hij zijn leven weer op de rails kon krijgen. Aardig stel dat ze waren, met zelf een zevenjarig dochtertje, stemden ze daar zonder aarzelen in toe.

De volgende ochtend vroeg was je vader al weer vertrokken. De dag erna meldden de ochtendkranten op hun voorpagina een tragisch ongeluk in Het Kanaal, waarbij een veerboot op een zeemijn was gelopen en de meeste passagiers en bemanningsleden waren omgekomen. Een paar dagen later werd Biddie gebeld door de politie in Dover dat haar broer tot de slachtoffers behoorde.

Mettertijd werd je door Biddie en Stephen geadopteerd en kreeg je een geboorteakte waarin stond dat je naam Cara Trowbridge was – Cara omdat je vader je zo had genoemd en Trowbridge omdat dat de achternaam van je oom en tante was. Als je geboortedatum stond 8 mei 1945 vermeld en als je geboorteplaats stond er alleen Italië.

7

HOOFDSTUK 1

Toen ik op de avond van vrijdag 18 januari 1980 van mijn werk op weg naar huis was, had ik wel belangrijker dingen aan mijn hoofd dan mijn biologische ouders. En ik kon me al helemaal niet voorstellen dat voor het eind van de dag mijn hele beeld van hen en mezelf totaal op z'n kop zou worden gezet – en dat vanaf dat moment niets in mijn leven meer hetzelfde zou zijn.

Hoe dan ook, het was een lange, zware week geweest.

Januari was altijd een erg hectische tijd op het hoofdkantoor van de Goodchild Group, waar ik voor de bestuursvoorzitter en algemeen directeur, Miles Goodchild, werkte. De jaarverslagen van de dochtermaatschappijen stroomden binnen, waardoor we allemaal zwaarder werden belast en iedereen gespannen was.

Miles was veeleisend en duldde geen sufferds of stommiteiten. Werknemers van de Goodchild Group werden uitzonderlijk goed betaald om hun werk uitzonderlijk goed te doen. Maar verscheidene bedrijven hadden hun voorspelde resultaten niet gehaald – laat staan overschreden – en Miles liet duidelijk merken dat er koppen gingen rollen.

Het eerste slachtoffer zou de directeur van Crispy Crisps worden en het 'proces' zou plaatsvinden op de maandelijkse bestuursvergadering van de Food Division, de volgende maandag. Omdat ik, net als altijd, die vergadering moest notuleren, verheugde ik me er niet op. Hoewel ik besefte dat er in het zakenleven weinig plaats voor gevoel kon zijn, was ik altijd geneigd iemand nog een kans te geven. Daarom was Miles topman in het bedrijfsleven en multimiljonair en was ik alleen maar zijn secretaresse.

Ik probeerde mijn werk van me af te zetten, stak Trafalgar Square over en liep de trap af naar de ondergrondse, waar ik een volgepakt perron aantrof en een haast onverstaanbare stem via een luidspreker hoorde uitleggen dat verderop op de noordelijke lijn een trein defect was geraakt en dat alle treinen waren vertraagd. Toen er dan eindelijk een trein kwam, zat hij zo vol dat we net sardientjes in een blikje waren en leek het wel of iedereen in mijn coupé snipverkouden was.

Het was al over halfzeven toen ik eindelijk op het station van Kentish Town aankwam. Op straat keek ik of er een bus in zicht was, maar dat was zoals gewoonlijk niet het geval. Dus hield ik mezelf net als altijd voor dat lichaamsbeweging me goed zou doen en ging ik lopend op weg naar Highgate West Hill, dat ongeveer een kilometer verderop lag. Halverwege werd ik ingehaald door drie bussen achter elkaar, waar mijn humeur niet bepaald beter van werd.

Omdat ik opeens bedacht dat ik weer eens was vergeten om die ochtend mijn avondmaal uit de vriezer te halen en ik het laatste ei en het laatste blikje bonen de avond tevoren had opgemaakt, stopte ik bij het winkelcentrum tegenover de inrit naar Linden Mansions en kocht een kant-en-klaarmaaltijd voor een persoon.

Als Nigel thuis was geweest, had ik mijn zaakjes wel beter voor elkaar gehad, maar Nigel zat op dat moment op een Caribisch eiland als artdirector van een reclamecampagne voor zonnebrandolie. Ik zag er het nut niet van in veel moeite te doen voor mij alleen – en op die grijze en koude avond in januari wilde ik niets liever dan met een kant-en-klaarmaaltijd op de bank kruipen.

Ik kocht er een fles wijn bij om me op te fleuren en sjokte toen de smalle inrit op die langs het Victoriaanse flatgebouw van rode baksteen liep dat Linden Mansions heette. Op de vijfde verdieping liet ik mezelf de lege flat binnen, deed het licht aan, gooide mijn jas, koffertje en handtas op een stoel in de gang, ging naar de keuken, schoof de lasagne in de oven en trok de fles wijn open.

Ondertussen dacht ik aan Nigel op zijn tropische eiland, dat hij via de telefoon had beschreven als een hel op aarde, niet alleen omdat de luchtvaartmaatschappij een van zijn koffers had zoekgemaakt, maar omdat het eiland te kampen had met onverwachte storm en regen.

Het was voor mij niets nieuws om thuis te komen in een lege flat of het weekend alleen door te brengen. Maar als je aan iets vervelends gewend bent, maakt het er nog niet leuker op.

Ons leven verliep al zo sinds Nigel vier jaar geleden in dienst was getreden bij een veelbelovend reclamebureau in het West End, Massey Gault & Lucasz genaamd. Als hij niet in het buitenland zat, klanten bezocht of op exotische locaties werkte, was hij op kantoor om de papierwinkel bij te werken en met collega's bij te praten. Hij was zelden voor acht uur 's avonds thuis en hij moest vaak in het weekend werken.

Hoewel hij me voortdurend verzekerde dat we, als het minder druk werd, meer tijd samen zouden doorbrengen, was er weinig wat erop wees dat dat in de nabije toekomst zou gebeuren. Hoe dan ook, uit eigen ervaring bij de Goodchild Group wist ik dat je, naarmate je meer succes kreeg, steeds harder moest werken om je baan te houden.

Bovendien hield Nigel van alle facetten van zijn werk. Hij deed tegen mij dan wel net of al zijn wereldreizen doodvermoeiend waren en of reisjes als het huidige naar het Caribisch gebied geen pretje waren, maar ik wist dat hij van elke minuut ervan genoot.

Hij had het in een baan van negen tot vijf niet uitgehouden, zeker niet als hij voortdurend achter een bureau had moeten zitten. Als hij langer dan een maand op kantoor had gezeten, begon hij kriegel en prikkelbaar te worden. Wat dat betreft verschilde hij niet zoveel van Miles. Er lonkte altijd weer nieuw terrein en onontgonnen gebied en als ik heel eerlijk tegen mezelf was, was dat wat me aanvankelijk in hen allebei had aangetrokken – elk op hun heel eigen manier, natuurlijk – de een als echtgenoot, de ander als baas. Ik bewonderde hun rusteloze energie, hun pit, hun onvermogen om weerstand te bieden aan een uitdaging.

Terwijl ik mijn eenzame maal verorberde, bedacht ik hoe ironisch mijn situatie was. Wat me aanvankelijk in Nigel had aangetrokken, hield ons nu uit elkaar.

We hadden elkaar in Italië ontmoet, in Rimini, waar ik als reisleidster voor Jacksons Travel werkte. Dat was in 1966. Ik was toen eenentwintig.

Nadat mijn leven zo ongewoon was begonnen, was het tot dat moment betrekkelijk rustig verlopen. Ik had een gelukkige jeugd gehad op The Willows in Avonford bij tante Biddie, oom Stephen en mijn nichtje Miranda. Toen ik van school kwam, had ik twee jaar een secretaresseopleiding met Frans en Italiaans gevolgd in Birmingham, waarna ik mijn vleugels had uitgeslagen en een paar maanden in Parijs had gewerkt.

Toen het in Parijs niet helemaal was verlopen zoals ik had gepland – voornamelijk door Michel, een Franse student, op wie ik had gemeend verliefd te zijn – was ik teruggegaan naar Avonford en had ik een uitzichtloos baantje aangenomen bij een onderzoeksinstituut naar kascultuur. Daar had ik van de weeromstuit Graham ontmoet, met wie ik verloofd was geraakt. Toen had Anne, een schoolvriendin die voor Jacksons Tours in Londen werkte, het erover gehad dat ze mensen zochten die Italiaans spraken om in het zomerseizoen als reisleider in Italië te werken. Italië, het land waar ik geboren was, had een onweerstaanbare aantrekkingskracht gehad. Nadat ik Graham had verteld dat ik tijd nodig had om na te denken en dat een scheiding niet noodzakelijk het einde van onze verloving hoefde te betekenen, had ik bij Jacksons gesolliciteerd en werd ik, nogal tot mijn verbazing, aangenomen. Graham was niet bereid me te delen, zelfs niet met een ander land, en na een paar emotionele scènes verbraken we onze verloving.

Rimini zelf bleek uiteindelijk nogal teleurstellend. Ondanks zijn geschiedenis en oude monumenten miste de stad het romantische beeld dat was opgeroepen door de tragische geschiedenis van Francesca da Rimini, onsterfelijk geworden door Dantes *Inferno* en Tsjaikovsky's symfonische fantasie. Het was een groot, ultramodern vakantieoord, met rijen ligstoelen op een lang zandstrand, en de vakantievierders voor wie ik verantwoordelijk was, waren voor het merendeel echtparen van middelbare leeftijd die zich nauwelijks interesseerden voor de Italiaanse cultuur, maar zich liever vuurrood lieten verbranden, naar barbecues gingen en thee dronken zoals ze dat thuis gewend waren. Toch was het hartstikke leuk. De vertegenwoordigers van Jacksons in de andere hotels waren ontzettend leuk en diverse jonge, knappe, Italiaanse mannen flirtten met me, wat me hielp om Graham te vergeten.

Toen arriveerde het team van het kleurensupplement van *Style on Sunday* voor een modereportage.

Ik herkende ze zodra ze door de douane- en paspoortencontrole van het vliegveld kwamen, omdat ze er zo anders uitzagen dan al mijn andere klanten. Het was duidelijk wie de fotograaf en zijn assistent waren door de aluminium camerakoffers die ze droegen. De twee modellen waren heel lang en slank, met blond haar tot hun middel en de kortste minirokjes die ooit in Rimini te zien waren geweest. De visagiste en de stiliste waren ouder en praktischer gekleed in broek en blouse.

Nigel was de art-editor. Hij was lang en goedgebouwd, met brede schouders en smalle heupen, met blond haar tot op zijn schouders en blauwe ogen. Met zijn roze overhemd met kant, kastanjebruine broek met wijd uitlopende pijpen en veritaliaanste schoenen zag hij er geweldig trendy uit. Ik stelde mezelf voor, waarop hij mijn hand in de zijne nam, glimlachte op een manier die me helemaal week maakte en zei: 'Hallo, Cara, prettig kennis met je te maken. Ik ben Nigel Sinclair van *Style on Sunday*. Dit is Terry, onze fotograaf, en Ray, zijn assistent. Dit zijn Mandy en Jill, onze twee modellen, Nina, de visagiste, en Pauline, de stiliste.'

Ik bracht hen, met de rest van mijn nieuwkomers, naar de bus die ons naar het hotel zou brengen, terwijl ik mezelf voorhield dat ik me het hoofd niet op hol moest laten brengen en dat Nigel Sinclair ongetwijfeld glimlachte tegen elke vrouw die hij tegenkwam.

Tijdens hun verblijf werd ik uitermate nuttig voor hen, omdat ik de plaats kende en Italiaans sprak. Ik regelde huurauto's, wees hen op de prachtigste locaties, stelde plaatsen voor binnenopnamen voor als het weer opeens verslechterde en zorgde voor de nodige vergunningen van bureaucratische ambtenaren.

Hun grootste probleem waren de onvermijdelijke groepjes Italiaanse jongemannen die op de versiertoer waren en regelrecht op Mandy en Jill afstevenden. Het moet een dag of drie na hun aankomst zijn geweest dat ik naar het strand ging en daar een groepje van een stuk of zes gebruinde Don Juans in de dop aantrof, met heel kleine zwembroekjes aan, die de opnamen behoorlijk in de war stuurden en de woedende verzoeken van Nigel en Terry – in het Engels – om voor de camera weg te gaan, totaal negeerden. Mandy en Jill probeerden het met glimlachjes en smeekbeden, wat het alleen nog maar erger maakte.

Een van de eerste dingen die ik na mijn eigen aankomst had geleerd – van een spijkerharde reisleidster die aan haar vijfde seizoen bezig was –, was hoe ik een dergelijke situatie moest aanpakken. Liz' strategie was doen wat Italiaanse meisjes en hun moeders deden. Als een vernietigende blik niet hielp, viel je uit met een paar beledigende opmerkingen over de mannelijkheid en afkomst van de onruststokers. Als dat niet hielp, werkte een stevige uithaal met een schoudertas, goed dichtgeritst tegen zakkenrollers (ook zo'n veelvoorkomende eventualiteit), die een bedreiging vormde voor hun schoonheid en hun trots, altijd.

Als de klieren hetzelfde trucje probeerden als je in een auto zat, verminderde je geen snelheid om je tot stilstand te laten brengen, maar reed je recht op ze af. Liz had een VW-kever, die het in zijn tijd tegen heel wat Fiatjes had opgenomen en altijd als winnaar uit de strijd was gekomen. Het leek wel of Italiaanse mannen net zo trots waren op de aanblik van hun auto als op hun eigen uiterlijk.

Nu liep ik over het strand op hen af, terwijl ik de riem van mijn tas stevig om mijn hand sloeg en mijn strengste schooljuffengezicht opzette. Nigel wierp me een radeloze blik toe en zei zacht: 'Het zijn verdomme net wespen. Hoe kom je in godsnaam van ze af?'

Ik ging tekeer op een toon die niet onderdeed voor die van een Italiaanse moederkloek die haar kuikentjes in bescherming neemt, waarbij ik duidelijk maakte dat de twee modellen werk te doen hadden en eindigde met het dreigement dat ik de politie erbij zou halen als de jongelui niet onmiddellijk maakten dat ze wegkwamen met hun irritante, bleke en miezerige lijven.

Dat was voldoende, zeker toen een paar Italianen op ligstoelen in de buurt me luidruchtig bijvielen. Met een wat beteuterde, maar nog steeds brutale glimlach trok het groepje weg, op zoek naar gemakkelijker prooi.

'Hartstikke bedankt,' zei Nigel. 'Dat was heel indrukwekkend.'

Ik haalde in een poging tot nonchalance mijn schouders op en antwoordde: 'Dat hoort nu eenmaal bij mijn werk.'

Om me te bedanken vroeg Nigel me bij hen in het hotel te komen eten. Dat was mijn eerste echte glimp van het wereldje waarin hij zich bewoog. Toen ik naar de gesprekken aan die eettafel luisterde, raakte ik vervuld van een soort ontzag, omdat ze allemaal vrijpostig spraken over mensen die ik alleen van naam kende: modellen als Jean Shrimpton en Twiggy, fotografen als Snowdon en Bailey, modeontwerpers als Mary Quant en Barbara Hulanicki, popsterren als de Beatles en de Rolling Stones, Sandie Shaw, Cilla Black en Marianne Faithful.

Daarbij vergeleken leek mijn eigen leven maar heel gewoontjes, maar omdat ze niet zozeer in mij geïnteresseerd waren als wel een toehoorder wilden om tegen op te scheppen, viel mijn verlegenheid niet erg op.

Maar Nigel leek anders. Hij probeerde me wel degelijk bij het gesprek te betrekken door me vragen te stellen, bijvoorbeeld waar ik zo goed Italiaans had leren spreken en hoe ik reisleidster was geworden.

De volgende avond – zeer tot mijn verbazing en tot mijn grote vreugde - vroeg hij me alleen mee uit eten. We gingen naar een restaurant aan de weg naar San Marino, waar we buiten op het terras aten, met uitzicht over de vlakte op de lichtjes van Rimini. Vuurvliegjes dansten tegen de nachtelijke hemel en overal klonk het geluid van krekels.

We praatten over alle normale dingen waar mensen over praten als ze elkaar leren kennen: onze families, ons werk, onze vrienden, onze woningen. Omdat ik me zonder de anderen beter op mijn gemak voelde, vertelde ik hem iets over mijn vader en over de manier waarop ik in Avonford was gekomen, evenals over mijn jeugd. Maar daar praatte ik luchtig en snel overheen, omdat me bijna sinds mijn geboorte was bijgebracht dat de zekerste weg naar het hart van een man was een goed toehoorder te zijn.

Aangemoedigd door mijn vragen was Nigel dus het meeste aan het woord. Ik hoorde van zijn opvoeding in Zuid-Londen, zijn vader, die leraar schone kunsten was, en zijn moeder, die huisvrouw was. Ik kwam erachter dat hij zesentwintig was, vijf jaar ouder dan ik, en niet getrouwd. Zijn zus en hij hadden allebei de artistieke gaven van hun vader en had-

14

den na hun schooltijd de kunstacademie gevolgd. Zijn zus was in haar vaders voetstappen getreden en onderwees de schone kunsten aan een school in Hastings, aan de zuidkust. Ze was met een andere leraar getrouwd en ze hadden twee kinderen. Hoewel hij erg dol op hen was, kon hij door zijn drukke bestaan echter niet zo vaak naar Hastings als hij wel zou willen.

Na korte tijd de lay-out voor een autotijdschrift te hebben verzorgd – Nigel was gek op auto's en zijn droom was een Porsche te hebben – was hij als junior art-director in dienst gekomen van het pas opgerichte *Style on Sunday*. Toen was de art-editor opgeklommen en had Nigel promotie gemaakt. Dat was, zoals hij met een aantrekkelijke mengeling van trots en nederigheid beschreef, zijn grote doorbraak geweest.

Financieel had het hem in staat gesteld zijn ouderlijk huis te verlaten en een eenkamerflat in Islington te kopen. Thuis wonen was benauwend geworden, vertelde hij. Omdat zijn moeder niet wilde inzien dat hij volwassen was geworden, zat ze altijd over hem in en bleef ze hem betuttelen. Toen hij nog thuis woonde, was ze altijd opgebleven tot hij thuiskwam.

Ik knikte meelevend, hoewel tante Biddie en oom Stephen Miranda en mij altijd heel schappelijk hadden behandeld. Zolang we maar zeiden waar we heen gingen en hoe laat we thuiskwamen, hadden ze ons nooit de wet voorgeschreven – omdat ze ons hadden vertrouwd. En toen ik naar dit baantje bij Jacksons had gesolliciteerd, hadden ze me daadwerkelijk aangemoedigd, zoals ze dat ook hadden gedaan toen ik naar Parijs ging. 'Je moet zoveel mogelijk van de wereld zien nu het nog kan,' had tante Biddie gezegd. 'Dergelijke kansen bestonden niet toen ik jong was.'

Vrijheid was heel belangrijk, ging Nigel verder. Iedereen had een eigen plek nodig waar hij kon neerploffen en zichzelf kon zijn. Ook vond hij langdurig uit een koffer leven nogal stressig. Niet dat hij klaagde, maar het was geweldig om naar zijn eigen honk in Islington terug te gaan – ook al moest hij dan zijn eigen was doen, voegde hij er lachend aan toe.

Het was heel laat toen we klaar waren met eten. Op de terugweg over de Strada Panoramica stopte hij op een parkeerplaats en kuste me. Toen ik na deze adembenemende ervaring bijkwam, was Graham alleen nog maar een naam. Dit was liefde met een hoofdletter L. Dit was je ware. Al mijn andere ervaringen, voor zover ik die had gehad, hadden uiteindelijk tot deze avond geleid, hadden me voorbereid op mijn ontmoeting met Nigel.

Maar toen ik weer in mijn hotelkamertje zat, waar hij me na een hartstochtelijke kus bij de deur had afgezet, werd ik even door twijfel overvallen. Het was duidelijk waarom ik verliefd op hem werd, maar wat zag hij in 's hemelsnaam in zo'n onbelangrijk persoontje als ik? Hij was zo beminnelijk, zo mondain, zo zelfverzekerd. Waarom zou hij zich tot mij aangetrokken voelen als hij omringd werd door modellen als Mandy en Jill, vrouwen die veel mooier waren?

De volgende avond nam hij me echter weer mee uit eten, naar een visrestaurant met uitzicht op de haven in Cesanatico. We ontdekten dat we een aantal interesses gemeen hadden. We hadden allebei de reiskriebels, zoals hij het noemde. We waren allebei alleslezers, hielden van muziek en gingen graag naar de bioscoop. Het was waar dat onze smaken verschilden. Nigel hield van Harold Robbins, The Doors, Salvador Dalí en Fellini, terwijl ik meer van Françoise Sagan, Joan Baez en David Lean hield. Maar in wezen leken we op dezelfde golflengte te zitten.

Die avond, op de terugweg naar ons hotel, kuste hij me weer en liet zijn handen zacht en deskundig over mijn lichaam gaan. Ik voelde me vreselijk tot hem aangetrokken, maar op de een of andere manier slaagde ik erin zijn handen weg te duwen. Nigel drong niet aan en daardoor steeg hij nog meer in mijn achting.

De volgende avond, in een restaurant in ranch-stijl, vlak buiten Rimini, werd het gesprek intiemer. Hij biechtte op dat hij kort geleden een verhouding had verbroken met een model, Edwina, dat zich nu aan een carrière als actrice waagde. De verhouding had twee jaar geduurd. 'Ik hoop dat het haar lukt,' zei hij met charmante grootmoedigheid, 'hoewel ik zelf niet geloof dat ze er de kwaliteiten voor heeft. Maar aan de andere kant is ze een prachtig mokkel en het is heel goed mogelijk dat de een of andere filmregisseur op haar valt. Ik denk dat ze daar eigenlijk op hoopt.'

Er ging een steek van jaloezie door me heen en hoewel ik besefte dat het stom zou zijn te denken dat hij geen vriendinnen had gehad, kregen zijn woorden over vrijheid en een eigen plek nodig hebben opeens een heel andere lading. Omdat ik me een beetje verslagen voelde, speelde ik met het idee hem over mijn verloving te vertellen, maar saaie ouwe Graham leek nauwelijks in dezelfde categorie te vallen als de fantastische Edwina.

Dus liet ik de rest van de maaltijd het praten maar aan Nigel over. Toen, we op het punt stonden het restaurant te verlaten, zei hij: 'Zou je soms kans zien het volgende weekend vrij te nemen? Ik hoef namelijk niet met de anderen mee terug naar Londen. Zolang Terry de film mee terugneemt en laat ontwikkelen, hoef ik pas maandag weer op kantoor te zijn. Ik heb altijd al naar Venetië gewild en ik vroeg me af of je met me mee zou willen.'

Het was of mijn hart bleef stilstaan.

Een van mijn collega's, die ik in het verleden een soortgelijke dienst had bewezen, stemde erin toe mijn taken over te nemen en Nigel en ik gingen naar Venetië.

Daar zat ik bij zonsondergang op het terras van het Floriaanse café op het San Marcoplein naar muziek te luisteren en liet mijn blik over de beroemde duiven gaan, omhoog naar de bronzen paarden op de basiliek en langs de roze marmeren muren van het Dogenpaleis. We slenterden hand in hand over de Marzaria, waar we etalages keken, naar de Rialtobrug, waar gondeliers, in schipperstrui en met een strohoed met gekleurde linten op, hun passagiers een serenade brachten zoals dat van oudsher werd gedaan, terwijl ze langzaam door het Canal Grande voeren.

Ik raakte geheel in de ban van de stad. Hoe kon ik ook anders? Toen we ten slotte naar ons hotel teruggingen, waar Nigel twee eenpersoonskamers had besproken, bleef mijn eigen bed onbeslapen.

Die nacht, terwijl het kanaal buiten ons raam klotste, zei hij dat hij van me hield. Hij beweerde dat ik alles was wat hij in een vrouw wilde, dat ik niet alleen mooi was, maar intelligent en geestig, en dat ik in bed supersensationeel was.

Ik geloofde er eigenlijk niets van. Als ik in de spiegel keek, mocht ik de persoon die me aankeek eigenlijk wel. Ik was niet zo lang en slank als Mandy en Jill, maar 1,68 m is een goede lengte en 57 kg is een redelijk gewicht. Alleen kon je mijn gezicht absoluut niet mooi noemen. Apart misschien, maar mooi, nee. Hoe kon dat ook, met de bos springerig rood haar dat als een krans om mijn vierkante gezicht lag? Nou, het was dan misschien niet precies vierkant, maar het was beslist niet hartvormig en het had geen interessante kanten. Mijn neus was geen modieuze wipneus, mijn lippen waren niet sexy getuit en mijn ogen waren een nietszeggend grijsblauw. Maar ik had tenminste niet de bleke gelaatstrekken die zo dikwijls samengaan met rood haar. Mijn wenkbrauwen en wimpers waren donker en ik werd snel bruin, al was ik dan rijkelijk voorzien van sproeten.

Wat mijn geest en intellect betrof, was ik niets bijzonders. En wat betreft die opmerking over mijn prestaties in bed wist ik dat Nigel overdreef, omdat ik te nerveus was geweest om me te ontspannen.

Hij was echter verder gegaan: 'Bovenal ben je echt. Je bent niet zoals die leeghoofdige modellen die aan niets anders kunnen denken dan kleren, make-up en mannen. En dat bevalt me nog het beste aan je.'

En dat geloofde ik wel – omdat het waar was.

Toen hij weer in Londen was, schreef hij me. De brief was niet erg lang, maar al de juiste dingen stonden erin. Ik schreef meteen terug, meerdere velletjes, en zijn volgende brief kwam binnen een paar dagen.

Aan het eind van de zomer ging ik terug naar Engeland en nadat ik even snel naar huis was geweest, naar Avonford, ging ik naar Londen, waar ik in Annes flat in Belsize Park logeerde. Toen Nigel en ik elkaar weer ontmoetten, was de aantrekkingskracht er nog steeds, als bewijs dat wat we voor elkaar voelden geen voorbijgaande verliefdheid was, maar ware liefde.

Ik liet mijn dromen varen om de hele wereld over te reizen, nam impulsief ontslag bij Jacksons en ging op zoek naar een baan in Londen. Ik had geluk en vond er bijna meteen een. Dat was toen ik voor Miles begon te werken. De Goodchild Group breidde zich destijds nog steeds uit en deed voornamelijk zaken met levensmiddelenbedrijven en wijnhuizen in Frankrijk en Italië, wat inhield dat mijn secretariële- en taalvaardigheden eindelijk tot hun recht kwamen. Bovendien kon ik bij Anne intrekken, omdat een van haar flatgenoten net was vertrokken.

Nigel en ik zagen elkaar de meeste avonden en elk weekend – als hij niet op reis was. In zijn eigen omgeving was Nigel anders dan hij in Rimini was geweest, ongedwongener en meer op zijn gemak. Zijn flat lag in een modern flatgebouw en was heel eigentijds ingericht, in de stijl van de jaren zestig. Er was geen spoor van Edwina, er hingen geen foto's van haar aan de muur en er waren geen duidelijk vrouwelijke trekjes in huis. Het was eigenlijk heel erg een vrijgezellenwoning.

We gingen nogal vaak uit, want Nigel had veel vrienden die hij van school en van de academie kende en mensen die hij via zijn werk had ontmoet. De meesten van hen hadden hetzelfde soort werk – ze werkten bij een tijdschrift of reclamebureau – en hoewel we alleen Nigel gemeen hadden, kon ik aardig met hen opschieten.

Nigel was eigenlijk nogal trots op me en liep met me te pronken, bijna of ik een soort statussymbool was. Als hij me voorstelde, kwam hij meestal met het verhaal over de manier waarop ik de Italiaanse herrieschoppers op het strand van Rimini had weggejaagd en onderging ik een bewondering waar ik niet aan gewend was.

We gingen echter niet alleen uit, maar brachten de avond dikwijls gezellig bij hem op de bank door, met televisie kijken, naar platen luisteren of alleen maar over onze dromen en ambities praten. Dan had ik altijd het gevoel dat ik de echte Nigel te zien kreeg. Hij gaf toe dat hij een liefde-haatverhouding had met het nogal oppervlakkige wereldje waarin hij zich bewoog. 'Het is net als met showbusiness,' zei hij. 'Het ziet er voor buitenstaanders allemaal heel mooi en aardig uit, maar het kan af en toe knap vermoeiend zijn om met zoveel neurotische en kwetsbare ego's om te gaan als je eigenlijk alleen maar met je werk wilt opschieten en dat goed wilt doen. Daarom vind ik het zo hartverwarmend om bij jou te zijn. Jij bent zo nuchter en realistisch. En dat bedoel ik dan heel aardig.'

Ik moest wel onder de indruk raken van zijn toewijding aan zijn werk en ik hoefde er niet van overtuigd te worden dat hij enorm veel talent had. Omdat ik zelf niet echt een carrière voor ogen had – alleen tante Biddie kende mijn stiekeme droom dat ik op een dag wilde proberen in mijn vaders voetsporen te treden en schrijfster wilde worden –, zag ik het als mijn taak in het leven Nigel te helpen zijn ambities te verwezenlijken en te zorgen voor een stabiele basis waar hij altijd op kon terugvallen.

Toen ik zijn familie ontmoette, vond ik het aardige mensen die roerend trots waren op zijn succes. Het was duidelijk dat Nigel inderdaad zijn moeders oogappel was en dat ze hem nog steeds een beetje als een kleine jongen behandelde. Ik had het gevoel dat ze me kritisch opnam, bijna als rivale, en ik deed mijn uiterste best om bij haar in een goed blaadje te komen. Daarin ben ik nooit helemaal geslaagd, maar zijn vader en zus leken me wel te mogen, wat hielp als tegenwicht voor zijn moeders bezitterigheid.

Daarna gingen we naar Avonford, zodat hij tante Biddie, oom Stephen en Miranda kon leren kennen – die hem hun goedkeuring gaven. 'Als hij je maar gelukkig maakt, dat is het enige wat mij kan schelen,' had tante Biddie gezegd. 'Het lijkt me een pientere jongen,' was oom Stephen van mening geweest. En Miranda had gezegd: 'Hij is precies het soort vent dat jij nodig hebt – extravert, ondernemend – en hij houdt van reizen.'

Helaas was Nigel niet zo enthousiast over The Willows als ik had gehoopt, maar – moest ik toegeven – het huis van mijn kindertijd had dan ook geen moderne gemakken, terwijl Avonford zelf ook een nogal stil, provinciaals, wat achtergebleven gebied was.

In het voorjaar van 1967, vlak voor mijn tweeëntwintigste verjaardag, trouwden we voor de burgerlijke stand in Camden, in Londen. Tante Biddie had liever gezien dat we voor de kerk waren getrouwd in de abdij-kerk van Avonford – net als Miranda, toen ze in 1960 met Jonathan Evans was getrouwd. En eigenlijk had ik dat ook heel graag gewild.

Maar Nigel was atheïst en het was in de mode om voor de burgerlijke stand te trouwen. Bovendien woonden zijn familie en vrienden in Londen of in de zuidelijke provincies. Dus gaf ik toe. Tante Biddie, oom Stephen, Miranda, Jonathan en hun dochtertje Stevie kwamen naar Londen en logeerden in een hotel. Naast Anne waren zij de enige vertegenwoordigers van mijn kant. Ik droeg een witkanten broekpak en een grote slappe strohoed, en Nigel een crèmekleurig kostuum met een gebloemd overhemd en een afschuwelijke roze das. We hielden niet echt een receptie, maar gingen na afloop dineren en daarna naar een discotheek. Het was eigenlijk erg leuk en iedereen genoot, maar het was niet hoe ik me mijn bruiloft altijd had voorgesteld.

Onze huwelijksreis brachten we op Ibiza door. Nigel, die tegen die tijd in de meeste landen rond de Middellandse Zee was geweest, hield het meest van Spanje. Wat Italië betreft, was ik het enige goede wat daaruit was voortgekomen, beweerde hij.

Toen we terugkwamen, trok ik bij Nigel in. Ik was mijn huwelijksleven liever in een woning begonnen die voor ons allebei nieuw was, maar, zoals hij zei, was het krankzinnig om daarvoor te verhuizen. We konden altijd nog verhuizen als we aan kinderen begonnen.

Over het algemeen waren onze eerste jaren samen heel gelukkig. Natuurlijk hadden we onze ups en downs. Welk stel heeft die niet? Edwina verscheen bijvoorbeeld geregeld op televisie in een reclamespotje of in een klein rolletje in een toneelstuk en dan werd Nigel heel stil en werd ik overvallen door een bijna krankzinnige jaloezie. Ik ontdekte dat hij nog steeds foto's van haar in zijn portfolio had, die hij beweerde nodig te hebben omdat ze in zijn beste werk voorkwam, maar ik was niet overtuigd en ik heb heel lang gedacht dat hij nog van haar hield.

Als hij op reis ging, bijvoorbeeld zo'n reisje als dat naar Rimini waarop we elkaar hadden ontmoet, en me een week of veertien dagen alleen liet, draaide ik door tot ik afschuwelijk jaloers en onzeker werd, ervan overtuigd dat hij een verhouding had met een van de modellen. Bij zijn terugkeer maakte ik dan een scène, wat ik helemaal niet van plan was geweest, en in plaats van me gerust te stellen, werd hij dan boos en ongeduldig. Omdat ik besefte dat ik hem op deze manier in de armen van een andere vrouw zou drijven, probeerde ik – niet altijd met succes - mijn angsten en onzekerheden voor me te houden.

Maar afgezien van dit soort incidenten kan ik me geen echte ruzies herinneren en ik neem dus aan dat eventuele donderwolken snel voorbij dreven. We hielden van elkaar, we hadden hoopvolle verwachtingen en plannen en dromen. Omdat we allebei werkten, konden we ons een nieuwe auto veroorloven, alle kleren die we wilden en af en toe een nieuw meubelstuk. En we konden elke zomer met vakantie naar het buitenland.

Ja, als ik terugdenk aan onze verkering en de eerste jaren van ons huwelijk, zag ik heel goed waarom Nigel en ik voor elkaar waren gevallen. Ik was niet alleen gevleid door zijn attenties en verblind door zijn knappe voorkomen, zijn charmante maniertjes en zijn aantrekkelijke manier van leven. Ik had ook een glimp opgevangen van de man erachter en had, nog voor we getrouwd waren, zijn onderliggende onzekerheden gevoeld. Net als de meeste vrouwen had ik er behoefte aan gehad nodig te zijn. En Nigel had mij net zozeer nodig gehad als ik hem – zij het om andere redenen. Kortom, we hadden elkaar aangevuld.

Wat hem betrof, was ik geen bedreiging voor hem geweest. Ik was niet het soort echtgenote – zoals Edwina zou zijn geweest – dat voortdurend probeerde in het middelpunt van de belangstelling te staan. Ik luisterde vol bewondering naar alles wat hij zei en probeerde nooit hem te overtreffen en zijn verhalen met mijn eigen successen te overtroeven. Zelfs mijn jaloezie was een factor ten goede, omdat ze bewees hoeveel ik van hem hield, wat zijn ego streelde en goed was voor zijn zelfvertrouwen.

Wat mij betreft, ik had zijn leven vastigheid gegeven – zoals zijn moeder dat voor mij had gedaan. Ik was het enige constante element in zijn voortdurend veranderende wereldje. Collega's kwamen, collega's gingen, net als cliënten en campagnes. Maar Cara was altijd trouw, altijd loyaal, zat altijd thuis op hem te wachten – of het nu aan het eind van een drukke dag was of bij zijn terugkomst vanaf de andere kant van de wereld. Hij kon ervan op aan dat ik er zou zijn, met open armen en een maaltijd in de oven, bereid om te luisteren en te begrijpen, goed te keuren en toe te juichen, te feliciteren of mee te leven.

Tot 1973, toen ik hem opeens teleurstelde. Ja, 1973 was het keerpunt. Daarna was niets meer helemaal hetzelfde geweest.

In de eerste jaren van ons huwelijksleven was er maar één grote teleurstelling geweest: ik scheen niet zwanger te kunnen worden. We wilden allebei kinderen, hoewel ik ze meer wilde dan Nigel. Als wees had ik ernaar verlangd een eigen gezin te hebben en te genieten van die unieke band tussen moeder, vader en kind.

Ik moet wel meteen benadrukken dat dit geen enkele kritiek inhoudt op tante Biddie en oom Stephen. Mensen die me niet goed kennen, denken wel eens dat ik ze niet als mijn ouders beschouw omdat ik ze altijd tante en oom noem, maar niets is minder waar.

Hoewel ik natuurlijk benieuwd was naar mijn biologische moeder en een zeer romantisch beeld van mijn vader had, waren tante Biddie en oom Stephen de mensen die mijn steun en toeverlaat waren en me het veilige onderdak gaven waar ik altijd op terug kon vallen.

Tante Biddie en ik leken zelfs erg op elkaar, meer nog dan Miranda en zij, en vreemden zagen ons dikwijls voor moeder en dochter aan. We waren even lang en hadden dezelfde teint en haarkleur. Voordat het haar van tante Biddie wit werd, was het net zo rood als het mijne – 's winters donker als rood koper en 's zomers bijna blond door de zon. Miranda is daarentegen kleiner en heeft haar vaders teint, zijn bruine ogen en steile bruine haar, met niet meer dan een licht kastanjebruin zweempje..

Ik was over het algemeen een heel normaal, goed aangepast, opgewekt kind. Af en toe, vooral in mijn tienertijd, gaf ik me over aan fantasieën over een toevallige ontmoeting met een familielid van mijn biologische moeder, met wie ik een onmiddellijke verbondenheid zou voelen. Maar die dromen vielen in dezelfde categorie als dromen waarin de jongen die verderop woonde krankzinnig verliefd op me werd, waarin een filmproducent me zag en me een hoofdrol in een film aanbood, of de popster van het moment me vroeg lead-zangeres van zijn band te worden.

In de vierde klas kreeg ik een Italiaanse correspondentievriendin in Bologna en de eerste keer dat ik bij haar ging logeren, informeerde ik inderdaad naar de mogelijkheid mijn biologische moeder op te sporen. Maar in Italië is alles nu eenmaal vreselijk ingewikkeld en het werd er niet gemakkelijker op dat ik niet wist in welke streek ik was geboren, laat staan in welke stad. Dus stelden Pia's ouders voor dat ik hen dan maar als mijn Italiaanse familie moest beschouwen. Vanaf die tijd sprak ik hen met Mamma en Papà aan.

Omdat ik het afschuwelijk zou hebben gevonden iets te zeggen of te doen wat tante Biddie of oom Stephen verdriet zou doen, of iets te doen waaruit zij hadden kunnen afleiden dat ik ondankbaar of ongelukkig was, heb ik ze dat nooit verteld. En ik heb ze ook nooit over mijn fantasieën verteld – noch over mijn nachtmerrie.

In mijn nachtmerrie was ik bij mijn vader. Ik weet dat hij het was, omdat hij er net zo uitzag als op de foto in tante Biddies oude albums: heel lang, met een bos rood, springerig haar, net als het mijne. Er was ook een vrouw, wier gelaatstrekken ik nooit te zien kreeg omdat ze altijd voor ons uit liep. Zij rende weg en wij probeerden haar in te halen. Toen ik klein was, was dat op de weiden bij de rivier, bij het oude fort waar Avonford naar genoemd was. Maar toen ik ouder werd en meer van de wereld had gezien, speelde mijn nachtmerrie zich altijd op een berghelling af, of boven op een steile rots. Hij liep echter altijd op dezelfde manier af. Mijn vader rende vooruit en net wanneer hij op het punt stond haar in te halen, zakte de grond onder mijn voeten weg...

Toen, in januari 1973, toen ik zevenentwintig was en Nigel en ik bijna zes jaar getrouwd waren, brak eindelijk het moment aan waar ik zo lang van had gedroomd. Omdat ik nauwelijks durfde hopen, ging ik naar de dokter en onderzoek bevestigde dat ik drie maanden zwanger was. Ik was in de wolken en ook Nigel was ontzettend gelukkig.

Omstreeks die tijd kreeg Nigel een andere baan. Hij vertrok bij *Style on Sunday* en ging voor Quantum Design werken, waar hij verantwoordelijk werd voor het ontwerp van platenhoezen en publiciteitsmateriaal voor veel bekende popzangers en popgroepen. Zijn nieuwe baan betekende een salarisverhoging en begin april konden we naar een betere buurt verhuizen, naar de flat in Linden Mansions, met uitzicht op Parliament Hill Fields. Ons geluk leek niet op te kunnen.

Maar toen verloor ik de baby en overleed oom Stephen.

Ik haalde diep adem en dronk nog wat wijn, toen ging ik naar de slaapkamer om me om te kleden.

Wat Nigel niet besefte, was hoe eenzaam mijn bestaan was als hij weg was. Natuurlijk had ik wel eigen vrienden. In Avonford had ik tante Biddie, Miranda, Jonathan en Stevie. Op kantoor had ik Juliette. En hier, in Linden Mansions, had ik Sherry en Roly Pearson. Maar er waren grenzen aan hoe dikwijls ik me aan hen kon opdringen en daar ging het ook helemaal niet om: ik wilde Nigels gezelschap.

Hoewel ik lang voordat we waren getrouwd had geweten dat hij dikwijls voor zijn werk van huis zou zijn, had ik niet gedacht dat ik hem zo erg zou missen – of dat hij zo vaak weg zou zijn. Wie heeft op eenentwintigjarige leeftijd de scherpzinnigheid om vooruit te denken en zich voor te stellen hoe het dertien jaar later zal zijn, als je op een sombere avond in januari thuiskomt in een lege flat met het vooruitzicht op een eenzame kant-en-klaarmaaltijd van lasagne, gevolgd door het huishoudelijk werk dat in het weekend moet worden gedaan?

Ik had ook de gevolgen op lange termijn niet kunnen voorzien, toen ik zorgeloos mijn baan bij Jacksons opzegde en mijn dromen om de hele wereld over te reizen liet varen voor mijn ambitie om een perfecte echtgenote en, hopelijk snel, een perfecte moeder te worden. Nigel had me niet gedwongen bij Jacksons weg te gaan. Ik had zelf besloten dat een baan bij een reisbureau niet samenging met een vaste relatie – en zeker niet met een huwelijk.

Het was niet bij me opgekomen een soortgelijk offer van Nigel te vragen, voornamelijk omdat het toen niet als offer aanvoelde. Hoe dan ook, de omstandigheden waren anders. Reizen hoorde bij zijn werk, was volgens hem een noodzakelijk kwaad en niet zijn hele *raison d'être*.

Diep in mijn hart had ik gehoopt dat ik af en toe met hem mee zou kunnen als hij naar het buitenland moest, zeker toen hij carrière begon te maken. Maar na verloop van tijd werd duidelijk dat dit niet zijn bedoeling was en moest ik me tevreden stellen met onze jaarlijkse vakantie. Alleen vielen die vakanties ook niet helemaal uit zoals ik had gehoopt. Terwijl ik het hele jaar zat te wachten tot ik kon gaan zwerven, zei Nigel dat hij de rest van het jaar al genoeg op stap was en dat hij rust nodig had als hij op vakantie was. Zijn ideale vakantie was laat opstaan, de hele dag op een strand liggen en 's avonds naar een goed restaurant of een goede nachtclub gaan.

Dus in plaats van elk jaar naar een ander land te gaan, een auto te huren en alle bezienswaardigheden te bekijken, waren we steeds weer naar de Balearen, Ibiza en Majorca gegaan. Het klinkt me nu zwak in de oren, maar de overtuiging waarmee Nigel zijn behoeften kenbaar maakte, maakte bijna altijd dat ik me een egoïst voelde en kwaad op mezelf werd. En tegen de tijd dat ik besefte dat dit niet helemaal redelijk was, was ik er aan gewend geraakt en had ik er eerlijk gezegd geen zin meer in het tegen hem op te nemen.

De wetenschap dat ik verantwoordelijk was voor mijn eigen lot was een schrale troost toen ik terugliep naar de keuken, mijn glas bijvulde en de met folie afgedekte schaal met mijn onsmakelijk uitziende maaltijd uit de oven haalde. Het is één ding om je probleem vast te stellen, maar heel wat anders om het op te lossen, zeker als je jarenlang je blik hebt afgewend om maar een rustig leven te hebben. Een gemakkelijke oplossing was er niet.

Ik at mijn lasagne op, waarna ik de kartonsmaak met nog wat wijn wegspoelde. Dat was wel weer genoeg zelfonderzoek. Nog steeds met een zwaar hart probeerde ik positief te denken.

Wat zou me opmonteren? Als Sherry morgen niet hoefde te werken, wilde ze misschien wel met me naar Oxford Street om te kijken of er nog wat in de uitverkoop was. Anders was Juliette misschien vrij. Haar man werkte bij het elektriciteitsbedrijf en draaide eigenaardige diensten in verschillende delen van het land, waardoor ze dikwijls alleen thuis zat, net als ik. Dat had ik moeten bedenken voor ik van kantoor ging. Maar ik kon haar nog altijd bellen.

Op dat moment ging de telefoon. Ik sprong op en rende de gang in, in de hoop dat het Nigel zou zijn, maar eigenlijk dacht ik dat het wel een van zijn vrienden zou zijn, waarschijnlijk iemand als Brian Turner die, omdat hij niet wist dat Nigel in het buitenland zat, zou vragen of hij de volgende dag mee ging golfen.

Maar het was tante Biddie.

'Cara, gelukkig dat je thuis bent!' riep ze uit. 'Zet gauw de televisie aan op BBC2. Oliver Lyon interviewt een Russische prinses die blijkbaar met je vader getrouwd is geweest.'

Ze legde neer voor ik ook maar iets kon vragen.

HOOFDSTUK 2

Ik zette de televisie aan, net toen de presentator, Oliver Lyon, zei: 'Connor Moran is nooit de grote dichter geworden die men had verwacht. Hij was hecht bevriend met El Toro en in 1936 zijn ze samen naar Spanje gegaan om in de Burgeroorlog te vechten. De gedichten die hij in die tijd schreef, zijn opmerkelijk om hun lyrische en verhalende kracht.'

Op het scherm was even een zwart-witfoto van twee mannen te zien. De ene was de Spaanse schilder El Toro, onmiskenbaar met zijn leeuwachtige kop laag tussen zijn brede schouders en een flodderige, knielange broek. De andere, met een overhemd met open hals en sportbroek, was een hele kop groter en had een bos springerig haar. Het was Connor Moran, mijn vader.

Het kiekje vervaagde en er kwam een vrouw in beeld die tegen de leuning van een *chaise longue* rustte. Ze was heel slank en geheel in stemmig zwart gekleed, en droeg als contrast een gouden halsketting waarin één enkele, grote steen fonkelde en een gouden armband om haar pols.

De camera zoomde in op haar gezicht, dat opvallend knap was. Haar haar was dik en recht, vlak boven de schouders afgeknipt, waardoor haar oren bedekt waren, en was aan de punten naar binnen gekruld. De kleur had ze waarschijnlijk aan de vaardigheden van een kapper te danken, maar het zachte blond zag er volkomen natuurlijk uit. Hoewel er een netwerk van dunne lijntjes over haar huid liep, was haar gezicht benig, met hoge jukbeenderen. Ze had diepliggende, groene ogen, een kleur die werd versterkt door discreet aangebrachte, bijpassende oogschaduw.

'U lijkt opmerkelijk veel over hem te weten,' zei ze, met een stem die diep en kelig klonk, met een opvallend buitenlands accent.

Oliver Lyon glimlachte wellevend. 'Mijn vader was de kunstcriticus Stanley Lyon, die El Toro heel goed kende en door hem veel van zijn vrienden heeft leren kennen. Hij was degene die Connor Morans dichtkunst voor het eerst onder mijn aandacht bracht.'

'O, zit dat zo.'

Ze nam een slokje koffie, waardoor Oliver Lyon kon doorgaan.

'Connor Moran liep tijdens de laatste maanden van de Spaanse Burgeroorlog een borstwond op en nadat hij in een ziekenhuis was behandeld, keerden El Toro en hij terug naar Parijs. Tegen die tijd was de Tweede Wereldoorlog inmiddels uitgebroken. De Duitsers hielden een groot deel van Frankrijk bezet. Ze trokken op naar Parijs...'

Ze knikte. 'Het was een heel spannende, beangstigende tijd. De regering was de hoofdstad ontvlucht en was naar het zuiden gegaan, naar Bordeaux. Veel Parijzenaars volgden hen. Vrienden vroegen me met hen mee te gaan. Maar ik kon niet geloven dat ik persoonlijk gevaar zou lopen als ik bleef. Toen kwam Connor terug. Hij was uitgenodigd mee naar Italië te gaan met vrienden die buiten een villa hadden en hij haalde me over om met hem mee te gaan.'

'Niet alleen om met hem mee te gaan, maar om met hem te trouwen.'

'Ja, dat klopt.'

'Waarom bent u met hem getrouwd?'

'Dat vind ik een vreemde vraag. Uit liefde, natuurlijk.'

'U zult moeten toegeven dat u niet erg bij elkaar leek te passen. U was een Russische prinses, een afstammelinge van de bojaren, en uw vorige echtgenoot had tot de Franse aristocratie behoord. Connor Moran was daarentegen slechts de zoon van een arme Ierse leraar. Naar mijn weten wordt een prinses wel eens verliefd op een armoedzaaier, maar trouwt ze zelden met hem.'

Ze keek hem hooghartig aan. 'Ik had niet gedacht dat u zo'n snob was.'

Hij accepteerde de reprimande door even het hoofd te buigen en ging verder: 'U trouwde dus en ging in Italië wonen. Waar ergens?'

'Het huis waar we woonden, lag hoog in de bergen, omringd door dichte bossen en met uitzicht op een meer. Het was er nogal primitief, want het lag ver van de beschaving. Het beste herinner ik me de koekoeken die er elk voorjaar kwamen. Ik had nog nooit – en heb later ook nooit meer – zoveel koekoeken gehoord. Ze zongen zo luid dat je er 's morgens niet van kon slapen.' Haar stem klonk opeens nukkig. 'Ik ben dat geluid gaan haten.'

Oliver Lyon grinnikte. 'Maar u was er veilig, in tegenstelling tot zoveel van uw Russische landgenoten die in Parijs bleven.'

'Dat is waar,' gaf ze toe. 'Toen de Duitsers het zogenaamde vriendschapsverdrag hadden geschonden door de Sovjetunie binnen te vallen, werden de Russische *émigrés* als joden behandeld en naar concentratie-

kampen gestuurd. Veel van mijn vroegere vrienden hebben het niet overleefd.'

'Had u in uw toevluchtsoord in de bergen geen last van de oorlog?'

'We zaten ver van de luchtaanvallen en de bommen, ja. Maar we hadden er op andere manieren wel last van. In de bergen wemelde het van de
partizanen en de guerillagroepen, waardoor het niet veilig was ergens
heen te reizen, zeker niet in je eentje. En ik moet bekennen dat ik, omdat
ik eraan gewend was in een grote stad te wonen, winkels, restaurants, het
theater, ballet en vooral het gezelschap van mijn vrienden in Parijs miste.
Maar ter wille van Connors gezondheid en geluk was ik bereid dergelijke kleine luxes op te geven. En omdat de lucht zo schoon was en we zelden gebrek aan eten hadden, ging zijn gezondheid inderdaad een stuk
vooruit en was hij in staat om te schrijven.'

'Hij is geloof ik aan het eind van de oorlog overleden?'

'Hij is een paar maanden na de oorlog overleden. Hij verdronk op zee.'

'Een groot drama,' zei Oliver Lyon zacht. Toen vroeg hij, na een kiese
stilte: 'En wat deed u vervolgens?'

'Ik liep toevallig een oude vriend van Léon tegen het lijf, die in Parijs
dikwijls bij ons had gelogeerd – de Conte di Montefiore. Net als Léon
was Umberto aanzienlijk ouder dan ik, maar hij was een heel hoffelijke,
zeer ontwikkelde man. De Montefiores waren een van de grote, oude
geslachten uit Genua. Ze hadden fortuin gemaakt in de scheepvaart, maar
van de opbrengst bouwden ze prachtige paleizen, die werden verfraaid
door de beste kunstenaars. Umberto was een groot *cognoscente* van de
kunsten.'

We kregen een foto van de Conte di Montefiore te zien, een aristocra-
tisch uitziende heer, staand achter een bureau in een enorm kantoor, in
overdadige rococostijl.

'Sinds ik Umberto de laatste keer had gezien, was zijn vrouw, net als
Connor, overleden. Ze was bij een luchtaanval omgekomen, samen met
hun dochter en hun kleinzoon. We zijn een paar jaar intiem bevriend
geweest en besloten toen te trouwen. De ervaring had ons geleerd dat het
leven elk moment voorbij kon zijn, dus beschouwden we het leven dat ons
nog restte allebei als een bonus. Elke dag was een geschenk dat wij wel
en anderen niet kregen en het was aan ons elke dag ten volle te leven.'

Oliver Lyon trok haast onmerkbaar een wenkbrauw op. 'En hebt u dat
ook gedaan?'

'Zeker! Met Umberto heb ik de hele wereld afgereisd. Hij had kantoren
in Londen, New York en Zuid-Amerika. Er was haast geen land waar we

niet een keer zijn geweest – behalve de Sovjetunie.'

'De *Conte* heeft zelfs een schip naar u vernoemd.'

'Ach ja, *La Belle Hélène*. Zo'n prachtig lijnschip, met elke denkbare luxe. Het werd beschreven als het sieraad van de zee.'

'Maar heb ik gelijk als ik denk dat het schip nooit uit de kosten is gekomen?'

Ze fronste. 'Dat heb ik nooit begrepen. Er leek geen reden voor te zijn. Voor zover ik wist, was de passagierslijst altijd vol.'

'Maar, nadat het was gebouwd, keerden de kansen van het Montefiore-fortuin onherstelbaar, wat uiteindelijk tot het opdoeken van de hele scheepvaartlijn leidde.'

'Er waren nog andere factoren. De Montefiore-scheepswerf had bijvoorbeeld militaire opdrachten gekregen – na de oorlog was er geen behoefte meer aan oorlogsschepen.'

'Hoe reageerde de *Conte* op het instorten van zijn bedrijf?'

'Hij had het met mij nooit over zaken of financiën. Maar ik weet dat het hem diep raakte en dat hij het als een persoonlijke mislukking beschouwde. Niet lang daarna is hij overleden.'

Ze nam een slokje van haar koffie en ging toen verder: 'Na Umberto's dood wilde ik niet in Italië blijven, waar voor mij zoveel ellendige herinneringen aan kleefden. Dus ging ik naar Londen, waar ik een paar goede vrienden had. Via hen heb ik Howard ontmoet.'

De camera zwenkte naar een ingelijste foto op de schoorsteenmantel, van een oudere man, gekleed in sportjasje en plusfours, met een geweer in de hand en één voet op een overstap, met een zittende retriever naast zich.

'Wijlen uw echtgenoot, de graaf van Winster,' zei Oliver Lyon haar voor.

Haar ogen gingen half dicht. 'Lieve Howard, hij is al bijna vier jaar dood, maar ik kan nog steeds moeilijk geloven dat hij er niet meer is. Ik had het grote geluk dat ik hem heb ontmoet op een leeftijd waarop weinig vrouwen nog de hoop hebben dat ze hertrouwen en een beetje geluk vinden.'

'Behalve uw huis hier, in Chelsea, had hij ook nog een woning in Derbyshire – Kingston Kirkby Hall?'

'Ach ja. Op Kingston Kirkby Hall voelde Howard zich het meeste thuis, maar ik moet bekennen dat ik het een erg troosteloos huis vond. De Engelsen hebben weinig gevoel voor *comfort*. Het was een lelijk pand, erg onbeschut en er waren geen centrale verwarming en stromend water.'

Weer een foto, ditmaal van een herenhuis, met klassieke pilaren, kroonlijsten en borstweringen, tegen een achtergrond van kale heide en zandstenen klippen.

'Ik was de meeste tijd hier, in Londen, maar Howard ging dikwijls naar Kingston Kirkby Hall voor de korhoenjacht en zo.'

'Dus u leefde eigenlijk gescheiden?'

'Zo heb ik het niet gewild en dat was ook niet mijn bedoeling.'

Oliver Lyon liet een stilte vallen en zei toen: 'In de loop van uw leven, prinses, hebt u het hele gamma van menselijke ervaringen doorlopen. U hebt een revolutie en oorlog meegemaakt, rijkdom en armoede, tragedie en geluk, liefde en verlies gekend. In de zorgeloze tijd van uw Russische jeugd, zoals u die net hebt beschreven, had u vast niet gedacht dat uw toekomst zo zou uitvallen?'

Haar gezicht betrok even en haar trekken leken te verzachten. 'Nee, bepaald niet. En nu, op mijn oude dag, moet ik me wel afvragen wat het doel is van alle leed waar ik getuige van ben geweest. Er zijn mensen die me fortuinlijk vinden, omdat ik in een mate van luxe leef die hun niet is gegund. Maar als je het einde nadert, besef je hoe betrekkelijk onbelangrijk bezittingen zijn.'

'U hebt geen kinderen gehad,' zei Oliver Lyon op sympathieke toon. 'Hebt u daar nooit spijt van gehad?'

De camera zwenkte naar een icoon boven de schoorsteenmantel, met de madonna en het Christuskind, en weer terug naar de prinses.

Haar haar viel als een gordijn voor haar gezicht en ze veegde het met een elegant gebaar van haar lange, slanke vingers met lange, bloedrode nagels weg. 'Nee. Ik heb het moederschap nooit nodig gevonden om volledig vrouw te zijn. Sterker nog, ik heb van weinig dingen spijt, want spijt is een zinloze emotie. Je kunt niet terugdraaien wat je hebt gedaan, dus probeer ik nooit terug te kijken. Dit interview is een uitzondering.'

Ze zweeg, haalde diep adem en keek bijna uitdagend in de camera. 'Wat de toekomst betreft, zie ik niets dan leegte. Alle mensen van wie ik heb gehouden zijn dood. Alleen mijn vijanden leven nog. Maar ze zeggen toch dat de goeden vroeg sterven en de slechten laat?'

En met die woorden eindigde het interview.

Er kwam een televisiestudio in beeld en Oliver Lyon zei: 'Vandaag zou prinses Hélène Shuiska tachtig jaar zijn geworden. Helaas is ze begin deze week na een korte ziekte overleden. Dit programma is dan ook uitgezonden als een eerbetoon.'

• • •

Ik zette de televisie uit en bleef even verbijsterd zitten, met bonzend hart, terwijl het me duizelde. Wie was ze, deze prinses die met mijn vader was getrouwd en ten tijde van mijn geboorte met hem in Italië had gewoond? Was ze mijn moeder? Maar hoe kon dat als ze nooit kinderen had gehad?

Verbouwereerd liep ik naar de gang en belde tante Biddie, waarbij mijn vingers als vanzelf het nummer draaiden.

Ze nam al op toen hij de eerste keer overging en ze klonk net zo geschokt als ik. 'Wat opmerkelijk, hè? Ik kan er niet over uit. Ik had naar een documentaire over otters zitten kijken en toen keek ik in de gids en zag ik dat Oliver Lyon een interview hield, dus besloot ik de televisie aan te laten, omdat ik hem altijd graag zie – hij is zo'n charmante man. Toen zei hij tot mijn grote verbazing iets over haar tweede echtgenoot en noemde Connors naam. Toen heb ik jou gebeld.'

'Had je nog nooit van haar gehoord?'

'Lieve hemel, nee. Dan had ik het je heus wel verteld. Ik kan er gewoon niet over uit. Ik had er absoluut geen idee van dat je vader met een Russische prinses was getrouwd. O, ik begrijp het absoluut niet. Ik begrijp er helemaal niets van.'

Ze klonk zo van streek dat ik mezelf vergat en ongerust vroeg: 'Gaat het wel met je?'

'Ja, natuurlijk wel. Ik ben alleen – ik weet niet – het was zo'n schok. Dit was wel het laatste wat ik verwachtte, hoewel ik, vreemd genoeg, net aan Connor zat te denken, omdat ze het over haar leven in Parijs had en over alle artistiekerige mensen die ze via haar eerste echtgenoot had ontmoet. En omdat Connor in die tijd in Parijs woonde, vroeg ik me af of ze elkaar wel eens hadden ontmoet. Je weet toch hoe dat gaat? Toen kwam Oliver Lyon opeens met de vraag wanneer ze Connor Moran had ontmoet. Ik was stomverbaasd. Gelukkig was je thuis, anders dacht ik nu vast dat ik het me allemaal had verbeeld.'

'Wie was ze?' vroeg ik.

'O, je hebt natuurlijk het begin van het programma niet gezien. Ik ben helemaal in de war. Wacht even. Hier staat het, in de gids. Haar naam was prinses Hélène Romanovna Shuiska.'

'En ze was Russisch?'

'Ja, ze is opgegroeid in St.-Petersburg en is tijdens de revolutie ontsnapt met haar neef, Dmitri zus-of-zo. Ik weet zijn volledige naam niet meer. Het klonk een beetje als sacharine. Maar dat doet er niet toe. Op de een of andere manier slaagden ze erin naar Parijs te komen, waar zij met een

Franse baron is getrouwd, wiens naam ik ook niet meer weet. Hoe dan ook, via hem heeft ze allerhande kunstenaars ontmoet en heeft ze haar portret laten schilderen door El Toro. Toen heeft ze Connor ontmoet en is met hem getrouwd, waarna ze naar Italië zijn gegaan. Dat stuk heb je gezien, hè?'

'Ja, ik zette de tv aan toen ze de foto van El Toro en hem lieten zien. En ik heb de rest helemaal gehoord, over het huis in Italië, hoog in de bergen.' Ik zweeg even. 'Besef je wel wat dat betekent? Als mijn vader en zij ten tijde van mijn geboorte getrouwd waren...'

'Ik weet het,' zei tante Biddie beverig, 'dan moet dat betekenen dat ze je moeder was, hoewel ze ontkende dat ze ooit kinderen heeft gehad.'

'Dat zei ze niet precies. Ze wuifde de vraag zo'n beetje weg.'

'Ja, je hebt gelijk, dat deed ze inderdaad. O, ik weet echt niet wat ik ervan moet denken. Als ze je moeder was, waarom heeft Connor me dan verteld dat ze in het kraambed was overleden? Waarom heeft hij dan tegen me gelogen?'

'Hoor eens,' zei ik, 'waarom kom ik niet naar Avonford, zodat we het allemaal goed kunnen doorpraten?'

'Nou, als je het niet erg vindt.'

'Erg vindt? Natuurlijk vind ik het niet erg. Ik heb je trouwens al een hele tijd niet meer gezien.'

'En Nigel dan?'

'Die zit in het buitenland.'

'Nou, in dat geval...'

'Ik zou nu meteen kunnen vertrekken.'

'Nu? Cara, het is al over tienen. Nee, kom morgenochtend maar. Na een dergelijke schok hebben we allebei een goede nachtrust nodig.'

'Dan ga ik vroeg weg.'

'Je moet er de tijd voor nemen.'

'Maak je intussen geen zorgen.'

'En jij, lieverd, maak jij je ook geen zorgen.'

'Ik maak me geen zorgen over mezelf,' verzekerde ik haar. 'Ik wil niet dat jij van streek bent.' Ik zweeg even, terwijl ik probeerde in gedachten de juiste woorden te formuleren. 'Hoor eens, tante Biddie, kan ik iets zeggen wat ik waarschijnlijk lang geleden al had moeten zeggen? Wat mij betreft ben jíj mijn echte moeder – dat ben je altijd geweest en dat zul je altijd blijven. Als zou blijken dat de prinses mijn biologische moeder was, dan weet ik van wat ik in dat programma van haar heb gezien dat ze nooit zoveel van me had gehouden en me nooit zo goed had opgevoed als jij.

Misschien druk ik me niet erg goed uit, maar wat ik probeer te zeggen, is dat ik altijd van je heb gehouden als van een moeder en dat ik dat altijd zal blijven doen. Ik wil geen andere moeder dan jij.'

Aan de andere kant van de lijn klonk gesnuf en ik vroeg me af of ik te veel had gezegd en het tegenovergestelde had bereikt van wat ik had bedoeld. Toen zei tante Biddie: 'Dank je dat je dat hebt gezegd. En laat ik van mijn kant zeggen dat ik, vanaf het moment dat Connor met jou kwam opdagen, van je heb gehouden alsof je mijn eigen dochter was. Dat weet je toch, hè?'

'Natuurlijk weet ik dat.'

'Wacht even. Ik moet mijn neus snuiten. Al die emoties.'

Ik greep de gelegenheid aan om mijn eigen keel te schrapen.

'Dat is beter,' zei tante Biddie en ze klonk weer rustiger.

'Ga nou naar bed,' instrueerde ik haar. 'Dan zie ik je morgenochtend.'

'Rij voorzichtig, wil je, lieverd?'

'Ja, natuurlijk. En nu, welterusten, slaap lekker – en veel liefs.'

Toen ik had neergelegd, ging ik naar de keuken en schonk mezelf nog een glas wijn in. Toen ging ik terug naar de woonkamer, waar ik weer op de bank zakte. Ik voelde me niet moe en verslagen meer, maar ongelooflijk wakker en alert. Het was inderdaad alleen uit consideratie met tante Biddie dat ik niet direct wat logeerspullen in een tas smeet en meteen naar Avonford reed. Maar ze was vierenzeventig en ze had haar nachtrust nodig. En het kon bovendien geen kwaad om mijn gedachten op een rijtje te krijgen voor ik op The Willows kwam.

In de vierendertig jaar van mijn leven had ik me een beeld van mijn vader gevormd, gebaseerd op de bijzonderheden die tante Biddie me had verteld, de foto's in haar albums – genomen op Coralanty, hun ouderlijk huis in Ierland – en de paar gedichten van hem die ik in bloemlezingen had gevonden en die tijdens de Spaanse Burgeroorlog waren geschreven.

De feiten zoals ik ze kende, waren als volgt.

Mijn vader was in 1902 geboren en tante Biddie drie jaar later. Hun vader was hoogleraar taalwetenschappen geweest aan de universiteit van Cork – geen leraar, zoals Oliver Lyon had gezegd – en van hem had ik waarschijnlijk mijn eigen talent voor talen en mijn vader zijn gave met woorden. Mijn grootvader werd 'Rode' Moran genoemd, vanwege zijn rode haar en zijn woedeaanvallen.

Tante Biddie had het dikwijls over haar jeugd en die van Connor op Coralanty gehad, een groot huis dat niet veel verschilde van The Willows.

Hun jeugd was idyllisch geweest, toen de twee kinderen over het platteland hadden kunnen zwerven. Ze waren dikwijls 's morgens al voor dag en dauw vertrokken en pas tegen de avond weer thuisgekomen. Maar toen werden ze naar kostschool gestuurd.

Connor, die zich niet aan de discipline van school had kunnen onderwerpen, was herhaaldelijk weggelopen. En die keren dat hij niet was weggelopen, was hij weggestuurd. Het behoeft geen betoog dat dit Connor niet geliefd maakte bij zijn vader, vooral niet wanneer hij zich verdedigde en met smoesjes kwam. Hij kreeg er vaak van langs.

Uiteindelijk nam hij de benen naar familie in Dublin, waar een oom hem een baantje bezorgde op het kantoor van een scheepvaartbedrijf aan de haven. Mijn grootvader had blijkbaar zoiets van 'opgeruimd staat netjes' en mijn grootmoeder durfde hem niet tegen te spreken.

Het volgende nieuws dat de familie kreeg, was dat Connor was verdwenen. Uiteindelijk bleek dat hij als verstekeling op een schip naar Liverpool was gegaan, waar hij uit de greep van de kapitein was ontsnapt toen het schip aanlegde. Daarna hadden ze pas weer in 1925 iets van hem gehoord, toen tante Biddie twintig was en Connor drieëntwintig.

Hij had vanuit Londen geschreven om te zeggen dat hij een baan bij een uitgeverij had en zich had verloofd. Na zijn huwelijk was tante Biddie naar Londen gekomen en had bij hem en zijn vrouw, Patricia, gelogeerd.

Tante Biddie was altijd nogal vaag geweest wanneer ze Patricia had beschreven, maar ik had haar voor ogen als een heel ernstige jonge vrouw, nogal een blauwkous, die had geprobeerd Connor naar haar hand te zetten.

Maar tante Biddies vaagheid was begrijpelijk, want tijdens haar bezoek aan Londen had ze haar toekomstige echtgenoot, mijn oom Stephen, ontmoet, die een vriend van Patricia's broer was. Hun verkering was niet bepaald gemakkelijk of conventioneel geweest. Veel ervan was per brief gegaan, omdat ze terug had gemoeten naar Coralanty, maar uiteindelijk waren ze getrouwd en was ze op The Willows gaan wonen.

Intussen had Patricia een klein erfenisje gekregen toen haar grootmoeder was overleden, waardoor ze een eigen inkomen had gekregen en Connor zijn werk kon opgeven en kon proberen zelf schrijver te worden. Ze waren uit Londen vertrokken en in een dorp aan de rand van de Black Mountains gaan wonen, zodat Connor zich beter op zijn schrijven kon concentreren. Omdat ze niet zo ver van Avonford af woonden, had tante Biddie hen af en toe kunnen opzoeken. Het was haar duidelijk dat hun huwelijk niet erg best was. Toen was er opeens een kort briefje van

Connor uit Parijs gekomen, waarin hij meldde dat Patricia en hij uit elkaar waren.

Daarna had tante Biddie mijn vader pas weer in 1935 gezien. Hun eigen vader was toen al overleden en na zijn dood had hun moeder Coralanty verkocht en was ze bij Biddie en Stephen ingetrokken. Toen duidelijk was geworden dat ze het niet lang meer zou maken, had tante Biddie Connor in Parijs geschreven om hem te vragen of hij haar wilde komen opzoeken. Toen had ze gehoord dat Patricia en hij gescheiden waren.

Na de dood van hun moeder was Connor naar Parijs teruggegaan en Biddie had pas in 1939, vlak voor het uitbreken van de Tweede Wereldoorlog, weer iets van hem gehoord. Daarna was de hele oorlog geen communicatie tussen Engeland en bezet gebied in West-Europa meer mogelijk geweest, zodat ze er geen idee van had waar hij zat of wat hij deed. Toen, vijf maanden na het einde van de oorlog, was hij met mij komen aanzetten.

Dat waren in het kort de feiten.

En ik had ze als volgt geïnterpreteerd.

Voor mijn gevoel was Connor Moran meer dichter dan mens geweest, meer geest dan lichaam. Ik stelde me hem voor als een soort Byroniaanse figuur die mensen in de ban van zijn woorden kon laten raken, in vervoering kon brengen en kon bezielen, gedreven door hoge, zuivere idealen en die zich weinig bekommerde om de materiële dingen in het leven.

Ondanks de bittere omstandigheden van zijn uiterlijke leven – een ongelukkige jeugd, een wrede vader, een dominante eerste echtgenote – had hij zijn natuurlijke geestkracht niet de kop laten indrukken, maar had hij bezieling gevonden in de diepe wateren van een rijke, innerlijke belevingswereld. Zijn veel te korte bestaan was geleefd met een geestelijke intensiteit die het bevattingsvermogen van zijn medemensen te boven ging.

Als een man die niet echt van deze wereld was, was hij eerder gedreven geweest door verheven idealen dan door economische noodzaak. Van Parijs was hij naar Spanje gegaan om voor de vrijheid te vechten. Daarna was hij naar Italië gegaan, waar hij de ware liefde had gevonden. De laatste jaren van zijn leven waren intens gelukkig geweest, tot de dood van de enige vrouw van wie hij waarlijk had gehouden. Zijn laatste eenzame maanden waren verduisterd door melancholie, desillusie en wanhoop. Hij had mij aan de zorg van zijn zus toevertrouwd en was toen zelf tragisch en te vroeg gestorven.

Dat was het beeld dat in mijn hoofd en in mijn hart gegrift stond. Tot die avond, toen ik Oliver Lyons interview met prinses Hélène Shuiska zag.

Hoe kon de Connor Moran uit mijn verbeelding getrouwd zijn geweest met een vrouw als de prinses? En hoe kon ze mijn moeder zijn?

Ze was alles wat ik mezelf niet vond – mooi, elegant, chic, zelfverzekerd – en bovenal, zo vreselijk koninklijk. We leken totaal niet op elkaar en ik had geen enkel gevoel van geestelijke of emotionele affiniteit met haar. Hoewel ik de indruk had gekregen van een nogal imposante vrouw, wier levensverhaal fascinerend was, had ik haar eerlijk gezegd niet echt aardig gevonden.

Wat had mijn vader en haar dan zo tot elkaar aangetrokken?

HOOFDSTUK 3

De volgende morgen om halfzeven was ik op weg naar Avonford. Onderweg moest ik natuurlijk steeds weer aan de prinses en mijn vader denken. Maar hoewel ik steeds moest denken aan hetgeen de prinses en Oliver Lyon in de loop van hun interview hadden gezegd, wist ik dat ik er pas uit wijs zou kunnen worden als ik tante Biddie zag.

In mijn achterhoofd zat Nigel echter als een zeurend soort hoofdpijn die eerder onbehaaglijk dan pijnlijk is. Door hem had ik tante Biddie sinds het weekend voor Kerst niet meer gezien, omdat zijn familie de laatste jaren steeds voor de mijne kwam en we de feestdagen bij hen hadden doorgebracht.

Toen zijn ouders nog in Londen woonden, hadden we hen betrekkelijk vaak gezien, maar toen zijn vader met pensioen ging en ze naar een bungalow in Bexhill-on-Sea waren verhuisd, om bij zijn zus in Hastings in de buurt te zijn, nam Nigel zelden de moeite erheen te gaan. Zijn excuus – zoals voor de meeste dingen – was tijdgebrek. Toch had hij wel wat attenter kunnen zijn. Het feit dat zijn zus en haar gezin altijd in de bungalow over de vloer kwamen, deed er niet toe. Zijn ouders namen haar aandacht voor lief. Maar op Nigel waren ze apetrots.

Dus met Kerst maakten we het voor het hele jaar goed en hoewel ik natuurlijk liever bij mijn eigen familie in Avonford was geweest, hadden we een week in Bexhill doorgebracht. Voor eerste kerstdag goed en wel voorbij was, werd Nigel al kriegel en verveelde hij zich, omdat er niets te doen was en de gesprekken bijna uitsluitend over televisie, familie en buren gingen.

Tegen zaterdag was hij haast ongenietbaar en deed ik mijn uiterste best om het goed te maken, wat me absoluut niet lukte. Zijn ouders wisten dat er iets mis was, maar konden niet geloven dat het aan hen lag. Zijn vader nam hem mee naar de kroeg en zijn moeder nam de gelegenheid te baat voor een intiem gesprekje met mij, in de trant van: 'Die arme Nigel lijkt zo gespannen. Natuurlijk was hij altijd al nerveus. Misschien moet je wat vitaminepillen voor hem kopen.'

We waren allebei opgelucht toen we weer naar Londen konden.

Op oudejaarsavond waren we naar een feestje gegaan dat werd gegeven door Liam Massey, bestuursvoorzitter van Massey Gault & Lucasz. Omdat ik van de andere gasten bijna niemand kende, had ik rondgedwaald met een glas in mijn hand, rondgehangen bij de gesprekken van anderen en geprobeerd eruit te zien alsof ik me geweldig vermaakte.

Intussen was Nigel de schade van de kerstdagen aan het inhalen door veel te veel champagne te drinken en massa's mensen tegen het lijf te lopen die hij in tijden niet had gezien, maar zonder eraan te denken mij voor te stellen. De tijd dat ik een statussymbool was geweest, was allang voorbij. Nu was ik alleen nog maar een echtgenote.

Hij had de avond besloten met een intieme dans met een buitengewoon dronken en schaars gekleed model. Op de een of andere manier had ik de verleiding weerstaan om in mijn eentje een taxi naar huis te nemen, omdat ik wist dat ik daardoor van een mug een olifant zou maken en misschien voor een vervelende scène zou zorgen die onvermijdelijk op een ruzie zou uitlopen als Nigel thuiskwam.

De volgende dag, toen hij van zijn kater was hersteld, maakte hij niet echt excuses, maar gaf hij wel toe dat hij dacht dat hij zich misschien een beetje had aangesteld. Ik liet het daar maar bij.

Ik reed Oxford voorbij en door de aardige Cotswold-stadjes Woodstock, Chipping Norton, Moreton-in-the-Marsh en Broadway. Tegen die tijd scheen de zon en was de rijp aan het dooien.

Toen ik weer op het platteland van Worcestershire was, waar ik mijn jeugd had doorgebracht en ik de akkers, tuinderijen en boomgaarden van de Eveshamvallei naderde, leek Nigel op de achtergrond te verdwijnen, alsof ik letterlijk terugkeerde naar de tijd voor ons huwelijk. En met een lichter hart begon ik te verlangen naar wat in het verschiet lag.

The Willows was een huis van drie verdiepingen uit het eind van de achttiende eeuw en was oorspronkelijk de woning van een wolkoopman geweest. Rechts waren hoge hekken waar de wolwagens door konden rijden en erachter lag een binnenplaats met keitjes, geflankeerd door een rij stallen met een paardentrog in het midden.

Ongeveer honderd jaar later werd het huis gekocht door oom Stephens grootvader, Joshua Trowbridge. De Eveshamvallei is een goede streek voor hop en appels en Joshua Trowbridge was de eigenaar van de welvarende Trowbridge Brewery. Trowbridge Bitter en Trowbridge Cider werden door plaatselijke kenners als het kostelijkste bier beschouwd en daardoor had Joshua Trowbridge zich zo'n prachtig huis midden in het stadje kunnen veroorloven, met overigens aan weerskanten een kroeg – The Angel rechts en The Drover's Arms links.

Dit gemak was aan Joshua niet besteed, die net als zijn vrouw en kinderen strikt geheelonthouder was. Pas toen Robert Trowbridge, de oudere broer van oom Stephen, het bedrijf had geërfd, kwam daar verandering in. Robert ontdekte al vroeg de geneugten van alcohol en het droeve feit is dat onder zijn leiding de brouwerij achteruitging en hij uiteindelijk werd gedwongen de zaak tegen een heel mager prijsje over te doen aan een van de grote brouwerijen.

Tante Biddie, die sinds haar huwelijk in 1927 op The Willows had gewoond, kon zich de tijd nog heugen dat in de stallen een paar jachtpaarden, een trekpaard en een sjees hadden gestaan. Nu stond alleen haar fiets er nog, een stevig ros dat Phoebus heette, genoemd naar de fiets die van Sir Edward Elgar was geweest, die zelf uit Worcestershire kwam.

Tegen de tijd dat ik op het toneel verscheen, werd de rij stallen gebruikt als stalling voor de Rover van oom Stephen en door een stokoude man die iedereen kende als Ouwe Harry, die een van de bijgebouwen als werkplaats huurde, waarin hij manden vlocht van het rijshout dat overal langs de rivier groeide.

Toen ik nog klein was, zat ik uren te kijken hoe Ouwe Harry met gekruiste benen op de stalvloer zat en boodschappenmanden, bestekmandjes, wiegen en manden voor de vruchtenplukkers maakte. Het rijshout werd eerst geweekt in de paardentrog, dan van zijn bast ontdaan en behendig gevlochten. Hij liet zijn werk er zo gemakkelijk uitzien, maar mijn pogingen om hem te evenaren liepen altijd uit op vreemd gevormde producten die bij de eerste aanraking losschoten.

'We kunnen niet allemaal overal goed in zijn,' zei tante Biddie dan. 'En jij hebt je eigen bijzondere gaven. Neem jou nou, op school de beste in Engels, Frans en Italiaans. Ik zou dolgraag met buitenlanders in hun eigen taal willen spreken.'

Maar zo was tante Biddie nou eenmaal. Ze bekeek alles altijd van de zonnige kant.

Ik wilde ook goed zijn in praktische dingen, ik wilde meer op Miranda lijken.

Toen Miranda van school kwam, was ze als leerling in de Royal Worcester-porseleinfabriek gaan werken, waar ze ontdekte dat ze goed was in het met de hand beschilderen van porselein. Toen Jonathan en zij naar Holly Hill Farm waren verhuisd, een verbouwde boerderij in een schilderachtig dorp een kilometer of vijftien van Avonford vandaan, begon ze in een voormalige schuur haar eigen pottenbakkerij. Daar specialiseert ze zich in vrolijk gekleurd keukengerei – dingen die eerder nuttig dan voor de sier zijn. Net als tante Biddie staat ze in wezen met beide benen op de grond, is ze praktisch en constructief. Ze kan gebroken aardewerk en porselein ook zo repareren dat je de lijm niet ziet.

Ik ben daarentegen meer de typische olifant in de porseleinkast. Ik hoef maar naar een breekbaar wijnglas op hoge voet te kijken en het breekt al. En ik heb ook geen artistieke of huishoudelijke gaven. Ik kan niet tekenen of schilderen. Ik kan nog geen muurverf op een muur smeren zonder dat ikzelf en de rest van de kamer helemaal onder komen te zitten. Ik kan niet breien en ben hopeloos met naald en draad. Ik haat strijken en mijn kookkunst is niet bepaald briljant.

Na mijn huwelijk heb ik een gigantisch minderwaardigheidscomplex opgebouwd over mijn gebrek aan praktische vaardigheden. Daar had je Miranda, die een carrière als pottenbakster combineerde met huisvrouw zijn en moederschap; ze maakte al haar eigen kleren en die van Stevie, ze had altijd een goedgevulde koelkast, ze maakte superlicht deeg en sauzen die nooit klonterden. En daar had je mij, die nog geen knoop aan een overhemd kon zetten zonder de mouwen aan de voorkant vast te naaien en volkomen instortte als ik een driegangenmaaltijd voor meer dan twee personen moest klaarmaken.

Als ik terugkijk, heb ik een groot deel van mijn leven geprobeerd anderen te evenaren en was ik uiteindelijk mijn eigen strengste criticus.

The Willows was een groot huis, met acht ruime slaapkamers, drie woonkamers, een keuken, bijkeuken, kelders en zoldervertrekken. De kamers op de begane grond en de eerste verdieping waren bekleed met witgeschilderde houten panelen en alle ramen hadden luiken aan de binnenkant en zitjes in de vensternissen. De hal had een mozaïekvloer met een ingewikkeld patroon en gaf toegang tot een serre op het zuiden, met een idyllisch uitzicht over de binnenplaats naar een diepe tuin met glooiende gazons, een visvijver en een pad onder een pergola naar de Avon, waarlangs de bomen stonden waar het huis naar was genoemd en waar Ouwe Harry zijn karige brood mee verdiende. Hier lag een platbodem in een klein botenhuis, met een steigertje ernaast dat de rivier in stak.

Het grote Victoriaanse gezin van Joshua Trowbridge moet, samen met het personeel dat nodig was om het te bedienen, het huis ruimschoots hebben gevuld. Toen tante Biddie met oom Stephen trouwde, had ook zij een groot huishouden. Behalve voor haar echtgenoot en Miranda had tante Biddie voor de ouders en twee ongetrouwde tantes van oom Stephen gezorgd, evenals voor haar moeder nadat deze Coralanty had verlaten.

Tegen het uitbreken van de oorlog waren de moeder van tante Biddie en de twee ongetrouwde tantes overleden. Maar in plaats van minder werk te krijgen, waren er daardoor alleen maar kamers vrijgekomen die onmiddellijk werden ingenomen door evacués, kinderen uit Londen, die naar de veiligheid van het platteland werden gestuurd, weg van de dreiging van Duitse luchtaanvallen.

Toen de evacués naar huis terug waren of naar familie waren verhuisd, werden hun kamers op The Willows ingenomen door betalende gasten – BG's, zoals tante Biddie ze noemde, volwassenen uit kwetsbare kuststreken, die veel moeilijker in de omgang waren dan hoeveel kinderen ook.

Tel daar de twee ruziënde schoonouders en een klein dochtertje bij op, om nog maar te zwijgen van de dagelijkse problemen in oorlogstijd om de eindjes aan elkaar te knopen, en je zult het met me eens zijn dat tante Biddie een heiligverklaring verdiende. De enige assistentie die ze kreeg, was van een dagelijkse hulp. Oom Stephen, die rijksambtenaar was bij de Dienst Levensmiddelen in Worcester, had alleen tijd voor morele steun en om in de weekenden het gras te maaien.

Maar tante Biddie was een taaie. Ze was een van die vrouwen die alles wat het leven op hun weg legt zonder veel omhaal klaren en, belangrijker nog, nooit ophouden de grappige kant van dingen te zien.

Wat mijn komst op The Willows betreft, zei ze altijd dat het voor mij maar goed was dat ik opdook toen de oorlog voorbij was en de BG's allemaal weg waren. 'Anders hadden we je in het botenhuis moeten onderbrengen en had je de kans gehad de rivier af te drijven in je rieten wiegje, net als Mozes,' zei ze dan lachend.

Oom Stephen en zij waren volmaakte ouders geweest: toegenegen, eerlijk en streng als dat nodig was. Als ze ooit onenigheid hadden, ruzieden ze zo dat Miranda en ik het niet konden horen. Ons toonden ze altijd een hecht front. Ik vind het zelfs buitengewoon onwaarschijnlijk dat ze wel eens echt ruzie hadden, zelfs als ze alleen waren.

Hoewel tante Biddie best boos kon worden, was ze niet het type dat tegen je uitviel of wrok bleef koesteren – niet zoals haar vader, wiens hevige woedeaanvallen mijn vader van huis hadden verdreven. Tante Biddie strafte nooit in woede en als ik dan eens een pak slaag kreeg, was ik daar altijd voor gewaarschuwd en had ik het ongetwijfeld verdiend.

Oom Stephen was een rustige, vriendelijke man die Miranda of mij nooit sloeg. Als we ondeugend waren, keek hij ons altijd op een bedroefde manier aan en zei: 'Ik ben erg teleurgesteld in jullie.' Een flink pak slaag van tante Biddie was verre te prefereren boven die gekwelde blik.

Ze waren niet alleen ideale ouders geweest, maar ook het ideale echtpaar – loyaal, trouw, toegewijd en, het allerbelangrijkste, elkaars beste vriend. Hun voorbeeld had me mijn hele eigen huwelijk voor ogen gestaan. Het deed er niet toe dat Nigel een heel ander type was dan de rustige, vriendelijke oom Stephen, met zijn heel eigen gevoel voor humor. Dat was voor mij geen reden om niet te proberen me naar tante Biddies hoge normen te voegen.

Geleidelijk was tante Biddies huishouden kleiner geworden. Haar schoonouders waren naar hun laatste rustplaats gebracht, Ouwe Harry was ver in de negentig gedwongen geweest met pensioen te gaan, Miranda en ik waren uitgevlogen en ten slotte was oom Stephen overleden. Sindsdien had tante Biddie af en toe weifelend geopperd dat het huis misschien eigenlijk te groot voor haar alleen was en dat ze zou moeten verhuizen.

Maar goddank was ze nooit verder gekomen dan erover te denken en dan nog niet eens serieus. Tenslotte was oom Stephens ambtenarenpensioen groot genoeg om de vaste lasten te betalen en had ze haar eigen aow. Miranda en ik bedachten ook manieren om haar te helpen. Dat jaar was ons gezamenlijke kerstcadeau bijvoorbeeld het in de zomer laten schilderen van het huis.

Waarom zou ze dus verhuizen? Ze had alle winkels die ze nodig had op een steenworp afstand en een bushalte vlak voor de deur, zodat ze gemakkelijk naar Worcester of Evesham kon, of naar het station voor het geval ze verder weg wilde.

Ze kende iedereen in het stadje en had overal een vinger in de pap. Ze was lid van het Women's Institute en het Townswomen's Guild; ze behoorde tot de Horticultural Society en stond op het rooster om de bloemen in de abdijkerk te verzorgen; een paar ochtenden per week werkte ze in een kringloopwinkel en op maandagavond gaf ze twee kleine meisjes pianoles.

Nog een reden om niet te verhuizen was wat ze in haar hele leven aan bezittingen had verzameld. Tante Biddie deed nooit iets weg waarvan ze dacht dat ze het op een dag nog zou kunnen gebruiken, met het gevolg dat de meeste kamers in huis volstonden met wat zij 'rommel' en Miranda 'troep' noemde. Maar het voordeel van een groot huis uit die tijd boven zijn moderne equivalent zijn de kasten en bergruimte, zodat The Willows als zodanig nooit echt rommelig leek, alleen bewoond.

En tante Biddie woonde ook niet helemaal in haar eentje, al waren haar medebewoners op The Willows dan geen oude mensen of kinderen, maar dieren en vogels die haar zorg nodig hadden.

Daarvoor was Miranda's echtgenoot in hoge mate verantwoordelijk. Jonathan was dierenarts, met een eigen praktijk op Holly Hill Farm. Tijdens zijn werk kwam hij dikwijls ongewenste huisdieren of gewonde wilde dieren tegen, die hij dan aan tante Biddie gaf om te verzorgen. Dan was er nog het gevogelte uit de rivier en het achterliggende moeras, dat The Willows als toevluchtsoord leek te beschouwen.

En dat brengt me bij Miranda, Jonathan en Stevie. Het gezin Evans was net zo gelukkig als het gezin Trowbridge was geweest. Ze straalden warmte uit waar ze maar kwamen.

Qua persoonlijkheid leek Miranda erg op haar moeder – kundig, bekwaam, goedgehumeurd en niet van haar stuk te brengen. Ze werd zwaarder nu ze de middelbare leeftijd naderde en was geneigd dit te verbergen onder wijde truien of blouses die tot op haar heupen vielen over rokken tot halverwege haar kuiten – 's winters van tweed, 's zomers van katoen. Als je naar Miranda met haar ronde, glimlachende gezicht keek, voelde je je getroost en behaaglijk.

Jonathan leek qua uiterlijk en karakter wel wat op oom Stephen. Hij was ongeveer 1,75 m lang, werd al een beetje kaal en had een intelligent, gevoelig gezicht met heel heldere, grijze ogen. Hij was een rustige, bescheiden man die als dierenarts plaatselijk een uitstekende reputatie genoot. Als je hem met een dier bezig zag, begreep je waarom. Zijn manier van doen – en zijn handen – was zo zachtaardig dat zijn patiënten hem instinctief vertrouwden.

Wat Stevie betreft, als ik zelf een dochter had gehad, had ik gewild dat ze zo zou zijn. Stevie was erg pienter, zoals je mocht verwachten met Miranda en Jonathan als ouders. Ze kon schilderen, was goed met woorden en had tevens Jonathans wetenschappelijk talent. Toen ze van school kwam, wist ze nog niet goed wat ze met haar leven wilde, maar het was duidelijk dat ze naar de universiteit zou gaan.

Op net zeventienjarige leeftijd werd ze al een schoonheid, met een innemende glimlach, diepbruine, amandelvormige ogen onder stevige, brede wenkbrauwen en lang, steil, zijdezacht donkerbruin haar dat tot halverwege haar rug viel. Een van de aardigste dingen aan haar was haar volkomen gebrek aan ijdelheid. En dat is eigenlijk nog steeds zo. Ze is zich er totaal niet van bewust hoe bekoorlijk ze is, zich totaal niet bewust van het feit dat mannen naar haar kijken waar ze ook gaat.

Dat was het soort gezin waarop ik had gehoopt toen ik nog maar pas was getrouwd.

Het was even na tienen toen ik de brug over de Avon over reed die lang geleden het fort had vervangen. Ik reed langs de uiterwaarden, via Bridge Street High Street in en minderde vaart toen ik Priest's Lane aan mijn linkerhand naderde en naar rechts keek om te zien of tante Biddie de hoge hekken voor me had opengezet.

Natuurlijk had ze dat gedaan, de schat.

Ze had duidelijk op de uitkijk gestaan, want de serredeur vloog open toen ik de binnenplaats op reed. Ze droeg een dikke kabeltrui en een sportbroek (ze droeg altijd een lange broek, behalve bij begrafenissen en trouwerijen). Het viel me op dat haar witte haar was kortgeknipt tot een soort rattenkop, waarvan ik niet had gedacht dat het haar zou staan, maar dat haar wel stond. Zoals altijd zag ze er minstens tien jaar jonger uit dan ze was.

'Cara, lieverd, wat heerlijk dat je zo vroeg bent!' riep ze uit, toen ze me een zoen had gegeven. 'Ik verwachtte je nog in geen uren.'

'Ik zou nog eerder gekomen zijn als ik had gekund. Hoe voel je je vanmorgen?'

'O, ik voel me prima. Ik moet wel toegeven dat het gisteravond heel lang duurde voor ik sliep. Mijn hersenen maalden maar door. Je weet toch hoe dat gaat? Maar laten we hier niet buiten blijven staan praten. Er staat vandaag een kille wind. Anders vatten we nog een vreselijke kou.'

Gerustgesteld door haar manier van doen haalde ik mijn tas met toiletspullen uit de kofferbak en liep achter haar aan de keuken in waar, nu ik terug was in de comfortabele, bekende omgeving van mijn 'ouderlijk' huis, de gebeurtenissen van de vorige avond opeens niet meer zo dringend leken.

Mijn blik viel op twee piepkleine lammetjes die op een deken voor het fornuis lagen. 'Ik zie dat we gezinsuitbreiding hebben.'

'Een heleboel zelfs. Dit zijn Larry en Mary.'

'Wat lief! Hoe oud zijn ze?'

'Vijf dagen. Ze zijn te vroeg geboren en hun moeder heeft ze verstoten. Ik voed ze met een fles. Als ze zijn gespeend, kunnen ze terug naar de boerderij.'

Op dat moment kwam een cyperse kat van een stoel af en kwam de tegelvloer over. 'En dat is Tiger,' kondigde tante Biddie aan. 'De arme jongen. Hij dook hier op oudejaarsavond op, vel over been, met een akelig abces op zijn borst. Dat heeft Jonathan snel genezen, maar ondanks de briefjes die ik in de stad heb opgehangen, is niemand hem komen halen. Niet dat Tiger daarmee zit, dat zie je wel. Hij is hier al helemaal thuis.'

In een vogelkooi zat een geel met blauwe grasparkiet, die een jaar of twee tevoren in haar tuin was opgedoken, zich op zijn stokje met een belletje op zijn kop in de spiegel te bewonderen, terwijl hij zei: 'Wat ben jij een knappe jongen! Wat ben jij een knappe jongen! Kra! Kra!'

Ik glimlachte. 'Ik zie dat Joey nog net zo ijdel is als vroeger.'

'Hij heeft heel wat nieuwe woorden geleerd. Joey, hoe heet jij?'

De grasparkiet leek na te denken en zei toen, verrassend duidelijk: 'Mijn naam is Joey Trowbridge. Ik woon op The Willows, Avonford.'

'Dat is toch niet te geloven!' riep ik uit.

Tante Biddie lachte. 'Normaal houd ik er niet van vogels en andere dieren kunstjes te leren, maar hij vindt praten zo leuk. En als hij weg zou vliegen, heb ik tenminste een kans om hem terug te krijgen.'

'Kan hij met Tiger overweg?'

'Tot nu toe zijn er geen problemen. Maar ik laat Joey toch maar niet los als Tiger in de kamer is – voor het geval dat. Nou, als je naar boven wilt om je op te frissen, maak ik een lekker ontbijtje. Ik neem aan dat je niet hebt gegeten voor je van huis ging?'

'Dat heb je goed gezien,' zei ik. Ik nam zelden de moeite om te ontbijten, maar tante Biddie had 's morgens nooit iemand met een lege maag de deur uit laten gaan. 'Je weet maar nooit waar je volgende maaltijd vandaan komt,' zei ze altijd, waarmee ze waarschijnlijk doelde op de oorlogstijd.

Ik nam mijn tas mee naar boven, naar wat altijd 'Cara's kamer' was geweest en waar ik nog steeds sliep als ik op The Willows was, behalve de paar heel zeldzame keren dat Nigel mee kwam. Die keren sliepen we in de tweepersoonskamer die van de ouders van oom Stephen was geweest.

Mijn kamer was in de loop der tijd niet veranderd. Het was er nog net zo koud als vroeger, in schrille tegenstelling tot Linden Mansions, waar de centrale verwarming het zo goed deed dat je er rond kon lopen met niets aan.

Teddy zat nog steeds op de ladekast en Groot en Klein, twee speelgoedkatten – kaal door overmatig knuffelen in mijn jeugd – zaten op de brede vensterbank. Op hetzelfde eenpersoonsbed lagen nog steeds dezelfde chenille sprei en dezelfde gequilte donsdeken (dekbedden waren hier nog niet doorgedrongen). Op de houten vloerplanken lag hetzelfde bonte lappenkleedje en stond dezelfde kast met spiegeldeur, waarvan de zilverkleurige achterzijde heel donker was geworden en het glas je beeld vervormde, zodat je kort en dik leek.

Er stond nog steeds dezelfde boekenkast met mijn liefste kinderboeken en een paar boeken die de ambities van mijn intellectuele kunnen uit mijn tienertijd weergaven: Dantes *Inferno*, het controversiële *Honest to God* van dominee Robinson, de eerste ongekuiste paperbackuitgave van *Lady Chatterley's Lover*, een boek over geboortebeperking in de moderne wereld en *Le Rouge et le Noir* van Stendhal in het Frans. Het enige boek dat ik ooit had uitgelezen, was *Lady Chatterley's Lover*.

Ik pakte mijn tas uit, waste mijn gezicht en mijn handen, borstelde mijn haar, trok een dikke trui aan en ging weer naar beneden, waar de tafel was gedekt en tante Biddie bacon en plakken tomaat onder de grill legde.

'Hoe gaat het op je werk?' vroeg ze.

'Druk, zoals altijd.'

Dezelfde ketel die mijn hele jeugd had gefloten, gaf zijn schrille kreet. Ze goot het kokende water in een rode theepot met felgele bloemen – duidelijk Miranda's werk. 'En met Nigel?'

'Goed, voor zover ik weet. Hij zit op het moment in het Caribisch gebied.'

Ze fronste. Maar dat kon komen doordat de stoom van de ketel haar in het gezicht sloeg.

'Eén ei of twee?'

'Hemel! Een is genoeg, dank je.'

'O, kijk eens, daar is Nutkin die gedag komt zeggen.'

Een grijze eekhoorn was in het raamkozijn verschenen. Tante Biddie deed het raam open en hij kwam binnen, met zijn kopje een beetje schuin, terwijl hij me met een bruin kraaloogje opnam. Toen hij had besloten dat ik geen bedreiging vormde, sprong hij over het afdruiprek naar een bakje pinda's, nam er een tussen zijn voorpoten en ging op zijn hurken zitten knabbelen. 'Weet je nog dat hij een gebroken pootje had?' vroeg tante Biddie. 'Nou, dat is helemaal genezen. Hij kan weer bomen klimmen als de beste, nietwaar, Nutkin, troetel van me?'

De smakelijke geur van bacon vulde de keuken en ik kreeg opeens trek. Tante Biddie schonk thee en in vroeg toen: 'Ken je Gordon?'

'Ik geloof van niet.'

'Dat dacht ik al. Dat is hem.' Ze wees voorbij Nutkin, die nootjes zat te vreten alsof er hierna geen meer waren, de tuin in, waar een mooie gans, lichtbruin van kleur, met een zwart kapje en witte wangen, in het gazon aan het pikken was. 'Het is een Canadese gans. Hij had een gebroken vleugel, het arme ding. Hij zal nooit meer kunnen vliegen. Maar hij lijkt erg in zijn sas.'

Ze diende de inmiddels knapperige bacon op met tomaat en een gloeiend heet ei, zette de ingeschonken thee neer en ging aan de andere kant van de tafel zitten. 'Miranda, Jonathan en Stevie komen voor de lunch. Jonathan en Stevie hebben het interview ook gezien. Ze zaten het programma over otters te bekijken, maar Miranda was in de keuken bezig, dus viel ze er pas halverwege in, net als jij. Toen realiseerde ze zich opeens wie Connor was en belde mij meteen – maar ik zat natuurlijk al aan mijn toestel gekluisterd. Stevie is vreselijk opgewonden over de hele toestand. Ze belde me nadat jij en ik gisteravond hadden opgehangen, omdat ze alles wilde weten over de manier waarop Connor jou naar Avonford had gebracht.'

Ik smeerde boter op een tweede snee toast. 'Geloof jij, als degene die me op aarde het beste kent, dat de prinses mijn biologische moeder was?'

Tante Biddie zette haar kopje op het schoteltje en keek me onderzoekend aan. Toen schudde ze langzaam haar hoofd. 'Van wat we gisteravond over haar te weten zijn gekomen, moet ik toegeven dat ik geen opvallende gelijkenis tussen jou en haar zie, noch qua optreden, noch qua karakter. Maar dat gezegd hebbende, lijk je ook niet echt op Connor, behalve dan qua uiterlijk. Als je al op iemand lijkt, ben ik dat eigenlijk. Jij en ik lijken op veel manieren erg op elkaar.'

'Ik wou dat dat waar was,' zei ik. 'Maar jij bent veel, veel aardiger dan ik.'

'Cara, lieverd, dit is niet het moment om een discussie te beginnen over de goede en slechte kanten van onze respectieve persoonlijkheden.'

'Goed. Laat ik je dan een andere vraag stellen. Vond je haar aardig?'

'Nou, laat ik zeggen dat ik niet het gevoel had dat ze het soort vrouw was van wie ik me kan voorstellen dat we ooit vriendinnen waren geworden. Aan de andere kant, als ik haar eerder in het leven had ontmoet – zeg toen ze met Connor was getrouwd – was ik misschien wel een heel andere mening toegedaan. Mensen veranderen met hun omstandigheden. Ik was toen niet dezelfde als ik nu ben. En ik weet zeker dat zij dat ook niet was. Dat had ook niet gekund, niet als ze met Connor was getrouwd en in een afgelegen Italiaans bergdorp woonde.'

Ze schonk ons allebei nog een kop thee in. 'Waar ik echt niet over uit kan, is het feit dat Connor me nooit over haar heeft verteld. Ik weet dat hij altijd weinig losliet over zijn eigen doen en laten. Volgens mij zijn de meeste mannen zo. Maar een Russische prinses. Je zou toch denken dat hij iets zou hebben gezegd, nietwaar? Aan de andere kant heb ik er nooit naar gevraagd. Ik was nu eenmaal veel bezorgder over jou dan over hem. Jij was zo vreselijk overstuur, jij arm klein hummeltje...'

'Denk je dat hij van plan was me weer te komen halen?'

'Dat was wel de indruk die hij me gaf, al moet ik toegeven dat ik er nooit echt zeker van ben geweest. Hij had in zijn eentje geen kind kunnen grootbrengen. Het is nog een wonder dat hij het zo lang heeft volgehouden. Nee, als ik heel eerlijk ben, is mijn eigen theorie dat het de hele tijd zijn bedoeling was dat Stephen en ik je als onze dochter zouden opvoeden en dat hij je dan af en toe zou komen opzoeken. Hij kende me. Hij wist drommels goed dat ik kneusjes altijd op zou nemen.' Toen voegde ze er haastig aan toe: 'Niet dat ik jou met een kneusje vergelijk, Cara.'

'Ik was eerder een verantwoordelijkheid,' zei ik wrang. 'En dan ook nog een die aanzienlijk langer heeft geduurd dan de meeste.'

In een ongebruikelijk gebaar van genegenheid stak tante Biddie haar hand over tafel en legde hem over de mijne. 'Zonder jou had ik heel wat gemist in het leven.'

Ik glimlachte. 'Dank je. Dus waar ging hij heen toen hij hier wegging?'

'Weer naar Italië, neem ik aan. Hij zei dat hij overhaast was vertrokken en dat hij terug moest om verschillende zaken te regelen. Onder de omstandigheden – als zijn vrouw net was overleden – leek me dat zeer aannemelijk. Ik had bepaald niet het gevoel dat het een laatste daad was, geen voorgevoel dat ik hem nooit meer zou zien. Maar waarom zou ik ook? Niemand had dat tragische ongeluk, het zinken van de veerboot, kunnen voorspellen.'

'En hij had geen adres achtergelaten?'

Ze zuchtte. 'Hij had niets achtergelaten, zelfs je oorspronkelijke geboorteakte niet. De hemel weet wat daarmee is gebeurd. Hij zat niet tussen zijn papieren toen zijn lichaam uit zee werd gevist.

Maar ja, zijn adres had ik wel. Maar dat is gestolen, samen met mijn handtas. Daar heb ik je vast wel eens over verteld. Ik was gaan winkelen in Worcester – ironisch genoeg om een paar dingen voor jou te kopen – en was op de babyafdeling van Viner's. Ik had mijn handtas op de toonbank gezet en me maar heel even omgedraaid. Toen ik weer keek, was hij verdwenen. Dat was een van de vreselijkste ogenblikken van mijn leven en het had ook nauwelijks op een slechter moment kunnen gebeuren.

In die tas zat alles – mijn portemonnee, mijn huissleutels, mijn identiteitskaart en, het allerergste, de bonboekjes en kledingbonnen voor het hele gezin. Als je die niet had, kon je niets kopen. Ik heb de diefstal bij de politie aangegeven, maar ze hebben de tas nooit gevonden. Toen kregen we natuurlijk dat hele gedoe om de aanvraag van nieuwe bonboekjes, om nog maar te zwijgen van het vervangen van de sloten van het huis. Het was een nachtmerrie. Sindsdien heb ik mijn handtas nooit meer uit het oog verloren.

In die tas zat ook mijn adresboekje met Connors adres. Hij had me namelijk geschreven toen de oorlog voorbij was. Toen ik zijn brief had ontvangen, heb ik zijn adres meteen in mijn boekje gezet en daarna heb ik de brief waarschijnlijk weggegooid. Er stond eigenlijk niets in, behalve dat hij nog leefde. Connor was nooit erg goed in het schrijven van brieven. Ik heb me zelfs dikwijls afgevraagd of hij daarom liever gedichten dan boeken schreef, omdat gedichten zoveel korter zijn. Maar dat doet nu niet ter zake.

Natuurlijk heb ik hem meteen teruggeschreven en hem verzekerd dat met ons alles goed ging – nou ja, voor zover dat kon onder de omstandigheden. Hij had mijn brief bij zich toen hij stierf. Daardoor wist de politie hoe ze contact met me moesten opnemen. Mijn brief, zijn paspoort en een treinkaartje naar Zürich, dat was alles wat er in zijn portefeuille zat. O, en nog wat geld, geloof ik. Maar omdat ik zijn adres in mijn boekje had gezet, heb ik niet geprobeerd het te onthouden. Je weet toch hoe dat gaat?'

'En je weet zelfs de naam van de plaats niet meer?'

'Nee, ik heb mijn hersens destijds afgepeigerd. Afgezien van al het andere kon ik met niemand in Italië contact opnemen om ze te laten weten dat hij dood was. Ik weet alleen nog wel dat het een nogal ingewikkeld adres was, niet gewoon een straat met een nummer en een plaatsnaam.'

Ze wierp een blik op de klok. 'O hemel! Het is al bijna twaalf uur. De anderen kunnen elk moment hier zijn. Ik moet de stoofschotel in de oven zetten.'

'Stoofschotel?' kreunde ik. 'Je had me wel eens mogen waarschuwen voor ik dat hele ontbijt at.'

'O, ik weet zeker dat je nog wel wat ruimte vindt. Je mag trouwens best wat dikker worden. Al ben jij altijd aan de magere kant geweest – net als ik. Connor ook trouwens. Lang en mager, in zijn geval. Wij gebruiken te veel energie omdat we zo gejaagd zijn, dat is ons probleem.'

Daarna deed ik de afwas en ging toen een paar flessen wijn kopen voor bij de lunch. De oudste leden van de familie Trowbridge hadden tante Biddie er net zomin als Robert of oom Stephen van overtuigd geheelonthouder te worden. Ook zij hield erg van een slokje. Net als Miranda en ik.

Op weg naar de slijterij schoot ik niet erg op, omdat bijna iedereen die ik tegenkwam me herkende en wilde dat ik een praatje zou blijven maken. Ik weet niet meer hoe dikwijls ik te horen kreeg: 'Ben je je tante komen opzoeken? Wat ziet ze er goed uit, hè? En je ziet er zelf ook niet slecht uit, Cara, lieverd.'

Ik was net terug toen op de binnenplaats een auto toeterde en tante Biddie aankondigde: 'Daar zijn ze!'

HOOFDSTUK 4

Stevie stoof voor haar ouders uit naar binnen en we troffen elkaar in de serre. Ze sloeg haar armen om me heen en omhelsde me stevig, waarna ze me met glanzende ogen aankeek. 'Is het niet opwindend, Cara? Ik heb het altijd zoveel interessanter gevonden om geadopteerd te zijn dan te weten wie je ouders zijn. In jouw geval weet je dat je vader dichter was – en dat was al zo romantisch. Maar om nu te ontdekken dat je moeder misschien een Russische prinses is geweest... Dat slaat alles.'

Miranda, die achter haar aan kwam, zei vermanend: 'Pas maar op met wat je zegt. We kunnen je nog steeds laten adopteren – als iemand anders je wil hebben tenminste.'

'Cara adopteert me wel,' kaatste Stevie vol vertrouwen terug. 'Ja toch, Cara?'

'Waarschijnlijk wel,' zei ik luchtig, 'maar vandaag niet. Het wordt me iets te veel zowel een kind als een mogelijke moeder te krijgen. Sorry, Stevie. Je zult het moeten doen met de ouders die je hebt.'

'Maar als je me wel zou adopteren, zou ik een prinses als moeder hebben, wat zou betekenen dat ik me ook prinses zou mogen noemen – prinses Stevie. Stel je eens voor! Ga je jezelf nu prinses noemen? Prinses Cara klinkt heel voornaam.'

Zo had ik het nog niet eens bekeken. 'Loop niet zo op de dingen vooruit,' zei ik teder. 'Ik weet nog niet eens zeker of ze mijn moeder wel was.'

'Nou, ik ben ervan overtuigd dat ze je moeder moet zijn geweest.'

'Stevie, wil je alsjeblieft even je mond houden?' vroeg Miranda met klem. 'Jonathan en ik willen Cara ook even begroeten en Jonathan heeft ook nog een schildpad die zo snel mogelijk een warm plekje moet hebben.'

'Een schildpad?' vroeg tante Biddie.

'Ja, weer een pleegkind voor je, Biddie,' zei Jonathan vanuit de achterhoede. 'Een taxateur vond hem in een leegstaand huis en bracht hem bij mij.'

We gingen naar de keuken, waar hij haar een doos gaf.

'Wat een verrassing,' zei Miranda, toen ze me een zoen had gegeven. 'We hadden niet gedacht je zo snel weer te zien. Zeker niet onder dergelijke omstandigheden. Ik weet niet hoe het jou is vergaan, maar het was gisteravond heel laat voor wij in bed lagen. Ik kon mijn oren niet geloven toen ik Oliver Lyon opeens je vaders naam hoorde noemen.'

'Ik zat niet eens televisie te kijken,' verklaarde ik. 'Als tante Biddie me niet had gebeld, had ik het interview totaal gemist.'

'Kijk hem eens, het lieverdje,' koerde tante Biddie, terwijl ze naar de slome schildpad in de doos keek. 'Laat ik je maar in de droogkast zetten, dan kun je in alle rust doorgaan met je winterslaap. Nee, Tiger, ik heb het niet tegen jou. Blijf jij maar hier en wees een brave jongen.'

'Hij moet een naam hebben,' kondigde Stevie aan.

'Sloompie?' stelde tante Biddie voor.

'O, oma, kun je niet wat origineler zijn?'

'Wat vind je dan van Methusalem?'

'Dat is waarschijnlijk beter, maar wel een hele mond vol.'

'Ik ga in de bibliotheek kijken,' kondigde ze aan.

Tante Biddies zogenaamde bibliotheek was gehuisvest in wat vroeger de ontbijtkamer was. Er zat geen systeem in: tante Biddie kocht boeken, de meeste tweedehands, op ongeveer dezelfde manier waarop ze alle dingen verzamelde – omdat de informatie die ze bevatten op een dag van pas zou kunnen komen.

Even later kwam Stevie terug met een dik boek. 'Chukwa,' stelde ze vast.

'Wat is dat nou voor naam?' wilde tante Biddie sceptisch weten.

'Het is de naam van de schildpad op de zuidpool waar de aarde op rust.' Stevie raadpleegde het boek. 'En de naam van de olifant tussen de schildpad en de wereld in is Maha-pudma.'

'Nou, ik hoop dat je niet van plan bent een olifant voor me mee te brengen,' zei tante Biddie lachend. 'Hoewel ik wel denk dat hij altijd nog in de stallen zou kunnen staan.'

Een andere stem mengde zich in het gesprek. 'Mijn naam is Joey Trowbridge. Ik woon op The Willows, Avonford. Mijn naam is Joey Trowbridge. Ik woon op The Willows, Avonford.'

We lachten allemaal.

Toen we rond de eettafel aan de lunch zaten – waar ik uiteindelijk toch wel trek in had – begonnen we pas echt over de prinses en mijn vader te praten.

Stevie begon. 'Je moet je toch wel eens hebben afgevraagd wie je moe-der was, Cara?'

'Natuurlijk wel,' gaf ik toe. 'Maar ik denk omdat ik wist – of liever gezegd, omdat ik geloofde – dat ze dood was, leek het me niet erg zinvol al te veel over haar na te denken. In mijn vaders geval was het anders. Ik heb altijd bepaalde dingen over hem geweten en ik heb een idee wat voor soort mens hij moet zijn geweest. Maar mijn moeder is altijd – nou, eigenlijk niets geweest, zelfs geen naam.'

'Wat ik niet begrijp is waarom je vader oma heeft verteld dat zijn vrouw in het kraambed was overleden als de prinses nog springlevend was en, volgens haar, nog steeds met hem was getrouwd.'

'Daar heb ik vanmorgen over zitten nadenken,' zei Miranda. 'De prinses kwam niet bepaald op me over als een moederlijk type. Cara was misschien een vergissing. Als de prinses in 1900 is geboren, was ze vijfenveertig toen Cara werd geboren, wat nogal oud is om een baby te krijgen. Ik stel me voor dat het moeilijk, zo niet onmogelijk was om in Italië abortus te laten plegen, zeker in die tijd. Dus toen ze Cara had gebaard, wilde ze misschien wel niets van haar weten en heeft Connor haar daarom hier gebracht. Maar hij hield nog wel van de prinses, dus ging hij terug naar Italië. Dat zou verklaren waarom de prinses nooit heeft geprobeerd met Cara in contact te komen. Ze moet tenslotte hebben geweten waar ze was.'

'Tenzij ze geloofde dat Cara tegelijk met Connor was verdronken,' bracht tante Biddie naar voren.

'Ja, dat kan ook nog. O, kon ik me hem maar herinneren. Maar ik was toen pas zeven en ik vond Cara veel interessanter dan hem. Ik had altijd al een zusje gewild.'

'Ik heb een andere theorie,' verkondigde Stevie. 'Ik denk dat de prinses toen al een verhouding met de Conte di Montefiore had.'

'Waar wil je heen?'

'Als hun huwelijk stukliep, zou dat verklaren waarom de prinses Cara niet wilde en waarom Cara's vader – Connor – haar naar Engeland bracht.'

'Maar waarom bleef mijn vader dan niet hier, in Avonford?' vroeg ik. 'Waarom ging hij dan terug naar Italië?'

'Als hij daar zes jaar had gewoond, was het misschien zijn thuis geworden.'

Er viel even een stilte, toen zei Miranda: 'Er is nog een mogelijkheid. Als Connor nou eens degene was die een verhouding had en de prinses

53

Cara's moeder helemaal niet was? Dat zou alles verklaren. Het zou verklaren waarom de prinses ontkende dat ze ooit kinderen had gehad en waarom ze geen gewag maakte van Cara's bestaan. Ik kan me haar nou niet echt voorstellen als een vergevend type. En als Cara's biologische moeder – Connors maîtresse dus – in het kraambed overleed, zou dat verklaren waarom hij haar naar Avonford bracht. Hij kon in zijn eentje niet voor een baby'tje zorgen en de prinses zou haar zeker niet hebben willen opnemen.'

Die suggestie sprak me absoluut niet aan. Bij het beeld dat ik van mijn vader had, pasten geen smerige buitenechtelijke relaties en een onwettig kind dat hij bij zijn zuster achterliet om zijn eigen zelfzuchtige belangen na te jagen.

Stevie had om andere redenen bezwaar tegen Miranda's theorie. 'Dan zitten we nog steeds met twee raadsels,' zei ze. 'Ten eerste, waarom hij dan naar Italië terugging als zijn maîtresse dood was en de prinses hem had verlaten. En ten tweede, wie Cara's werkelijke moeder was. O, waarom moest de prinses dan ook doodgaan? Als ze nog leefde, zou het zo gemakkelijk zijn. Dan konden we gewoon contact met haar opnemen en haar al deze vragen stellen.'

Jonathan schraapte zijn keel. 'Voor we verder gaan met veronderstellen, zou ik graag wat meer willen weten over het soort man dat Connor eigenlijk was. Biddie, zou je hem voor ons willen beschrijven?'

'Dat wil ik wel,' zei ze, nogal aarzelend, 'maar ik weet niet goed of ik je wel zoveel kan vertellen. Toen hij eenmaal uit huis was, heb ik soms jaren niets van hem gezien of gehoord. En hoewel ik hem na mijn huwelijk wel dikwijls heb gezien, waren we nooit meer zo dik bevriend als toen we als kind in Ierland woonden.'

'Ik heb me hem altijd een beetje als een dromer voorgesteld,' begon Jonathan.

'O ja, dat was hij zeker. Ik weet nog dat mijn moeder eens zei dat het grootste verschil tussen Connor en mij was dat ik dingen maakte, terwijl hij dingen verzon. Ik denk niet dat de echte wereld werkelijk voor hem bestond. Of, anders gezegd, de echte wereld was te vulgair, ze stemde niet overeen met zijn verwachtingen over hoe het leven moest zijn, dus verzon hij een eigen, denkbeeldige wereld.

Dat maakte mijn vader zo kwaad op hem. Je weet misschien dat Connor school haatte. Hij zat altijd in de problemen en ik weet niet meer hoe vaak hij wegliep of van school werd gestuurd. Hij probeerde nooit de schuld op een ander te schuiven, maar hij bekende ook nooit wat er echt was gebeurd. Hij moest altijd een verhaal uit zijn duim zuigen om de omstandigheden dramatischer te maken dan ze in werkelijkheid waren. Toch waren het niet echt leugens, niet voor hem, omdat hij zichzelf er tegen die tijd van had overtuigd dat het waar was.

Het opmerkelijkste aan Connors verhalen was dat ze altijd heel plausibel leken wanneer hij ze vertelde, terwijl je je achteraf toch afvroeg hoe je erin had kunnen trappen. Maar tegelijkertijd wilde je ze ter wille van hem blijven geloven, om hem een lol te doen, om hem blij te maken. Want weet je, hij deed dingen niet uit venijn of om kwaad aan te richten. Hij had geen slechte inborst.

En hij had nog iets anders – ach – hoe moet ik dat nou uitleggen? – een soort diepliggende melancholie. Hij lachte veel, maar met een droevige ondertoon. Misschien zou ik het als geestige somberheid kunnen beschrijven – of vertwijfelde opgewektheid. Ja, hij was een vreemde jongen...'

Tante Biddie zweeg even en fronste haar voorhoofd.

'Laat ik jullie een voorbeeld geven. Door de bossen bij Coralanty liep een beekje met in het midden een groot rotsblok. Connor noemde dat de toversteen. Hij vertelde me dat ik onzichtbaar zou worden, als ik zaad nam van de varens die aan de oevers van het beekje stonden en met mijn handen boven mijn hoofd door het water naar de toversteen liep, op de steen ging staan, met mijn ogen dicht en mijn handen nog steeds boven mijn hoofd, en drie keer in de rondte draaide.

Jullie kunnen je wel voorstellen hoe vaak ik in het water viel voor ik erin slaagde dit te volbrengen. Maar toen het me eindelijk lukte, riep hij uit: "Biddie, waar zit je? Je bent verdwenen." En ik geloofde hem. Toen, terwijl hij nog steeds deed of hij me niet kon zien en alle kanten uit keek, behalve waar ik was, zei hij: "Nu je onzichtbaar bent, zou je de konijnen van Gekke Moraid kunnen loslaten."

Gekke Moraid woonde in een klein hutje aan de rand van het bos en Connor was ervan overtuigd dat ze een heks was. Ze fokte konijnen, die ze in kleine hokken hield, wat ik zielig vond, omdat ik vond dat ze vrij moesten kunnen rondlopen. Dus gingen we naar haar hutje en klom ik over de muur en zette ik alle hokken open om de konijnen vrij te laten. Waarop zij me natuurlijk vanuit een raam zag en moord en brand begon te schreeuwen.

Ik hoef jullie natuurlijk niet te vertellen dat ze me te pakken kreeg en me naar huis bracht, waar ik van mijn vader een flink pak rammel kreeg. Connor ook, omdat hij me ertoe had aangezet. Maar Connor was niet boos op me omdat ik was betrapt. Hij zei alleen: "Je hebt vast wat van het varenzaad laten vallen toen je over de muur klom. Daarom werd de betovering verbroken." Begrijpen jullie wat ik bedoel?'

We lachten allemaal en ik vroeg: 'Hoe oud was je toen?'

'Ik denk een jaar of zeven. Maar ik geloof niet dat Connor zijn macht over me ooit echt is verloren. Als ik heel eerlijk moet zijn, had hij eigenlijk elk verhaal kunnen ophangen toen hij je naar Avonford bracht en zou ik er nog steeds in zijn getrapt...'

'Dus misschien was mijn moeder wel helemaal niet dood?'

'Dat is mogelijk...' Ze keek me een beetje verdrietig aan. 'Het spijt me, Cara. Pas als ik over hem begin te praten, weet ik weer precies hoe hij was...'

'Beschouw jij jezelf nog steeds als Ierse, oma?' vroeg Stevie.

Ze glimlachte. 'Toen ik met Stephen trouwde, werd ik net zo Engels als het fruit uit Avonford.'

'Behield Connor zijn Ierse nationaliteit?' wilde Jonathan weten.

'O ja.'

'Dat verklaart iets wat ik me ook nog heb zitten afvragen,' zei Jonathan. 'Ik snapte niet goed hoe hij de oorlog in Italië heeft kunnen doorbrengen. Als hij Engels was, had hij in vijandelijk gebied gewoond, maar omdat Ierland neutraal was, neem ik aan dat hij kon wonen waar hij wilde.'

Na de lunch hielpen Miranda en ik tante Biddie met de afwas, terwijl Jonathan de open haard in de woonkamer aanstak en Stevie terugging naar tante Biddies bibliotheek. 'Wat denk je dat ze daar aan het doen is?' vroeg tante Biddie.

'Ik vermoed dat ze meer te weten probeert te komen over een paar van de mensen die gisteravond in het interview werden genoemd,' zei Miranda.

Stevie kwam terug met een hele stapel boeken, maar ze zag er nogal teleurgesteld uit. 'Ik heb niets over Connor kunnen vinden. Maar ik heb wel een oude encyclopedie gevonden waar wat beroemde mensen in staan.'

Toen we voor de open haard zaten, met Tiger op het haardkleedje, sloeg ze de encyclopedie open. 'Weet iemand toevallig hoe de naam van de prinses wordt gespeld?'

'Hier staat het,' zei tante Biddie, die haar de gids gaf.

Maar er stond niemand met de naam Shuiska in.

'Kijk eens bij El Toro,' stelde Jonathan voor.

Hij stond in een van de kunstboeken. Zijn volledige naam was Juan

Maria Toro, hij was in 1885 in Gerona geboren en in 1960 in Parijs overleden, waar hij in 1909 was gaan wonen en een atelier was begonnen in de rue Cortot in Montmartre. In plaats van met een handtekening had hij zijn schilderijen gesigneerd door in de rechter onderhoek een stiertje te schilderen.

Er stond een boel in over de verschillende artistieke stijlen en kunstvormen waarmee hij had geëxperimenteerd, alsmede een analytische bespreking van de verdiensten van zijn werk en zijn invloed op andere kunstenaars. Hij had oorlog verafschuwd en tijdens de Duitse bezetting van Frankrijk had hij in het verzet gezeten. Na de bevrijding was hij lid geworden van de communistische partij. Tot zijn bekendste werk behoorde een stel muurschilderingen die de Russische Revolutie uitbeeldden en een serie triptieken met scènes uit de Spaanse Burgeroorlog, die voor het eerst op de Wereldtentoonstelling van 1937 in Parijs waren tentoongesteld en nu tot een privé-collectie in New York behoorden.

'Waar vochten ze in de Spaanse Burgeroorlog om?' vroeg Stevie.

'Het was nogal ingewikkeld,' antwoordde tante Biddie. 'Maar eigenlijk begon het als een opstand van legercommandanten onder leiding van generaal Franco, die het niet eens was met het beleid van de republikeinse regering. Toen werd het een soort ideologisch slagveld wat de rest van Europa betrof. De Duitsers en Italianen kozen de kant van Franco en Rusland die van de republikeinen.'

'Aan welke kant zouden Connor en El Toro hebben gestaan?'

'Ik neem aan dat ze deel hebben uitgemaakt van een van de internationale brigades die de republikeinen steunden. Ze bestonden hoofdzakelijk uit communisten en linkse sympathisanten uit alle landen van Europa en van nog verder weg.'

'Wil dat zeggen dat Connor communist was?'

'In idealistische zin is het mogelijk, denk ik. Maar ik betwijfel sterk of hij als lid te boek stond. Connor was niet het type om bij een organisatie te horen.'

'Staat er iets in over de man met wie de prinses na Connor was getrouwd?' vroeg ik. 'Hij heette Montefiore.'

Er stonden twee Montefiores in. De eerste was Aretino di Montefiore (1470-1533), die werd beschreven als Genuees bevelhebber en staatsman uit een oud, vorstelijk geslacht, die een zeer avontuurlijk leven had geleid en op zee tegen de Turken en Fransen had gestreden.

De andere was Umberto di Montefiore (1891-1962). Hij werd beschreven als eigenaar van een Genuese scheepswerf, met daarnaast belangen in tractor- en autofabrieken in Milaan. Als onwrikbaar anticommunist had hij geprofiteerd van de wederopbouw van Italië, tot de bouw van een al te ambitieus passagiersschip zijn financiële ondergang was geworden.

'Hmm,' mompelde Miranda droogjes, 'dus Helena heeft inderdaad tot de val van Troje geleid.'

Stevie raadpleegde haar lijst. 'En nu de graaf van Winster.' Ze bladerde de encyclopedie door tot de W. 'Winslow. Winsor. Winter. Nee, hij staat er niet in.'

'Je hebt eigenlijk een *Who's Who* nodig,' zei tante Biddie. 'Maar die heb ik niet, ben ik bang. Wie wil er thee?'

Ik bood aan om het te zetten, maar ze weigerde. 'Nee, dank je, liever. Blijf jij maar hier en werk met Stevie die boeken door. Het is tijd dat ik de lammetjes ga voeden.'

'Laat ik je daar even bij helpen,' zei Jonathan.

Toen ze weg waren, werkte Stevie de andere boeken door, waarin ze meer ontdekte over El Toro en feiten over de Spaanse Burgeroorlog, de Tweede Wereldoorlog en de geschiedenis van Italië. Toen begon ze wild te gissen naar wat het allemaal voor mensen waren geweest en in wat voor relatie ze tot de prinses en tot elkaar hadden gestaan.

Toen begon bij mij de reactie in te zetten. Ik begreep waarom Stevie het allemaal zo opwindend vond. Voor haar was mijn vaders verleden een opwindend raadsel waarin fantastische personages voorkwamen – ook al waren ze dan allemaal dood – en dat ze dolgraag wilde oplossen. Maar ik kon niet zo objectief zijn...

Ten slotte kwamen Jonathan en tante Biddie terug met een afgeladen theewagentje.

We dronken een tijdje zwijgend onze thee, tot Jonathan zich tot mij wendde. 'Het lijkt me voor de hand te liggen dat je Oliver Lyon belt. Het is heel goed mogelijk dat hij meer over de prinses – en je vader – weet dan in het interview werd getoond.'

'Natuurlijk!' riep Miranda uit. 'En als zijn vader El Toro kende, heeft hij jouw vader misschien wel ontmoet...'

Ik schudde mijn hoofd. 'Ik weet zo net nog niet of ik wel meer wil weten. Ik denk eigenlijk dat ik al te veel weet.'

Stevie staarde me verbluft aan. 'Dat meen je toch niet?'

'Ik zal proberen het uit te leggen,' zei ik, terwijl ik probeerde de juiste woorden te vinden. 'In de loop der jaren heb ik me een beeld gevormd van mijn vader als een soort Byroniaanse figuur, wiens leven werd bewogen door hoge idealen. Nu besef ik dat ik wel eens een heel verkeerd beeld van hem zou kunnen hebben. Maar zo heb ik hem nu eenmaal altijd gezien en dat wil ik graag zo houden. Ik wil niets weten van de smerige details van zijn leven die hem zouden kunnen verlagen tot het niveau van andere mannen. Misschien zou ik dat wel moeten. Maar ik doe het niet. Het is net zoals ik over mijn moeder dacht. Als ik de waarheid over hem te weten kom, wekt dat hem nog niet tot leven.'

Stevie wilde net reageren, toen Miranda haar een waarschuwende blik toewierp en ze klapte haar mond weer dicht. Ik was me ervan bewust dat tante Biddie op een vreemde, nogal verontruste manier naar me keek en ik besefte dat ik me nogal had aangesteld...

'Misschien mag ik opmerken,' bracht Jonathan schuchter naar voren, 'dat Byrons privé-leven nauwelijks puur en eerzaam was, maar dat doet niets af aan het genie van zijn dichtkunst. Dat geldt ook voor veel andere dichters.'

'Maar mijn vader was niet zomaar een dichter. Hij was mijn vader.'

'Ik weet uit eigen ervaring dat perfecte vaders niet bestaan.'

'Nee, dat zal wel niet...'

'Mag ik nou niets zeggen?' wilde Stevie weten.

'Ja natuurlijk, schat.'

'Ik begrijp heus wel hoe je je voelt, Cara. Zolang je niet meer feiten tot je beschikking had, denk ik dat je er alle recht toe had fabeltjes over je vader te verzinnen. Maar nu je wat meer weet, kun je je niet domweg afsluiten voor de waarheid. Wat je ook ontdekt, het zal je vader niet deren – of je moeder, wie ze ook geweest mag zijn.'

Fabeltjes... Diep in mijn hart wist ik dat ze gelijk had.

Ze keek me strak aan met haar bruine ogen, met de dappere onverschrokkenheid van de jeugd. 'Je moet erachter komen, Cara. Anders zul je je de rest van je leven afvragen wie je eigenlijk bent.'

'Ik weet wie ik ben. En ik weet wie mijn echte moeder is – en dan bedoel ik mijn werkelijke moeder. Dat is tante Biddie.'

'Maar de relatie tussen jou en oma verandert er toch niet door, hè oma?'

'Toe, Stevie,' vroeg ik met klem. 'Ik heb tijd nodig om erover na te denken.'

'Maar er is niets om over na te denken. Het enige wat je moet doen, is Oliver Lyon bellen.'

Miranda wierp haar een doordringende blik toe. 'Stevie, zo is het wel genoeg!' Ze keek op de klok op de schoorsteenmantel en wendde zich toen tot mij. 'We krijgen mensen te eten, dus ik ben bang dat we zo weg moeten. Als ik eerder had geweten dat je zou komen, had ik ze afgezegd.'

'Het geeft niet,' verzekerde ik haar. 'Het was fijn om je te zien.'

Stevie sperde haar ogen opeens wijd open. 'Ik weet wat je moet doen, Cara! Als je vanavond naar bed gaat, moet je een erwt onder je matras leggen, net als in het sprookje. En als je de erwt kunt voelen, wil dat zeggen dat je een prinses bent!'

Dit belachelijke voorstel brak de spanning. We hadden nog even een geanimeerde discussie over de vraag of de erwt vers, diepgevroren, half-zacht of gedroogd moest zijn. Toen bracht Stevie de boeken terug naar de bibliotheek en ging Miranda hun jassen halen.

Iedereen kuste elkaar en tante Biddie en ik gingen naar de deur om ze uit te zwaaien. Jonathan reed High Street in en ik liep achter hen aan om de hoge hekken te sluiten.

Stevie draaide het raampje naar beneden en stak haar hoofd naar buiten. 'Als jij Oliver Lyon niet belt, Cara, doe ik het, hoor.'

Tante Biddie was ongewoon stil toen ze weg waren. Ze streelde Tiger die op haar schoot lag en staarde dromerig in het vuur. Toen schrok ze op en vroeg: 'Heb je trek? Wil je iets eten?'

Ik lachte. 'Nee, echt niet. Dank je.'

'Laten we dan maar een drankje nemen. Wat dacht je van een gin met tonic?'

'Dat klinkt goed.'

Ze ging weg en kwam terug met twee glazen gin met tonic. We stootten aan en ze zei: 'Nou, dit is zeker een veelbewogen etmaal geweest. We hadden gisteravond om deze tijd niet kunnen denken dat er zoveel zou gebeuren.'

Ik knikte en zei toen spijtig: 'Ik geloof dat ik mezelf daarnet nogal heb aangesteld.'

'Hoe dan?'

'Door te zeggen dat ik niet meer over mijn vader wilde weten.'

'Daar had je heel begrijpelijke redenen voor.'

'Als ik twintig jaar jonger was misschien wel. Maar nu niet.' Ik zweeg even. 'Wat is jouw mening? Vind jij dat Stevie gelijk heeft en dat ik, nu dit is gebeurd, moet proberen het raadsel tot de bodem uit te zoeken?'

'Ja, dat vind ik eigenlijk wel. Het heeft me eigenlijk altijd nogal verbaasd dat je je nooit nieuwsgieriger hebt getoond naar je vader en je biologische moeder.'

'Ik heb nooit het gevoel gehad dat dat nodig was. Ik weet het niet, ik was als kind zo gelukkig bij jou en oom Stephen dat ik veronderstel dat mijn echte ouders deel van een soort sprookje uitmaakten.'

Ze lachte even. 'O, hemeltje, hemeltje, hemeltje. Waarom maken we onszelf het leven af en toe zo moeilijk? Het zou zoveel eenvoudiger zijn als we gewoon zeiden wat we dachten. Jij hebt mij niet willen bezeren en ik heb jou niet willen bezeren. We hebben de allerbeste bedoelingen, maar we doen het helemaal verkeerd.'

'Wat bedoel je daarmee?'

Ze schudde haar hoofd. 'Elke dag heeft genoeg aan zijn eigen kwaad. Ik weet niet hoe het met jou zit, maar ik ben moe. Laten we het onderwerp maar even laten rusten en over iets anders praten. En als je het dan niet erg vindt, denk ik dat ik maar vroeg naar bed ga.'

HOOFDSTUK 5

Later, in mijn koude slaapkamer, kleedde ik me snel uit – net als ik dat als kind had gedaan – en wikkelde mijn nachtpon los van de kruik die tante Biddie in mijn bed had gelegd. Toen ik er eenmaal in lag, trok ik laken, dekens en donsdeken op tot mijn kin en kroop in elkaar tegen de kruik. Toen schreef ik, in een schrift dat tante Biddie voor me had opgezocht, alle bijzonderheden van het tv-interview en de feiten die Stevies research in tante Biddies boeken had opgeleverd.

Toen ik nog jong was, had ik altijd een dagboek bijgehouden, maar na mijn huwelijk was ik ermee opgehouden, voornamelijk uit angst dat Nigel het zou vinden. Niet dat ik geheimen voor hem had, maar ik wilde niet dat hij mijn intiemste gedachten zou lezen.

Dit was echter heel anders dan het dagboek dat ik in het verleden had bijgehouden. Dit was het vastleggen van gebeurtenissen, meer een geheugensteuntje dan een analyse van mijn gevoelens.

Toen ik in slaap viel, droomde ik van de prinses die in een barok paleis op een troon zat, met Nigel achter haar, opgedoft in militair uniform, met één hand bezitterig op haar schouder. Ik was afschuwelijk ongelukkig, omdat ik wist dat ze op het punt stonden te trouwen en dat ze, als de ceremonie voorbij was, weg zouden varen met het oorlogsschip waarover mijn vader het commando voerde, dat in een haven in het meer onder ons lag, om oorlog te gaan voeren tegen de Spanjaarden.

Stevie was er ook, ze maakte een schilderij van het tafereel, zoals kunstenaars dat in een rechtbank doen. Ze riep voortdurend naar me, omdat ze wilde dat ik naar haar schilderij kwam kijken. Maar ik was volkomen hulpeloos. Ik was niet eens in het vertrek, maar buiten; ik lag op een rotsblok midden in een rivier, met aan alle kanten dicht bos, en bekeek het tafereel door een gesloten venster. Telkens wanneer ik probeerde overeind te komen, zorgde een zwaar gewicht ervoor dat ik me niet kon bewegen.

Toen ik wakker werd, lag Tiger languit op de kruik op mijn borst, vast in slaap. Ik schoof hem en de kruik voorzichtig opzij, nam een slokje water en draaide me toen op mijn zij, waarna ik in een diepe slaap viel waaruit ik werd gewekt door tante Biddie die me een kop thee kwam brengen en uitriep: 'Hier zit je dus, Tiger!' Ze deed de luiken open en het ochtendlicht stroomde de kamer binnen.

'Hoe heb je geslapen?' vroeg ze.

'Afgezien van een rare droom als een blok. En jij?'

'O, veel beter dan de vorige nacht. Je hoeft niet meteen op te staan, hoor. Maar er is warm water, als je een bad wilt nemen.'

Een bad nemen op The Willows was niet iets wat je in een opwelling deed, zoals je in Linden Mansions een douche nam. Eerst moest de Aga goed worden opgestookt om het water te verwarmen en dan duurde het nog minstens een kwartier voor het water met veel gepruttel en gegorgel door het oude buizenstelsel was gestroomd en het bad zo vol was dat je benen net onder water verdwenen als je erin zat.

Het was een schitterend bad dat midden in de badkamer stond, met een eiken ombouw van wel dertig centimeter breed en met aan alle kanten eiken panelen om de aan- en afvoerbuizen weg te werken. Toen ik klein was, moest ik op een krukje klimmen om erin te kunnen. Het was zo diep en breed dat er gemakkelijk twee volwassenen naast elkaar in hadden gekund.

Dus dronk ik op mijn gemak mijn thee, trok toen de dikke badjas aan die aan de achterkant van de deur hing en ging naar de badkamer. Het elektrische kacheltje met één straalpijp had de kilte nauwelijks verdreven, maar het water was kokend heet.

Ik zeepte me krachtig in, terwijl ik de hele tijd naar het vertrouwde behang keek, met enorme witte madelieven met grote gele harten, die het vertrek al sierden zolang ik me kon herinneren en beslist model hadden gestaan voor het bloempatroon op Miranda's aardewerk.

Toen ik klaar was, trok ik met mijn teen het stopje eruit – ook een gewoonte uit mijn kindertijd – en stond op, waarbij ik me gevaarlijk ver moest uitrekken om bij de handdoek op het rekje te komen. Het duurde bijna net zolang om het water weg te laten lopen als het bad te vullen en ik was al aangekleed tegen de tijd dat het leeg was.

Beneden kwam de geur van kippers onder de grill, het traditionele zondagse ontbijt, me al tegemoet. Kippers at ik uitsluitend op The Willows – Nigel kon de geur niet uitstaan en de graten ook niet.

'Zullen we vanochtend een wandeling maken?' vroeg tante Biddie, toen we hadden gegeten en Tiger een paar stukjes hadden gevoerd. 'Ik weet dat het er geen ideaal weer voor is, maar ik heb eigenlijk nogal zin om naar Bredon Hill te gaan.'

Het was inderdaad een nogal grijze dag, met lage wolken die op sneeuw leken te wijzen. Maar de Trowbridges waren geen mooi-weerfamilie: we hielden van alle jaargetijden, wat voor weer het ook was. 'Heerlijk!' riep ik enthousiast. 'Ja, laten we dat doen! Ik ben er in tijden niet meer geweest.'

Opeens moest ik denken aan die keer dat ik Nigel had meegebracht naar de The Willows, voor we getrouwd waren, en hem had meegenomen Bredon Hill op. Het was een warme zomerdag geweest en Nigel had met zijn voeten gesleept, als een kind dat wordt gedwongen de andere kant uit te lopen dan het eigenlijk wil. Hij had geweigerd een weiland over te steken waar koeien in stonden, voor het geval er een stier bij liep en hoewel hij op de top het uitzicht had bewonderd, had hij er meer op staan zinnen dat het misschien een goed idee was om er een weg aan te leggen, zodat je erheen kon rijden.

Naderhand had tante Biddie tegen me gezegd: 'Als je zelf altijd op het platteland hebt gewoond, vergeet je dat andere mensen hun leven in de steden doorbrengen. Maar Nigel en jij hebben vast genoeg andere dingen gemeen, dus het maakt waarschijnlijk niet uit dat hij niet van wandelen houdt.'

Als ze had geprobeerd om me te waarschuwen, waren haar woorden aan dovemansoren gericht. Hoewel ik zelf nogal teleurgesteld was toen ik erachter kwam dat Nigel zo'n stadsmens was, was ik veel te verliefd om de gebeurtenis een diepere betekenis toe te kennen. Met het zorgeloze vertrouwen dat bij de eerste maanden van een liefdesrelatie hoort, was ik ervan overtuigd dat Nigel, mettertijd en onder mijn invloed, de eenvoudige geneugten van het Engelse platteland zou gaan waarderen en van dezelfde dingen zou gaan houden als waar ik het meeste van hield.

Intussen was het niet verbazingwekkend dat iemand die zo mondain was niet onder de indruk was van Bredon Hill – maar achthonderd meter en nog wat boven de zeespiegel. Hij mocht dan een heel speciaal plekje innemen in het hart van de familie Trowbridge en van de dichter A.E. Housman, maar hij was nou niet bepaald een van Engelands hoogste punten.

Natuurlijk veranderde Nigel niet. Genieten van de buitenlucht betekende voor hem naar voetballen kijken en golf spelen. En hij werd meer vanwege het prestige en de voordelen van het clubhuis lid van de Highgate Golf Club dan omdat hij zo graag buiten wilde zijn. Maar tegen die tijd zag ik mijn man en het huwelijksleven al niet meer door een roze bril.

Dus ging Nigel golfen en ging ik over Hampstead Heath wandelen. Maar Hampstead Heath kan niet tippen aan Bredon Hill. Het uitzicht over Londen kan in de verste verte niet worden vergeleken met het prachtige vergezicht vanaf Bredon Hill op wat Housman de 'kleurrijke provincies' noemt – met Worcestershire, Herefordshire, Gloucestershire, Oxfordshire en Warwickshire aan je voeten en de leeuweriken zo hoog boven je in de lucht.

Net als met Nigel op die dag zo lang geleden reden tante Biddie en ik naar het aardige dorpje Elmsley Castle. 'Het wordt al voorjaar,' zei tante Biddie zacht, toen we langs rietgedekte huisjes van Cotswoldsteen kwamen, met in de tuinen een tapijt van witte sneeuwklokjes en beschutte taluds waarop het eerste speenkruid bloeide. Daarna zei ze geen woord meer en marcheerde door, met haar handen diep in de zakken van haar duffelse jas en haar hoofd iets gebogen tegen de kille wind.

Ik vond haar stilzwijgen niet erg. Ik had meer dan genoeg om over na te denken, gedachten die niets met Nigel te maken hadden. Het was heilzaam geweest om de gebeurtenissen van de afgelopen twee dagen op te schrijven. Ik was niet meer zo in de war en ik had mijn emoties weer in bedwang.

Wat had de grootste invloed op iemands karakter, vroeg ik me af – milieu of erfelijke factoren? In mijn hart wilde ik geloven dat milieu sterker was dan erfelijke factoren en dat mijn persoonlijkheid was gevormd door mijn intieme relatie met tante Biddie en oom Stephen en mijn jeugd in Avonford. Maar mijn verstand zei me dat genen wel degelijk een rol speelden.

Welke aspecten van mijn karakter had ik dan van die schimmige figuur die mijn vader was geweest? En welke – als ze inderdaad mijn moeder was – van prinses Hélène Romanovna Shuiska? En op dat punt schrokken mijn gedachten steeds weer terug. Hoe ik mezelf er ook van probeerde te overtuigen, ik kon onmogelijk geloven dat ik haar dochter was.

Het weggetje ging over in een voetpad dat steil tegen een hoge helling op liep. Toen stonden we boven op Bredon Hill en sneed er een bijtende wind door ons heen. Toen ik uitkeek over de kale boomgaarden en de vruchtbare leemakkers met kool, prei en spruitjes, trok mijn hart zich opeens samen en ging er een steek door me heen die haast op angst leek, alsof ik op het punt stond ergens heen te gaan en ik dit nooit meer zou terugzien. Impulsief greep ik tante Biddies arm. Ze draaide zich om en glimlachte naar me, een nogal gespannen glimlachje, alsof zij slachtoffer was van dezelfde emotie.

We bleven niet lang staan, maar wandelden een tijdje over de top van de heuvel, tot er natte sneeuw begon te vallen. We gingen terug en hadden net de betrekkelijke beschutting van het weggetje bereikt, toen het echt begon te sneeuwen. Op dat moment zei tante Biddie: 'Ik moet je iets bekennen. Ik ben niet helemaal eerlijk tegen je geweest. Ik weet feitelijk meer over je vaders leven dan ik je ooit heb verteld.'

'Wat voor dingen dan?'

'Meer over zijn eerste huwelijk en waarom hij naar Parijs is gegaan.'

'Niet over de prinses?'

'Nee, niets over haar – of over jou. Maar ik ben bang dat je het toch niet leuk zult vinden. Het past niet bij jouw voorstelling van Connor.'

'Probeer je te zeggen dat hij nog meer op Byron leek?' vroeg ik.

'Dat zou je kunnen zeggen.'

'Dan wil ik graag dat je het me vertelt.'

'Gisteravond zei je dat je geen bijzonderheden over zijn leven wilde weten die hem zouden kunnen verlagen tot het niveau van andere mannen.'

'Dat zei ik in een opwelling.'

'Het kwam wel uit je hart.'

'Ja, dat is waar. Maar zoals ik naderhand zei, stelde ik me nogal aan. Ik besef nu dat Stevie gelijk had toen ze me ervan beschuldigde dat ik fabeltjes over hem verzon.'

'Dat is niet helemaal jouw schuld. Dat ligt grotendeels aan mij. Weet je, toen je nog klein was vonden oom Stephen en ik het belangrijk dat je positief over je vader zou denken. Dus heb ik hem altijd nogal voordelig afgeschilderd.'

'Bedoel je dat hij helemaal niet was zoals ik me hem altijd heb voorgesteld?'

'O, hij was precies zoals ik je hem heb beschreven – maar er waren nog andere dingen ook.'

'Was dat wat je gisteravond bedoelde toen je zei dat we elkaar allebei niet wilden bezeren, terwijl we toch de beste bedoelingen hebben?'

'Ja. En ik moet zeggen dat ik blij ben dat ik je nu de waarheid kan vertellen. Ik heb het niet leuk gevonden om dingen voor je geheim te houden. Maar tegelijkertijd wilde ik je ook niet bezeren. Vooruit, ga mee naar huis, dan zal ik je een paar dingen vertellen die je nog niet weet.'

Toen we in de zitkamer zaten, bij een hoog oplaaiend vuur, met Tiger op het haardkleedje en een pot koffie op tafel, zei tante Biddie: 'Zou je mijn geheugen willen opfrissen en me willen vertellen wat je van Connors huwelijk met Patricia weet?'

Ik herhaalde het weinige wat ik wist en ze knikte. 'Ja, dat dacht ik al. Nou, wat er werkelijk is gebeurd, is het volgende. Connor had inderdaad een baantje als corrector bij een uitgeverij, maar dat gaf hij meteen na zijn huwelijk op en hij kondigde aan dat het zijn roeping was om schrijver te worden.

Weet je, Patricia had altijd geweten dat haar grootmoeder van plan was haar wat geld na te laten en ik ben bang dat dat een rol speelde bij Connors besluit om met haar te trouwen. O, ik denk dat hij heus wel van haar zal hebben gehouden – maar hij hield niet half zoveel van haar als zij van hem. Van zijn kant was het in elk geval geen overweldigende hartstocht. In wezen trouwde hij met haar om niet te hoeven werken voor de kost. En daarna buitte hij haar uit.'

'Hoe dan?'

'O, ze kon niets goed doen. Toen ik vlak na hun trouwen bij hen logeerde, klaagde hij al over haar kleinburgerlijke zienswijze en vrekkige manier van doen. De arme vrouw, ze beschikte nou niet bepaald over een fortuin. Ze moest de eindjes aan elkaar knopen en Connor had een dure smaak. Het huis dat ze huurden in Norbury, in Zuid-Londen, was het beste wat ze zich kon veroorloven en het was helemaal niet zo onaardig.

Hij klaagde dat ze bazig was en hem altijd kort hield, en eerlijk gezegd was ze nogal onwrikbaar en dominant, maar met een man als Connor moest ze wel. Hij klaagde dat hij maar een klein kamertje van haar kreeg, met uitzicht op een saaie, kleinsteedse straat en dat ze verwachtte dat hij zomaar zijn inspiratie zou opdoen, als water dat uit de kraan komt. Hoe kon hij nou creatief zijn, wilde hij weten, in een omgeving die zijn geest beperkte en zijn verbeelding verstikte, en nog wel in gezelschap van een huishoudelijk sloofje dat altijd met stoffer en blik rondscharrelde?

Wat hij nodig had, beweerde hij, was de vrijheid van open ruimten, zoals we die op Coralanty hadden gehad. Alleen in een dergelijke omgeving kon hij zijn poëtische muze de vrije loop laten, zodat de woorden spontaan en ongevraagd uit zijn pen zouden vloeien.'

Tante Biddie keek naar me om mijn reactie te peilen en ik knikte bemoedigend.

'Dit ging een paar jaar zo door, veronderstel ik, en toen ontmoette hij een jonge Amerikaanse, Imogen Humboldt, waarna de problemen begonnen.'

'Bedoel je dat ze een verhouding kregen?'

'Eigenlijk meer dan dat.'

'Vooruit, vertel op,' drong ik aan.

'Nou, Imogen verschilde zoveel van Patricia als maar mogelijk was. Patricia was op haar manier aantrekkelijk – klein en donker en ze zag er verzorgd uit, er zat nooit een haartje verkeerd. Maar Imogen was gewoon beeldschoon, lang en slank, met blond haar en blauwe ogen – eigenlijk leek ze wel een beetje op de foto die we van de prinses hebben gezien. Dezelfde noordelijke, Scandinavische soort schoonheid, hoewel ze eigenlijk van Duitse afkomst was.'

'Heb je haar ontmoet?'

'O ja, naderhand.'

'En?'

'Nou, Imogen was gek van alles wat Europees was. Haar vader was immens rijk. Hij was Abraham Humboldt, de oliemagnaat. Imogen ging als meisje niet naar school, maar werd thuis onderwezen door een reeks Engelse gouvernantes. Het gevolg was dat ze een enthousiast lezeres werd van alle grote Europese klassieke schrijvers – en toen ze achttien was, werd ze naar een finishing school in Zwitserland gestuurd. Het was echt net of ze zo uit een roman van Henry James kwam.

Ze raakte bevriend met een andere Amerikaanse jonge vrouw – Elizabeth Webber heette ze. Het is vreemd hoe sommige dingen je bijblijven en je andere volkomen vergeet. Haar naam weet ik nog wel, maar ik weet absoluut niet meer wat Patricia's meisjesnaam was. Niet dat dat er overigens toe doet.

Elizabeth had familie ergens in Duitsland, bij wie de meisjes in hun vakanties logeerden. Na de finishing school begonnen ze aan een rondreis door Europa. Uiteindelijk kwamen ze in Londen en kort na hun aankomst ontmoette Imogen Connor op de een of andere literaire bijeenkomst.

Nou moet ik je uitleggen dat, hoewel Connor ongelukkig was in zijn bekrompen huis, het leven in Londen aspecten had waar hij erg van genoot. Hij kon heel prettig in de omgang zijn en mengde zich onder allerlei bekende mensen – de Bloomsbury-kliek, de Sitwells, William Walton, H.G. Wells, Cecil Beaton, Sickert en – o, hij leek ongeveer iedereen te kennen. Connor kon heel charmant en vlot zijn als hij wilde. En hij had ook het voordeel dat hij een van die mensen was die hun maatschappelijke klasse overstijgen, als je begrijpt wat ik bedoel.

Imogen beschreef haar ontmoeting met hem zo levendig dat ze me is

68

bijgebleven. Ze zei dat hij de kamer binnenkwam en haar ogen meteen op hem bleven rusten, omdat hij een kop boven de andere gasten uitstak en die dikke bos rood haar had. Ze vroeg haar gastvrouw wie hij was en ontdekte dat hij een levensechte dichter was. Ze werden aan elkaar voorgesteld en – beng, bang, bom! – ze was verliefd.

Het is niet moeilijk je voor te stellen wat voor effect het op Connor had dat een beeldschone erfgename de grond waarop hij liep aanbad. Patricia verveelde hem en hij was rijp voor nieuwe ervaringen – rijp dus voor een liefdesverhouding. Maar om hem recht te doen moet ik zeggen dat hij niet heeft geprobeerd zijn huwelijkse staat geheim te houden. Hij stelde Imogen aan Patricia voor en probeerde de twee vrouwen vriendschap te laten sluiten.

En om Imogen recht te doen moet ik zeggen dat ik er tot op de dag van vandaag van overtuigd ben dat ze er niet op uit was Connor te verleiden en hem van zijn vrouw af te pikken. Ze was verwend, eigenzinnig en koppig, maar ze had iets haast ontwapenend onschuldigs – of misschien is argeloos een beter woord.

Hoe dan ook, ze gaf zich veel moeite om vriendschap met Patricia te sluiten en Patricia was van haar kant beleefd. Ze hadden tenslotte een boel gemeen, en niet alleen Connor. Ze waren allebei intelligent, ontwikkeld en in kunst geïnteresseerd. Er was veel waar ze met z'n tweeën over konden praten.

Imogen was dol op de dichters van de Romantiek, dus stelde Connor voor dat ze met z'n drieën een reis naar het Lake District zouden maken. Helaas was Patricia een beetje ziek – ze had kou op de borst of zoiets – en bleef in het hotel, terwijl Connor en Imogen lange wandelingen door de heuvels en rond de meren maakten, waarbij ze elkaar gedichten citeerden. Hij las haar een paar van zijn eigen gedichten voor en ze was er geweldig van onder de indruk. Toen Connor tegen haar, net als tegen mij, klaagde over de problemen waarmee hij geconfronteerd werd als hij probeerde in Londen poëzie te schrijven, ging haar hart naar hem uit.

Toen ze weer in Londen waren, zocht ze Connor en Patricia in Norbury op en Connor bleef op haar gemoed werken, tot ze ten slotte op het idee kwam een huis op het platteland voor hen te huren. Ze vond een oud landhuis in de buurt van de Black Mountains dat te huur stond – Dewfield heette het. Ik geloof dat de eigenaar naar het buitenland was en dat het daarom leeg stond.

De huur van Dewfield Manor lag natuurlijk ver buiten Patricia's bereik, maar was voor Imogen, die van haar vader een buitengewoon royale toelage kreeg, niet meer dan zakgeld. Patricia was, begrijpelijk, onwillig om te leven van wat zij zag als Imogens liefdadigheid en ze vond Imogens motieven ongetwijfeld ook verdacht. Connor verklaarde zich echter zo bereid om Londen te verlaten dat ze zich liet overhalen en ze naar Dewfield verhuisden.'

'Bedoel je dat ze een *ménage à trois* hadden?'

'Daar kwam het wel op neer. Ik weet niet wat voor verhaal Imogen haar ouders op de mouw speldde. Ik stel me zo voor dat ze hen liet geloven dat ze het huis met Elizabeth deelde en ik neem ook aan dat Elizabeth van de relatie op de hoogte was. Wie weet, misschien had Elizabeth zelf ook een minnaar en kwam Imogens afwezigheid haar wel goed uit.

Connor leefde dus op een gegeven moment met twee vrouwen die alles deden om het hem naar de zin te maken, die erom wedijverden wie hem het meeste van dienst was en steeds meer van mening verschilden over hoe zijn toekomst eruit moest zien.

Dat was waarschijnlijk het vreemdste aspect van hun driehoeksverhouding. Connors carrière als dichter was voor zowel Patricia als Imogen van het grootste belang. Ze geloofden volkomen en absoluut in hem. Daarom hielden ze het ook zo lang bij elkaar uit.

Maar terwijl Patricia wilde dat zijn werk gepubliceerd zou worden en met gejuich door het publiek zou worden ontvangen, met de bijbehorende financiële beloning die hem in staat zou stellen door te gaan en werk te scheppen van een steeds hoger literair gehalte, vond Imogen dat dergelijke platvloerse overwegingen geen beletsel mochten vormen voor het ware genie. Naar haar mening moest een dichter schrijven omwille van zijn kunst en niet om aan de grillen van het publiek te voldoen. Zijn leven zou in alle opzichten op een hoger plan moeten worden geleefd dan dat van gewone stervelingen.

Ze zag het als haar taak een idyllische achtergrond te scheppen waartegen Connor lyrische gedichten kon schrijven. Ze speelde piano, maakte prachtige bloemstukken en zorgde ervoor dat ze er zelf zo aantrekkelijk mogelijk uitzag. Daardoor kwam de last van het huishouden op Patricia's schouders terecht.

Dus als Connor terugkwam van een lange tocht door de bergen of van een langdurig drinkgelag in de dorpskroeg – om de *coleur locale* te ervaren – werd hij geconfronteerd met Patricia, die na een hele dag achter het hete fornuis moe en geïrriteerd was, en Imogen, die zat te dromen boven een roos die net was uitgekomen.

Het is niet verbazingwekkend dat hij de droomster liever had dan het sloofje. Ze hadden alledrie een eigen slaapkamer en Connor begon zijn nachten steeds vaker in Imogens bed door te brengen. Hij zei haar dat hij niet meer van Patricia hield en dat hij wel van haar hield. Hij schreef liefdesgedichten voor haar...'

Tante Biddie zweeg en sloeg haar hand tegen haar voorhoofd. 'Hemeltje lief! Dat was ik helemaal vergeten! Hij liet een boek publiceren en daar gaf hij mij een exemplaar van... Ik weet nog dat ik behoorlijk teleurgesteld was en de gedichten niet bepaald geweldig vond. Waar kan ik dat in godsnaam gelaten hebben? Waar zou ik het veilig hebben opgeborgen?'

Ze keek me spijtig aan en ik glimlachte wrang terug.

'Pieker daar nou maar niet over,' zei ik. 'Maak eerst je verhaal af.'

'Maar daar ga ik wel over piekeren. Het moet hier ergens zijn. Ik zou het beslist niet hebben weggegooid. Het is toch om razend van te worden.'

'Rustig nou maar. Vertel me over Imogen en Patricia. Hij zei tegen Imogen dat hij van haar hield...'

'Ja, en hij zei dat hij met haar zou trouwen als hij vrij was.'

'Hoe weet je dat allemaal?'

'Omdat Imogen het me heeft verteld. Ze zag me als vertrouwelinge, wat mijn positie niet erg gemakkelijk maakte, hoewel ik moet toegeven dat ik in zekere zin nogal medelijden met haar had. Wat dat betreft had ik ook erg met Patricia te doen.'

'Waarom pikte Patricia dat allemaal?'

'Omdat ze van hem hield. En ook omdat ik denk dat ze hem tegen die tijd goed genoeg kende om te betwijfelen of hij de daad ooit bij het woord zou voegen. Connor liet dingen over zich heen komen; hij besloot er niet toe. Hij kwam in situaties terecht doordat hij zaken op hun beloop liet en wrong zich dan in allerlei bochten om er weer uit te komen. Met Imogen was het volgens mij een kwestie van verborgen fruit dat het lekkerst smaakt. Hij kon niet weten of hij, als hij Patricia verliet, niet van de regen in de drup zou komen, of Imogen, als ze eenmaal een trouwring aan haar vinger had, niet net zo zou worden als Patricia – met andere woorden, dat ze echtgenote zou worden in plaats van maîtresse. En ik denk ook dat hij het wel prettig vond dat hij twee vrouwen had die naar zijn pijpen dansten.'

Ze zweeg om van haar koffie te drinken.

'Je laat hem nogal harteloos klinken,' zei ik.

'Ja, ik ben bang dat hij dat ook was – en erg egoïstisch. Maar je moet bedenken dat hij veel charme had.'

'Wat is er toen gebeurd?' vroeg ik.

'Nou, na een paar jaar begon de druk van haar onconventionele verhouding Imogen te veel te worden. En de nieuwigheid van het landelijke leven begon er ook een beetje af te gaan.'

'Duurde het zo lang?'

'O ja. Ze verhuisden naar Dewfield toen Stephen en ik net waren getrouwd – dat was in juni 1927 – en ze moeten er twee of drie jaar hebben gewoond. Hoe dan ook, Imogen ging een paar dagen naar Londen en trof daar Elizabeth weer, die haar eigen redenen had om weg te willen. Toen Imogen naar Dewfield terugkeerde, was dat met het voorstel dat ze allemaal naar Parijs zouden gaan, waar Elizabeth invloedrijke vrienden had die Connor bij zijn carrière konden helpen. Alle kunst was in Parijs, hield ze vol. Iedereen die iets betekende, zat daar.

Op dat moment raakte Patricia's geduld eindelijk op. Ze keerde zich tegen Imogen en zei dat ze uit haar huis moest ophoepelen en uit haar leven moest verdwijnen. Imogen, die de huur betaalde, weigerde te vertrekken. Als er iemand weg moest, zei ze, was het Patricia wel. Er vond kennelijk een gigantische ruzie plaats, met veel geschreeuw en veel tranen.'

Tante Biddie tuitte haar lippen. 'Ten slotte wendde Imogen zich tot Connor en wilde dat hij tussen hen zou kiezen. Patricia stemde ermee in. En Connor probeerde zich er natuurlijk uit te draaien. Ik geloof dat hij zelfs het huis uit liep. Hij haatte ruzies die hij niet zelf begon.

Waarop Patricia Imogen voorstelde dat ze hem met rust zouden laten, zodat hij een beslissing kon nemen. Hoe onwaarschijnlijk het ook mag klinken, ze kwamen een termijn van veertig dagen overeen. Ze pakten allebei hun koffers, gingen terug naar Londen – Patricia naar haar ouders en Imogen naar het hotel waar Elizabeth verbleef – en lieten Connor alleen op Dewfield achter.

Toen de veertig dagen ten einde liepen, had Connor nog steeds geen besluit genomen. Ik denk zelf dat hij aannam dat ze hem allebei zo zouden gaan missen dat ze met hangende pootjes zouden terugkomen en om vergeving zouden vragen, dus deed hij net of er niets aan de hand was.

In plaats daarvan ontving hij een brief van een advocaat, waarin stond dat Patricia van hem wilde scheiden, en een brief van Imogen, waarin stond dat Elizabeth en zij naar Parijs vertrokken. Toen verviel de huur voor Dewfield, die hij natuurlijk niet kon betalen. Toen kwam hij bij Stephen en mij en vertelde ons wat er was gebeurd – zij het niet precies zoals ik het jou net heb verteld – en vroeg ons hem wat geld te lenen. Hij voelde zich vreselijk oneerlijk behandeld en voelde zich heel erg de benadeelde partij.'

Ik boog me voorover en streelde Tiger met een afwezig gebaar, terwijl ik probeerde de implicaties van alles wat ze me had verteld tot me te laten doordringen en me een nieuw beeld van mijn vader te vormen die van gevallen engel was veranderd in een mens van vlees en bloed.

Toch vond ik zijn ongebruikelijke huwelijk met Patricia en zijn verhouding met Imogen niet half zo verontrustend als zijn schijnbaar nog onwaarschijnlijker huwelijk met de prinses, uit welke verbintenis ik mogelijk was voortgekomen. Hoewel ik me vaag kon voorstellen hoe hij op Dewfield Manor had gewoond met de afgetobde Patricia en de exotisch rijke en schone Imogen Humboldt, kon ik me niet voorstellen dat de prinses en hij samen een huishouden hadden gevormd.

'Ik hoop echt dat ik je niet al te erg van streek heb gemaakt,' zei tante Biddie bezorgd.

Ik glimlachte geruststellend. 'Nee hoor, heus niet.'

'Je begrijpt toch wel dat ik je zoiets niet kon vertellen toen je nog klein was?'

'Ja, dat begrijp ik best. En in jouw plaats had ik precies hetzelfde gedaan.'

'Dan is het goed. Ik was er nogal ongerust over dat ik er misschien niet goed aan had gedaan en dat je me zou verwijten dat ik je illusies had ontnomen.'

'Dat is precies wat het waren – illusies. Maar wat vond jij van zijn manier van leven? Ik kan me niet voorstellen dat je die goedkeurde.'

Ze glimlachte wrang. 'Ik ben minder bekrompen dan je denkt. Ik vond niet dat het aan mij was om het goed of af te keuren. Ik was geloof ik eerder boos op Connor dat hij met het leven van andere mensen speelde. Maar uiteindelijk keerden ze zich tegen hem, dus kreeg hij precies wat hij verdiende.'

'Nog een laatste vraag,' zei ik. 'Weet je wat er met Patricia is gebeurd?'

'Ja, ze is nota bene hertrouwd en ze is geloof ik in Zuid-Afrika gaan wonen. We hebben niets meer van haar gehoord sinds Connor en zij uit elkaar zijn, maar Stephen heeft contact gehouden met haar broer, die net als hij rijksambtenaar was. Ze is overleden, laat eens kijken, dat moet een jaar of tien geleden zijn geweest. Toen Stephen nog leefde in elk geval.'

Na de lunch gingen we op zoek naar mijn vaders dichtbundel. We liepen alle planken in de bibliotheek na, maar onze enige vondst was een kookboek dat vroeger van de moeder van tante Biddie was geweest, met een recept voor schuimpudding die kennelijk Connors lievelingstoetje was geweest toen hij nog kind was, en die ze de volgende keer dat ik kwam beloofde te maken.

We doorzochten alle andere kamers en eindigden boven, in het 'rommelhok', een van de slaapkamers op de tweede verdieping die geleidelijk een opslagplaats was geworden voor rommel die niet duidelijk ergens anders thuishoorde. Maar hoewel we hier de opmerkelijkste dingen vonden – zoals draagtassen vol oude kerstkaarten en de eigendomsakte van het huis, die op raadselachtige wijze onder in de kast was terechtgekomen – vonden we het vermiste boek niet.

Bij de deur naar de zolder hielden we op. 'Die deur gaan we niet eens opendoen,' kondigde tante Biddie aan. 'We zouden er een eeuwigheid voor nodig hebben om alles door te spitten wat daar staat en je moet vanavond weer naar Londen. Maar ik beloof je dat ik doorga met zoeken en als ik de bundel vind, ben jij de eerste die het hoort.'

Toen we de levende have hadden gevoerd, dronken we thee met toast bij de open haard en toen was het tijd om te vertrekken. 'Ga je proberen contact op te nemen met Oliver Lyon?' vroeg tante Biddie, toen ik in de auto stapte.

Ik grijnsde. 'Als Stevie me tenminste niet voor is.'

HOOFDSTUK 6

Toen ik van Highgate West Hill de oprit naast Linden Mansions indraaide, was dat in een heel andere stemming dan twee avonden eerder. Nu was ik opeens geweldig blij dat Nigel er niet was. Het zou fijn geweest zijn als ik geweten had dat er iemand op me zat te wachten, ook al zou Nigel zeker in staat geweest zijn me het heft uit handen te nemen. Met zijn contacten in de media- en televisiewereld kende hij Oliver Lyon misschien al wel – of zou hij bijna zeker iemand kennen die hem kende – en zou het hele zaakje me uit handen zijn genomen. Maar Nigel zou pas woensdag terugkomen.

Parkeren bij Linden Mansions was op basis van het gezegde wie het eerst komt, het eerst maalt. Dat gold voor iedereen, behalve voor Nigel, die zich een plaatsje had toebedeeld vlak voor de ingang van ons flatgebouw.

Naar het vliegveld nam hij altijd een taxi, zodat zijn rode BMW nog op 'zijn' plek stond. Onze buren – vooral Sherry en Roly, die in antiek handelden en voortdurend dozen en kratten moesten in- en uitladen – moeten zich daar vreselijk aan hebben geërgerd, maar ze klaagden nooit, tenminste niet tegen mij. Ik neem aan dat ze net als ik hadden geleerd dat je maar beter de weg van de minste weerstand kon kiezen als je met Nigel te maken had.

Maar die avond had ik geluk en paste mijn Fiesta nog precies op een plekje helemaal aan het eind van de inrit, onder een kastanje, naast Roly's Volvo.

Eenmaal in de flat werd ik, zoals altijd wanneer ik terugkwam van een bezoek aan tante Biddie, getroffen door het contrast tussen mijn eigen woning en The Willows. De ruime kamers zelf verschilden niet zoveel, met hoge plafonds en schuiframen, maar daar hield de gelijkenis op.

The Willows was sfeervol met zijn mengelmoesje van meubelstijlen, zijn wanorde van boeken en 'rommel', en nostalgische herinneringen aan voorbije generaties. Tante Biddies persoonlijkheid was overal terug te vinden; zelfs de ongebruikte kamers voelden niet leeg aan, omdat het was of er nog iets van vorige bewoners was blijven hangen.

Linden Mansions 9 daarentegen was onmiskenbaar een product van de jaren zeventig, al was het gebouw waarin het lag een eeuw geleden gebouwd.

In de jaren zeventig hadden de vrolijke kleuren van de jaren zestig plaats gemaakt voor een soberder eenvoud. Ons woonkamermeubilair bestond uit een driedelig zwartleren bankstel rond een lange koffietafel met verchroomde poten en een rookglazen blad. Het hoogpolige tapijt en de fluwelen gordijnen waren lichtgrijs en de muren waren behangen met crèmekleurig, opgelegd behang. De verlichting werd verzorgd door een paar staande lampen die eruitzagen als lange, witte, spichtige paddestoelen en de kap van de plafondlamp leek op een verchroomde vliegende schotel.

Pauwblauwe kussens, een vaas van blauw Muranoglas en een bijbehorende asbak – souvenirs uit Venetië – zorgden voor forse kleuraccenten, evenals afbeeldingen van schilderijen van Lowrie, Hockney en Warhol. Op de ereplaats, waar je het goed kon zien als je zat, hing een van Nigels eigen schilderijen, een abstract werk dat bestond uit explosieve klodders verf en dat inspiratie moest voorstellen.

Rookglas en chroom kwamen ook in het eetgedeelte voor, waar de eettafel een grote broer van de koffietafel was. De stoelen waren van zwart metaal met een leren zitting. Het dressoir had de kleur van ebbenhout.

De keuken was de droom van elke huisvrouw, voorzien van de modernste apparatuur. De badkamer miste de eigenheid van die op The Willows, maar was veel luxer. De twee slaapkamers hadden ingebouwde kasten met een kaptafelgedeelte met spiegel in het midden. Het beddengoed kwam qua kleur overeen met de gordijnen en het tapijt – jade en turkoois in de grote slaapkamer, dofrood en bruin in de logeerkamer. Nigel gebruikte de derde slaapkamer als werkkamer. Deze was helemaal in wit ingericht: wit bureau, witte stoel, witte archiefkasten.

Mijn gevoelens over die flat en de manier waarop hij was ingericht, waren altijd tweeslachtig geweest. Hij was buitengewoon stijlvol en ontlokte altijd bewonderende opmerkingen. En het meubilair zat, ondanks zijn sombere kleur en strakke lijnen, buitengewoon comfortabel. Je kon je op de bank of in een leunstoel nestelen – en als de maaltijd allang voorbij was, kon je nog uren aan de eettafel zitten kletsen.

In theorie waren meubilair en kleurenschema het gevolg van een geza- menlijke keuze. Dit was tenslotte ons nieuwe begin geweest – onze eerste nieuwe woning samen toen we zijn flat in Islington verlieten. In wezen getuigde hij echter van Nigels smaak. Maar in het voorjaar van 1973, toen we erin waren getrokken, was ik zwanger geweest en zo intens gelukkig dat het laatste wat ik wilde, was hem te irriteren door hem mijn ideeën op te dringen.

Hoe dan ook, hij was ontwerper van beroep en het was voornamelijk zijn geld waarmee alles werd betaald.

Dus had ik me getroost met het idee dat ik, als ik eenmaal ophield met werken, geleidelijk hier en daar iets zou kunnen toevoegen waardoor het huis minder een modelwoning en meer een thuis zou worden. En hier en daar waren ook dingen van mij, al was daar maar weinig van te zien – zoals de boekenkast in de logeerkamer, mijn nachtkastje met mijn sie- raden en andere persoonlijke schatten en het badkamerkastje. De sterili- teit van de keuken die aan het ruimtevaarttijdperk deed denken, werd ver- zacht door exemplaren van Miranda's aardewerk, op planken uitgestald, en een prikbord met tekeningen die Stevie in de loop der jaren had gemaakt.

Achter de keuken lag een kleine ruimte die helemaal alleen van mij was: een daktuin van slechts 3,5 m in het vierkant, vol bakken en potten waarin altijd wel iets stond te bloeien. Als ik morgen naar buiten keek, zou ik sneeuwklokjes en gele winterakonietjes, winterjasmijn en kerstro- zen zien.

Die avond, toen ik door de gang naar onze slaapkamer liep, kwam het opeens bij me op dat uit Linden Mansions 9 het verschil in karakter tus- sen Nigel en mij bleek. Zeker, de hele flat was erg elegant, zeer geschikt voor een kritische art-director die voor een veelbelovend reclamebureau werkte, maar hij was niet echt van mij.

De aanvankelijke onwennigheid dat ik weer terug was, verdween echter snel en toen ik mijn tas had uitgepakt, ging ik naar de keuken om water op te zetten voor een kopje thee, terwijl ik mijn kleren voor de volgende dag klaarlegde.

Een halfuur later lag ik in bed. Naast me, op het nachtkastje, stond een ingelijste foto van Nigel, een recent zwart-witportret dat voor het tijd- schrift *Campaign* was genomen en dat hij me voor de kerst had gegeven. Op de achterkant had hij geschreven: 'Om je gezelschap te houden als ik er niet ben. Liefs, Nigel.'

Ik wierp een vluchtige blik op zijn magere gezicht en beweeglijke mond, met die blauwe ogen die me vroeger helemaal week hadden gemaakt en die met een vage glimlach in de camera keken. Hij was nog steeds een erg knappe man, bedacht ik zonder enige emotie, bijna alsof ik aan een vreemde dacht.

Toen zette ik hem uit mijn hoofd en concentreerde me erop mijn aantekeningen van de vorige avond bij te werken nu tante Biddies onthullingen me nog vers in het geheugen lagen. Toen ik ze weglegde en het licht uitdeed, duurde het veel langer voor ik in slaap viel dan op The Willows. Ik miste de koude lucht op mijn gezicht en de warme kruik en Tiger om tegenaan te kruipen...

De volgende morgen beging ik de fout dat ik niet meteen opstond toen de wekker afliep, maar doezelig aan de gebeurtenissen van het weekend bleef liggen denken, terwijl ik me afvroeg wat ik moest zeggen als ik Oliver Lyon belde en wilde dat ik niet naar mijn werk hoefde. Toen moest ik opeens aan de vergadering van de afdelingsbestuurders denken en schoot ik uit bed.

Er volgde een blinde paniek, die nog erger werd doordat ik mijn huissleutels niet kon vinden. Uiteindelijk vond ik ze in de zak van mijn spijkerbroek en ik vloog naar beneden, waar Roly toevallig net langs de ingang reed. Hij stopte en gooide zijn deur open. 'Stap in. Dan breng ik je naar het station.'

Hij reed vrijmoedig West Hill op, de ochtendspits in. 'Heb je een goed weekend gehad?'

'Helemaal te gek,' antwoordde ik, terwijl ik automatisch heuvelop keek of er een bus in zicht was, maar dat was zoals gewoonlijk niet het geval. 'Heb jij zaterdag toevallig Oliver Lyon gezien?'

'Ik vrees van niet. Hoezo?'

'Het is te veel om nu te vertellen, maar zijn Sherry en jij vanavond thuis?'

'Voor zover ik weet wel.'

'Dan kom ik na mijn werk even langs om jullie er alles over te vertellen.'

'Is Nigel nog weg?'

'Ja.'

'Waarom kom je dan vanavond niet bij ons eten?'

'Dat zou geweldig zijn!'

We kwamen bij de ondergrondse en hij stopte langs de stoeprand. Ik gaf hem een snelle kus op zijn wang en haastte me diep onder de grond waar ik toen nog een kwartier op een trein moest wachten.

Waarom deed ik dit? vroeg ik me af, terwijl ik terugdacht aan Bredon Hill, waar geen levende ziel te bekennen was geweest, behalve tante Biddie. Waarom deed ik mee aan dit gedoe? Maar dat hoorde nu eenmaal bij de waanzin. Dus las ik de reclameteksten die me vertelden waar ik een betere baan kon vinden, wat het beste bedrijf was om een levensverzekering bij af te sluiten en waarop een Indisch restaurant in Morden werd aangeprezen.

Ten slotte bereikte ik Charing Cross en terwijl ik het verkeer op Trafalgar Square ontdook, rende ik naar Wolesley House aan St James's Square, waar de Goodchild Group op de eerste verdieping kantoor hield.

'Wat noem je dit voor tijd?' wilde Sergeant weten, toen ik de balie in de foyer voorbij rende, waar de klok vijf over negen aangaf. Sergeant was als portier naar Wolesley House gekomen toen hij aan het eind van de oorlog was afgezwaaid, met als gevolg dat hij het pand met al zijn gebruikers als zijn persoonlijke verantwoordelijkheid beschouwde. Toen riep hij: 'Het geeft niet, Cara! De voorzitter is er nog niet!'

Miles stond erop dat iedereen hem bij zijn voornaam noemde, maar Sergeant kon dat niet over zijn lippen krijgen. Een grootindustrieel moest een titel hebben, net als een officier in het leger. Omdat ik zelf tot de gewone manschappen behoorde, was ik Cara. Behalve in het gezelschap van buitenstaanders, wanneer hij me formeel mevrouw Sinclair noemde. Maar Miles was de voorzitter en zo werd hij ook aangesproken, of hij het leuk vond of niet.

'Ellendige treinen,' mopperde ik, terwijl ik mijn pas vertraagde tot een wat waardiger tempo.

'Misschien moet je eens proberen eerder op te staan.'

'Ha!' kreunde ik, terwijl ik naar hem grijnsde.

Op de eerste verdieping ging ik de dubbele klapdeuren door waarop een bescheiden koperen plaat verkondigde: The Goodchild Group Ltd. Bij de receptie keek Dorothy op en stak me een velletje papier toe. 'Hallo, Cara. Twee boodschappen. Wil je zo snel mogelijk Massimo Patrizzi op de Banco di Investimento e Soccorso in Milaan bellen? En David Parsons van de National & Colonial Bank wil graag dat Miles hem belt. Het is dringend.'

Miles was heel slim in het kiezen van zijn personeel, zoals hij ook in zaken buitengewoon uitgeslapen was. Alleen in zijn privé-leven leek het hem aan inzicht te ontbreken. Na drie mislukte huwelijken (die zeven kinderen hadden opgeleverd), had hij de reputatie van rokkenjager verworven: de paparazzi fotografeerden hem altijd in gezelschap van prachtige jonge vrouwen. De roddelbladen beweerden dat hij momenteel een vierde huwelijk overwoog, met de vijfentwintigjarige dochter van een baronet, Lady Fiona Waldron.

Ik had er absoluut geen idee van of dat waar was. De relatie tussen Miles en mij was puur zakelijk. Er was een zekere vertrouwelijkheid tussen ons, zoals onvermijdelijk ontstaat tussen twee mensen die al dertien jaar samenwerken. Maar dat was alles.

Miles zou beslist nooit een verhouding met een werknemer zijn begonnen. Hij hield zijn zakelijk en privé-leven strikt gescheiden en waar het zijn vrouwelijk personeel betrof, vond hij verstand en bekwaamheid beslist belangrijker dan schoonheid en jeugd.

Dorothy, die zowel de telefooncentrale als de receptie bemande, was nog minder een stuk dan de andere drie secretaresses en ik. Ze was net oma geworden.

Links van Dorothy's balie op de receptie liep een korte gang naar de kantoren van Alan Warburton, directeur van de Goodchild Food Division, Keith Despard, directeur van de Goodchild Beverages Division, en James Warren, financieel directeur van de Group. Rechts gaf een tweede stel dubbele deuren toegang tot de kantoren van Miles en mij, en de bestuurskamer.

Vier directeuren, hun secretaresses en Dorothy lijken misschien een erg klein managementteam voor zo'n enorm concern als de Goodchild Group, met meer dan honderd dochterondernemingen door heel Europa en, in toenemende mate, in de rest van de wereld. Deze varieerden van Buona Gusta, het Italiaanse bedrijf dat de tomatenpuree maakte die Miles eind jaren vijftig in Engeland was gaan importeren – de grondslag van zijn imperium – tot de laatste acquisitie van Dandy Candy, de Amerikaanse kauwgum- en snoepgigant.

Maar meer personeel zou onnodig zijn geweest. Alle bedrijven onder Goodchilds leiding bleven autonoom wat hun management en zakelijk beleid betreft en Miles greep zelden in de dagelijkse gang van zaken in. Hij gaf zelf toe dat hij niet erg goed was in het leiden van bedrijven en dat hem dat ook niet zo interesseerde. Zijn grote kracht lag in zijn visie, zijn vermogen een kans te zien en te grijpen voor iemand anders dat deed.

De meeste van onze bedrijven waren noodlijdend toen we ze verwierven, ofwel omdat hun producten een ouderwets imago hadden, ofwel omdat hun management was ingedut. Miles stuurde zijn beulen erop af om een stofkam door de organisatie te halen en de oorzaak van het bederf vast te stellen, weg te snijden en dan de weg te bereiden voor nieuwe, winstgevende groei. Zijn vijanden beschuldigden hem van verkoop van waardevolle activa na een overname, maar hij beschreef het proces als het vrijmaken van een onderneming en dat lag veel dichter bij de waarheid. De Goodchild Group was beslist geen barmhartig concern, maar was ook niet zuiver roofzuchtig.

In de loop der jaren zijn over Miles heel wat nare dingen gezegd. Hij is ervan beschuldigd dat hij een meedogenloos ondernemer, een ontrouwe echtgenoot en een afwezige vader was, die probeerde de liefde van zijn kinderen met dure cadeaus te kopen in plaats van ze zijn tijd te geven. Als iemand die dertien jaar nauw met hem heeft samengewerkt, zou ik deze aantijgingen weerleggen door te zeggen dat hij altijd probeerde fair te zijn.

Er werd nooit iemand bij een van de Goodchild-bedrijven ontslagen, tenzij hij het had verdiend. Wat zijn huwelijken betreft, geen van zijn ex-echtgenotes kwam ook maar iets tekort – dat weet ik zeker, omdat ik de correspondentie afhandelde en de cheques uitschreef voor Miles ze tekende. Wat zijn kinderen betrof, welke succesvolle zakenman is elke avond en elk weekend thuis?

Jegens mij was Miles meer dan fair. En dat geldt ondanks hetgeen er aan het eind van onze zakelijke relatie gebeurde. Daar mag ik dan destijds boos over zijn geweest, ik draag hem geen kwaad hart meer toe. Miles was tot het einde toe fair geweest.

Als de Group een nieuw bedrijf had verworven, greep het hoofdkantoor alleen in als er iets mis ging. Dan, zoals onlangs, toen de net op de markt gebrachte serie Buona Gusta-gourmetdiepvriesproducten ondanks een intensieve reclame- en marketingcampagne niet liep in de supermarkten, werd Alan Warburton erop afgestuurd om de oorzaak te achterhalen.

Als gevolg daarvan werd de verpakking veranderd en de prijs verlaagd. Toen de winstmarge na zes maanden nog te laag was, werd de verkoop gestaakt. Ergens in Italië werden toen opeens een heleboel mensen werkeloos. Maar dat was niet de schuld van de Goodchild Group. Wij hadden de nodige gelden geïnvesteerd voor de ontwikkeling van het nieuwe product en onze expertise verleend om te proberen het probleem op te lossen. De schuld lag bij het eigen management van Buona Gusta in Italië, dat de behoefte van de consument onjuist had ingeschat. Dientengevolge werd de marketingdirecteur ontslagen en werd in zijn plaats een ander benoemd, na goedkeuring door Alan Warburton.

Ik nam het velletje papier met mijn boodschappen aan en liep naar mijn kantoor, waar ik me op topsnelheid voorbereidde op de dag die voor me lag.

Toen ging de telefoon en begon de dag pas goed.

'Signor Patrizzi voor je, Cara,' kondigde Dorothy aan.

'*Pronto! Pronto!*' klonk de stem van Massimo Patrizzi door de telefoon. Zijn gesprek, dat verder ging in een rappe stroom Italiaans, ging over veranderingen in de financiële structuur van een paar van onze Italiaanse belangen. Terwijl hij sprak, maakte ik in het Italiaans aantekeningen in steno.

Miles zelf arriveerde een minuut of tien daarna. 'Morgen, Cara,' zei hij, terwijl hij zijn jas en sjaal op de kapstok net binnen de deur van mijn kantoor hing. 'Hoe gaat het vandaag met je?'

'Prima, dank je. En met jou?'

'Buitengewoon goed, dank je.'

Miles liep tegen de zestig en zo zag hij er ook uit – niet ouder en niet jonger. Hij was van gemiddelde lengte en bouw, kalend, waarbij het haar dat hij nog had lichtbruin, doorsprenkeld met grijs was. Hij had een hoog voorhoofd, een krachtige neus, een vierkante kaak met een gleufje in zijn kin en driehoekige, hazelbruine ogen. Ik hoef niet te zeggen dat hij er altijd uitzag om door een ringetje te halen, hoewel hij helemaal niet ijdel was. Eigenlijk was hij een van de weinige mensen die ik ooit heb ontmoet die totaal niet ijdel waren, zowel wat uiterlijk als wat daden betreft. Hoewel hij niet geloofde dat kleren de man maken, zag hij niet in waarom hij zich het leven moeilijk zou maken door zich slecht te kleden. Wat zijn prestaties betreft vond hij niet dat hij al reden had om zelfvoldaan te zijn, omdat hij nog lang niet had bereikt wat hij wilde.

Hij ging zijn kantoor in en ik liep achter hem aan, met het afschrift van mijn gesprek met Massimo Patrizzi in mijn hand. Het volgende halfuur werkten we aan één stuk door, waarbij we de post en zijn programma voor de komende week doornamen. Toen ging ik naar mijn eigen kantoor terug en begon met de klusjes die nodig moesten gebeuren voordat de vergadering van de Food Division begon. Maar deze keer was ik er met mijn gedachten niet bij. Ik was met mijn gedachten bij mijn vader, de prinses en Oliver Lyon.

Er werd geklopt en Juliette stak haar donkerharige, intelligente kopje om de hoek van de deur. Juliette was vijf jaar tevoren bij het bedrijf gekomen en ze was secretaresse van James Warren. Zij en ik waren goede maatjes. Als Nigel er niet was, gingen we dikwijls 's avonds na het werk naar de schouwburg of uit eten, en af en toe zagen we elkaar ook wel in het weekend.

'Hoi,' zei ze. 'Hoe was je weekend?'

'Helemaal te gek.'

Haar bruine ogen werden groot. 'Hoezo? Wat heb je uitgespookt? Ik dacht dat je naar je tante zou gaan.'

'Daar ben ik ook geweest. Het is wat er gebeurde toen ik daar was.'

De bruine ogen stonden ongerust. 'Is er iets met je tante?'

'Nee, ze maakt het prima. Het is... Nee, ik heb nu geen tijd om het je te vertellen.'

'Zullen we vandaag lunchen?'

'Sorry, dat gaat niet. Het is vergaderdag. Morgen misschien. Dan is Miles naar Parijs.'

'Oké. Dan laat ik je alleen en praten we later wel bij. Zal ik je tussen de middag een sandwich brengen?'

'Je bent een schat. Dat zou heerlijk zijn.'

Korte tijd later zat ik in de bestuurskamer aan een bureautje bij de deur, terwijl de directeuren van de Food Division rond de tafel zaten, met Miles aan het hoofd. De bestuurskamer was net als de rest van de kantoren van de Goodchild Group smaakvol, duur en onpersoonlijk ingericht. Omdat de Group een betrekkelijk jonge onderneming was, hingen er geen portretten van eerdere voorzitters aan de muur. Er hadden geen generaties Goodchilds aan het hoofd van die tafel gezeten. In zekere zin verschilde mijn kantooromgeving niet zoveel van mijn woning in Linden Mansions. Er was geen gevoel voor traditie.

Notuleren was, al ging het nog zo goed, het karwei dat ik het minst leuk vond. Aantekeningen maken terwijl anderen zitten te praten en niet mogen onderbreken of zelf vragen stellen is altijd frustrerend. Stille getuige zijn van een proces waarin de rechter zijn oordeel al heeft gevormd, is nog erger.

Onder normale omstandigheden zou het me geen moeite hebben gekost me op de lopende zaken te concentreren. Die ochtend merkte ik echter dat mijn gedachten afdwaalden toen ik de saillante punten had moeten noteren van de langdradige verklaring van de managing director van Crinkly Crisps over de reden waarom zijn bedrijf meerdere honderdduizenden ponden minder had omgezet dan was gepland, en zijn voorstel over de manier waarop de situatie kon worden rechtgetrokken.

Als Miles naar zijn lunch was, zou ik Oliver Lyon kunnen bellen. Maar wat moest ik zeggen? Ik oefende mijn verhaaltje in gedachten.

'Hallo, meneer Lyon. Ik vraag me af of u even tijd voor me hebt. Ik heb vrijdag uw interview met prinses Shuiska op televisie gezien en ik vroeg me af of u me wat meer over haar zou kunnen vertellen. Connor Moran was namelijk mijn vader en zoals u weet, was hij in de oorlog, toen ze in Italië woonde, met haar getrouwd...'

In 's hemelsnaam! Onzin verkopen was vast besmettelijk. Probeer het nog eens. Wees kort en bondig...

'Hallo, meneer Lyon. Ik heb vrijdag uw programma gezien en ik wil graag wat meer te weten komen over het leven van de prinses toen ze in Italië woonde.'

Het begint te komen, maar...

Maar zijn telefoontjes werden waarschijnlijk aangenomen door een secretaresse zoals ik. Wat moest ik zeggen als ze vroeg of ik een boodschap wilde achterlaten? Dan zou ik moeten zeggen dat ik nog wel eens zou bellen. En als hij nou eens geen kantoor bij de BBC had? Als hij nou eens thuis werkte? Het was niet waarschijnlijk dat de telefooncentrale me zijn privé-nummer zou geven. Ze zouden eerder zeggen dat ik hem maar moest schrijven. Zou het dan niet verstandiger zijn hem maar meteen een brief te schrijven? Maar mijn verzoek schriftelijk uitleggen zou nog moeilijker zijn dan het door de telefoon uit te leggen. En dat zou inhouden dat hij de moeite moest nemen antwoord te geven. Bovendien kon hij mijn brief natuurlijk ook domweg negeren en weggooien...

Het is heel opmerkelijk wat voor obstakels je tegenkomt als je iets doet wat voor jou heel belangrijk is. Als Miles me had gevraagd Oliver Lyon voor hem te bellen, had ik precies geweten wat ik moest zeggen.

Een andere stem, die mijn naam zei, onderbrak mijn gedachten. Alan Warburton zei: 'Cara, zorg alsjeblieft dat dat commentaar van Peter precies zo in de notulen komt.'

Ik knikte, zonder dat ik er het flauwste benul van had wat Peters commentaar was geweest. Mijn potlood was over mijn stenoblok gegaan terwijl mijn gedachten bij Oliver Lyon waren, maar het niet te ontcijferen schrift sloeg helemaal nergens op. Dit ging een geval worden waarin ik later tegen Alan moest doen alsof ik mijn eigen steno niet terug kon lezen.

Daarna dwong ik mezelf op te letten door mijn hoofd gebogen te houden en naar mijn hand te kijken terwijl ik schreef, in plaats van mijn blik door het vertrek te laten dwalen. Dat werkte, maar het kostte moeite en ik was maar wat blij toen ik Miles hoorde zeggen: 'Zo, dat was het dan voor vandaag, heren.'

Ik liep snel naar de receptie en vroeg Dorothy om Hawkins, de chauffeur, te zeggen dat hij de auto moest voorrijden om Miles naar het Savoy te brengen voor zijn lunchafspraak. Toen ging ik naar mijn kantoor om mijn steno door te lezen om te kijken waar de hiaten zaten. Ik ving Alan net op toen hij op het punt stond te vertrekken voor de lunch. Hij grijnsde toen ik hem mijn dilemma voorlegde. 'Het verbaast me niets dat je er geen touw aan kon vastknopen. Ik heb van mijn leven nog niet zoveel onzin gehoord. Voor het geval je het nog niet door had, hij krijgt de zak. Luister, zeg maar gewoon...' Hij dicteerde een paar zinnen. 'Meer is niet nodig.'

Dat mogelijk netelige probleem was opgelost. Miles was aan het lunchen. Ik sloeg het telefoonboek van Londen open en zocht de BBC op. Er stond maar één nummer en voor ik van gedachten kon veranderen, draaide ik het. Mijn hart bonsde belachelijk en ik had een droge keel.

Een telefoniste nam op en ik zei: 'Ik vraag me af of u me kunt vertellen hoe ik Oliver Lyon kan bereiken.'

'Een ogenblikje, alstublieft.'

Een andere stem meldde: 'Opnameleiding.'

'Ik vraag me af hoe ik Oliver Lyon kan bereiken.'

'Kunt u me zeggen waar het over gaat?'

'Over zijn programma van vrijdagavond.'

'Wilt u een klacht indienen?'

'Nee hoor, helemaal niet. Ik, hmm, eh, ik wilde hem alleen iets vragen over iemand die in het interview werd genoemd – Connor Moran – dat was mijn vader, ziet u.'

'In dat geval verbind ik u door met Jessica Fletcher. Zij is de assistent-producer. Een momentje, alstublieft.'

'Jessica Fletcher,' zei een zakelijke vrouwenstem.

'Eh, het spijt me dat ik u stoor,' stamelde ik, 'maar ik zou u iets willen vragen over het interview van Oliver Lyon een paar dagen geleden met de prinses – eh...' Om de een of andere reden kon ik haar naam niet over mijn lippen krijgen.

'Ach, ja. En mag ik uw naam vragen?'

'Mijn naam? O, ik ben Cara Sinclair.'

'Is dat mevrouw of juffrouw Sinclair?'

'Mevrouw. Maar–'

'Goed, mevrouw Sinclair, wat wilt u weten?'

Ik kon me geen woord herinneren van wat ik had geoefend. 'Eh, nou, het is mogelijk dat de prinses mijn moeder is geweest,' flapte ik eruit.

Het was stil aan de andere kant van de lijn. Toen zei Jessica Fletcher, op de voorzichtige toon die mensen gebruiken als ze met een gek te maken hebben: 'En waarom denkt u dat?'

Het was nu te laat om het terug te draaien. 'Omdat ze met mijn vader – Connor Moran – getrouwd was omstreeks de tijd dat ik ben geboren.'

'Mag ik u vragen om even aan de lijn te blijven, mevrouw Sinclair?'

Er klonk een klik en toen was het stil. Ik wilde net ophangen, toen een andere stem zei: 'Mevrouw Sinclair? U spreekt met Oliver Lyon. Jessica zegt dat Connor Moran uw vader was. Klopt dat?'

'Ja,' antwoordde ik.

'En hoe denkt u dat ik u zou kunnen helpen?'

'Nou, tot vrijdagavond dacht ik dat mijn moeder in het kraambed was overleden. Ik had zelfs nog nooit van de prinses gehoord...' – weer kon ik de 'Sh'- en 'vska'-klank niet over mijn lippen krijgen, dus hakkelde ik verder – 'laat staan dat ik wist dat mijn vader met haar getrouwd is geweest. U zei dat uw vader El Toro kende en een paar van zijn vrienden had ontmoet. En ik vroeg me af of u bijvoorbeeld misschien weet waar ze in Italië heeft gewoond.'

Over kort en bondig gesproken.

Hij stelde me een paar vragen over mijn geboorte en mijn jeugd, en zei toen: 'Ik kan niet beloven dat ik u kan helpen, maar ik zou het interessant vinden u te ontmoeten.'

Mij te ontmoeten? Dat was niet bij me opgekomen. 'Ja, maar ik zou niet willen dat u uw tijd verspilde. Ik bedoel, u hebt het vast erg druk...'

'Als het waar is wat u me net hebt verteld, zou het geen tijdverspilling zijn. Integendeel, het is mijn werk.'

'O, het is waar,' verzekerde ik hem vurig.

'Waar belt u vandaan?'

'Uit Londen. Ik ben op het moment op mijn werk.'

'Wanneer zullen we elkaar dan treffen? Laat ik even in mijn agenda kijken. Hmm, vandaag is het maandag. Wat dacht u van morgenavond? Waar werkt u?'

'St James's Square,' antwoordde ik met zwakke stem.

'Kan niet beter. Kent u het Ambassador Hotel?'

Ik kende het goed, want het was net om de hoek van St James's Square en Miles hield er permanent een suite aan, waar hij zijn vertrouwelijkste zakelijke bijeenkomsten hield.

'Natuurlijk,' zei ik.

'Dan zie ik u daar morgenavond om een uur of zes.'

'Dank u. Maar alleen als u zeker weet...'

Hij negeerde mijn laatste woorden en zei: 'Ik verheug me erop u te ontmoeten, mevrouw Sinclair.'

Ik legde neer en dacht dat ik hem de indruk moest hebben gegeven dat ik een volslagen idioot was.

HOOFDSTUK 7

Het was die avond halfzeven voor ik al Miles' papieren voor zijn aanstaande reis naar Parijs, Zürich en Milaan had voorbereid en ik weg kon, en er lag nog een stapel werk voor tijdens zijn afwezigheid. In Linden Mansions ging ik rechtstreeks naar onze flat, waar ik een spijkerbroek en trui aantrok en daarna gauw tante Biddie belde om haar te bedanken voor het heerlijke weekend en haar van mijn gesprek met Oliver Lyon te vertellen.

Daarna belde ik Miranda, die toegaf dat ze had betwijfeld of ik de moed zou hebben Oliver Lyon te bellen.

Stevie nam de telefoon van haar over. 'Je dacht aan mijn dreigement, hè? Je wist dat ik hem zou bellen als jij het niet deed.'

Ik lachte. 'Nou, dat kan er iets mee te maken hebben gehad.'

'Ik wilde dat ik met je mee kon om hem te ontmoeten.'

'Dan zou je een heel eind moeten afleggen. Ik bel je naderhand wel om je op te hoogte te houden...'

Ik had letterlijk net neergelegd toen de telefoon ging. 'Hallo, met mij,' zei Nigels stem na die malle vertraging die bij transatlantische gesprekken optreedt. 'Hoe gaat het met je?' Zijn stem klonk behoedzaam, alsof hij problemen verwachtte.

'Met mij gaat het prima. En met jou?'

'Ik heb het weekend geprobeerd je te bellen, maar er werd niet opgenomen.'

'Ik ben naar Avonford geweest.'

'O, zat je daar. Dan is het goed.'

'Hoe gaat het met de opnamen?'

'Die zijn een totale en volslagen ramp aan het worden. Daarom bel ik je. Ik kom woensdag nog niet terug.'

Ah, vandaar die ongerustheid in zijn stem...

'Waarom, wat is er nu weer mis?'

'Ik heb je toch verteld over dat fiasco dat de vlucht vertraagd was en de luchtvaartmaatschappij mijn koffer kwijt was? Nou, toen bleek dat een van de modellen zich met Kerst ook nog had volgevreten en minstens zes kilo was aangekomen. Daarna kregen de fotograaf en de visagist diarree en vond een van de modellen een kakkerlak in haar kamer. Toen moesten we dus naar een ander hotel. Wat het weer betreft, het doet hier verdomme niets dan regenen.

Ik heb net Liam aan de telefoon gehad en hij is het ermee eens dat er niets anders op zit dan te blijven en ons niks van het budget aan te trekken. Hoewel we God weet al zo krap zitten. We zullen voor de klant een goed verhaal moeten verzinnen. Daar zullen ze wel niet zo mee zitten, zolang we maar aan de verwachtingen voldoen. Maar zoals de zaken er nu voor staan, heeft Jason nog nauwelijks film verschoten.'

'Wanneer denk je dat je dan thuiskomt?' vroeg ik.

'Volgende week woensdag op z'n vroegst. Afgezien van al het andere zijn er tot die tijd niet eens vluchten. Omdat we met een charter vliegen, kunnen we niet naar een andere luchtvaartmaatschappij overstappen.'

'O, hemel. Dat spijt me.'

'Het spijt mij ook, schat. Het hele gebeuren is één grote nachtmerrie.' Hij zweeg en ik kon me zijn gezicht voorstellen en bijna zien hoe opgelucht hij was dat ik het zo goed opvatte. Toen vroeg hij: 'Hoe is het weer bij jullie?'

'Onstuimig.'

'Nog iets bijzonders gebeurd?'

'Een heleboel, eigenlijk.'

'Zoals?'

'Te veel om je door de telefoon te vertellen.'

'Toch niets ernstigs? Alles oké in de flat?'

'Nee hoor, hier is alles in orde. Vergeet het maar, het kan wel wachten tot je terug bent.'

'In dat geval kan ik beter ophangen. Het lijkt er zowaar op dat de zon doorkomt. Dat zal me verdomme een wonder wezen.'

'Bedankt voor het bellen.'

'Sorry dat ik geen beter nieuws heb. Maar ja, dat heb je nou eenmaal in het reclamevak. In dit rotberoep gaat nooit iets van een leien dakje.'

'Nee. Nou, ik hoop dat het van nu af aan beter gaat.'

'Veel erger kan gewoon niet. Hoor eens, ik bel je gauw weer. Zorg intussen goed voor jezelf.'

'Jij ook.'

Toen ik de hoorn liet zakken, zei hij nog: 'Ik mis je.'
'Ik jou ook,' antwoordde ik, maar hij had al neergelegd.

Wat kan een weekend een verschil uitmaken.

Als dat telefoontje vrijdagavond was gekomen, had ik waarschijnlijk dezelfde dingen gezegd, maar dan had ik me van binnen heel anders gevoeld. Nu was mijn eerste reactie er een van dankbaarheid dat hij langer wegbleef, zodat ik Oliver Lyon kon ontmoeten en eventuele aanwijzingen kon volgen waar hij misschien mee kwam, zonder dat Nigel zich ermee bemoeide.

Toch was ik me tegelijkertijd ten volle bewust van de implicaties van dat telefoontje. En Nigel ook. Dat bleek duidelijk uit de manier waarop hij was blijven doorzagen over zijn contact met Liam om te benadrukken dat de reden voor zijn oponthoud echt was en dat het allemaal waar was. Hij had net niet gezegd: 'Als je me niet gelooft, bel je Liam maar om het te controleren.'

Ja, Nigel had ook aan Patti Roscoe gedacht. Hij had eraan gedacht hoe hij me toen had gebeld en had gezegd: 'Sorry, schat, ik kom dit weekend niet thuis, zoals gepland. Patti's manager heeft besloten dat we, nu we toch in Californië zijn, net zo goed naar Mexico kunnen gaan om daar wat opnamen te maken.'

En ik had hem geloofd...

Ik had geen reden gehad om hem niet te geloven. Tegen die tijd waren we zeven jaar getrouwd en hij had me geen reden gegeven te geloven dat hij me wel eens ontrouw was geweest. Hij was nooit thuisgekomen met een geurtje aan zijn kleren of lippenstift op zijn boordje. Ik had geen roddels gehoord over de een of andere relatie, hoe kort ook, en ik kende de meeste van zijn collega's goed genoeg om er redelijk zeker van te zijn dat ik ervan zou hebben gehoord. Er waren geen vreemde telefoontjes geweest, waarbij de ander ophing zodra ze mijn stem hoorde. Als ik in Nigels zakken, zijn koffertje, zijn portefeuille en zijn agenda snuffelde – ik moet toegeven dat ik dat wel eens deed – had ik niets verdachts gevonden.

Hoewel ik dus nog steeds door jaloezie werd geplaagd, had Nigel me geen reden voor argwaan gegeven. Daarom had ik hem ook geloofd toen hij zei dat Patti Roscoe's manager erop stond dat ze naar Mexico zouden gaan...

Maar dat was zeven jaar geleden en we waren allebei niet langer dezelfde mensen.

Toen we in april 1973 naar Linden Mansions verhuisden, was ik zes maanden zwanger. We woonden er nog geen veertien dagen, toen ik hevige buikpijn kreeg en me steeds maar misselijk en duizelig voelde. Ik ging naar de dokter, die mijn symptomen toeschreef aan indigestie, teweeggebracht door de stress van de verhuizing. Hij gaf me een of ander middeltje en zei dat ik maar met mijn voeten omhoog moest gaan zitten en het een tijdje rustig aan moest doen.

Die indigestie bleek een acute blindedarmontsteking. Gelukkig was Nigel thuis toen mijn blindedarm scheurde, zodat hij een ambulance kon bellen. Ik had nog nooit zo'n pijn gehad. Ik dacht dat ik dood zou gaan.

Daarna heb ik een tijdje bijna gewild dat ik was doodgegaan. Mijn blindedarm werd tijdens een spoedoperatie verwijderd, maar ik kreeg buikvliesontsteking en mijn zwangerschap eindigde in een miskraam. Ik heb ongeveer een maand in het ziekenhuis gelegen en toen ik klinisch genezen was, mocht ik naar huis om aan te sterken.

Lichamelijk mankeerde ik niets, al was ik dan erg zwak. De infectie was genezen met antibiotica en mijn wonden genazen naar tevredenheid. Maar mijn geestelijke toestand was een heel andere zaak. Ik zat in een diepe depressie.

Nigel was natuurlijk ook verdrietig, maar omdat ik het moeilijk vond om te praten over hoe ik me voelde, nam hij aan dat ik na een paar maanden, als ik sterk genoeg was, wel weer zwanger zou worden en het verlies van mijn eerste baby zou vergeten. Dat was wat mijn huisarts en iedereen in het ziekenhuis ons vertelde. O ja, ze waren ervan overtuigd en deden er heel nuchter over. Ik weet nog dat mijn huisarts zei: 'Zorg ervoor dat je veel frisse lucht krijgt, eet veel fruit en zorg ervoor dat je er leuk uitziet voor je man, dan heb je zo weer een kindje in je buik.'

Als ik daaraan denk, doet het nog pijn.

Geen van hen had dat kindje gedragen. Het had geen deel van hen uitgemaakt, zoals van mij. Ik had me zo fit en vol vertrouwen gevoeld dat het gewoon niet bij me was opgekomen dat er iets mis zou kunnen gaan. Ik had zo op dat kind gerekend. Het was zo onuitsprekelijk belangrijk voor me geweest.

Mijn geestelijke toestand was iets waarmee Nigel – net als de meeste mannen – emotioneel niet had kunnen omgaan. Hij probeerde het te begrijpen, maar mijn toestand lag ver buiten zijn bevattingsvermogen. Dus behandelde hij me zo'n beetje of ik griep had gehad, hij voerde me aspirientjes en bracht bloemen en tijdschriften voor me mee. Maar zijn bloemen leken te verwelken zodra ze in water werden gezet, alsof ze werden besmet door de lucht in de kamer waar ze binnen werden gebracht. En het leek wel of in de tijdschriften alleen artikelen over seks, zwangerschap, bevalling en opvoeding stonden.

Mijn depressie verergerde en de dokter schreef kalmerende middelen voor. Ik nam de pillen in en misschien zorgden ze ervoor dat ik niet meer zo vaak huilde, maar dat was dan ook alles.

Toen overleed oom Stephen plotseling, aan een hartaanval. Hoewel Nigel en oom Stephen elkaar nooit erg na hadden gestaan, was Nigel tijdens deze bijkomende crisis geweldig. Hij deed zijn uiterste best me te troosten in mijn verdriet en bracht me naar Avonford voor de begrafenis, hoewel we direct erna naar Londen terug moesten omdat hij druk aan het werk was.

Later besefte ik dat dat waarschijnlijk ook het beste was. Mijn huilbuien waren wel het laatste waar tante Biddie behoefte aan had. Ze was vreselijk dapper. 'Naarmate je ouder wordt,' zei ze tegen mij, 'accepteer je dat aan alle dingen een einde komt. Alles wat je hebt en waar je aan vasthoudt, moet je ook weer een keer loslaten.'

Maar ik was niet zo moedig en stoïcijns als zij en ik rouwde net zo hard om het overlijden van de lieve man die me als zijn eigen dochter had opgevoed als ik om het verlies van mijn kindje treurde.

Toen Nigel – die toch al nooit de geduldigste was – besefte dat al zijn pogingen niets hielpen en dat ik op korte termijn niet uit mijn depressie zou komen, veranderde zijn sympathie in irritatie. Hij ontliep de situatie, kwam 's avonds steeds later van zijn werk, bleef soms 's nachts weg en werkte herhaaldelijk in de weekenden.

Ik wist hoe hij zich voelde, maar ik kon er niets aan doen. Ik zag zijn verwarring, zijn hulpeloosheid, zijn frustratie. Ik wilde hem helpen, maar dat kon ik niet, want ik kon mezelf niet eens helpen. Ik wist wat er aan de hand was, maar ik had er geen middel tegen.

'Het heeft tijd nodig om over dit soort dingen heen te komen,' zei de dokter, die nog meer kalmeringsmiddelen voorschreef. 'Maar geloof me, het komt goed met je als je weer zwanger bent.'

Sherry was degene die mijn redding werd. We hadden elkaar toen al ontmoet en waren als buren terloops op vriendschappelijke voet geraakt. Ze wist dat ik ziek was geweest, maar kende de bijzonderheden niet.

Die dag voelde ik me nog ongelukkiger dan anders. Ik kwam net langs de deur van haar flat toen ze naar buiten kwam. Ze wierp één blik op me en vroeg: 'Gaat het wel goed met jou?'

Ik verkeerde in een gemoedstoestand waarin een enkel vriendelijk woord een huilbui veroorzaakte. Die vraag deed het hem. Ik knapte af. Ik stond daar in het trapportaal en huilde tranen met tuiten.

Ze nam me mee naar boven en bleef bij me, terwijl ik probeerde mezelf weer in de hand te krijgen. Toen vroeg ze: 'Zou het helpen om erover te praten?'

Dat was het moment waarop het hele verhaal naar buiten kwam. Ze was geweldig, ze kwam niet met gemeenplaatsen of afgezaagde uitingen van sympathie. Bij andere gelegenheden zei ze zelfs dat ze zelf nooit kinderen had gewild en dat ze altijd de voorkeur had gegeven aan die van anderen – als ze je gingen vervelen, zei ze dan, kon je ze teruggeven. Maar ze was veel te fijngevoelig om zoiets op dat moment te zeggen. In plaats daarvan luisterde ze en toen ik rustiger was, ging ze naar de keuken en zette koffie voor ons.

Toen het water kookte, had ze naar het met kiezels bedekte platje achter onze keuken gekeken, boven de badkamers van de andere appartementen, en gevraagd: 'Kun je daar op lopen?'

'Ja, het loopt naar de brandtrap.'

'Waarom maak je er geen tuintje van?' had ze voorgesteld.

Ze was de rest van de dag bij me gebleven en had me verzekerd dat ze anders toch alleen maar huishoudelijk werk had gedaan, waar ze een hekel aan had. Tegen de avond hadden we het gevoel dat we elkaar al jaren kenden. Zij wist alles over mij en ik wist alles over haar. De eerste fijne ontdekking die we deden, was dat we praktisch even oud waren. Toen bleek dat zij uit Shrewsbury kwam, dat niet ver van Avonford lag.

Roly en zij waren allebei al eens getrouwd geweest. Ze hadden elkaar ontmoet toen zij adjunct-manager van een boekwinkel in Chester was. Roly en zijn broer hadden een bedrijf in Londen dat onder andere een exclusieve serie fotografische wenskaarten verspreidde.

Een van hun verkopers ging opeens weg en Roly nam zijn afspraken over tot ze een vervanger hadden gevonden. Hij ging naar Chester, ontmoette Sherry, nam haar mee uit eten en dat was het – liefde op het eerste gezicht. Ze had haar saaie echtgenoot, die ingenieur was, verlaten, was naar Londen gekomen en had in een benauwd flatje in Pimlico gewoond, terwijl Roly probeerde zich uit een ingewikkelder gezinssituatie los te maken. Om zijn vrouw af te kopen en zelf genoeg geld over te houden om met Sherry opnieuw te kunnen beginnen, had hij zijn aandeel in het bedrijf ten slotte aan zijn broer verkocht.

'Vanaf dat moment zijn we opnieuw begonnen,' had Sherry eenvoudig gezegd. 'We hebben zitten brainstormen, waarbij we alle manieren hebben overwogen die we maar konden bedenken om geld te verdienen en tegelijkertijd lol te hebben. Roly deed al een hele tijd in antiek, als een soort hobby die zichzelf betaalde. En ik had altijd boeken en kaarten verzameld – je weet wel, ansichtkaarten en oude wenskaarten. Toen ik bij John, mijn eerste man, wegging, waren mijn kleren, mijn boeken en mijn kaarten de enige dingen die ik meebracht.

Ten slotte kwamen we op het idee in antiek en katten als verzamelobject te gaan handelen. Daar zaten twee voordelen aan. Het eerste was dat katten in dit land het populairste huisdier zijn. En het tweede was dat ze overal opduiken – op schilderijen, foto's, als siervoorwerpen, beeldjes, sieraden, speelgoed, op borduurwerk, in boeken...

Dat doen we dus nu. We huren een stand op antiek- en vrijetijdsmarkten – en staan op evenementen als bloementoonstellingen – en verkopen daar katten. Wij zijn de kattenmensen. En hoewel we er niet rijk van worden, hebben we een redelijk inkomen. Daardoor hebben we ook nogal onregelmatige werktijden en ben ik vandaag thuis. Het is geen baantje van negen tot vijf, vijf dagen per week.'

'Houd je van katten?' had ik gevraagd. 'Of is dat vanzelfsprekend?'

'Uiteraard. Hoewel we zelf maar twee echte katten hebben – Tattoo en Pinkle Purr. Ken je dat gedicht van A.A. Milne?'

'Natuurlijk.'

'Houd jij van katten?'

'Ja, maar Nigel is er allergisch voor.' Dat Nigel allergisch voor huisdieren was, was ook zoiets wat ik pas had ontdekt toen we getrouwd waren. 'Hoe dan ook, deze flat zou niet echt geschikt zijn om een dier te houden. Stel je voor dat er een kat aan de bank zou krabben...'

Ze had mijn woonkamer rondgekeken en zonder commentaar geknikt.

'Maar toen ik nog een kind was, hadden we een boel dieren,' zei ik.

Daarna had ik verteld van de regeling die Jonathan en tante Biddie hadden getroffen en Sherry had gelachen. 'Het klinkt of ze een geweldig mens is!'

De volgende dag waren we naar een tuincentrum gegaan, waar we het geld dat Nigel en ik voor babykleertjes, een wieg en een kinderwagen hadden bestemd aan potten, compost, zaden en tuinplanten besteedden. Daarna kochten we wat hout, waar we planken van maakten, zodat mijn nieuwe tuin in lagen kon worden aangelegd, en bevestigden latwerk en bamboe stokken om klimplanten langs te leiden.

Daarboven voelde ik me veilig – weg van mijn herinneringen, maar niet blootgesteld aan andere mensen. Naarmate mijn zaad groeide en mijn planten gingen bloeien, leek de wanhoop uit me weg te vloeien en begon ik de wereld en mijn leven weer in het juiste perspectief te zien. Ik begon met Sherry wandelingen te maken over Hampstead Heath en Parliament Hill Fields, te lezen, brieven te schrijven, via de telefoon met mensen te praten, auto te rijden, boodschappen te doen, kortom, al die dagelijkse dingen die je heel gewoon vindt tot je ze opeens niet meer kunt.

Weldra was ik zover opgeknapt dat ik weer kon gaan werken. Miles was tijdens die hele episode buitengewoon aardig voor me. Zodra duidelijk was geworden dat ik geruime tijd niet tot werken in staat zou zijn, had ik aangeboden ontslag te nemen. Miles weigerde pertinent dat te aanvaarden. En hoewel hij tijdens mijn afwezigheid een tijdelijke secretaresse had aangenomen, werd steeds aan het eind van de maand toch mijn hele salaris overgemaakt.

Gezien het feit dat ik als ik mijn zwangerschap had voldragen, was opgehouden met werken om fulltime moeder te worden – en dat wist hij – was zijn reactie beslist aardiger dan hij verplicht was. Bovendien wist hij dat ik nog steeds op een kind hoopte en dat hij daarom de kans liep te ontdekken dat het weggegooid geld was. Ja, Miles was meer dan fair tegen me.

Ik ging dus weer aan het werk en Nigel en ik bleven proberen een kind te krijgen. Er gingen zes maanden voorbij en ik werd niet opnieuw zwanger. 'Ontspan je,' zei mijn huisarts luchtig, 'dit soort dingen heeft tijd nodig.'

Er gingen nog zes maanden voorbij en toen gaf hij schoorvoetend toe dat er iets mis zou kunnen zijn. Hij maakte een afspraak voor me met het ziekenhuis waar onderzoek en röntgenfoto's aantoonden dat mijn eileiders verstopt waren – waarschijnlijk ten gevolge van de buikvliesontsteking. Tegenwoordig is dat geen onoverkomelijk probleem, maar in 1974 was de medische wetenschap zo ver nog niet. Er was niets aan te doen.

Hoewel ik had geprobeerd mezelf op dit nieuws voor te bereiden, werd ik er toch erg verdrietig van. Ik wist dat het niet aan mij lag, maar het voelde toch aan als een persoonlijk falen. Om het nog erger te maken, was Nigel net vertrokken voor een rondreis van drie weken door Amerika met zangeres Patti Roscoe, voor wie Quantum een promotiefilm maakte. Een mengeling van trots en een onoverkomelijk gevoel van eenzaamheid weerhield me ervan hem te bellen.

De enige aan wie ik het wel vertelde, was Sherry, die adoptie voorstelde. Maar ik had juist naar een eigen kind verlangd, niet naar dat van iemand anders. 'Jij bent geadopteerd,' bracht Sherry naar voren. Maar de omstandigheden waren anders geweest. Ik was familie van tante Biddie, geen vreemde eend in de bijt.

Hoe dan ook, Stevie was er ook nog... Er was niets om me ervan te weerhouden haar te overstelpen met de liefde die ik aan mijn eigen kind had willen geven. Als tante kon ik haar trouwens net zo buitensporig verwennen als ik wilde. Achteraf bekeken heb ik eigenlijk veel van de lol van een dochter gehad, zonder de irritaties van het ouderschap.

Toen Nigel uit de Verenigde Staten terugkwam, was hij veranderd, hoewel ik niet precies kon zeggen hoe. Hij was haast al te aardig en de dingen die hij zei klonken op de een of andere manier niet helemaal oprecht. Hij zei dat ik hem had moeten bellen en hem mijn slechte nieuws had moeten vertellen, maar ik had vaag het gevoel dat hij blij was dat ik het niet had gedaan. En het moest me wel opvallen dat hij, hoewel hij deed of het hem vreselijk speet, geen adoptie voorstelde.

Toen gingen we op een vrijdagavond naar Talk of the Town voor een optreden van Patti Roscoe, waarbij haar nieuwe album gelanceerd zou worden. Nigel had geprobeerd het evenement voor me verborgen te houden, maar een van zijn collega's had laten vallen dat er een heel gezelschap van Quantum Design heen ging en een eigen tafel had geboekt. Ironisch genoeg was ik een fan van Patti Roscoe, die een ongelooflijk krachtige stem had en mijn soort liedjes zong. Dus ondanks al Nigels pogingen om me ervan te overtuigen dat ik beter thuis kon blijven, stond ik erop naar haar concert te gaan.

En na een fascinerend optreden keek ik toe hoe ze naar onze tafel kwam, haar armen om Nigel heen sloeg en met kleine knabbelkusjes langs zijn wang en oor ging.

Een vrouw aan het tafeltje naast ons merkte op: 'Is dat nou haar nieuwe vriendje? Ik heb gehoord dat Mike en zij uit elkaar zijn.'

Ik bleef niet om meer te horen. Op de een of andere manier kwam ik weer in Highgate. Helaas waren Sherry en Roly niet thuis, dus – omdat ik het idee in Linden Mansions te blijven, niet kon verdragen – stapte ik in mijn auto en reed door de nacht naar Holly Hill Farm. Daar bleef ik het weekend, terwijl ik het gevoel had dat mijn wereld was ingestort. Ik weet nog dat Miranda des duivels was toen ik haar vertelde wat er was gebeurd en Jonathan bood heel lief aan eens van man tot man met Nigel te praten.

Op zondagmiddag dook hij op. Hij was heel bleek onder zijn gebruinde huid en hij had enorme donkere kringen onder zijn ogen. Hij zei dat het hem uit de grond van zijn hart speet dat hij zo'n dwaas was geweest. Als hij de laatste paar weken over kon doen, zou hij niet doen wat hij had gedaan. Hij had Patti Roscoe verteld dat hij haar nooit meer wilde zien en maandag zou hij ontslag nemen bij Quantum Design.

Hij zei dat hij van me hield en altijd van me had gehouden. Ik was zijn vrouw, zei hij. Zonder mij was hij niets. Hij smeekte me om hem nog een kans te geven. Als ik hem deze gelegenheid zou geven, zou hij me bewijzen, bezwoer hij me, dat hij nog steeds meer van me hield dan van wie ook ter wereld.

En toen begon hij te huilen.

Dat was de eerste keer dat ik een volwassen man – laat staan Nigel – had zien huilen, dus was ik volkomen onvoorbereid op de absolute, aangrijpende, hartverscheurende schok van de ervaring. Ik was zo bang en geschrokken dat ik ook begon te huilen. Toen lagen we in elkaars armen en snikte hij: 'Ik ben zo'n idioot geweest,' en ik snikte terug: 'Ik ook.'

Toen we waren bijgekomen, hebben we voor het eerst in jaren openhartig zitten praten. Hij deed geen poging om zijn verhouding met Patti te ontkennen. 'Het begon gewoon zo'n beetje en toen liep het uit de hand,' zei hij. Zij onderging een emotionele terugslag nadat een langdurige verhouding met een voetballer was stukgelopen. En hij had zich zo ongelukkig gevoeld dat hij niet in staat was geweest er weerstand aan te bieden. Nadat ik de baby was kwijtgeraakt, was ik veranderd, zei hij. Hij had het gevoel dat hij me had teleurgesteld, maar hij wist niet wat hij moest doen om ons weer dichter bij elkaar te brengen.

Ik probeerde mijn gevoelens sinds ik de baby had verloren te verklaren en hij legde uit hoe hij zich door mij buitengesloten had gevoeld. Het was of ik een muur tussen ons had opgetrokken, zei hij, en dichter bij Sherry was komen te staan dan bij hem, omdat ik meer tijd bij haar doorbracht dan in onze eigen flat en nooit enige belangstelling voor zijn leven toonde.

We spraken af dat we meer dingen samen zouden gaan doen. Hij bood aan me meer in de flat te helpen, zodat ik in de weekenden meer vrije tijd zou hebben. Terwijl ik bijvoorbeeld schoonmaakte, kon hij de boodschappen doen. We zouden meer mensen moeten uitnodigen, nieuwe vrienden moeten maken en op zondag zouden we buiten de stad in een café kunnen gaan lunchen, net als toen we pas getrouwd waren. Intussen moesten we er even uit, op vakantie, of tenminste een lang weekend – een soort tweede huwelijksreis – zodat we elkaar opnieuw konden ontdekken.

Hij klonk zo overtuigend en zo innig berouwvol dat ik die avond met hem mee terugging naar Linden Mansions, hoewel ik me – terwijl ik in mijn auto achter hem aan reed – nog steeds vreselijk in de war en bezeerd voelde en er niet helemaal van overtuigd was dat ik er goed aan deed.

Maar aan de andere kant, wat had ik eigenlijk voor keus? Ik had bij hem weg kunnen gaan – ik zou gegronde reden voor een echtscheiding hebben gehad. Maar dat wilde ik niet. Ik hield van Nigel. En ik bleef mezelf voorhouden dat hij de enige man was van wie ik ooit had willen houden.

Geleidelijk bouwden we ons leven samen weer op. Die maandag diende hij niet alleen zijn ontslag in bij Quantum Design, maar hij ging er dezelfde dag nog weg. Terwijl ik naar mijn werk was, ging hij op zoek naar een andere baan. Maar toen ik 's avonds thuiskwam, was de flat opgeruimd en was het eten klaar. Het weekend erna gingen we naar Venetië en hoewel we de magie van ons allereerste weekend samen niet konden terughalen, hielp het terugzien van de plek wel om ons dichter bij elkaar te brengen.

Hij had het geluk dat hij snel een andere baan vond als art-director bij Holleyman & Elwood, een gevestigd reclamebureau in Holborn, dat geen connecties had met het wereldje van de popmuziek. Hij belde al als hij maar een halfuurtje later van kantoor kwam en als hij laat was, was zijn uitleg van waar hij was geweest en wat hij had gedaan zo gedetailleerd dat het bijna pijnlijk was. In huis bleef hij de bekeerde figuur die met de afwas hielp, de boodschappen deed en zijn eigen overhemden streek.

Weldra leidden we een druk sociaal leven: de meeste weekenden werden we voor een etentje gevraagd of gaven we zelf een etentje – in hoofdzaak met Nigels collega's. Toch mocht ik ze wel: het waren leuke mensen, een beetje onconventioneel, maar niet zo buitensporig dat ze me afschrokken. Met andere woorden, hij had echt spijt van zijn daden en ik had het hart niet een wrok tegen hem te koesteren. Hij deed zijn uiterste best om dat met Patti goed te maken en ik deed mijn uiterste best om het incident achter me te laten.

Op een dag, toen ik de krant doorkeek, op zoek naar een vermelding van Miles – het was mijn taak krantenartikelen uit te knippen – sprong de naam Patti Roscoe in het oog in een van de roddelrubrieken.

De romance tussen zangeres Patti Roscoe en voetballer Mike Snoddy is weer aan. Patti, die onlangs terugkwam van een zeer succesvolle tournee in de Verenigde Staten, vertelde me dat ze de tijd die ze bij Mike weg was geweest, had besteed om eens ernstig na de denken. 'Ik ben er nu van overtuigd dat mijn toekomst bij Mike ligt,' zei ze. 'Geen andere man ter wereld kan op het voetbalveld of in de schermutselingen van de liefde aan hem tippen.'

Of Nigel dat artikeltje heeft gezien, weet ik niet, want Patti's naam werd door geen van ons ooit nog genoemd.

Zo verliep ons leven een paar jaar in harmonie. Op een vreemde manier waren we haast nog intiemer dan voor onze trauma's, omdat we ons er allebei van bewust waren hoeveel we bijna waren kwijtgeraakt.

Toen, in 1976, scheidden drie oudere werknemers van Holleyman & Elwood zich af om hun eigen reclamebureau te beginnen. Liam Massey, die account-executive was geweest en daarom contact had met alle cliënten van Holleyman & Elwood, werd bestuursvoorzitter van de nieuwe onderneming. Trevor Gault, een accountant, werd algemeen en financieel directeur, en Bron Lucasz, een tekstschrijver, werd creatief directeur. Ze namen verscheidene van de meest prestigieuze projecten van Holleyman & Elwoods mee, onder meer een paar waar Nigel aan werkte. Ze boden Nigel een baan aan bij het nieuwe reclamebureau en hij nam het aanbod zonder enige aarzeling aan.

Dit was de kans waarop hij had gewacht, vertelde hij me opgewonden. Bij Holleyman & Elwood verstikten het beleid en de bureaucratie op kantoor de creativiteit, en klanten dreigden weg te lopen door gebrek aan service. Massey Gault & Lucasz stond een nieuwe manier van reclame maken voor, een studio die lef had en waarvan de reputatie zou worden gevestigd door creatief uit te blinken, ondersteund door een sterke marketing en planning. Wat hem betreft zou hij een veel grotere vis in een veel kleinere vijver zijn, met uitstekende vooruitzichten op promotie en zelfs een mogelijk partnerschap.

Toen Nigel bij Massey Gault & Lucasz was begonnen, begon ons huwelijk voor de tweede keer af te glijden. Dat gebeurde niet plotseling. Nigel veranderde niet van de ene dag op de andere. Nee, het was een langzaam erosieproces.

De strategie van het reclamebureau slaagde en zijn cliëntenbestand breidde zich snel uit tot veel bekende en internationale namen – tabaks-, drank- en banketmerken, een autofabrikant, modehuizen en cosmeticaproducenten.

Nigel had altijd al hard gewerkt: bij Massey Gault & Lucasz werkte hij nog harder. Als hij niet naar een vergadering was of op het allerlaatste moment met paniek te maken kreeg, zat hij in de kroeg, had hij een etentje of was hij naar een feestje. Hij ontkende – iets te krachtig – dat dit allemaal voor zijn genoegen was. Imago, zei hij – en dat was ongetwijfeld waar – was in de reclamewereld van het allergrootste belang. Als je je eigen imago niet goed over kon brengen, waarom zou een mogelijke klant er dan vertrouwen in stellen dat je het zijne wel over kon brengen? Je moest op de juiste plaatsen met de juiste mensen worden gezien, de juiste kleren dragen en in de juiste auto rijden, terwijl je je tegelijkertijd moest onderscheiden van de massa.

Terwijl ik me betrekkelijk op mijn gemak had gevoeld in de sfeer van Holleyman & Elwood, voelde ik me duidelijk slecht op mijn gemak tussen de trendsetters van Massey Gault & Lucasz. Liam viel wel mee. Hoewel, als er één Ier goed kon liegen, was hij het wel. En Trevor was waarschijnlijk ook wel een geschikte vent: omdat hij de accountant was, had ik nooit veel met hem te maken. Maar Bron Lucasz, Nigels baas, kon ik echt niet uitstaan.

Volgens Nigel was Bron een briljant tekstschrijver, verantwoordelijk voor veel van de gedenkwaardigste reclameleuzen, die zijn creatieve medemensen en de bedrijven die ze als klant hadden, bezielde tot een soort aanbidding. Hij mocht dan bezielend zijn, hij was niet bepaald diplomatiek. Ik geloof niet dat hij me ooit bij mijn naam heeft aangesproken. Het was duidelijk dat hij iedereen die niet tot het reclamewereldje behoorde een absolute nul vond.

Helaas, zoals zo dikwijls gebeurt, soort zoekt soort. Naarmate Massey Gault & Lucasz groeide, werden Nigels nieuwe collega's van een ander soort dan die bij Holleyman & Elwood. Nigel bleef me gewetensvol meevragen naar recepties en partijen als dat maar even mogelijk was, maar we groeiden al snel uit elkaar. Het leek zelfs wel of we een hele omwenteling hadden gemaakt en we weer terug bij af waren, toen ik de buitenstaander was in het clubje mensen die elkaar allemaal heel goed kenden en met wie ik niets gemeen had, behalve Nigel.

Daardoor ging ik geleidelijk smoezen verzinnen om thuis te blijven, omdat ik mijn avonden liever alleen doorbracht, of bij Sherry en Roly. Na een tijdje onttrok ik me ook aan het geven van etentjes en stelde ik voor dat Nigel zijn gasten naar een restaurant zou meenemen. Tenslotte ontbrak het me aan het eind van een drukke dag op mijn werk aan de energie en het enthousiasme om een maaltijd te bereiden en mensen te ontvangen die zich net zo weinig voor mij interesseerden als ik voor hen.

Toen Nigel een prestigieuze prijs van de *Designers' and Art Directors' Association* kreeg, kwam zijn carrière in een stroomversnelling terecht. Hij maakte prompt promotie, kreeg een salarisverhoging en zijn Fiat 124 werd vervangen door een felrode BMW sport. Hij won een grote teddybeer, de poedelprijs bij een verloting tijdens de een of andere chique ontvangst in het Dorchester voor een goed doel en *Campaign* kwam met een grote foto van hen tweeën op de voorpagina. Hij noemde de beer Hugh en maakte hem zijn mascotte. Hij ging een breedgerande hoed en een gele sjaal dragen – zelfs midden in de zomer – en waar hij maar ging, ging hij vergezeld van Hugh, die een identieke hoed en sjaal droeg.

Hij ging niet alleen steeds langer werken, maar hij werd weldra de klassieke jetsetter die voortdurend onderweg was naar vergaderingen met klanten in steden als New York, Tokio en Frankfurt, of naar opnamen op exotische locaties, zoals de huidige in het Caribisch gebied. Hugh ging altijd mee.

Allereerst kwamen een paar van mijn oude onzekerheden en jaloezieën terug. Als iemand je eenmaal reden heeft gegeven tot argwaan, is het moeilijk om hem ooit weer ten volle te vertrouwen. Maar na een tijdje raakte ik ervan overtuigd dat Nigel zich nooit meer in een impulsieve verhouding zou storten. Hij keek nog steeds graag naar mooie meisjes en vrouwen vonden hem nog steeds aantrekkelijk, maar daar bleef het bij.

Nee, ik moest het opnemen tegen een veel krachtiger en verleidelijker rivale dan een andere vrouw. Ik moest het opnemen tegen zijn carrière. Naarmate hij meer zelfvertrouwen kreeg en merkte dat hij als ster op het wereldtoneel werd erkend, had hij mij steeds minder nodig.

Hij hield van zijn werk en hij was gelukkig. Het kwam niet in hem op dat ik me wel eens verwaarloosd en buitengesloten zou kunnen voelen. Hij nam gewoon voor lief dat ik achter hem zou blijven staan, zoals ik dat ik het verleden altijd had gedaan. Ik denk niet dat hij in dit opzicht veel van andere echtgenoten verschilde.

Maar in plaats van te kniezen over een situatie die duidelijk niet zou veranderen, moest ik iets doen om uit deze impasse te komen. Tenslotte deed Nigel niets laakbaars. Het is geen zonde om hard te werken en ambitieus te zijn. In principe was het aan mij om mijn leven tijdens zijn afwezigheid bevredigender te maken en ervoor te zorgen dat ik er aantrekkelijk uitzag en hem hartelijk ontving als hij terugkwam.

Misschien had ik assertiever moeten zijn. Maar dat gold ook voor hem ten tijde van de Patti Roscoe-episode: Nigel was mijn man en ik hield nog steeds van hem. Hij was dan misschien veranderd, maar ik kon de man die zulke bittere tranen van berouw had vergoten, niet vergeten. Hij had me dan misschien niet meer op dezelfde manier nodig, maar ik was nog steeds zijn steun en toeverlaat – zoals hij de mijne was. En hij was erin geslaagd me ervan te overtuigen dat hij zonder mijn steun zou bezwijken.

Dus hoewel ons huwelijk niet perfect was, had het veel slechter kunnen zijn. We waren in goeden doen en hadden een woning die veel mensen ons zouden benijden. Nigel was dan misschien af en toe wat heetgebakerd, maar de storm blies altijd over.

Tenslotte was het 't eenvoudigst er niet al te veel over na te denken en, wanneer ik me wat ongelukkig voelde, tevreden te zijn met wat ik had en te hopen dat het wel weer beter zou gaan.

Na Nigels telefoontje ging ik naar de flat van Sherry en Roly op de eerste verdieping. Bijna meteen nadat ik had aangebeld, vloog de deur open. 'Ik hoopte al dat jij het zou zijn!' riep Sherry uit. 'Kom binnen en neem een drankje. Het eten is bijna klaar.'

Hoe kan ik Sherry beschrijven en haar recht doen? Ze is bijna net zo lang als ik en heeft steil, middelbruin haar met lichtjes erin, recht afgeknipt ter hoogte van haar kin, rond een rond, vrolijk gezicht, met ogen zo blauw als korenbloemen en een glimlach als een zonnestraal op een bewolkte dag. Ze is eerder champagne dan sherry – ze sprankelt en bruist.

Roly is twintig jaar ouder dan Sherry en ik, hoewel je dat niet zou zeggen, want hij is een van die leeftijdloze mensen – een beetje als tante Biddie –, vol energie en enthousiasme. En zijn naam geeft een totaal verkeerde indruk van zijn lichaamsbouw, want hij is lang en zo mager als een lat.

'Zo, hoe zit dat nou met Oliver Lyon?' vroeg ze, toen Roly me een glas wijn had inschonken.

Ik vertelde wat er het weekend was gebeurd, tot en met mijn telefoongesprek met Oliver Lyon, terwijl zij een heerlijke pastei met rundvlees opdiende.

'Ook al heb ik de prinses dan niet gezien, ik geloof gewoon niet dat jij haar dochter bent,' beweerde ze zeer beslist, toen ik klaar was met mijn verhaal. 'Nu ik dat allemaal heb gehoord, kan ik zelfs heel moeilijk geloven dat je je vaders dochter bent, maar je lichamelijke gelijkenis en de overeenkomsten in karakter tussen jou en tante Biddie laten in dat opzicht waarschijnlijk niet veel ruimte voor twijfel.

Maar de prinses en jij hebben totaal niets gemeen. Op de allereerste plaats zou jij je kind nooit in de steek hebben gelaten. Jij zou Nigel je baby niet hebben laten meenemen zodat zijn zus hem kon opvoeden. Ongeacht de omstandigheden zou je je met hand en tand hebben verzet om hem te kunnen houden.'

Roly antwoordde voor ik iets kon zeggen. 'Ik kan je niet helemaal volgen, schat. Als Cara de dochter van de prinses niet is, dan is ze ook niet door haar in de steek gelaten.'

Sherry snoof, teder en geërgerd tegelijk. 'Nou, Cara weet anders wel wat ik bedoel.'

Ik knikte. 'Ja zeker. Maar als ze mijn moeder was en als ze – zoals je moet aannemen – geen moederlijke gevoelens had, is er geen reden waarom ik automatisch net zo zou worden als zij. Integendeel, mijn omstandigheden maken het juist waarschijnlijker dat ik instinctief precies het tegenovergestelde zou worden. Dat is een van de redenen waarom het voor mij zo belangrijk was om een kindje te krijgen, als compensatie voor mijn eigen gebrek aan biologische ouders.'

Sherry schudde aarzelend haar hoofd. 'Dat zou je ook van haar kunnen zeggen, als ze haar ouders tijdens de Revolutie was verloren. Dat moet heel traumatisch zijn geweest, zelfs met die suikerzoete prins om voor haar te zorgen – dat ze in een vreemd land was en wist wat er met haar ging gebeuren.'

'Dat brengt me bij mijn volgende punt. Ze was duidelijk buitengewoon halsstarrig. Ik zou het zelfs egoïstisch willen noemen. Denk je eens in hoe jij je zou voelen. Zou jij met iemand zijn getrouwd alleen om de nationaliteit van je gastland te krijgen? Vooruit, Cara, wees eerlijk.'

'Nee,' gaf ik toe. 'Het zou uit liefde moeten zijn geweest.'

'En dat geldt ook voor haar huwelijk met jouw vader. Daar had ze een bijbedoeling mee, daar ben ik volkomen van overtuigd. En dan die Italiaanse graaf – nou, die was duidelijk rijk. En de graaf van Winster ook, mag je aannemen.'

Roly schraapte zijn keel. 'Als ik me ermee mag bemoeien, het hangt er maar vanaf of je erfelijkheid of milieu de belangrijkste factor vindt bij het vormen van iemands karakter – of dat het eigenlijk een combinatie van beide is.'

'Daar heb ik vreselijk diep over nagedacht, dat kun je je wel voorstellen,' zei ik. 'En ik geloof dat in mijn geval de invloed van tante Biddie en oom Stephen sterker moet zijn dan eventuele karaktertrekken die ik van mijn biologische vader en moeder heb.'

'Daar kan ik het mee eens zijn. En om op je vader terug te komen, het feit dat hij je naar Engeland heeft gebracht, zou erop kunnen wijzen dat het hem niet aan medeleven en morele principes ontbrak, al was hij dan voor zijn tijd een nogal getapte kerel. Hij gaf zoveel om je dat hij ervoor heeft gezorgd dat je een goed thuis kreeg.'

'Je laat het klinken of Cara een poesje of hondje was,' protesteerde Sherry.

Ik lachte. 'Dat geeft niet. Tante Biddie vergeleek me met een kneusje.'

Roly ging door: 'Dus hoewel je illusies over je vader je zijn ontnomen, komt hij uit dit alles niet als een volslagen schoft te voorschijn. Ik vind eigenlijk dat het klinkt alsof hij een zeer intrigerend man was. Ik wilde dat ik hem had kunnen ontmoeten. Het zou me een boel moeite en kosten hebben bespaard als ik een *ménage à trois* had kunnen hebben.'

'Zo kan hij wel weer!' zei Sherry vermanend en gaf hem liefdevol een tikje op zijn hand.

Roly grijnsde en werd toen weer ernstig. 'Maar deze prinses... Nee, ik moet het met Sherry eens zijn, het valt moeilijk te geloven dat jij haar dochter bent. Naast de redenen die Sherry heeft gegeven, ben je te...'

'Te wat?' wilde ik weten.

'Nou, je bent nogal gewoontjes.'

Dit werd Sherry te veel. 'Roly! Hoe kun je zoiets zeggen? Gewoontjes is een afschuwelijk woord om iemand mee te beschrijven, zeker Cara, die er altijd zo fantastisch uitziet.'

Hij lachte. 'Ik wist dat ik daarmee in de problemen zou komen. Maar ik heb het niet over haar uiterlijk. Ik heb het over haar persoonlijkheid.'

'En je hebt gelijk,' zei ik. 'Ik ben van nature een heel gewoon persoontje. Ik ben net Judith Paris – je kent de boeken van Hugh Walpole toch wel?' Ik citeerde uit mijn hoofd: "Maar waar hoor ik thuis en bij wie hoor ik? Net als mijn vader voor mij heb ik geen thuis en toch ben ik waarlijk een zeer huiselijk wezen en zou ik het niet kunnen stellen zonder de liefde van de mensen op wie ik dol ben."

'Ik geloof niet dat ik Judith Paris ken,' zei Sherry.

'Dan moet ik je de boeken lenen. Ik heb me altijd met haar vereenzelvigd. Als je ze leest, zul je wel merken waarom. Maar qua persoonlijkheid lijk ik niet echt op haar. Zij had een veel sterker karakter dan ik.'

'Fictieve figuren zijn altijd sterker dan echte mensen,' merkte Roly op. 'Als ze dat niet waren, zouden we niet over ze willen lezen, omdat we dan over het spiegelbeeld van ons doorsnee-ik zouden lezen. De grootste aantrekkingskracht van fictie is dat ze ons de mogelijkheid biedt uit de werkelijkheid te ontsnappen, samen met de droom dat we, onder andere omstandigheden, als de held of heldin zouden kunnen worden.'

'Ik denk dat Cara's verhaal een geval is dat vreemder is dan fictie,' merkte Sherry op. 'Ik weet zeker dat er tal van voorbeelden zijn waarin een geadopteerd kind op zoek gaat naar zijn of haar biologische ouders. Maar ik heb nog nooit een boek gelezen, feit of fictie, waarin de moeder van dat kind een prinses zou kunnen zijn.'

'Bedenk wel,' bracht ik naar voren, 'dat er in Rusland veel meer prinsessen waren dan we in Engeland hebben.'

'Toch is het veel romantischer dan wanneer je de dochter van Mary Jones bent, zoals ik.' Ze zweeg even. 'Heb je het Nigel al verteld?'

'Het is niet iets waar je aan de telefoon over uitweidt.'

'Mmm. Hij heeft toch wel iets van zich laten horen sinds hij is vertrokken, hè?'

'Ja, hij belde vlak voor ik naar jullie toe ging.'

'Wanneer komt hij thuis?'

'Volgende week woensdag.'

'Het zal interessant zijn te horen hoe hij reageert als hij erachter komt dat zijn vrouw misschien de dochter van een Russische prinses is.'

Ik bromde nietszeggend.

Kort daarna ging ik terug naar mijn eigen flat. In bed werkte ik mijn dagboek bij en dacht na over Sherry's laatste opmerking over Nigel. Hij zou het niet leuk vinden. Hij had er een hekel als hij in de schaduw werd gesteld.

HOOFDSTUK 8

De volgende dag ging ik met Juliette lunchen bij Chattertons, een wijnbar in de buurt. Juliette pikte gauw een van de besloten zitjes in, terwijl ik een fles huiswijn en een paar salades bestelde.

'Vooruit, vertel,' zei ze. 'Ik wil dolgraag weten wat er het weekend met je is gebeurd.'

Omdat we maar een uur tussen de middag hadden, gaf ik haar een kortere versie van de gebeurtenissen van het weekend dan ik Sherry en Roly had gegeven, waarbij ik bedacht dat dit een goede oefening was voor Oliver Lyon die avond.

Toen ik klaar was, was haar reactie precies tegenovergesteld aan die van Sherry. Ze hield haar hoofd schuin, liet haar ondeugende snuitje op haar hand rusten en bekeek me aandachtig. 'Weet je, het zou me eigenlijk niets verbazen. Je hebt af en toe een nogal imponerende – ja, je zou kunnen zeggen bijna vorstelijke – uitstraling.'

'Imponerend? Vorstelijk? Ik?' vroeg ik ongelovig.

Ze lachte. 'Het valt het meeste op als je met vreemden praat. Dan kom je erg superieur en gereserveerd over – helemaal de secretaresse van een bestuursvoorzitter.'

'Ik had geen idee–'

'Het spijt me. Kijk alsjeblieft niet zo geschrokken. Ik wilde je niet van streek te maken. Iedereen die je goed kent, weet dat je zo helemaal niet bent. Het is gewoon een manier van doen die je aanneemt – een soort toneel dat je speelt.'

'Als ik zenuwachtig ben...'

'Waarschijnlijk. Het is misschien gewoon een afweermechanisme dat je hebt ontwikkeld. We doen allemaal hetzelfde in een andere vorm. Als ik zenuwachtig ben, verval ik in het andere uiterste en leuter ik als een kip zonder kop, terwijl jij nogal kil en afstandelijk wordt, wat veel beter is. Maar wat ik bedoel, is dat je die eigenschap van de prinses zou kunnen hebben, aangenomen dat ze je moeder was.'

106

'Ik heb haar niet van tante Biddie of oom Stephen, dat is zeker.'

'Wat vond je tante ervan?'

'Ze wilde zich er niet over uitlaten.'

'Heb je het iemand anders verteld?'

'Sherry en Roly.'

'En?'

'Ze geloofden geen van beiden dat ik de dochter van de prinses was.' Ik ging niet op de redenen in. Juliette en ik waren goede vriendinnen, maar we waren niet half zo intiem als Sherry en ik, dus was er veel in mijn leven waar Juliette niets van wist, onder meer de reden van mijn kinderloosheid en de werkelijke toestand van mijn huwelijk. Zij dacht dat Nigel en ik bewust hadden besloten geen kinderen te nemen, net als haar man en zij.

'Nou, het zal heel interessant zijn te horen wat Oliver Lyon te zeggen heeft.' Ze keek op haar horloge. 'Hemel, het is twee uur. We kunnen beter teruggaan.'

Net als de meeste dagen, of Miles nu wel of niet op kantoor was, kreeg ik die middag niet veel kans om aan iets anders dan werk te denken. De afschuwelijke notulen van de vergadering van gisteren moesten nog worden uitgewerkt, Miles' aanstaande reisjes moesten worden geregeld, om nog maar te zwijgen van alle correspondentie die hij voor me had achtergelaten. Bovendien wilde de telefoon maar niet stilstaan. Elke vijf minuten wilde er wel iemand weten waar Miles was, wanneer hij terugkwam, en of ik van alles en nog wat wist. Kortom, het was een normale dag.

Het was vijf over zes toen ik na het laatste telefoontje neerlegde. Anders dan Nigel, die nooit vroeg was als hij op tijd kon zijn, nooit op tijd was als hij te laat kon zijn en, nodeloos te zeggen, het afschuwelijk vond als hij moest wachten, was ik overdreven punctueel. Maar ik nam wel even de tijd om op het toilet een kam door mijn haar te halen, naar mijn make-up te kijken en te besluiten dat het zo maar moest, voor ik me over straat naar het Ambassador haastte.

Ik kan niets imponerends, vorstelijks, koels of afstandelijks hebben gehad toen ik buiten adem bij het hotel kwam. De portier stak zijn hand op toen ik door de draaideur ging en de bode in de hal en de receptiemedewerkers begroetten me vrijpostig toen ik de foyer binnenkwam, want ik was er kind aan huis met papieren of boodschappen voor Miles. Ik haalde er bezoekers voor hem op en bracht ze naar kantoor.

Ik wilde net vragen of Oliver Lyon er al was, toen ik hem in een nis aan de andere kant van de foyer zag zitten, van waaruit hij het gebeuren over de rand van een avondblad in de gaten hield. Toen ik hem naderde, trok hij vragend een wenkbrauw op en stond toen op, een wat kleinere man dan ik me hem had voorgesteld, maar verder precies zoals hij er op het scherm uitzag. 'Mevrouw Sinclair?'

'Ja, het spijt me dat ik laat ben,' zei ik, terwijl ik mijn hand uitstak. 'Een telefoontje op het laatste moment...'

'Maakt u zich daar maar geen zorgen over. Het geeft niet. Zullen we naar de bar gaan?'

We liepen de korte gang door naar de bar, waar de barbediende ons allebei herkende toen we binnenkwamen. 'Goedenavond, mevrouw Sinclair. Goedenavond, meneer Lyon.'

Ik glimlachte. 'Hallo, Max.'

Oliver Lyon knikte alleen maar. Ik kon merken dat het hem verbaasde, al probeerde hij dat niet te laten merken, dat de leuterende idioot aan de telefoon zo thuis was in de chique omgeving van het Ambassador Hotel.

We gingen aan een tafeltje in een van de kleine nissen zitten, terwijl Max in de buurt bleef.

'Wat wilt u drinken, mevrouw Sinclair?' vroeg Oliver Lyon.

'Campari met soda graag.'

'Doe maar twee, Max.'

Toen zei hij met een glimlachje tegen me: 'Komt u hier vaak?'

Ik lachte. 'Alleen voor mijn werk. Ik ben de secretaresse van Miles Goodchild en al zijn belangrijke contacten logeren hier als ze in Londen zijn, dus ren ik dikwijls heen en weer tussen kantoor en dit hotel.'

'Miles Goodchild, hè?'

Zijn houding jegens mij veranderde met de minuut en mijn zelfvertrouwen steeg in hetzelfde tempo.

'Hoe lang werkt u al voor hem?'

'Dertien jaar.'

'Dat is vast een interessante baan.'

'Zeker. Het is nooit saai.'

Max bracht onze drankjes en Oliver Lyon tekende een bonnetje. Toen hief hij zijn glas en zei: 'Nou, als ik ter zake mag komen, ik moet bekennen dat uw telefoontje me volkomen verraste.'

'Ik ben bang dat ik niet erg duidelijk was. Ik wist niet goed hoe ik me nader moest verklaren. Het was een behoorlijke schok om te ontdekken dat mijn vader met een Russische prinses getrouwd was geweest.'

'Dat begrijp ik volkomen. Het is niet iets wat je elke dag overkomt.' Hij haalde een pakje sigaretten te voorschijn en hield het mij voor.

Nigel en ik waren allebei gestopt met roken toen ik zwanger werd, maar in gezelschap rookten we nog wel eens. Bij deze gelegenheid was ik blij dat ik iets had om mijn zenuwen tot rust te brengen en mijn handen bezig te houden.

Oliver Lyon stak mijn sigaret aan en toen de zijne. 'Mag ik voorstellen dat u bij het begin begint en me precies vertelt wat u over uw vader en over uw geboorte weet?'

Ik herhaalde mijn verhaal zo ongeveer als ik het Juliette tijdens de lunch had verteld, maar dan met alleen feiten en zonder de hypotheses.

'Fascinerend,' zei hij zacht. 'Had ik maar van uw bestaan geweten voordat ik haar interviewde.'

'Had ik maar van haar bestaan geweten.'

'U zult zich er wel niet van bewust zijn dat ze erop stond als "prinses" te worden aangesproken. Niet als prinses Hélène of als prinses Shuiska – ook niet met de naam van haar echtgenoot trouwens –, maar altijd als prinses.'

'Nee, daar had ik geen idee van. Ik vind haar naam alleen nogal moeilijk uit te spreken.

'Hmm...' Hij drukte zijn sigaret uit en stak er meteen weer een op. 'Ze was niet de gemakkelijkste persoon om te interviewen. U zou versteld staan als u de ongekuiste versie van het programma zag. Ik heb haar steeds weer vragen gesteld die ze domweg weigerde te beantwoorden. Dan keek ze gewoon langs me heen, alsof ik er niet was. Ze had eigenlijk al van tevoren besloten wat ze me ging vertellen – en niets kon haar daar vanaf brengen.'

'Wat voor soort vragen wilde ze niet beantwoorden?'

'Om te beginnen de persoonlijke aspecten van haar jonge jaren in Parijs.'

'Ik vrees dat ik het begin van het programma niet heb gezien,' gaf ik toe in de hoop dat ik hem niet zou beledigen, en ik legde uit hoe tante Biddie me halverwege het programma had gebeld.

Hij was totaal niet van zijn stuk gebracht. 'Nou, laat eens kijken. Ze beschreef haar afkomst en haar jeugd in Rusland. Haar vader was een gardeofficier die nog afstamde van de bojaren en haar moeder was een schoonheid. Als kind ging ze altijd naar Tsarskoe Selo, het tsarenverblijf buiten St.-Petersburg, en daar mocht ze soms, als extraatje, met de jonge groothertoginnen spelen. Ze was buitengewoon goed opgevoed en sprak naast Russisch Frans, Engels en Duits.

Toen in 1917 de revolutie uitbrak, was haar vader met zijn regiment weg en stuurde haar moeder, die voor haar veiligheid vreesde, haar met familie mee naar een van hun landgoederen, ten noorden van St.-Petersburg. Daarna heeft ze nooit meer iets van haar ouders gehoord of gezien – en ze is er ook nooit achter gekomen wat er met hen is gebeurd. Daar kwam nog bij dat de bolsjewieken het gezin waar ze logeerde, ombrachten. Ze kon ternauwernood aan de dood ontsnappen, dankzij een neef, prins Dmitri Nikolaevitch Zakharin.'

'Ah, die heeft mijn tante genoemd, al had ze zijn naam niet goed verstaan.'

Hij spelde de achternaam voor me en ging toen verder: 'Dmitri was in de oorlog adjudant van een Russische generaal geweest en het klonk of hij een erg vindingrijke vent was. Hij heeft haar in het bos verborgen en uiteindelijk zijn ze erin geslaagd via Finland Denemarken en vandaar Parijs te bereiken, waar zijn familie een huis had.

Omdat Dmitri uit een rijke familie kwam, die in Parijs en Zwitserland bankrekeningen had waar hij over kon beschikken, hadden ze geen geldproblemen, in het begin tenminste niet. Wat hij precies deed toen zijn geld op raakte, weet ik niet. De prinses deed daar erg vaag over en zei dat hij verschillende zakelijke initiatieven ontplooide. Maar het is vrij zeker dat hij zijn toevlucht niet hoefde te nemen tot taxichauffeur worden of in een bar werken om aan de kost te komen, zoals zoveel andere Russische *émigrés*. En op langere termijn is het hem niet slecht vergaan. Uiteindelijk is hij met Imogen Humboldt getrouwd – de dochter van Abraham Humboldt.'

'Imogen Humboldt?' bracht ik uit. 'Niet te geloven!'

'Waarom niet?'

'Ze had een verhouding met mijn vader.'

'Is dat zo? Dat wist ik niet.'

'Ik heb het ook pas gehoord.' Ik herhaalde tante Biddies verhaal.

'Wel, heb ik ooit,' zei hij zacht, toen ik klaar was met mijn verhaal. 'Dat is ook zoiets wat ik graag voor het interview had geweten.' Hij wenkte Max ons nog twee campari's te brengen.

'En de prinses?' vroeg ik.

'Het schijnt dat ze een Russische vrouw heeft ontmoet die ze als kind had gekend en die haar in huis heeft genomen. En toen is ze met een Fransman getrouwd – baron Léon de St-Léon. Hij was weduwnaar, aanzienlijk ouder dan zij en destijds een vooraanstaande politieke figuur. Ze trouwden in 1924 en het huwelijk duurde tot zijn dood in 1939.

Volgens haar waren ze buitengewoon gelukkig. Hij kon haar het soort leven geven dat ze gewend was. Hij had een herenhuis in de buurt van het Bois de Boulogne aan de avenue Foch, een château in Jonquières aan de Marne en een villa in Deauville. Ze leidden een erg actief sociaal leven, met grote feesten in de weekenden, diners, bals en *soirées*. De baron was een groot mecenas en via hem ontmoette ze veel kunstenaars, schrijvers en musici.

Er werden meerdere gedichten en muziekstukken aan haar opgedragen en talrijke schilders hebben haar portret geschilderd, onder wie El Toro. Ze had een van El Toro's portretten in haar salon hangen. Keek u toen al?'

'Nee, ik zette hem net aan toen u zei dat mijn vader en El Toro hecht bevriend waren geweest en samen naar Spanje waren gegaan.'

'Juist, dan hebt u de foto gezien waar ze op stonden?'

'Ja, en u zei dat uw vader een vriend van El Toro was.'

'Dat was eigenlijk een beetje bluf van mijn kant,' gaf hij toe. 'Hij kende El Toro niet zo goed als ik beweerde, maar het werkte wel. Ze hebben elkaar in ieder geval een aantal keren ontmoet en ten tijde van zijn dood, in 1960, werkte mijn vader aan Toro's biografie. Die foto kwam uit een boek over El Toro waarvoor hij het voorwoord heeft geschreven.

Het was nog een hele klus om de prinses zover te krijgen dat ze me een paar foto's liet zien. Ieder ander die ik voor deze serie heb geïnterviewd, had een hele stapel fotoalbums klaarliggen om me hun leven te laten zien. Maar zij niet. Als je de omstandigheden waaronder ze Rusland heeft verlaten in aanmerking neemt, zal het wel begrijpelijk zijn dat ze alleen maar een paar verkreukelde, verbleekte foto's van haar ouders had, maar je zou toch denken dat zo'n mooie vrouw later in haar leven meer aandenkens zou hebben verzameld. In plaats daarvan had ze alleen maar twee schilderijen van zichzelf – de El Toro en nog een van een andere, minder bekende schilder.'

'Ze had dus bijvoorbeeld geen trouwfoto's?'

Hij schudde zijn hoofd. 'Ik denk dat ze de volstrekte waarheid sprak toen ze zei dat ze probeerde nooit achterom te kijken. En om op uw vader terug te komen, ik ben er aardig van overtuigd dat als ik niet al op de hoogte was geweest van haar huwelijk met hem, ze niet zelf met die informatie zou zijn gekomen.'

'Waarom niet?'

'Zonder oneerbiedig over uw vader te willen zijn, denk ik dat ze zich voor hem schaamde. Ze was een ongelooflijke snob. Misschien herinnert u zich dat ze mij ervan beschuldigde een snob te zijn, maar dat was een afleidingsmanoeuvre om te voorkomen dat ik te diep zou graven.'

'Waarom is ze dan met hem getrouwd?'

'Ik weet het niet. Ik kan moeilijk geloven dat het uitsluitend uit liefde was. Ik kan alleen bedenken dat het moet zijn geweest om uit Frankrijk weg te kunnen komen.'

'Maar waarom zou ze uit Frankrijk weg hebben gemoeten?'

'Aan het begin van de oorlog bestond in Frankrijk nog meer dan hier, in Engeland, de vrees voor een communistische vijfde colonne. Alle Russen waren verdacht, de witten en de roden. Dat zou voor haar een reden geweest kunnen zijn het opportuun te vinden met een onbekende Ierse dichter te trouwen en zich ergens in Italië schuil te houden.'

'U hebt er geen idee van waar ze in Italië woonden?'

'Nee, ik ben bang van niet. Zoals u weet, heb ik het haar wel gevraagd. Het is mogelijk dat ze het was vergeten. Het is evengoed mogelijk dat ze had verkozen het te vergeten, samen met de vele andere gaten in haar geheugen die ze gemakshalve had. Uw tante weet het ook niet?'

Ik vertelde hem over de gestolen handtas en hij schudde meelevend zijn hoofd.

'Ik heb al mijn vaders notitieboeken en agenda's, maar er staat niets over de prinses of uw vader in. Ik heb ze gisteravond nog eens doorgenomen, alleen om het te controleren, maar er staat niets over in. Ik heb tevens diverse literaire encyclopedieën geraadpleegd, maar ook dat heeft niets opgeleverd. Ik kan alleen maar aannemen dat Connor Moran voor de kroniekschrijvers niet langer van belang was, omdat hij niets meer had gepubliceerd nadat hij in Spanje gewond was geraakt.'

'Nou, dank u dat u ernaar hebt gezocht. Dat was heel vriendelijk van u.'

'Niets te danken. Uw vader interesseert me net zoveel als de prinses. Het is juist het gebrek aan informatie over hem – de mantel van duisternis die hem omhulde, zou je kunnen zeggen – die me het meest intrigeert.'

Ik dacht aan tante Biddie die het rommelhok en de zolder af zocht, maar besloot niets te zeggen. In plaats daarvan vroeg ik: 'En El Toro? Weet u of van hem nog familie in leven is?'

'Hij heeft in zijn tijd verschillende maîtresses gehad, maar hij is nooit getrouwd, dus er zijn geen rechtstreekse afstammelingen. Dat gezegd hebbende, er is in Spanje wel een hele clan Toro's voor wie hij nog steeds een grote held van de revolutie is, maar ik heb hen in het verleden gesproken en geen van hen weet iets over zijn tijd in Parijs. Net als uw vader lijkt hij praktisch met zijn familie te hebben gebroken toen hij eenmaal van huis weg was. Het is heel begrijpelijk. In die tijd was de communicatie niet wat ze nu is.'

'Omdat mijn vader met El Toro naar Spanje is gegaan, dacht ik dat iemand daar hem zich misschien zou herinneren.'

'Zelfs dan denk ik niet dat ons dat veel zou helpen. Wat we moeten uitvissen is wat er na de Burgeroorlog gebeurd is, toen hij naar Frankrijk terugkeerde.'

Ik kreeg een idee. 'Kende u de prinses al voor uw interview?'

'Hemel, ja. Ik kende haar al jaren. Ik heb haar voor het eerst ontmoet via een oude vriend van me, Tobin Touchstone, die in de verte familie is van de Winsters. Howard, wijlen de graaf van Winster, was de laatste van de echte Winsters. Weet u dat die oude geslachten opeens lijken uit te sterven? Howard was zelf enig kind en had geen kinderen uit zijn eerste huwelijk met Alice. Het was duidelijk te laat om ze bij de prinses te krijgen. Tobins vader was de naaste bloedverwant. Ik denk dat je zou kunnen zeggen dat hij Howards neef was. Hoe dan ook, hij overleed voor Howard, dus kreeg Tobins oudste broer, Harvey, bij de dood van wijlen de graaf de titel. Sindsdien woont hij op Kingston Kirkby Hall, het familielandgoed in Derbyshire.

Tobin was dik bevriend met wijlen de graaf en na zijn dood is hij een oogje op de prinses blijven houden. Ze hadden een vreemd soort relatie. Hij kon haar goedkeuring absoluut niet wegdragen, maar toch denk ik dat ze op een bepaalde manier erg dol op hem was.'

'Waarom kon hij haar goedkeuring niet wegdragen?'

'O, omdat hij een commerciële kunstenaar is. Zijn werk verschijnt op boekomslagen, in advertenties, op verpakkingen. Hij is erg goed. Ik heb altijd gezegd dat hij zijn talent verspilt, maar we moeten tenslotte allemaal werken voor de kost.

In de ogen van de prinses was Tobin echter een ambachtsman. Harvey is jurist, wat ze een enigszins geschikter beroep voor een heer vond. Zoals ik al zei, ze was een vreselijke snob. Maar tegelijkertijd was ze nogal cultuurbelust. Ze hield van beroemdheden – niet zulke ordinaire als popzangers of filmsterren moet ik erbij zeggen – maar wat men de culturele elite zou kunnen noemen: schrijvers, schilders, musici – het soort mensen dat baron de St-Léon en zij voor de oorlog in Parijs ontvingen.

Toen Lord Winster nog leefde, was ze een befaamd gastvrouw, hoewel haar feesten en diners in hun huis in Chelsea op veel bescheidener schaal waren dan ik me voorstel dat ze in Parijs zijn geweest. Af en toe nodigde ze Tobin en mij uit om het aantal aan te vullen.

Ik was al het een en ander over haar te weten gekomen door dingen die ze over haar verleden had laten vallen en ik vond dat ze een fascinerende persoon voor een interview zou zijn. Maar telkens wanneer ik erover begon, weigerde ze. Maar toen Howard was overleden, veranderde ze. Er werden geen diners meer gegeven en ze sloeg alle uitnodigingen af. Daarna heb ik haar tot het interview nauwelijks gezien, maar een gemeenschappelijke kennis vertelde me dat ze zich nogal vreemd was gaan gedragen, dat ze iedereen met argwaan leek te bekijken, bijna alsof ze dacht dat ze bespioneerd werd – of, zei hij, alsof ze geloofde dat er plannen werden gesmeed om er met het tafelzilver vandoor te gaan. Tobin zei dat ze zelfs hem niet graag binnenliet.'

'Denkt u dat dat iets te maken had met haar laatste zin, toen ze zei dat alle mensen van wie ze in haar leven had gehouden dood waren en alleen haar vijanden nog leefden?'

'Ik heb er geen flauw idee van wat ze daarmee bedoelde. Toen ik haar vroeg die bewering te verklaren, weigerde ze.'

'Waardoor is ze dan van gedachten veranderd over geïnterviewd worden?'

'Dat weet ik ook niet. Ik kreeg vorige zomer opeens, volkomen onverwacht, een telefoontje van haar. Ze vroeg of ik er nog in geïnteresseerd was haar te interviewen en ik zei natuurlijk ja. We ontmoetten elkaar op Beadle Walk en bespraken wat voor vorm het interview zou kunnen hebben. Ze bedong dat er voor de gelegenheid een butler zou worden ingehuurd en dat ze over een visagiste en een kleedster zou kunnen beschikken. Verder moest ik het respecteren als zij verkoos geen antwoord te geven op een vraag die ik zou stellen en ze wilde het recht hebben het uiteindelijke programma te zien voor het werd uitgezonden.'

'En hebt u daarmee ingestemd?'

'Ja. En ik heb woord gehouden.'

'Denkt u dat ze haar einde voelde naderen, toen ze vroeg of u haar wilde interviewen en dat ze daarom van gedachten was veranderd?'

'Dat is mogelijk.'

Ik liet het schijfje sinaasappel op de bodem van mijn campariglas rondwervelen. Toen vroeg ik: 'Vond u haar aardig?'

Hij trok peinzend aan zijn sigaret. 'Vond ik haar aardig? Wat een interessante vraag. Ja, ik geloof dat ik haar eigenlijk wel aardig vond, in zoverre je iemand aardig kunt vinden die je eigenlijk niet kent. Misschien zou respecteren een beter woord zijn dan aardig vinden.

Het was bijna alsof ze voor zichzelf een imago had gecreëerd – een aantal voorschriften zelfs – waarvan ze voor zichzelf niet wilde afwijken. Ze bleef voortdurend op haar hoede. Ze stond zichzelf nooit toe enige echte emotie te tonen. Ik heb haar nooit boos, verdrietig of echt geamuseerd gezien. Als ik haar met iemand zou moeten vergelijken, zou het met de koningin zijn. Ik zou haar afstandelijk willen noemen.'

We zwegen allebei even. Toen vroeg ik: 'Hoe is ze overleden?'

'Ze kreeg een zware hersenbloeding, die haar volkomen verlamde. Ze heeft nog een paar weken tussen leven en dood gezweefd en is toen rustig ingeslapen.'

'Wanneer wordt ze begraven?'

'Morgen. Waarom? Denkt u erover erheen te gaan? Er is niets om u tegen te houden. Als ze inderdaad uw moeder was, zou u er zelfs alle recht op hebben erbij te zijn.'

Ik gaf geen antwoord op zijn vraag. In plaats daarvan stelde ik er zelf een. 'Denkt u, nu u zowel haar als mij hebt ontmoet, dat ze mijn moeder was?'

Hij drukte zijn sigaret uit. 'Denkt u dat ik me dat ook niet heb afgevraagd vanaf het moment dat ik u in het oog kreeg? Het antwoord is dat ik geen flauw idee heb. Qua uiterlijk zijn u en zij geen duidelijk geval van moeder en dochter. U lijkt in dat opzicht beslist op uw vader. Maar u hebt iets – de een of andere ondefinieerbare eigenschap – hoewel ik niet precies kan zeggen wat het is.'

Hij zweeg even. 'Laat ik de vraag naar u terugspelen. Hebt u het gevoel dat u haar dochter bent?'

'Nee, absoluut niet. Ik voelde totaal geen affiniteit met haar toen ik naar het interview keek en nog minder na alles wat u me hebt verteld. Maar ik zou wel meer over haar huwelijk met mijn vader willen weten, zodat ik hem beter kan begrijpen. En ik ben natuurlijk nieuwsgierig naar wie mijn echte moeder was.'

'Wilt u zeggen dat de mogelijkheid dat u de dochter van een Russische prinses bent u helemaal niets doet?'

Ik lachte. 'Natuurlijk wel. Ik kan het alleen vreselijk moeilijk geloven. Ik ben maar een gewoon persoontje. En zij was allesbehalve gewoon.'

'Dat ben ik niet met u eens. Ik vind u helemaal niet gewoon. Ik wil nu wel toegeven dat u, toen u zoëven het hotel binnenkwam, bij lange na niet was wat ik verwachtte.'

Ik voelde hoe ik bloosde.

Hij dronk zijn glas leeg, keek op zijn horloge en zei: 'Ik ben bang dat ik zo weg moet. Ik heb nog een afspraak.'

'En ik moet ook naar huis.'

'Nog één ding voor we opbreken. Hebt u misschien toevallig een video-recorder? Want als u die hebt, zou u een band van het interview van me kunnen krijgen.'

Die vraag klinkt nu vreemd, maar destijds had nog niet iedereen een videorecorder zoals tegenwoordig. Nigel had er op kantoor wel een, maar daar dacht ik niet aan. 'Nee, ik ben bang van niet,' zei ik.

Toen we bij de ingang van het hotel stonden, vroeg hij: 'Zou u naar de begrafenis willen?'

Ik wilde half wel en half niet. Maar, hoe dan ook, ik kon geen dag vrij nemen als ik dat niet van tevoren had geregeld, zelfs als Miles er niet was.

'Nee, niet echt,' zei ik.

'U hebt waarschijnlijk gelijk. Nou, als ik iets meer te weten kom, zal ik het u laten weten. En als u iets te weten komt, neem dan alstublieft contact met me op.'

Die donderdagochtend, toen ik al een uurtje op kantoor was, ging de telefoon en kondigde Dorothy aan: 'Een meneer Touchstone voor je, Cara.'

Voor ik mijn gedachten bij elkaar kon rapen, vroeg een onbekende man-nenstem: 'Kan ik mevrouw Sinclair spreken?'

'Daar spreekt u mee.'

'Mijn naam is Tobin Touchstone. Ik ben een vriend van Oliver Lyon.'

'O ja, natuurlijk.'

'Is het in orde dat ik u op uw werk bel?'

'Ja hoor, prima.'

'Ik heb Oliver gisteren bij de begrafenis van de prinses gezien en hij vertelde me dat hij u had ontmoet. Helaas had hij uw telefoonnummer niet. Hij wist alleen nog wel dat u voor Miles Goodchild werkte. Ik was zo geïntrigeerd door uw verhaal dat ik vond dat ik u gewoon móést bellen. Heeft Oliver het me goed verteld? Was Connor Moran uw vader?'

'Ja. Ja, dat klopt...'

'En u denkt dat de prinses uw moeder kan zijn geweest?'

'Niet precies. Tot ik het interview had gezien, wist ik niet eens dat ze bestond, laat staan dat mijn vader ooit met haar getrouwd is geweest.'

'Dat moet nogal een schok zijn geweest.'

'Nogal, ja.'

'Mmm.' Hij zweeg even. Toen vroeg hij: 'Heeft Oliver u verteld wat mijn relatie met de prinses was?'

'Nou, ik weet dat ze met wijlen de graaf van Winster was getrouwd en dat u–'

'Probeer de verwantschap tussen Howard en mij maar niet uit te puzzelen.' Er klonk een grinnik in zijn stem, die donker en warm klonk. 'Ik geloof dat we achterneven waren. Omdat hij en ik nogal hecht bevriend waren, kende ik de prinses vrij goed – of, anders gezegd, zo goed als iemand haar kon kennen. Ik wist niet – en ik weet zeker dat Howard dat ook niet wist – dat ze kinderen had gehad.'

Hij was even stil. 'Hoor eens, ik betwijfel of ik veel aan uw kennis zal kunnen bijdragen, maar als u denkt dat het voor u de moeite waard zou kunnen zijn, zou ik u dolgraag ontmoeten om u te vertellen wat ik over haar weet.'

'Nou, als dat niet te lastig voor u is.'

'Helemaal niet. En ik moet toegeven dat ik nog een motief heb om u te willen ontmoeten. Ik ben altijd een groot bewonderaar van de poëzie van uw vader geweest.'

Afgezien van mijn naaste familie had ik mijn hele leven niet meer dan een handjevol mensen ontmoet die wel eens van mijn vader hadden gehoord. Nu sprak ik er binnen een week twee.

'Meent u dat echt?

'Natuurlijk. Er klonk oprecht enthousiasme in zijn stem door. 'Toen Oliver me voor het eerst vertelde dat de prinses met Connor Moran getrouwd was geweest, had ik gehoopt dat zij me meer over hem zou kunnen vertellen, maar ze was zeer ontoeschietelijk. Nou, waar en wanneer zou een ontmoeting tussen ons u uitkomen? Ik geloof dat u aan St James's Square werkt. Ik zou u daar kunnen treffen.'

'Als u het niet erg vindt.'

'Helemaal niet! Wat dacht u van vanavond na uw werk?'

Ik keek snel in de agenda. 'Ja, dat zou kunnen. Maar ik denk dat ik hier niet voor halfzeven weg kan.'

'Dat komt mij goed uit. Dan tref ik u om halfzeven voor Wolesley House. En maak u geen zorgen als u laat bent. Ik ben een geduldige ziel. Ik wacht wel tot u verschijnt.'

De rest van de dag had ik nauwelijks tijd om aan Tobin Touchstone of enig ander aspect van mijn privé-leven te denken. Juliette bracht me tussen de middag een sandwich, die ik tussen twee telefoongesprekken door wegwerkte. Toen kwam Miles terug met een koffertje vol werk. We hadden een halfuur voor hij naar zijn vergaderingen moest, die uitliepen, en het was kwart voor zeven toen hij vertrok voor zijn dinerafspraak met Sir

Utley Trusted, de bestuursvoorzitter van Trusted Supermarkets. Vijf minuten later ging ik hem achterna, het kantoor uit.

HOOFDSTUK 9

Bij de receptie stond een man met Sergeant te praten, die van me weg keek toen ik de trap af kwam. Mijn eerste indruk was van een lange, goedgebouwde figuur, informeel gekleed, met een anorak over zijn schouder. Hij had een bos warrig, dik, bruin haar.

'Ah, daar komt mevrouw Sinclair net aan, meneer,' zei Sergeant.

De man keek op en ik zag een gezicht dat nogal lang was, met diepe groeven die langs een vrij brede mond naar beide kanten van een krachtige neus liepen. Hij had lichtbruine ogen onder licht gebogen wenkbrauwen, die hem een wat verbaasde uitdrukking gaven. Ik schatte hem midden veertig.

Het was geen knap gezicht in de gebruikelijke zin van het woord, maar het was uniek en zou moeilijk te vergeten zijn. Toen glimlachte hij en dat had hetzelfde effect op me als wanneer ik Sherry zag – alsof de zon achter een wolk vandaan was gekomen –, waarbij de glimlach zijn lichtbruine ogen deed oplichten waaruit een niet te onderdrukken levenslust sprak.

Het lijkt krankzinnig dat ik in zo korte tijd zoveel kon hebben gevoeld, maar zo was het nu eenmaal. Ik werd niet op slag verliefd op hem. Mijn knieën knikten niet bepaald toen ik hem zag, maar hij had iets wat diepe indruk op me maakte.

Tobin had niet het soort charisma waar het vrouwelijk schoon voor valt. Hij was lang niet zo knap als Nigel en zijn kleren maakten geen indruk. Toch had hij iets zeer aantrekkelijks – iets wat me aansprak en me iets deed. Ik voelde intuïtief dat hij mijn type was. Ik zag hem en ik mocht hem meteen.

'Hallo, ik ben Tobin Touchstone,' zei hij. Zijn stem klonk precies zoals door de telefoon – warm en donker. 'Wat prettig u te ontmoeten.'

Hij nam mijn hand in een grote, warme greep.

'Ik vind het ook prettig u te ontmoeten, meneer Touchstone,' zei ik. 'Het spijt me vreselijk dat ik laat ben.'

'Dat geeft helemaal niets. Ik heb in uitstekend gezelschap verkeerd. We zagen net uw baas vertrekken, dus wisten we dat het niet lang meer zou duren voor u kwam. U maakt wel lange dagen, moet ik zeggen. Net als uw vriend hier.' Hij gebaarde naar Sergeant.

Sergeant straalde. 'O, meestal ben ik niet zo laat, maar de nachtportier is te laat.'

'Ik hoop dat hij gauw komt,' zei ik.

'Het geeft niet. Mijn vrouw heeft het eten klaar, hoe laat ik ook thuiskom.'

We wensten hem allebei goedenavond en toen we buiten stonden, vroeg Tobin Touchstone: 'Waar zullen we heen gaan? Is er een redelijke wijnbar in de buurt, of moeten we naar het Ambassador?'

Toen hij het Ambassador noemde, bedacht ik tot mijn schrik dat ik vergeten was na te vragen of Bob Drewitz, de directeur van Dandy Candy, die de volgende dag met Miles zou vergaderen, goed was aangekomen. 'Nee, Chattertons is vlakbij. Maar zou u het heel erg vinden als we even bij het Ambassador aanwipten? We verwachten een Amerikaanse gast en ik was hem glad vergeten.'

'Uw wens is mijn bevel.'

Dus gingen we eerst naar het Ambassador, waar de bediende achter de balie me verzekerde dat alles in orde was. Meneer Drewitz was aangekomen en was al weer uitgegaan.

Ik bood Tobin Touchstone mijn verontschuldigingen aan. 'Het spijt me. Ik maakte me onnodig zorgen.'

'Bent u altijd zo gewetensvol?' vroeg hij.

'Ik probeer het wel.'

'Daar houd ik van. In het zakenleven kom ik zoveel mensen met een negen-tot-vijf-mentaliteit tegen dat ik me eraan erger. Maar ik neem aan dat dat komt omdat ik freelancer ben.'

Ik was blij met het complimentje, maar ik zei alleen: 'Als je voor iemand als Miles Goodchild werkt, moet je een pietje precies zijn.'

We lieten de exclusieve sfeer van het Ambassador achter ons en gingen naar Chattertons, waar we het geluk hadden hetzelfde besloten zitje te kunnen krijgen waar Juliette en ik eerder die week hadden geluncht.

Hij hielp me uit mijn jas en vroeg toen: 'Wat hebt u liever, rode of witte?'

'Witte, graag.'

Hij kwam terug met een fles Sancerre en bakjes knabbeltjes en olijven. Toen hij de wijn had ingeschonken, kondigde hij aan: 'Weet u, u ziet er precies zo uit als ik verwachtte. U bent precies zoals Oliver u heeft beschreven. Ik dacht dat hij overdreef toen hij zei dat uw haar net glanzend goud is. Maar hij had gelijk. Het is een prachtige kleur – heel opmerkelijk. Hoewel ik wil wedden dat u het als kind gehaat hebt.'

'Ja, nogal. Mijn bijnaam was Goudsbloem.'

'Hmm, het had erger gekund. U had eens moeten horen hoe ze mij op school noemden. En nu we het toch over namen hebben, iedereen noemt me Tobin.'

'En ik heet Cara.'

'Heel Italiaans. Hoe oud was je toen je vader je naar Engeland bracht?'

'Vijf maanden.'

'Dus je herinnert je helemaal niets van hem?'

'Alleen wat tante Biddie me heeft verteld.'

'Dat is zijn zus?'

'Ja, zij heeft me opgevoed.'

'Is ze nog in leven?'

'Springlevend zelfs. Ze woont in Avonford, in Worcestershire.'

'Ligt dat niet in de Eveshamvallei? Een prachtig gebied. Ik neem aan dat je Bredon Hill kent?'

'Die ken ik zeker. Ik ben er vorig weekend nog met tante Biddie geweest.'

Hij citeerde:

's Zomers op Bredon
klinken de klokken zo helder...

Ik keek hem verbaasd aan. 'Niet veel mensen kennen dat gedicht.'

'Daar zou ik maar niet zo zeker van zijn. Housman heeft zo zijn aanhangers. Maar van Connor Moran hebben minder mensen gehoord, neem ik aan.'

'Ik wilde net vragen hoe jij van hem hebt gehoord.'

'Ik ben een onbeschaamd romanticus. Ik ben dol op poëzie. Ik huil ook bij sentimentele films, krijg een brok in mijn keel als ik het volkslied hoor en ik hou van boeken die goed aflopen.'

'Dat zijn er dan twee.'

'En ik heb het gevoel dat we, voor deze avond voorbij is, zullen ontdekken dat we nog veel meer gemeen hebben.'

Omdat ik niet wist hoe ik daarop moest reageren, nam ik een slokje wijn en knabbelde aan een olijf.

'Heb je zelf kinderen?' vroeg Tobin, met een van die snelle gedachtesprongen waar ik geleidelijk aan gewend zou raken.

Ik schudde mijn hoofd.

'Maar je bent wel getrouwd, hè?'

'Ja. En jij?'

'Ik ben gescheiden. En ik heb twee spruiten. De oudste, Joss, zit net op de universiteit van Reading, terwijl Pamela een balletopleiding doet. Ik zie ze niet zo vaak als ik zou willen, maar het zijn geweldige kinderen. En ze kunnen goed met hun stiefvader opschieten, wat belangrijk is. Wat doet jouw man?'

Ik wilde het eigenlijk niet over Nigel hebben. 'Hij zit in de reclame. Hij is art-director bij Massey Gault & Lucasz,' zei ik, terwijl ik bedacht dat Oliver had gezegd dat Tobin in de reclame zat en hoopte dat hij zou zeggen dat hij Nigel niet al kende.

'Hmm, ja, ik heb nooit iets met hem te maken gehad. Ik neem aan dat Oliver je heeft verteld dat ik reclametekenaar ben?'

Ik knikte en nam nog een olijf.

Hij haalde een pakje sigaretten uit zijn zak en hield het me voor. Toen we er allebei een hadden opgestoken, zei hij: 'Vooruit, vertel me je levensverhaal eens, hoe je in Italië bent geboren en in Avonford bent terechtgekomen.'

'Ik wil je niet vervelen door te herhalen wat Oliver Lyon je misschien al heeft verteld.'

'Geen sprake van. Ik wil het verhaal graag uit je eigen mond horen.'

Dus vertelde ik mijn verhaal nog maar een keer – ik raakte er ondertussen aardig bedreven in –, maar ik voelde me niet half zo verlegen en terughoudend als ik me bij Oliver Lyon had gevoeld.

Toen ik klaar was met vertellen, riep Tobin uit: 'Niet te geloven! Absoluut niet te geloven! Toen vroeg hij, in plaats van commentaar te geven: 'Schrijf je zelf gedichten?'

'Vroeger wel, toen ik jonger was. Ik schreef ook korte verhalen. Maar ze deugden van geen kant.'

'Hoe weet je dat zo zeker?'

'Mijn docenten lieten daar weinig twijfel over bestaan. Nadat ik met Engels de prijs niet had gekregen waar ik op had gerekend, heb ik mijn ambities om schrijver te worden opgegeven.'

'Docenten! Met mij en de kunst ging het precies zo. In plaats van mijn povere talent aan te moedigen, deden ze hun uiterste best om me te ontmoedigen. Maar uiteindelijk moesten ze het toch opgeven. Ik was in alle andere vakken zo slecht dat ze beseften dat de enige vervolgopleiding die me restte, de kunstacademie was. Maar om op jou terug te komen, heb je maar besloten secretaresse te worden toen je je dromen om dichter te worden had opgegeven?'

'Zoiets ja. Ik had eigenlijk niet veel keus. De docenten op de meisjesschool van Avonford leidden nogal een kluizenaarsbestaan. Het waren voornamelijk oude vrijsters en les geven was voor hen het enige beroep dat er bestond. Meisjes met cijfers die goed genoeg waren voor Oxford of Cambridge gingen daarheen en degenen die dat niveau niet haalden, gingen naar de lerarenopleiding. Voor onze directrice bestonden 'moderne' universiteiten als Warwick niet.

De meisjes die niet pienter genoeg waren voor de universiteit of de lerarenopleiding vielen buiten de boot en moesten maar zien dat ze een bezigheid vonden tot ze het geluk hadden een man te vinden met wie ze konden trouwen. Niet dat het precies zo werd gezegd, maar daar kwam het wel op neer. Je zou kunnen zeggen dat degenen die dat konden, les gaven; en van degenen die dat niet konden, werd verwacht dat ze trouwden en kinderen kregen, die dan les moesten krijgen.'

Tobin grijnsde. 'Hoe ben je ontsnapt?'

'Gelukkig had tante Biddie een bredere kijk op de wereld dan mijn directrice. Ik heb een secretaresseopleiding gevolgd, waarna ik in Parijs en Italië heb gewerkt. Toen ben ik getrouwd en ben ik voor Miles Goodchild gaan werken.'

'Voor de goede Miles werken moet buitengewoon interessant zijn.'

Ik lachte. 'De goede Miles! Die is goed. Die moet ik onthouden. Maar ja, interessant is het wel. Ik heb in ieder geval geen tijd om me te vervelen.'

'En ook geen tijd om aan schrijven te denken.'

'O, ik heb niet zoveel talent als mijn vader.'

'Dat weet je pas zeker als je het probeert.'

Hij veranderde van onderwerp. 'Spreek je Italiaans?'

'Ja, en Frans. Ik gebruik beide talen veel bij mijn werk.'

'De prinses sprak haar talen verbazend goed. Ik heb bij haar diners bijgewoond en zitten luisteren hoe ze naadloos van Engels op Frans op Italiaans op Russisch overging, afhankelijk van de nationaliteit van degene die ze aansprak.'

'Ik zou graag meer over haar willen weten.'

'Nou, ik weet niet of ik je iets kan vertellen waar je iets aan hebt.'

'Alle informatie die je me kunt geven zal interessant zijn,' drong ik aan. 'Het enige wat ik weet, is wat ik uit het televisie-interview te weten ben gekomen en wat ik van Oliver Lyon zelf heb gehoord.'

'Hmm...' Hij nam een slokje wijn en leek ergens over na te denken. Toen zei hij: 'Allereerst een nogal oneerlijke vraag, maar wat heb je tot dusverre voor indruk van haar?'

Omdat ik niet wist wat hij voor haar voelde, vond ik het nodig mijn woorden met zorg te kiezen. 'Nou, toen ik het interview zag, vond ik haar erg knap, elegant, intelligent en absoluut fascinerend om naar te luisteren.'

'Voelde je enige directe verwantschap met haar?'

Ik schudde mijn hoofd.

'Dus je had niet meteen het gevoel dat ze je moeder was?'

'Helemaal niet.'

'En je tante Biddie, die moet je toch beter kennen dan wie ook. Wat vond zij ervan?'

'Zij zag geen gelijkenis tussen ons. Ik denk ook niet dat ze kon begrijpen waarom mijn vader en zij zich tot elkaar aangetrokken hadden gevoeld. Ze zei dat ze zich niet kon indenken dat zij bevriend had kunnen worden met het soort vrouw dat de prinses was.'

'Wat vreselijk scherpzinnig. Ik kan me niet herinneren dat de prinses vriendinnen had. Ze was beslist een vrouw voor mannen. Hoewel ik niet eens weet of ze eigenlijk wel echte vrienden had – alleen bekenden. Ze pikte mensen op en liet ze dan om onduidelijke reden weer vallen. Weet je haar laatste zin in het interview nog, dat alle mensen van wie ze tijdens haar leven had gehouden dood waren en alleen haar vijanden nog leefden? Dat had heel goed waar kunnen zijn. Ze nam mensen bepaald niet voor zich in.'

'Oliver Lyon gaf me de indruk dat je haar heel na stond.'

'Niemand stond haar heel na, zelfs Howard niet. Ze was een buitengewoon teruggetrokken mens. Je praatte met haar op het sociale en intellectuele vlak, maar er zat een diepere persoonlijkheid onder waarin je niet hoefde te proberen door te dringen. En als je het toch probeerde, werd je afgewezen.'

'Hij zei ook dat ze de laatste maanden van haar leven erg veranderd was. Nadat ze toch altijd onder de mensen was geweest, sloot ze zich opeens van de wereld af.'

'Ja, dat was raar. Ik was dan ook hevig verbaasd toen ze zich door Oliver Lyon liet interviewen. Dat was helemaal niets voor haar.'

'En mag ik jou nu een nogal oneerlijke vraag stellen?'

'Ga je gang.'

'Vond jij haar aardig?'

'Wil je een eerlijk antwoord?'

'Graag.'

'Dan, op het gevaar af je van streek te maken, nee.'

'Waarom zou mij dat van streek maken?'

'Ze is misschien je moeder geweest.'

'Als dat zo is, heeft ze niet bepaald veel gedaan om haar voor me in te nemen,' merkte ik op. 'Wat onze relatie ook was en waarom mijn vader me ook naar Engeland heeft gebracht, ik moet aannemen dat ze van mijn bestaan op de hoogte was maar niet veel moeite heeft gedaan om me te vinden – zelfs na zijn dood niet.'

'Dat is een heel goed punt.'

'Dus waarom vond jij haar niet aardig?'

'Nou, nu we toch zo openhartig zijn, om wat ze Howard heeft aangedaan. Ik mocht Howard erg graag. Hij was een aardige ouwe kerel die een veel beter lot had verdiend dan de prinses. Zijn eerste vrouw, Alice, en hij zijn erg goed voor me geweest toen ik jong was.

Laat ik beginnen met je iets over hen te vertellen. Ze zijn in 1931 getrouwd, op het hoogtepunt van de crisis, toen de landbouwprijzen daalden en de werkloosheid steeg. Als je Oliver Lyons programma hebt gezien, moet je de foto van Kingston Kirkby Hall hebben gezien, dus kun je je voorstellen hoeveel werk en kosten ermee gemoeid waren om een dergelijk huis in stand te houden. Maar Alice liet zich niet uit het veld slaan. Ze was het nuchtere soort, dat zich in tweed hulde en golfschoenen droeg. Stel je een vrouw voor die in alle opzichten precies het tegenovergestelde van de prinses was, dan heb je Alice.

Ze schraapte en spaarde om de eindjes aan elkaar te knopen. Ze deed het meeste huishoudelijke werk zelf en ze deed veel in de tuin. Ze ging zelfs op de fiets boodschappen doen om benzine uit te sparen. Ze was zo taai als een kerel. Dikwijls was de enige verwarming in het hele huis een kolenvuurtje in de salon.

Mijn vader was in diplomatieke dienst en bracht daarom het grootste deel van zijn leven in het buitenland door. Mijn oudere broer, Harvey, en ik gingen allebei naar kostschool en in de vakanties logeerden we dikwijls bij Howard en Alice op Kingston Kirkby Hall. "Als je het koud hebt," zei Alice dan, "ga je maar een eind lopen. Dan word je wel warm." En dat als buiten de sneeuw kniehoog lag!'

'Ze klinkt nogal als tante Biddie,' merkte ik op en dacht aan het ijs dat 's winters op The Willows aan de binnenkant van de slaapkamerramen zat en hoe Miranda en ik ons onder de dekens aan- en uitkleedden omdat het in onze kamers zo koud was.

Tobin glimlachte. 'Dat dacht ik ook, toen je het daarnet over haar had. Hoe dan ook, om verder te gaan met mijn verhaal, in 1961, toen Howard en Alice dertig jaar getrouwd waren, overleed ze aan kanker. Het was een tragisch einde, heel, heel tragisch. En Howards overtuiging dat ze zou genezen, was bijna net zo vreselijk. Na haar dood stortte hij volkomen in en zwierf hij als een verloren ziel door Kingston Kirkby Hall, alsof hij verwachtte dat ze uit een van de kamers zou komen. Er kwam een vrouw uit het dorp om voor hem te koken en het huis zoveel mogelijk op orde te houden, maar na een jaar of zo werd duidelijk dat het zo niet langer ging.

Harvey en ik hielden krijgsraad om te beslissen wat we het beste voor hem konden doen. Harvey en ik, moet ik nu misschien uitleggen, zijn volkomen verschillend. Hij is jurist en is met een rijke vrouw getrouwd. Sinds hij de titel heeft gekregen en Kingston Kirkby Hall heeft geërfd, heeft hij een flink deel van Gwendolens fortuin aan de restauratie van het oude huis besteed. Maar ik loop op de zaken vooruit...

Zoals ik zei hielden Harvey en ik krijgsraad, waarna we besloten dat Howard aan verandering toe was en weg moest van Kingston Kirkby Hall en alle herinneringen daar. Ondanks de diverse financiële crises van de familie was Howard er op de een of andere manier in geslaagd het huis aan Beadle Walk in Chelsea aan te houden, waar hij altijd verbleef als hij naar de stad kwam om de zittingen van het Hogerhuis bij te wonen. Harvey vond dat hij daar maar een tijdje moest gaan wonen.

Ik moet toegeven dat ik daar ernstige bedenkingen tegen had. Howard was in hart en nieren een buitenmens. Weg van zijn geliefde heidevelden, opgesloten in een flat in Londen was hij net een vogel in een kooitje. Maar wat was er voor alternatief?

Nou, kort en goed, Howard kwam naar Londen, maar in plaats van op Beadle Walk te wonen, was hij meestal bij Dawn – mijn ex-vrouw – en mij in ons huis in Blackheath, waar hij Dawn – die toch al niet de tolerantste was – bijna gek maakte met een aantal van zijn zwakheden. Harvey, die gemakshalve buiten de stad woonde en natuurlijk een buitengewoon druk leven leidde, slaagde erin onder zijn aandeel van de verplichting uit te komen – of in ieder geval onder de alledaagsere aspecten ervan.

Maar Howard ontmoette de prinses via Harvey. Het zal wel op Ascot zijn geweest, want Howard was dol op de races. Harvey en Gwendolen wonen alle evenementen op de sociale agenda bij – Henley, Cowes, Ascot, noem maar op.

Een wederzijdse kennis stelde hen aan de prinses voor en Howard was verloren. Hij had nog nooit iemand als zij ontmoet. Ze viel volkomen buiten zijn belevingswereld. Hij was achter in de zestig, een rondborstige landjonker. En de prinses was een jaar of vijf jonger, buitengewoon aantrekkelijk voor haar leeftijd en kennelijk steenrijk. Hij was zo volkomen weg van haar dat hij als was in haar handen was. Hij nam haar mee naar Kingston Kirkby Hall, waarvan ze net deed of ze het bewonderde, en hij geloofde dat ze daar, met behulp van haar geld, in een bescheiden mate van comfort zouden kunnen wonen.

Maar toen ze van hun huwelijksreis terugkwamen, kondigde zij aan dat ze absoluut niet van plan was zich op het platteland van Derbyshire te verstoppen en dat ze voornemens was zich op Beadle Walk te vestigen.'

Tobin zweeg en vulde onze glazen bij.

'Ik moet toegeven dat ik het haar niet erg kwalijk kon nemen. Ik heb goede herinneringen aan Kingston Kirkby Hall, maar ik zou er ook niet willen wonen. Zoals ze in het interview met Oliver zei, het is een lelijk huis, zonder enig comfort. Ik zou zeker niet graag in Harveys schoenen willen staan. Het huis mag dan zevenhonderd jaar in de familie zijn geweest, maar eerlijk gezegd is het een blok aan je been, net als alle landhuizen.

Maar wat me wel dwarszat, was de achterbakse manier waarop de prinses Howard had laten geloven in een belofte die ze absoluut niet van plan was geweest na te komen. Verder, als ze al eigen geld had, heeft Howard daar nooit iets van gezien. Maar ze had er geen moeite mee zijn geld uit te geven.

Maar daar ben ik pas vele jaren later achter gekomen. Kort voor hij stierf, hadden Howard en ik een lang en openhartig gesprek waarin hij tegenover mij toegaf hoe hij zich in haar had vergist en hoe volslagen ellendig ze zijn leven had gemaakt. De arme ouwe kerel. Dertien jaar is lang als je ongelukkig bent, zoals ik uit eigen ervaring weet. Mijn eigen huwelijk duurde precies even lang.' Hij haalde zijn vingers door zijn haar. 'Het probleem was dat Howard, op Alice na, geen ervaring met vrouwen had. De prinses wond hem gewoon om haar vingertje, zoals ik vermoed dat ze met elk van haar echtgenoten voor hem had gedaan.'

'Dus jij denkt dat ze niet uit liefde met hem is getrouwd, maar uit materiële overwegingen?' vroeg ik.

'Zonder enige twijfel. Het was een verstandshuwelijk, net als alle andere.

127

Hij verdeelde de rest van de fles over onze glazen.

'Nou, om op Beadle Walk terug te komen. Ik denk dat ze probeerde om daar de woning te herscheppen die ze had moeten achterlaten toen ze Rusland verliet, zij het op kleinere schaal. Praktisch elk meubelstuk, elk siervoorwerp, elk *object d'art* was Russisch, heel oud en zeer kostbaar. Je hebt het op de televisie gezien...

De enige kamer die Howard mocht inrichten was zijn werkkamer, een somber, klein hok – dat propvol dingen uit Kingston Kirkby Hall stond – een bureau, leren stoelen uit de bibliotheek, een schilderij van Stubbs en verscheidene jachttrofeeën. De prinses wilde beslist niets anders uit Kingston Kirkby Hall in huis hebben.

Bedenk wel dat alles op Kingston Kirkby Hall erg versleten was – plomp ook, en het had op Beadle Walk afschuwelijk misstaan. En Howard, de goede ziel, had geen gevoel voor schoonheid. Zijn smaak werd uitsluitend door sentiment bepaald – en dat wist hij...'

Mijn hart ging uit naar de oude graaf.

'Nee, ik denk dat hij er lang niet zoveel bezwaar tegen had gehad dat de prinses haar eigen voorkeur uitleefde op het interieur van Beadle Walk als ze in alle andere opzichten niet net zo verkwistend was geweest. Maar ze gaf een vermogen uit aan kleren en juwelen. Ze ontving op grote schaal en reisde veel. Ze was niet bereid haar vrienden in het buitenland ter wille van Howard op te geven en ze wipte geregeld over naar New York, Parijs, Nice – noem maar een plaats – waar ze natuurlijk altijd in de beste hotels verbleef.'

'Ging Howard – de graaf – met haar mee?'

'Soms, maar hun smaak in mensen verschilde evenzeer als hun smaak in alle andere dingen. Dat kun je je wel voorstellen. Hij hoorde bij het jacht-, schiet- en visgezelschap, terwijl zij zich graag in kosmopolitische, modieuze kringen begaf. Hij voelde zich het beste thuis op een heideveld waar hij op korhoenders kon jagen en zij in de salon. Zo brachten ze uiteindelijk hun leven door. Hij ging terug naar Kingston Kirkby Hall en de prinses hield zich in Londen en in het buitenland met haar eigen interesses bezig. Toen overleed hij, waarop Kingston Kirkby Hall naar Harvey ging, samen met de titel, en de prinses bleef op Beadle Walk. En dat is het wel zo'n beetje.'

'Wat gaat er nu met Beadle Walk gebeuren?' vroeg ik.

'Dat gaat ook naar Harvey, als deel van Howards erfenis. De prinses had alleen het recht er haar leven lang te wonen.'

'Dus jij krijgt niets?'

'Ik zou niet weten waarom. Zelfs als Howard mijn vader was geweest, zou Harvey, als oudste zoon, de erfgenaam zijn geweest. En nu, voor we verder gaan, ik sterf van de honger. Volgens dat bord daar staan er vanavond *moules marinières* op het menu. Hoe lijkt je dat?'

'Het klinkt heerlijk.'

'Goed! Dan haal ik meteen nog een fles. Je hoeft toch niet te rijden, hè?'

'Nee.' Ik voelde me volledig ontspannen, maar helemaal niet dronken.

Ik greep naar mijn tas en portemonnee. 'Laat mij alsjeblieft iets betalen.'

'Ik pieker er niet over. Een volgende keer misschien, maar vanavond niet.'

Chattertons zat inmiddels behoorlijk vol. Ik keek hoe Tobin zich een weg door de menigte baande en vroeg me af wat Dawn voor iemand was en waarom hun huwelijk was gestrand.

Hij kwam terug, gevolgd door een serveerster met een fles champagne, een ijsemmer en twee champagneglazen. 'Ik vond dat we iets te vieren hadden,' verklaarde hij.

'Wat hebben we te vieren?'

'Het huidige moment?'

Ik lachte.

De serveerster trok met een aangenaam geplop van de kurk de fles open en schonk de champagne in.

We klonken. 'Op jou, Cara,' zei Tobin.

'Op jou, Tobin,' antwoordde ik. En ik voelde me buitengewoon gelukkig.

'Nu we toch op het eten wachten, is er nog iets anders wat je over de prinses wilt weten dat ik je zou kunnen vertellen?'

'Nou ja, eigenlijk wel.' Ik dronk met kleine slokjes van mijn champagne en probeerde het beeld dat Tobin me had geschilderd te combineren met hetgeen Oliver Lyon me had verteld. Er begonnen een boel zaken op hun plaats te vallen, maar er waren nog steeds dingen die ik niet begreep. 'Om te beginnen,' zei ik, 'waarom denk je dat ze helemaal geen foto's van zichzelf bewaarde?'

'Ik ben geen vrouw,' zei hij met een vage glimlach, 'maar zelfs ik kan begrijpen hoe een vrouw die in haar tijd een grote schoonheid was, zich voelt wanneer mannen niet langer vol aanbidding aan haar voeten liggen en ze zich niet langer kan wijsmaken dat het gezicht dat haar in de spiegel aankijkt dat van een twintig- of zelfs veertigjarige is.'

Hij keek me over de rand van zijn glas aan en ik vroeg me af wat er in zijn hoofd omging. Toen citeerde hij:

> *Was dit het gezicht dat duizend schepen te water liet,*
> *en de spitsloze torens van Ilium verbrandde?*
> *Lieve Helena, maak me onsterfelijk met een kus!*

'Ze was *la Belle Hélène* geweest...'

'Ze was nog steeds mooi,' hield ik vol.

'Maar niet jong meer.'

Op dat moment kwamen de mosselen, twee grote schalen vol in een heerlijk geurende crèmesaus, samen met een mandje stokbrood. We vielen allebei met smaak aan.

Opeens vroeg hij: 'Vond je het erg om wees te zijn?'

'Nee hoor, want ik heb mezelf nooit echt als wees beschouwd. Maar er zijn keren geweest – meer toen ik op school zat, denk ik – dat ik jaloers was op alle andere mensen die een echte vader en moeder hadden. Soms had ik zo graag willen zeggen: "Mijn ouders, mijn ma, mijn pa...".'

Hij knikte. 'Je hebt vast je pijnlijke momenten gehad. Ik maakte me altijd zorgen over mijn kinderen, vooral toen ze jonger waren. Door onze scheiding hadden we de vaste grond onder hun voeten weggenomen. Ze moesten mensen uitleggen dat hun stiefvader niet hun echte vader was. Ik weet dat scheiden tegenwoordig heel gewoon is, maar dat maakt het er voor kinderen niet gemakkelijker op.'

Ik zei niets, omdat ik dacht dat hij door zou gaan, maar in plaats daarvan vroeg hij: 'Heb jij je wel eens rancuneus gevoeld jegens Miranda?'

'Hemel, nee. Waarom vraag je dat?'

'Omdat ze ouder is dan jij en de biologische dochter van haar ouders is.'

Ik schudde mijn hoofd. 'Het enige wat ik ooit heb gewild, was dat ik meer op haar zou lijken. Waarom, ben jij rancuneus omdat Harvey graaf van Winster is geworden?'

'Absoluut niet. Ik zou het afschuwelijk vinden, al die verantwoordelijkheid. En ik zou beslist niet in het Hogerhuis willen zitten – terwijl Harvey en Gwendolen in de zevende hemel zijn nu ze graaf en gravin van Winster zijn.'

We aten een tijdje in stilte en toen zei hij: 'Harvey heeft me gevraagd hem te helpen alles in het huis aan Beadle Walk uit te zoeken en te bepalen wat we ermee moeten doen. Niet bepaald een karwei waar ik reikhalzend naar uitkijk, moet ik toegeven, maar Harvey heeft tijd noch zin om het allemaal in zijn eentje te doen. Je weet maar nooit, misschien vinden we tussen haar papieren nog wel iets over jou of je vader.'

'Doe alsjeblieft voor mij niet al te veel moeite.'

'Het zal helpen me af te leiden van de beroerde taak waar we mee bezig zijn. Hoe dan ook, jouw verhaal intrigeert me zo, dat ik achter de waarheid wil komen. Zelfs als jij er onderweg de brui aan geeft, zal ik blijven proberen het mysterie tot de bodem uit te zoeken.'

Ik lachte. 'Je klinkt net als Stevie.'

'Wie is Stevie?'

'Miranda's dochter. Ik was afschuwelijk zenuwachtig bij het idee Oliver Lyon te bellen toen ik zijn programma had gezien. Maar Stevie zei dat zij het zou doen als ik het niet deed.'

'Ze had nog groot gelijk ook. Hoe oud is Stevie?'

'Zeventien.'

'Dus ik heb een bondgenoot. Dat is nuttig om te weten.' Hij keek me vorsend aan. 'Ben jij een hamsteraar? Bewaar je brieven, foto's, uitnodigingen voor bruiloften, schouwburgprogramma's en andere sentimentele aandenkens?'

Ik lachte. 'Ik ben een amateur vergeleken bij tante Biddie. Ik ging over tot het beschrijven van onze zoektocht naar mijn vaders boek.

'Hoe meer ik over je tante Biddie hoor, hoe aardiger ik haar ga vinden. Houd je een dagboek bij?'

'Dat deed ik altijd wel, en toen ben ik ermee opgehouden. Maar dit weekend ben ik weer begonnen, om alles wat ik te weten kom te noteren.'

'Goed. Dat wilde ik net voorstellen.'

Het was elf uur toen we de wijnbar verlieten. Het enige wat ik me van ons gesprek van de rest van de avond kan herinneren, is dat het persoonlijk was zonder intiem te zijn. Tobin praatte in zekere mate over zijn werk. Het begin van zijn carrière was eigenlijk niet zoveel anders verlopen dan die van Nigel. Na de kunstacademie had hij als lay-outman voor een tijdschrift gewerkt en was toen naar een boekenuitgeverij gegaan.

'Het was een vanouds bekend bedrijf, met een paar heel goede auteurs op hun fondslijst,' verklaarde hij, 'maar het kreeg financiële problemen, werd overgenomen door een Amerikaanse uitgeverij en maakt nu deel uit van een enorm internationaal mediaconcern. Ik ben er nog een tijdje gebleven, maar ik kon niet overweg met de nieuwe leiding. Hun manier van uitgeven was veel te commercieel naar mijn smaak. Boeken waren wat hen betrof slechts handelswaar. En hoewel ik volkomen accepteer dat elk bedrijf het doel heeft winst te maken, geloof ik ook dat boeken deel uitmaken van ons geboorterecht en niet alleen naar hun verkoopmogelijkheden mogen worden beoordeeld. Dus om een heel lang verhaal kort te maken, onze wegen scheidden zich.

Kort daarop overleed mijn vader, die me genoeg geld naliet om te overwegen voor mezelf te beginnen. Ik veranderde een van de kamers in huis in een atelier, zorgde ervoor dat ik een agent kreeg, ging freelancen en sindsdien heb ik op die manier gewerkt.'

'Wat voor soort werk doe je?'

'Ik werk voornamelijk in olieverf en het liefst met onderwerpen uit de natuur. Op het moment doe ik een haastklus voor een chocoladefabrikant die er nogal laat achter is gekomen dat het binnenkort Pasen wordt en illustraties nodig heeft voor zijn verpakking. Paashazen en sleutelbloemen. Hij grijnsde. 'Maar toch, het brengt brood op de plank.'

'Welke chocoladefabrikant?' vroeg ik nieuwsgierig.

'Het is geloof ik een Frans bedrijf, maar ik weet niet hoe ze heten. Hoezo?'

'O, ik vroeg me alleen af of het er een van ons was.'

'Je neemt je werk wel serieus, hè?'

'Sorry, het is moeilijk om het niet te doen. Ik zit langer op kantoor dan thuis.'

'O ja,' zei hij droogjes. 'Ik weet het nog goed, want ook ik hoorde vroeger tot het gewone werkvolk. Waar woon je?'

'In Highgate. En jij?'

'Fulham.'

Hij stond erop me met een taxi naar huis te sturen en betaalde de rit vooruit, wat ik pas besefte toen we bij Linden Mansions kwamen en de chauffeur zei: 'Het is in orde, juffrouw, meneer heeft het al geregeld.'

Ik was de hele weg in een soort trance, terwijl ik me op de prinses en mijn vader probeerde te concentreren en merkte dat mijn gedachten voortdurend naar Tobin gingen. Toen ik de trap naar flat 9 opklom, bewogen mijn voeten zo moeiteloos dat ik niet zozeer leek te lopen als wel te zweven. Ik merkte dat ik neuriede: *What is this thing called love?* En dat ik dacht: je bent gek, Cara. En dat ik toen dacht: het zal wel door de champagne komen...

Toen ik de volgende ochtend wakker werd, voelde ik me nog steeds buitengewoon gelukkig en had ik een lichte kater. Een douche verjoeg de kater, maar niet het geluksgevoel. Dat bleef, een warm plekje in mijn hart, onbezoedeld door enig schuldgevoel, want tussen Tobin en mij was niets gebeurd wat niet helemaal door de beugel kon en ik was ook niet van plan dat te laten gebeuren. Hij had me geen reden gegeven te geloven dat hij op me viel, en een verhouding was wel het laatste waar ik aan dacht – met hem of met wie dan ook.

Nee, wat ik voor Tobin voelde, was geen liefde in de amoureuze zin van het woord, maar ik mocht hem graag. Ik mocht hem als persoon en ik wilde hem als vriend. En ik dacht dat hij mij ook wel mocht – als persoon. Dat was alles.

Op kantoor kwamen Miles, James Warren en Bob Drewitz in een uitstekende bui terug van het ontbijt in het Ambassador, wat veel goeds voorspelde voor de dag die voor ons lag. Nog beter was dat Miles me niet nodig had om de vergaderingen van deze dag te notuleren en dat ik ook geen lunch in de bestuurskamer hoefde te verzorgen. In plaats daarvan vroeg hij me een tafel voor drie personen in het Ambassador te reserveren. Bob Drewitz en Dandy Candy stonden bij hem kennelijk in een goed blaadje.

Korte tijd later ging de telefoon en meldde Dorothy: 'Meneer Touchstone aan de lijn voor je, Cara. Zal ik hem doorverbinden?'

Mijn hart maakte een sprongetje. 'O ja, graag.'

'Hallo, Cara. Hoe gaat het vanochtend met je?' vroeg Tobin.

'Prima. En met jou?'

'Blakend. Ben je goed thuisgekomen?'

'Ja, en erg bedankt dat je de taxi hebt betaald.'

'Ik ben goed opgevoed.'

'Ja, maar–'

Hij onderbrak me. 'Staat de goede Miles je een lunchpauze toe?'

Ik lachte. 'Af en toe.'

'Nou, als vandaag een van die keren is, zou ik je graag iets laten zien. Als ik je nou eens voor je kantoor opwacht, zeg om één uur?'

Om precies één uur ging ik naar beneden waar Tobin, met een versleten aktetas stevig in de hand, weer met Sergeant stond te praten.

Toen we buiten waren, rende hij de straat op om een voorbijgaande taxi aan te houden. 'Stap in,' beval hij en gaf de chauffeur toen een onverstaanbare instructie.

'Waar gaan we heen?' vroeg ik.

'Wacht maar af.'

In de taxi zei hij: 'Ik heb er de hele ochtend over in gezeten. Ik geloof dat ik gisteravond nogal tactloos was. Het was niet mijn bedoeling karaktermoord op de prinses te plegen.'

'Dat heb je niet gedaan,' verzekerde ik hem.

'Het is aardig van je om dat te zeggen, maar ik vind nog steeds dat ik nogal tactloos was. In jouw plaats had ik beslist liever aardige dingen over mijn moeder gehoord.'

'Ik heb je naar de waarheid gevraagd en die heb je me gegeven,' zei ik. En ik dacht: door wie je bent, zou je bijna alles kunnen zeggen zonder dat ik me gekwetst zou voelen.

Even later stopte de taxi voor de Tate Gallery.

Tobin nam me bij de elleboog en leidde me de stoep op, de foyer en ver- scheidene zalen door tot we in een ruimte kwamen waar aan één wand een heel groot schilderij hing dat op het eerste gezicht leek te bestaan uit een warboel van mensen zonder ledematen, van gebouwen en voorwerpen, het soort schilderij dat ik in het verleden meteen zou hebben afgedaan als meer in Nigels straatje dan het mijne. Tobin draaide zich naar me om, met één wenkbrauw vragend opgetrokken.

In de rechter onderhoek stond het merkteken van El Toro – een gesti- leerd stiertje.

'Het is een El Toro,' zei ik.

'Precies.'

'Ik speelde vals. Ik heb het stiertje gezien.'

'Dan krijg je een tien voor je opmerkingsgave.'

Ik liep erop af.

'Begin in het midden,' droeg hij me op.

In het midden van het schilderij stond een oog. Ik richtte er mijn aan- dacht op en liet mijn blik toen langzaam naar boven en naar de rand gaan. Rechts stond een penseel op een schilderspalet. Links stond een naakte vrouw met achter haar een raam waar doorheen je een straat kon zien, met rijtjeshuizen, een café, een winkel. Toen veranderde het perspectief. Een van de huizen was groter dan de andere en de deur stond open. Dan kwam er een kamer met een tafel waarop een boek en een pen lagen. Nog een kamer, met vingers op een viool, met muzieknoten die in de lucht hingen. Dan een onopgemaakt bed, waarop uitgetrokken kleren lagen. Daarna potten, pannen, een brood en een fles wijn. Daarna een kind dat met speelgoed speelde. Een arbeider die zijn werkschoenen uittrok. Dan in de verte, een paard en wagen die een steile heuvel namen en, heel klein, afgetekend tegen een blauwwitte hemel, een windmolen.

Het werkelijk verbazingwekkende was de precisie van de penseelstre- ken. Hoe meer ik keek, hoe meer details ik opmerkte: de nerf van het hout, de stof van de kleren, elke dunne snaar van de viool, de vorm van de woorden in het boek.

De onderste helft van het schilderij, onder het oog, gaf op de een of andere manier de indruk dat wat er gebeurde achter je plaatsvond. De kleuren waren donkerder en warmer, net als de geschilderde taferelen. De huizen waren vorstelijk, met luxueus ingerichte kamers, de mensen zaten, met overdreven grote monden in kleine hoofden.

Ik draaide me naar Tobin om. 'Hij kijkt voorbij het model dat hij schildert de stad in en de huizen erachter binnen. Elk deel van het schilderij is een schilderijtje op zich, dat het leven afbeeldt waarvan hij weet dat het zich overal om hem heen afspeelt. De bovenste helft is Montmartre, terwijl de onderste helft de rijke stadswijk is, waarschijnlijk rond de Étoile of de Opéra.'

Tobin grijnsde. 'Weer goed. Fascinerend, hè?'

'Niet te geloven. O, heel erg bedankt dat je me dit hebt laten zien.'

'Nou kan ik me vergissen, maar ik denk dat het boek en de pen je vader voorstellen.'

'Waarom?'

'Kijk maar naar het licht. Er is een soort amberkleurige gloed, die heel goed je vaders haar zou kunnen zijn.'

'Het is zo gek,' zei ik. 'Tot ik Oliver Lyons interview zag, had ik er geen idee van dat mijn vader en El Toro elkaar kenden.'

'Tenzij je een studie had gemaakt van het leven van El Toro, had je dat ook niet kunnen weten. Ik ging me pas voor El Toro interesseren toen ik zijn portret van de prinses had gezien. Toen ontdekte ik dat je vader en hij vrienden waren geweest. En daarna vertelde Oliver me dat de prinses met je vader getrouwd was geweest.' Hij keek op zijn horloge. 'Hoe lang heb je voor de lunch?'

'Een uur.'

'Dan hebben we niet veel tijd meer om te eten. Heb je genoeg aan een snack?'

'Natuurlijk. Ik neem meestal alleen een sandwich.'

We liepen naar de cafetaria en toen we begonnen te eten, vroeg hij: 'Heb je hier wel eens in het restaurant gegeten?'

Ik schudde mijn hoofd.

'Dan moeten we daar een keer iets aan doen als we meer tijd hebben. Ze hebben een verrassend goede Engelse keuken en een uitstekende wijnkaart. En El Toro op de koop toe, wat wil je nog meer?'

Voor ik kon reageren, stak hij zijn hand in zijn aktetas en gaf me een draagtasje. 'Een cadeautje voor je.'

Er zaten twee boeken in, één over El Toro en het andere was een versleten en duidelijk veelgelezen Penguin-pocket – *Novel on Yellow Paper* van Stevie Smith.

'Het boek over El Toro is het boek met het voorwoord van Olivers vader en de foto van jouw vader. En ik denk dat je *Novel on Yellow Paper* zelf aardig goed zult vinden. Of heb je het al gelezen?'

'Nee. Heel erg bedankt. Ik zal er goed op passen en ze je zeker teruggeven. Ik zie wel dat *Novel on Yellow Paper* een van je lievelingsboeken is.'

'Ja, dat klopt, maar ik wil het niet terug. Ik zei toch, ze zijn een cadeautje.'

Hij bracht me met een taxi terug naar Wolesley House, waar hij mijn hand nam en vasthield, in een van die rare, wat ongemakkelijke momenten aan het begin van een relatie, wanneer je elkaar te goed kent om elkaar formeel een hand te geven, maar nog niet goed genoeg voor een zoen of zelfs een kusje.

'Lekker geluncht?' informeerde Sergeant doodleuk, terwijl hij veelzeggend op de klok keek – die halftwee aangaf – toen ik de hal in kwam.

'Ja, dank je,' antwoordde ik met een, naar ik hoopte, uitdrukkingsloze stem.

Gelukkig was ik op kantoor niet gemist. Dorothy had geen boodschappen en Miles was nog niet terug van de lunch. Ik weerstond de verleiding om naar mijn twee boeken te kijken en begon de verloren tijd in te halen. Ondertussen was ik me er vaag van bewust dat ik niet helemaal eerlijk tegen mezelf was wat mijn gevoelens voor Tobin betrof. Wat ik voor hem voelde, was niet alleen dat ik hem graag mocht. Het was meer dan dat.

Vlak voordat ik naar huis zou gaan, belde Nigel. 'Eindelijk heb ik je dan toch te pakken,' zei hij op verongelijkte toon. 'Ik heb je gisteravond de hele avond gebeld.'

'Sorry, ik was uit,' antwoordde ik opgewekt, nog steeds in een wat euforische stemming.

'Je was niet bij Sherry en Roly, want daar heb ik het geprobeerd.'

'Nee, ik was uit eten met een, eh, vriend. Waarom, is er iets?'

'Nee, ik wilde je alleen laten weten dat het zeker is dat ik volgende woensdag thuiskom.'

'O, fijn. Hoe gaat het met de opnamen?'

'Veel beter nu het weer is opgeklaard.'

136

'Goed.'

'Cara, is alles goed met je?'

'Ja. Hoezo?'

'Ik weet het niet. Er is iets vreemds aan je.'

'Dat moet de verbinding zijn, waardoor mijn stem raar klinkt.'

'Mogelijk. Was je het weekend iets van plan?'

'Ik moet boodschappen doen, wassen, schoonmaken – net als altijd – en dan kruip ik lekker op de bank met een goed boek.'

'Cara, wat is er?'

'Niets. Ik verheug me op het boek.'

Er klonk een zucht aan de andere kant van de lijn. Toen: 'O, nou ja, ieder zijn meug. Dan ga ik maar weer aan het werk. Ik bel je volgende week nog voor ik vertrek.'

'Fijn. Werk niet te hard. En bedankt voor je telefoontje.'

Ik wachtte tot het weekend voor ik aan Tobins cadeautjes begon. Ik las het boek over El Toro tijdens mijn eenzame avondmaal van braadworst, aardappelpuree uit een pakje en diepvrieserwtjes. Maar hoewel het boek interessante verwachtingen wekte over de schilder, stonden er – naast de foto van mijn vader met El Toro – maar twee korte verwijzingen naar mijn vader in, namelijk dat hij dichter was en dat hij El Toro naar Spanje had vergezeld.

Dus legde ik El Toro weg en ging naar bed met *Novel on Yellow Paper*.

Het was drie uur 's nachts toen ik het weglegde en ging slapen en toen ik wakker werd, vergat ik het huishouden en las ik gewoon door.

Voor wie *Novel on Yellow Paper* niet heeft gelezen, moet ik vertellen dat het geen roman in de gebruikelijke zin van het woord is, want het vertelt geen duidelijk verhaal met een begin, een midden en een eind. Het is in de ik-vorm geschreven, het is semi-autobiografisch en het beschrijft mensen en gebeurtenissen in het leven van de vertelster en onthult haar gedachten en meningen over een heleboel dingen. Wat het zo uniek maakt, is de stijl. De ondertitel is *Zie zelf maar dat je erachter komt* en dat vat het wel zo'n beetje samen.

De allereerste uitgave is uit 1936, toen Stevie Smith drieëndertig was, en het exemplaar dat Tobin me had gegeven, was de eerste Penguin-uitgave uit 1951. De hoofdpersoon noemt zich Pompey Casmilus en is privé-secretaresse van Sir Phoebus Ullwater, baronet (Stevie Smith was in werkelijkheid privé-secretaresse van Sir George Newnes en Sir Neville Pearson). De titel is ontleend aan het feit dat Pompey haar roman op geel papier typt. En ze schrijft hem in haar vrije tijd op kantoor.

Pompey werd opgevoed door haar tante (net als Stevie Smith in werkelijkheid), omdat haar vader was weggelopen naar zee en zijn vrouw en dochtertje, Pompey, in de steek had gelaten. Deze tante is een geweldige vrouw – Pompey noemt haar de Leeuwin van Hull – en ze doet me sterk aan een andere tante denken.

Alsof dat nog niet genoeg was, heeft Pompey (hoewel ze ongetrouwd is en heel ouderwets is opgevoed) een zeer geëmancipeerde levenshouding en houdt ze er een heel uitgesproken mening op na. Ze heeft massa's vrienden, reist veel, wordt verliefd op de verkeerde mannen en toch valt ze ten prooi aan alle gewone ziekten, onzekerheden en ongelukkigheden waar vrouwen voor en na haar mee hebben geworsteld.

En alsof dat nog niet genoeg was, is het boek een kroniek van zijn tijd, een levendige beschrijving van het leven halverwege de jaren dertig, de opkomst van het nazisme in Europa en Pompeys reacties op de reacties van alle mensen om haar heen.

Als je dit nu allemaal optelt bij het feit dat Stevie Smith ook dichteres was en haar eerste dichtbundel het jaar na *Novel on Yellow Paper* verscheen, denk ik dat je wel kunt begrijpen wat voor indruk haar roman op mij maakte – zeker nu ik hem op dit specifieke moment in mijn leven las.

Dit is misschien een vreemde manier om het te zeggen, maar ik voelde me net een opwindspeeltje waarvan de sleutel al heel lang zoek was en opeens is teruggevonden. Door in mijn leven te komen en me dat boek te geven, had Tobin me de sleutel gegeven die me in beweging zou brengen en me vooruit zou stuwen.

Die zondagochtend belde ik tante Biddie en Miranda en gaf ze een korte versie van mijn ontmoeting met Tobin. Daarna had ik dolgraag Tobin zelf willen bellen om hem behoorlijk voor de boeken te bedanken, maar ik had zijn nummer niet. In de telefoongids stonden meerdere Touchstones, maar geen met de voorletter T in Fulham. Toen bedacht ik dat hij op Beadle Walk was om de bezittingen van de prinses uit te zoeken, dus zou hij waarschijnlijk toch niet thuis zijn. Omdat hij mijn huisadres of telefoonnummer niet had en we niet in de gids stonden, kon hij me niet bereiken als hij dat wilde.

Omdat ik helemaal geen zin had om schoon te maken of de was te doen, en de winkels in die tijd op zondag nog niet open waren, drukte ik dat idee de kop in en ging naar beneden, naar de flat van Sherry en Roly, half in de veronderstelling dat ze er wel niet zouden zijn omdat ze op een antiekbeurs stonden. Maar Sherry was er wel. 'Roly is naar Doncaster en ik heb de boekhouding zitten bijwerken om uit te vissen hoeveel geld we niet op de bank hebben,' zei ze spijtig. 'Ik snap niet hoe we zo hard kunnen werken en zo weinig verdienen. Maar wat geeft het ook. Kom erin voor een kop koffie. Of is het tijd voor een drankje?'

We kozen voor koffie en gingen toen een stevige wandeling over de Heath maken. 'Heeft Nigel je laatst nog te pakken kunnen krijgen?'

'Ja, het spijt me dat hij jullie stoorde.'

'Dat gaf helemaal niet. Ik vond het eigenlijk wel leuk. "Nou, waar zit ze dan?" wilde hij weten, alsof je in afzondering leefde en nergens heen mocht als hij er niet was. Het leek niet dringend, dus heb ik er maar niet over in gezeten.'

'Het was ook niet dringend.'

Ze keek me aan met haar lachende, korenbloemblauwe ogen. 'Dus waar was je nou?'

Ik vertelde haar over Tobin en ik denk dat mijn stem meer moet hebben verraden dan ik wilde, want ik voelde hoe ze af en toe slinks naar me keek.

Toch, zoals zo dikwijls gebeurt als je gebeurtenissen hardop voor iemand anders beschrijft, volgden mijn gedachten een aparte onderstroom. Na het gevoel van blijdschap na onze eerste ontmoeting bij Chattertons en het bezoek aan de Tate kwam ik langzaam weer op aarde terecht en kreeg mijn gezonde verstand weer de overhand.

Mijn gesprekken met tante Biddie, Miranda en nu met Sherry herinnerden me eraan dat ik Tobin had ontmoet om meer over de prinses te weten te komen, niet om een andere man te ontmoeten. Wat Tobin betreft, zijn belangstelling voor mij was precies dezelfde als die van Oliver Lyon: hij werd uitsluitend gedreven door nieuwsgierigheid en vriendelijkheid. Als het iets anders was, had ik me dat maar verbeeld.

Maar later, toen ik weer in mijn eigen flat was, nadat Sherry en ik dat drankje hadden genomen waarvan we vonden dat we het toch wel verdiend hadden, moest ik opeens denken aan de figuur in *Getting Married* van George Bernard Shaw, die zegt: 'Ik zou niet met een leeg hart durven rondlopen: het eerste meisje dat ik ontmoette, zou immers zo naar binnen worden gezogen, puur door de atmosferische druk.' Met een schok besefte ik dat dat zo op mij zou kunnen slaan.

Ik beheerste me en liep naar de werkkamer waar ik mijn draagbare schrijfmachine op Nigels bureau zette. Omdat ik geen geel papier had, rolde ik er een vel gewoon wit papier in en begon te typen. Omdat ik wist dat elke poging om Stevie Smith te evenaren alleen maar op een misluk-king kon uitlopen, begon ik mijn eigen verhaal bij het begin:

Mijn vader was de dichter Connor Moran en ik weet nog niet zeker wie mijn moeder was. Ik ben ergens in Italië geboren, maar ik ben opgevoed in Avonford, door de zus van mijn vader, mijn tante Biddie.

Toen ik die eerste zin tikte, maakte ik mezelf geen enkele illusie dat mijn eerste poging om een boek te schrijven ooit zou worden uitgegeven. Publicatie was niet mijn voornaamste doel. Ik wilde erachter komen of ik wel kon schrijven, of ik de gave bezat om woorden in een begrijpelijke en interessante vorm te gieten, of ik meer van mijn vaders talent had geërfd dan ik tot dan toe had gedacht. Anders had ik in ieder geval aan het eind van mijn verhaal – hoe dat eind ook mocht uitvallen – een gedetailleerd verslag van alles wat me was overkomen als gevolg van Oliver Lyons interview met de prinses.

Ik liet me maar in één opzicht door Stevie Smith beïnvloeden. Ik gaf mijn werk de voorlopige titel: *Boek zonder naam*. In gedachten noemde ik het domweg Het Boek.

HOOFDSTUK 10

's W oensdags kwam Nigel thuis.

De avond voor hij terugkwam, kwam ik eindelijk toe aan het schoonmaken en opruimen van de flat, omdat ik uit ervaring wist dat hij geen opmerkingen zou maken over hoe schoon het huis was, maar wel commentaar zou leveren als dat niet het geval was. Terwijl ik bezig was, hield ik mezelf voor dat ik blij was dat ik niet in een huis als The Willows woonde, of zelfs in een flat als die van Sherry en Roly, met al hun versierselen en voorraad die moest worden afgestoft. Af en toe was voor eenvoud veel te zeggen.

Ik hield mezelf ook voor dat het maar het beste was dat ik nog steeds niets van Tobin had gehoord, hoewel dat erop leek te wijzen dat hij in de papieren van de prinses niets over mijn vader of mij had ontdekt. Aan de andere kant had ik daar ook niet echt op gerekend.

Verder was het maar goed dat Tobin mijn telefoonnummer thuis niet had, want dan zou je net zien dat hij belde op het moment dat Nigel thuiskwam en dat was geen goed idee.

Dat is wat ik mezelf voorhield terwijl ik stofzuigde en stof afnam en poetste en probeerde mezelf in de juiste stemming te brengen voor Nigels terugkomst.

De ervaring had me ook geleerd voor de avond van zijn thuiskomst geen speciale voorbereidingen te treffen: of de reis nu goed of slecht was verlopen, hij had altijd last van jetlag en was moe en kriegel na een lange vlucht en een afwezigheid van twee weken van huis en kantoor. Dus kocht ik onderweg naar huis wat vleeswaren, kaas, salade, roggebrood en een goede fles witte wijn. Als hij trek had, stond er snel een eenvoudig maal op tafel en als hij geen trek had, kon het ook tot morgen wachten.

Hij kwam om een uur of negen thuis. Ik hoorde de voordeur opengaan en ik stoof de gang in.

'Hoi,' bromde hij, terwijl hij zijn schoudertas van zijn schouder haalde en naast zijn koffer, zijn draagtasjes met belastingvrije spullen en – natuurlijk – Hugh zette.

Hij schoof zijn hoed naar achteren, omhelsde me lauw, gaf me een zoen en zei: 'Zo, daar zijn we weer.'

'Fijn dat je er weer bent,' reageerde ik. 'Je ziet er moe uit. Heb je een slechte vlucht gehad?'

'O, de vlucht ging wel. Het waren de veertien dagen ervoor die beroerd waren.'

'Het ziet er in ieder geval naar uit dat het weer beter is geworden. Je bent fantastisch bruin.'

'De tweede week was goddank veel beter dan de eerste.' Hij dook in een van de draagtasjes. 'Hier is iets voor jou. Sorry dat het niet van meer fantasie getuigt. Maar ik hoop dat je het toch lekker vindt.'

Het was parfum. 'Dank je wel, lieverd,' zei ik, terwijl ik zijn arm nam en met hem naar de woonkamer liep. 'Wil je een drankje en iets te eten?'

'Ik heb in het vliegtuig een foliemaaltijd gehad. Maar ik zou best een whisky lusten.'

'Ik haal er een voor je.'

Toen ik terugkwam met een glas whisky met water, lag hij languit op de bank. Hij nam een lange teug en slaakte toen een diepe zucht. 'God, wat een reis. Ik kan me niet herinneren dat ik ooit zo blij ben geweest dat ik ergens weg kon. Voor sommige mensen mag het dan een paradijs zijn, maar voor mij niet.'

'Heb je uiteindelijk gekregen waar je voor kwam?'

'Dat weet ik pas zeker als ik de film zie. Gelukkig is Jason een verdomd goeie fotograaf en de polaroidfoto's zagen er goed uit. Maar je weet het maar nooit.'

'Wanneer krijg je de film te zien?'

'Morgen. Nou hoop ik alleen maar dat de röntgenapparatuur op het vliegveld de film niet heeft laten beslaan en het lab hem niet verpest. Jason doet morgen vroeg meteen een testrolletje en als we dat hebben gezien, kan hij de rest doen. Vooropgesteld dat de proefdrukken in orde zijn, hoeven we de klant er dan alleen nog van te overtuigen dat ze de moeite waard waren om het budget te overschrijden.'

'Ik weet zeker dat het allemaal goed gaat,' zei ik geruststellend. 'Hoe dan ook, niemand kan jou de schuld geven voor alle dingen die zijn misgegaan.'

'Denk je dat? Het probleem is dat ik het de klant heb aangepraat deze opnamen op locatie te maken. Tot nu toe hebben ze het altijd in een studio gedaan. Ik had moeten weten dat het daar in januari monsterlijk kan stormen. En wat de modellen betreft – wat een vervelend stelletje.'

Ik klakte meelevend met mijn tong en hij nam nog een lange teug whisky. 'Ah, dat is beter. We dronken daar rum met een alcoholpercentage van negentig. Gemeen spul. Je ging er compleet van uit je dak.'

'In dat geval is het nog een wonder dat je überhaupt hebt kunnen werken,' zei ik, met een glimlach waarvan ik hoopte dat hij mijn irritatie verborg.

Zijn eigen lach veranderde in een geeuw. 'God, wat ben ik moe. Ik zou een week kunnen slapen.'

'Kun je morgen uitslapen?'

'Geen sprake van. Ik moet naar kantoor. Er ligt twee weken werk op me te wachten.' Hij geeuwde nogmaals. 'Nou, vooruit, vertel eens wat jij hebt uitgespookt toen ik weg was.'

Ik wilde het hem vertellen, maar als je iets belangrijks uitvoerig wilt vertellen, bestaat er bijna niets ergers dan een gehoor dat bijna in slaap valt. 'Het is niets wat niet kan wachten,' zei ik. 'Waarom ga je niet naar bed, dan vertel ik het je morgen wel.'

'Nou, als je het niet erg vindt...' Hij kwam moeizaam van de bank. 'Sorry, schat, maar ik kan mijn ogen nauwelijks open houden.'

'Hoe laat wil je morgen gewekt worden?'

Hij kreunde. 'Ik moet eigenlijk vroeg op kantoor zijn. Een uur of zeven, denk ik.'

Toen hij de kamer uit was gewankeld, bleef ik doodstil zitten waar ik zat, terwijl ik tegen mijn teleurstelling vocht en luisterde naar de geluiden die hij maakte, naar het water dat in de badkamer liep, naar zijn gegorgel toen hij zijn tanden had gepoetst, naar de kastdeuren die open en dicht gingen toen hij schone kleren voor morgen zocht, naar zijn gebrom toen hij in bed stapte, naar de klik toen het lampje naast het bed uit werd gedaan.

Ik liep de gang in, zette Hugh op een stoel, naam Nigels koffer mee naar de keuken, deed de deur dicht en vulde de wasmachine. Er kwamen twee dingen bij me op. Het ene was dat de reden die hij me door de telefoon had gegeven over die extra week weg zonder enige twijfel waar was geweest. Anders had hij veel beter zijn best gedaan om wakker te blijven. En het tweede was dat ik hem beter morgen over de prinses kon vertellen, als hij hopelijk minder moe was en minder aan zijn hoofd had.

Toen ik naar bed ging, lag hij op zijn rechterzij, met zijn gezicht van me af. Ik kleedde me uit en gleed onder het dekbed, in de hoop dat ik hem niet zou storen. Maar hij draaide zich om en sloeg zijn arm om me heen. 'Fijn om weer thuis te zijn,' mompelde hij en sliep weer in.

De volgende ochtend vertelde Miles me dat hij aan het eind van de week naar de Verenigde Staten ging en vroeg me een plaats voor hem te bespreken op de Concorde naar New York. Een van de mensen die hij daar zou ontmoeten, was Graig Vidler, president-directeur van WWT – Worldwide Tobacco, de Amerikaanse tabaksgigant. Omdat de reis volgde op het bezoek van Bob Drewitz, hechtte ik er geen bijzondere betekenis aan en regelde het nodige.

Ik slaagde er die avond in op een redelijke tijd van kantoor te gaan en haastte me naar huis, in de veronderstelling dat Nigel dat ook zou proberen. Ik dekte de tafel, maakte eten voor ons klaar en wachtte toen tot acht uur, negen uur, tien uur – maar geen Nigel.

Toen de telefoon ging, dacht ik dat hij het zou zijn, maar het was Miranda. 'Je ligt toch niet in bed, hè?' vroeg ze.

'Nauwelijks. Nigel is nog niet thuis.'

'Ik dacht dat hij gisteren terug zou komen.'

'Ik bedoel thuis van kantoor. Hij is gisteravond naar Londen teruggekomen.'

'Alles in orde?'

'Ja, prima.'

'Wat vond hij van je nieuws?'

'Ik heb nog geen kans gehad het hem te vertellen. Hij was zo moe toen hij thuiskwam dat we maar even hebben gepraat, voor hij naar bed is gegaan. Hij is meteen in slaap gevallen.'

'O. En hoe zit het met jou? Nog nieuwe ontwikkelingen? Heb je nog iets van Tobin Touchstone gehoord?'

'Nee, geen woord.'

'O jee...'

'Het geeft niet, het doet er niet toe.' Op dat moment hoorde ik de sleutel in het slot. 'Dat klinkt of Nigel er is. Ik kan beter ophangen. Ik bel je het weekend wel. Doe Jonathan en Stevie de groeten – en je moeder als je haar ziet.'

'Natuurlijk. Dan hang ik nu op. Veel liefs.'

'Voor jou ook. Tot gauw.'

Nigel kwam binnen vallen en alle vermoeidheid was uit zijn gezicht verdwenen. 'Sorry dat ik laat ben, schat. Maar ik heb een echt ongelooflijke dag gehad! Macintyre heeft een nieuwe marketing directeur benoemd, die hun oude reclamebureau aan de dijk wil zetten en Massey Gault & Lucasz heeft gevraagd een gooi te doen naar hun account. Het mooie is dat Bron wil dat ik het ga doen.'

'Wat is Macintyre?' vroeg ik niet-begrijpend.

'Zeg, doe me een lol, Cara,' zei hij. 'Zelfs jij moet van Macintyre hebben gehoord. Ze maken banden. Ze zijn zelfs een van de grootste bandenfabrikanten van Europa.'

De naam zei me nog steeds niets. 'Dat is geweldig. Maar ik geloof nog steeds niet dat ik ooit van ze heb gehoord.'

Er schoot een geïrriteerde uitdrukking over zijn gezicht, maar toen zei hij: 'Weet je, dat is heel interessant. Eigenlijk is jouw reactie waarschijnlijk typerend voor heel wat autobezitters die zich niet interesseren voor toeren. Jij brengt de naam Macintyre niet in verband met glamour, snelheid, een hectisch leven – en daar zou je wel aan moeten denken. Dat is het beeld dat we bij je moeten oproepen. En dat is het probleem van Macintyre. Ze hebben te lang op hun lauweren gerust, met als gevolg dat ze een behoorlijk marktaandeel aan het verliezen zijn.'

Zijn ogen glansden. 'Als we Macintyre krijgen, gaan we dat allemaal veranderen. Macintyre zal net als Hoover worden. Als iemand band zegt, zul je aan Macintyre denken. Wauw! Wat we met dat account zouden kunnen doen! Het zou een droom zijn die uitkwam. God, dit maakt de afgelopen twee weken weer goed. Wat een nieuwtje om mee thuis te komen. Dit zou mijn grote doorbraak kunnen worden. Als we Macintyre inderdaad krijgen, zitten we als reclamebureau gebeiteld.'

'Het spijt me, ik vind het geweldig voor je,' zei ik, terwijl ik mijn stem enthousiast liet klinken. 'Het is een geweldige kans. Maar tegen wie moet je het opnemen?'

'JWT, CDP, Saatchi & Saatchi – en raad eens wie nog meer? – Holleyman & Elwood! Als zij hem krijgen, schiet ik me voor mijn kop. Maar ze hebben geen schijn van kans. Dat hebben ze eigenlijk geen van allen. Er is in de hele reclamewereld geen betere tekstschrijver dan Bron. En, al zeg ik het zelf, ik ben een van de weinige art-directors die in staat is tot een "total concept" te komen.'

'Dus wat gebeurt er nu? Wanneer moet je presentatie klaar zijn?'

'Achttien februari. Wat inhoudt dat je me de komende tweeëneenhalve week niet erg veel zult zien, vrees ik. Het eerste wat we moeten doen, is een brainstormsessie houden, waarin we met een nieuw merkbeeld moeten komen. Het is allemaal mooi en aardig om te zeggen: "Als je aan banden denkt, denk je aan Macintyre", maar we hebben een veel sterkere slo-

145

gan nodig. Niettemin, Bron zal wel met iets briljants komen. Hij stelt voor dat hij en ik onze toevlucht nemen tot een hotel – en dat ben ik met hem eens. Op dat rotkantoor komen we nooit ergens aan toe. In een hotel hebben we die telefoontjes en al die andere stomme onderbrekingen niet. Hebben we geen last van al die stommelingen die hun hoofd om de hoek van de deur steken en vragen: "Wat moet ik hiermee aan?" Ze zullen hun hersens gewoon zelf een keer moeten gebruiken.

Als we dan tot een concept hebben besloten, moeten we natuurlijk nog beeldmateriaal maken en strategieën, timing en budgetten uitwerken. Het is een verdomde hoop werk voor zo korte tijd. Maar het lukt ons wel. We gaan ervoor.'

'Ik neem aan dat de andere bureaus allemaal dezelfde deadline hebben?'

'Jawel, maar die hebben allemaal veel meer middelen tot hun beschikking – in termen van mankracht en geld. Wij zijn nog maar een betrekkelijk klein bureau. Maar het gaat om kwaliteit, niet om kwantiteit, en als we Macintyre krijgen, horen we bij de grote jongens.'

'Wanneer begin je?'

'We zijn vandaag al begonnen. Wat dacht je dan? En van nu af aan gaan we non-stop door tot de achttiende. Als je plannen had, kun je maar beter niet op mij rekenen. Als je het weekend soms naar Avonford wilt, moet je dat zeker doen. Bron en ik zitten ongetwijfeld nog in ons hotel ideeën uit te werken.'

'En die campagne voor zonnebrandolie dan?'

'Die heb ik voorlopig aan Duncan overgedaan. Die kunnen Liam en hij wel doen.'

'Is de film goed geworden?'

'O, ik heb een blik op de proefdrukken geworpen en ze zagen er prima uit. Ik had eigenlijk ook geen problemen verwacht.'

'Nee, natuurlijk niet,' zei ik, terwijl ik deze plotselinge nonchalance ten opzichte van een klus die de vorige dag nog zo vreselijk belangrijk was geweest, moeilijk kon volgen.

'Zo, wat eten we?' vroeg hij.

'Iets kouds, vrees ik.'

'Dat komt me prima uit. Als we klaar zijn met eten, ga ik me in mijn werkkamer opsluiten. Ik heb heel wat om over na te denken.'

Gelukkig had mijn huishoudelijk werk zich twee avonden geleden tot zijn werkkamer uitgestrekt, waar mijn schrijfmachine met de eerste onuitgewerkte pagina's van Het Boek nog op het bureau had gestaan. Ik hoef natuurlijk niet te zeggen dat ze daar niet meer waren. De schrijfmachine stond weer op zijn vaste plek en Het Boek lag veilig in mijn koffertje.

Nigel had het de hele maaltijd, die hij op topsnelheid wegwerkte, alleen maar over Macintyre. Ik luisterde plichtmatig, stelde af en toe een vraag en maakte van tijd tot tijd een opmerking. Maar ik was er met mijn gedachten niet bij.

In *Novel on Yellow Paper* beschrijft Pompey hoe haar leven de hele tijd in het geheim doorgaat en dat haar tante er geen idee van heeft dat dat zo was of hoe dat ging. Dat gold ook voor mij. Terwijl Nigel verder kletste over Macintyre, zat ik in Parijs en Italië en op Beadle Walk, met mijn vader en de prinses en Tobin.

Nigel schoof zijn mes en vork tegen elkaar, dronk zijn glas leeg en stond op. 'Nou, dan ga ik aan de gang.'

'Ja, natuurlijk,' zei ik. 'Hoe laat wil je morgen opstaan?'

'O, zeven uur is morgen prima. Maar laat me niet te lang liggen, wil je?'

'Ik zal mijn best doen.'

Dus ging hij naar zijn werkkamer en waste ik af. Toen ik later langs de deur van zijn werkkamer kwam, riep ik: 'Welterusten. Maak het niet te laat.'

Het enige antwoord dat ik kreeg, was een brom.

Dus daarom bleef Nigel in het ongewisse over Oliver Lyons programma, de prinses en Tobin. Ik hield de informatie niet opzettelijk achter. Ik koos er niet bewust voor het hem niet te vertellen. Het kwam gewoon zo uit.

Die vrijdagochtend belde Nigel om te zeggen dat Bron en hij naar een hotel vertrokken voor hun brainstormsessie en dat ik, als ik hem dringend nodig had – 'En daarmee bedoel ik een absolute noodsituatie,' benadrukte hij – Brons secretaresse kon bellen, de enige die wist waar ze zaten.

Ik had nog maar net neergelegd, toen de telefoon al weer ging. 'Meneer Touchstone voor je, Cara,' kondigde Dorothy aan.

'Sorry dat ik niet eerder heb gebeld,' verontschuldigde Tobin zich. 'Maar de afgelopen week is het nogal een gekkenhuis geweest, met de paashazen en de prinses. De reden dat ik je bel, is echter niet om te mekkeren, maar om te zeggen dat ik morgen weer naar Beadle Walk ga en ik vroeg me af of je ook zou willen komen om het huis te bekijken.'

Toen wist ik wat Christina Rosetti had bedoeld toen ze schreef dat haar hart net een zingend vogeltje was. 'Dat zou ik enig vinden,' zei ik, 'als je zeker weet dat ik niet in de weg loop.'

'Dat zou ondenkbaar zijn. Harvey is er niet, als je je dat afvroeg. Hij vond één weekend wel genoeg. Ik dacht dat je misschien zou willen zien waar de prinses heeft gewoond – en ik moet je ook nog iets anders vertellen – een nogal vervelende en ingewikkelde kwestie, die misschien wel en misschien niet in verband staat met jou.'

'Hoe bedoel je?'

'Dat leg ik je wel uit als ik je zie. Hoe laat zullen we zeggen? Tien uur?'

'Dat is prima.'

'Goed, het adres is Beadle Walk nummer zeven.'

Ik zat nog steeds aan mijn bureau, met een nietszeggende grijns op mijn gezicht, toen Miles mijn kantoor in kwam. 'Je lijkt precies op een kat die net van de room heeft gesnoept, Cara. Wat voer jij in je schild?'

'O, ik voel me gewoon gelukkig,' antwoordde ik.

'Het staat je goed,' merkte hij op. En tot mijn verdere verbazing liep hij meteen de deur weer uit zonder me te vragen iets voor hem te doen.

De volgende ochtend, toen ik bij Beadle Walk 7 kwam, zong dat vogeltje in mijn hart nog steeds zijn hoogste lied. Toen werd de voordeur geopend door een knappe, glimlachende, donkerharige vrouw van een jaar of dertig en werd het vogeltje stil.

Er schoot een hele reeks gedachten door mijn hoofd. De eerste was dat ik misschien aan het verkeerde adres was, maar ik wist dat dat niet zo was. Toen had het bij me moeten opkomen dat Tobin misschien een vriendin had. Daarna dat hij me wel eens had kunnen waarschuwen. Vervolgens dat er geen reden was waarom hij dat had moeten doen. En ten slotte was ik verbaasd over de hevigheid van mijn reactie.

Op dat ogenblik verscheen Tobin zelf in de gang en kwam met een hartelijke glimlach op me af. 'Cara! Kom erin! En laat ik je voorstellen. Dit is Consuela. Consuela, dit is mijn vriendin, mevrouw Sinclair.'

We gaven elkaar een hand en ze keek me met een brede glimlach aan.

'Consuela deed het huishouden voor de prinses,' legde Tobin uit. 'En ze is vandaag gekomen om wat keukenspullen in te pakken.' Hij wendde zich tot haar. 'Kunnen we een kopje koffie krijgen, Consuela?'

Ze knikte geestdriftig en glimlachte nog breder.

'Ze is Spaans en ze spreekt niet veel Engels,' zei Tobin, toen Consuela door de gang verdween. 'En kom nou maar mee naar de salon, waar Oliver de prinses heeft geïnterviewd.'

Een beetje beverig liep ik achter hem aan een deur door en vergat toen, tenminste voor het moment, de emoties die Consuela bij me had gewekt.

Het was net alsof ik in een ander land was terechtgekomen. Het weer was somber en de kamer werd verlicht door een kroonluchter, met kristallen in de vorm van koele ijspegels van drie of vier centimeter lang, die niet helemaal stil hingen en kleurige lichtstralen door de kamer stuurden, als zon die op sneeuw glinstert. De muren waren bekleed met panelen van kostbaar, donker hout en daaraan hingen twee schilderijen in vergulde lijsten. Langs de ramen hingen bordeauxkleurige brokaten gordijnen waarin draadjes goud glinsterden. Het meubilair was bekleed met fluweel dat paste bij de kleur van de gordijnen en op de grond lag een prachtig Chinees tapijt. In één hoek stond een glanzende ebbenhouten vleugel en in een andere een driehoekig kabinet met glazen deur, met gouden siervoorwerpen die schitterden van de juwelen. Voor de open haard stond een rijk bewerkt haardscherm en boven de schoorsteenmantel hing de icoon van de madonna met het Christuskind waar ik aan het eind van Oliver Lyons interview een glimp van had opgevangen.

'Is het niet buitengewoon?' zei Tobin. 'Je zou bijna vergeten dat je in Chelsea was en je in het oude St.-Petersburg wanen.'

Zelfs de geur was vreemd. Er leek een mengeling van wierook, grenenhout en een vleugje van wat ik dacht dat tuberoos was in de lucht te hangen, alsof de prinses net de kamer was uitgegaan en nog ergens in huis was.

'Die icoon was een van de liefste bezittingen van de prinses,' ging Tobin verder. 'Die heeft ze in de jaren twintig kennelijk in een Parijse antiekwinkel gevonden. Volgens haar hing hij vroeger in haar moeders slaapkamer in hun paleis in St.-Petersburg en toen ze nog klein was, verbeeldde ze zich dat de madonna haar moeder was en zij de baby in haar armen.'

'Niet te geloven.'

'Precies. De hemel weet hoe hij in Parijs is terechtgekomen, maar ze heeft hem als het definitieve bewijs van de dood van haar ouders beschouwd.' Hij keek naar de andere kant van de kamer. 'Daar hangen de twee portretten van haar die je volgens mij tijdens Olivers interview hebt gemist. Maar daar hebben we het straks nog wel over. Kom eerst de rest van het huis maar bekijken.'

Hij stak de gang over en deed een deur open. In de kamer erachter stond een lange, glanzend gewreven mahoniehouten tafel met eetkamerstoelen eromheen. Er stond een dressoir, met op de ereplaats een prachtig bewerkte zilveren samowaar.

'Die samowaar was een van haar liefste bezittingen, die ze omstreeks dezelfde tijd als de icoon in Parijs heeft gevonden. Hij maakte dat thee-

149

drinken bij haar een hele gebeurtenis was. Een bruine, porseleinen thee-pot schenkt toch heel anders dan een dergelijke samowaar.'

De volgende kamer die we binnengingen, was Howards werkkamer geweest. Hij was heel klein, somber en volkomen leeg – er lag zelfs geen vloerbedekking. 'Harvey heeft alles van hier terug laten brengen naar Kingston Kirkby Hall,' verklaarde Tobin.

Daarna kwam de keuken, waar Consuela kokend water in een koffie-pot goot, te midden van verhuisdozen, oude kranten en bergen servies-goed. Vergeleken bij mijn eigen keuken was hij erg ouderwets, wat aang-af dat het een vertrek was waar de prinses zelden was geweest.

Tobin nam me mee naar boven en opende de deur van een kamer waar-in alleen een onopgemaakt bed stond, vloerbedekking lag en een eenvou-dige kleerkast en ladekast stonden. 'Dit was Howards slaapkamer.'

Hij liep de overloop over. 'En dit was de kamer van de prinses.' Hij ging achteruit om me binnen te laten. De kamer had hetzelfde bewoonde gevoel – en dezelfde ongrijpbare geur – als de salon. Op het bed lag een crèmekleurige satijnen doorgestikte sprei. Aan de achterkant van de deur hing een zwarte, met kant afgezette negligé. Op de kaptafel lagen op een kristallen blad bewerkte haarborstels, kammen en potjes cosmetica uitge-stald.

Rechts van de spiegel stond een foto in een bewerkte, vergulde lijst, van een jongeman die in elegante, achteloze, ongedwongen houding op een caféterras achteruit in een stoel zat. Hij had donker haar, een drieste blik in zijn ogen en een ondeugende glimlach om zijn mond.

Ik keek vragend naar Tobin en hij lachte wrang. 'Ja, dat is een openba-ring.'

'Wie is het?'

'Haar neef, prins Dmitri Nikolaevitch Zakharin. Volgens de stempel van de fotograaf op de achterkant is hij in 1921 in Parijs genomen.'

Ze was vier keer getrouwd geweest, en toch was het Dmitri's foto waar ze elke avond naar had gekeken als ze naar bed ging en elke ochtend als ze wakker werd...

Achter de slaapkamer lag nog een vertrek, deels kleedkamer, deels bou-doir, ingericht met kleerkasten, een ladekast, een prachtig schrijfmeubel en een stoel met handgeknoopte bekleding. Tobin deed een van de kleer-kasten open waarin een rij japonnen hing en onderin schoenen stonden. In de volgende kast hingen mantels en stonden nog meer schoenen. Hij liep naar de ladekast en trok een la open waarin keurig opgevouwen lin-gerie lag.

'Desondanks...' zei hij toen, met een stem die opeens grimmig klonk, en nam een bewerkt kistje op dat hij open deed. De binnenkant was verdeeld in kleine, met fluweel beklede vakjes, waarvan er één een gouden ketting met een enkele steen bevatte en een ander een armband. Verder lag in het juwelenkistje alleen een zilveren hanger, die op een tweekoppig paard leek, met zes belletjes aan zilveren kettinkjes.

'Dat zijn toch de ketting en de armband die ze tijdens het televisie-interview droeg?' vroeg ik.

'Ja, en samen met de ringen die ze droeg toen ze die beroerte kreeg, zijn ze alles wat er van haar verzameling over is,' stelde Tobin vast. 'Ze had altijd zoveel juwelen – telkens wanneer je haar zag, droeg ze iets anders.'

'Misschien ligt de rest veilig bij de bank in een kluisje.'

'Nee, dat hebben we gecontroleerd. Het kluisje was leeg, op wat papieren na.'

Ik nam de hanger op en de belletjes tinkelden.

'Dat is nog een mysterie,' zei Tobin. 'Ik heb het nog nooit gezien. Ze droeg nooit zilver – alleen goud.'

'Hij is heel opmerkelijk. Denk je dat hij een symbolische betekenis heeft?'

'Ik heb geen idee.' Tobin zoog zijn adem in. 'Laten we maar weer naar beneden gaan, dan zal ik je uitleggen wat er is gebeurd, voor zover wij er hoogte van kunnen krijgen.'

We gingen terug naar de salon. Consuela kwam binnen en zette een blad op het enige extra bijzettafeltje. Ze schonk de koffie in en vroeg: 'Wilt u er melk in, señora?'

'*Si, por favor,*' antwoordde ik.

'*Usted entiende español?*' riep ze opgetogen uit.

'*Un poco,*' zei ik.

'Ik wist niet dat je Spaans sprak,' zei Tobin.

'O, ik spreek het ook niet goed – ik heb het zo'n beetje opgepikt tijdens vakanties in Spanje. Ik versta het beter dan ik het spreek.'

'Wat heb je nog meer voor verborgen talenten?'

'Dat ik een paar woorden Spaans spreek, is nauwelijks een geweldige prestatie,' wierp ik tegen.

'Mmm. Dat ben ik niet met je eens. Maar daar hebben we het nog wel eens over.'

Consuela ging de kamer uit en Tobin zei: 'De juwelen van de prinses zijn niet de enige dingen die ontbreken. Howards manchetknopen en dasspelden zijn ook allemaal verdwenen en, wat vooral akelig is, zijn medailles. Er is nogal wat glaswerk en porselein uit de eetkamer weg, evenals een paar van de siervoorwerpen uit het kabinet daar. Het is moeilijk precies te weten hoeveel, maar ik herinner me duidelijk een verzameling Lodewijk-XV-achtige reukflesjes van Fabergé – ze moet er op zijn minst twaalf hebben gehad. Nu is er niet één.'

'Maar Consuela moet toch hebben geweten...?' zei ik aarzelend.

'Ik moet helaas zeggen dat we haar in eerste instantie verdachten. Maar toen hebben we het schrijfmeubel in het boudoir van de prinses doorzocht en ik kan gelukkig zeggen dat Consuela daarna vrijuit ging.'

'Wat is er dan gebeurd?'

'Het lijkt erop dat de prinses werd gechanteerd. We weten niet hoe lang of door wie, maar we hebben een paar brieven gevonden. Ik kan ze je helaas niet laten zien, want Harvey heeft ze meegenomen. Maar de eerste was van juni 1976, vlak na Howards dood, en er stond iets in in de trant van: "Nu hij dood is, kun je best wat royaler zijn." En toen iets over dat het "geheim van de prinses veilig was". De andere waren allemaal in dezelfde trant.'

'Haar geheim veilig was?' herhaalde ik.

'Ja, natuurlijk dacht ik hetzelfde. Ik hoef je niet te vertellen dat we, toen we de rest van haar papieren doorzochten, aan jou dachten. Maar we hebben niets gevonden wat ook maar in de verte verband houdt met jou of je vader. Er was eigenlijk heel weinig van voor Howards dood. Je zou bijna zeggen dat ze opzettelijk elk spoor van haar verleden heeft uitgewist. Zelfs haar adressenboekje was nieuw.

Maar we hebben wel bankafschriften en souches van chequeboekjes gevonden. Na Howards dood is ze aan het eind van elke maand geld gaan opnemen. Het bedrag werd steeds hoger en tegen de tijd dat ze stierf, nam ze tweeduizend pond per maand op.'

Ik floot zachtjes. Ter vergelijking, mijn salaris was bruto ongeveer tienduizend pond per jaar.

'Dat was naast al haar andere uitgaven, zoals de huishoudelijke rekeningen, betalingen per creditcard en de rekeningen die ze bij Harrods, Harvey Nicholls, Aspreys en dergelijke had – waarvan de meeste al maanden niet waren betaald. We hebben een hele stapel dreigbrieven en aanmaningen gevonden. Harvey schrok zich een hoedje toen hij ze zag.'

'Heb je enig idee wie de chanteur was?'

'Geen enkel.'

'Ik neem aan dat je met Consuela hebt gepraat?'

'Dat was een van de eerste dingen die we hebben gedaan, toen we hadden uitgevlooid wat er was gebeurd. Maar ze kon ons niet helpen. Ze kon zich niet herinneren dat er wel eens iets ongewoons was gebeurd – geen vreemde telefoontjes of bezoekers, hoewel ze natuurlijk alleen tussen tien uur 's morgens en drie uur 's middags hier was, en dan moest ze ook nog weg om kruidenierswaren en dergelijke te kopen. En ze spreekt natuurlijk helemaal geen goed Engels.'

'Je denkt toch niet dat Consuela zelf...?' Ik zweeg, omdat ik besefte dat het niet erg waarschijnlijk was dat de prinses haar chanteur in dienst zou hebben.

Tobin schudde zijn hoofd. 'Nogmaals, die gedachte is bij ons ook opgekomen. Maar Consuela werkt pas een paar jaar voor de prinses en de chantage is daarvoor al begonnen. Hoe dan ook, ik ben ervan overtuigd dat ze te vertrouwen is. Dat zie je aan kleinigheden. Ze is het type dat een biljet van vijf pond dat ze onder de bank vindt aan je teruggeeft. En als ze tweeduizend pond per maand kreeg om haar mond te houden, had ze niet hoeven werken.'

'En zijn er sinds de dood van de prinses geen eisen meer gesteld?'

'Niet één, maar als de chanteur Oliver Lyons programma heeft gezien – of de kranten heeft gelezen – weet hij of zij waarschijnlijk dat ze is overleden.'

'Ja, natuurlijk. Dat was een stomme vraag.'

'Nee hoor. Het hangt er vanaf wat het geheim van de prinses was en of het met haar dood is verdwenen, of dat het nog steeds van belang is. Het zou kunnen dat de chanteur van jou af wist, maar het zou net zo goed iets heel anders kunnen zijn. Per slot van rekening, als de prinses in staat was jouw bestaan te ontkennen, was ze ook tot ander bedrog in staat...'

Zijn stem stierf weg en we zaten even in gepeins verzonken.

Toen zei hij: 'Nou ja, ongetwijfeld zal het allemaal wel een keer aan het licht komen. Iets of iemand duikt ooit een keer op en dan komen we het antwoord wel te weten. Intussen vond ik dat je het moest weten.'

'Dank je. Het is wel afschuwelijk, hè?'

'Ja, het laat een nare smaak na.'

'Ik vraag me af of ze de chanteur bedoelde toen ze aan het eind van het interview zei: "Alleen mijn vijanden leven nog".'

'Dat zou best kunnen...' Hij keek naar de twee portretten van de prinses. 'Maar laten we dat maar even vergeten en het over iets anders hebben. Harvey is van mening, en naar mijn idee terecht, dat niets hier op Beadle Walk ook maar iets met de Winsters te maken heeft, hoewel het meeste ervan met Winster-geld is gekocht. Dus als het testament is geverifieerd, gaat hij het huis verkopen en laat hij de inboedel veilen. De opbrengst – of wat ervan over is als hij de schulden van de prinses heeft betaald – gaat hij gebruiken om Kingston Kirkby Hall op te knappen.

Maar hij is zo vriendelijk geweest mij die portretten te geven.' Hij zweeg even. 'Nu vind ik dat, als jij de dochter van de prinses bent, ze eigenlijk van jou zijn.'

Ik staarde hem verbluft aan.

'Dus wil ik ze aan jou geven.'

Ik schudde mijn hoofd. 'Nee, dat is erg aardig, maar ik kan ze onmogelijk aannemen.'

'Toe, niet meteen beslissen.'

'Misschien ben ik haar dochter wel helemaal niet.'

'Zelfs dan, je vader was met haar getrouwd, terwijl ik helemaal geen familie van haar was.'

'Jij kende haar en ik niet.'

'Dat heeft er niets mee te maken. Ik wil ze graag aan jou geven.'

Ik was diep geroerd door zijn aanbod, maar ik had het onmogelijk kunnen aannemen. 'Het is buitengewoon royaal van je en ik waardeer het echt,' verzekerde ik hem, 'maar ik kan het niet aannemen. Sorry, maar ik kan het gewoon niet.'

Hij bekeek me taxerend. 'Nou, kom ze dan tenminste goed bekijken.'

We gingen voor het schilderij van El Toro staan, gesigneerd met dat onmiskenbare stiertje. De prinses was erop te herkennen, maar ook maar net, want de gelijkenis met het natuurlijke model was opgeofferd ten gunste van krachtige vormen en een gewaagd kleurgebruik.

'Zelfs deze schilderijen bevatten een mysterie,' zei Tobin. 'De prinses beweerde dat baron Léon de St-Léon El Toro opdracht had gegeven voor dit schilderij. Maar als je naar de datum kijkt, is het in 1922 geschilderd en ze is pas in 1924 met de St-Léon getrouwd. Dus waarom de leugen? Anderzijds lijdt het geen twijfel dat zij het is. Kijk maar naar de ogen. Ze waren al kil toen ze nog jong was.'

Het andere schilderij was volkomen anders van stijl. Het was een formeel portret, waarop de prinses een eenvoudige, witte, laag uitgesneden japon droeg en een tiara in haar haar, diamanten in haar oren en om haar ranke hals had. Het was voortreffelijk en subtiel uitgevoerd, waardoor de prinses er bijna hemels stralend uitzag.

'Dit is prachtig,' verzuchtte ik, terwijl ik de handtekening in de rechter onderhoek probeerde te ontcijferen. 'Wie is de schilder?'

'Iemand die Angelini heet. Ik ben zijn naam in een paar van mijn kunstboeken tegengekomen, maar er staan geen bijzonderheden over hem in. De prinses stond er heel ambivalent tegenover. Ze hing het te kijk, maar ze wilde er nooit over praten. Eigenlijk heb ik altijd de indruk gehad dat ze het niet mooi vond, maar dat ze het hield omdat haar schoonheid en haar juwelen er voordelig op uitkwamen. Wat een contrast tussen die twee stijlen, hè?'

'Ik weet wel welke ik het mooiste vind. De Angelini heeft zoiets stralends. Het lijkt wel of het licht geeft. Het is iriserend – bijna of je door een dunne sluier kijkt, waar licht doorheen schijnt. Iemand moet toch iets over de schilder weten.'

'O ja. Ongetwijfeld zullen er diverse experts van Sotheby's en Christie's langskomen om de rest van de inboedel te taxeren en dan vraag ik het wel.' Hij zweeg. 'Luister, waarom sluiten we geen compromis? Jij neemt de Angelini en dan neem ik de El Toro. Maar nee, verdorie, dat is ook niet eerlijk. De El Toro is ongetwijfeld veel meer waard.'

'Toe,' smeekte ik, 'geloof me, ik wil ze geen van tweeën.' Toen bedacht ik opeens een reden die hem zou kunnen overtuigen – en die nog waar was ook. 'Ik zou niet elke dag herinnerd willen worden aan een vrouw die me niet wilde.'

'Oké, dat kan ik accepteren,' zei hij. 'Ik zal ze voorlopig houden, maar als er iets gebeurt waardoor je van gedachten verandert, moet je het me laten weten – dan zijn ze voor jou. Mee eens?'

Ik knikte, hoewel ik wist dat dat nooit zou gebeuren.

'En nu, wat zijn je plannen voor de rest van de dag? Heb je tijd om een hapje te blijven eten? Ik weet zeker dan Consuela wel iets in elkaar kan flansen.'

'Nou...'

'Of verwacht je man je terug?'

'Nee, hij werkt.'

'Op zaterdag?'

'Hij gaat een gooi doen naar een nieuwe klant.'

'In dat geval ga ik even met Consuela overleggen.'

Toen hij weg was, liep ik op mijn gemak naar de icoon. Hij was heel klein, maar een centimeter of dertig bij vijfentwintig en duidelijk heel oud, want hier en daar was de verf aan het schilferen en was het hout te zien waarop het tafereel was geschilderd. De schilder had in de uitdrukking van de madonna de tederheid van een moeder voor haar kind opmerkelijk goed vastgelegd.

Toen kwam het me opeens vreemd voor dat de prinses er zo aan gehecht zou zijn geweest. Een dergelijk sentiment leek niet te passen bij alle andere dingen die ik over haar had gehoord – of bij een vrouw die haar eigen kind in de steek had gelaten.

Tobin en ik aten in de eetkamer, tegenover elkaar in het midden van de lange, mahoniehouten tafel. 'Volgens de prinses zaten in een Russisch huishouden de ouders in het midden, met de kinderen aan weerskanten,' legde Tobin uit, terwijl een breed glimlachende Consuela een heerlijke Spaanse omelet opdiende.

'Eigenlijk is het heel interessant,' ging hij door, toen we weer alleen waren. 'Hoewel de prinses eigenlijk nooit over haar verleden sprak, haalde ze af en toe wel herinneringen aan haar jeugd op. Het was haar huwelijksleven waar ze niet graag over sprak. Maar ja, we zullen het wel nooit allemaal te weten komen. En laten we het nu over iets heel anders hebben. Vertel me eens hoe je *Novel on Yellow Paper* vond.'

Ik lachte. 'Ik heb het in één nacht van het begin tot het einde gelezen en daarna heb ik het nog een keer helemaal doorgelezen.'

'En snap je nou waarom ik dacht dat het jou wel zou aanspreken?'

'Dat niet alleen, maar...' Ik zweeg.

'Maar wat? Vooruit, voor den dag ermee.'

'Nee, meer ga ik niet zeggen.'

Maar hij had het geraden. 'Ben je Pompeys voorbeeld aan het volgen?'

Mijn gezicht verraadde me.

'Geweldig!' riep hij uit. 'Dat hoopte ik al.'

'Het is niet gemakkelijk – vooral als je over jezelf schrijft.'

'Dat zal wel niet.'

'Maar Stevie Smith doet het zo goed. Ze is absoluut niet verlegen.'

'Vergeet jezelf dan. Denk niet na over wat je schrijft. Doe niet te veel je best. Laat het verhaal zichzelf vertellen. Zorg er alleen voor dat de woorden – wat voor woorden ook – op papier komen. Je kunt later altijd stukken veranderen die je niet aanstaan als je het af hebt.'

'Het klinkt gek, maar ik heb het gevoel dat ik te veel van mezelf laat zien.'

'Geeft dat dan?'

'Maar als het nou niet interessant is?'

'Waarom denk je dat het niet interessant is?'

'Omdat het over mij gaat.'

'Je moet jezelf nooit omlaag halen. Mensen geloven wat jij over jezelf vertelt, ze geloven je op je woord.'

'Ja, dat zal wel.' Ik speelde met mijn eten.

'Wat je eigenlijk probeert te zeggen, is dat het soms pijn doet, niet-waar?'

Ik knikte.

'Maak dan schoon schip.'

'Ik weet niet of ik daar de moed voor heb.'

'Natuurlijk wel. En als je het eenmaal hebt gedaan, zul je je een stuk beter voelen.'

'Dat zal wel.'

'Wat heb je te verliezen?'

'Niets.'

'Zie je nou wel.'

We eindigden ons maal in stilte. Toen zei hij: 'Ik vraag me af of ik je om een grote gunst mag vragen? Ik snap niks van vrouwenkleren en ik vroeg me af of jij het erg zou vinden samen met Consuela de garderobe van de prinses uit te zoeken. Harvey zegt dat haar kleren Gwendolen te klein zijn en haar stijl niet zijn. Niet dat ze ze trouwens nodig heeft. Maar het lijkt zonde om ze weg te gooien. Ik dacht aan een kringloopwinkel...'

'Natuurlijk vind ik dat niet erg. Ik ben blij dat je het vraagt. Maar ik moet wel zeggen dat ik geen mode-expert ben.'

Dus gingen Consuela en ik naar de kleedkamer van de prinses en begonnen aan de akelige klus de kleren van de dode vrouw uit te zoeken. Niet dat Consuela het een vervelend karwei leek te vinden. Ze kletste een eind weg in een mengelmoesje van Spaans en Engels, waarbij ze mijn begrip van haar moedertaal veel te hoog inschatte. Maar ze was duidelijk zo blij dat ze iemand had om mee te praten dat ik het hart niet had haar uit de droom te helpen.

Ze betreurde het overlijden van de prinses en zei hoe fijn ze het had gevonden voor zo'n voorname dame te werken. De werktijden waren zo gunstig geweest, waardoor ze haar jonge kind 's morgens naar school kon brengen en 's middags weer kon ophalen. Toen vroeg ze of ik de prinses persoonlijk had gekend.

Helaas niet, gaf ik toe.

Ah, dat verklaarde waarom ze me nooit eerder had gezien. Maar nu we het er toch over hadden, de prinses had niet veel vrienden gehad. Kennissen wel, maar geen vrienden. Eigenlijk had ze aan het eind van haar leven maar één vriendin gehad, een oude dame – *una rusa* – die nog steeds af en toe was langsgekomen. Consuela had de indruk dat ze elkaar al heel lang kenden. Deze vriendin was heel anders dan de prinses. Ze miste de finesse van de prinses. Ze droeg geen prachtige kleren, zoals de prinses. Maar ze gedroeg zich wel *muy aristocràtica, bien que un poco excéntrica*. Af en toe gaf de prinses haar vriendin een cadeautje. Dat wist Consuela, omdat ze, als de vriendin weg was, merkte dat er een sieraad of siervoorwerp ontbrak.

Zo nonchalant mogelijk – ik wilde dat ik beter Spaans sprak – vroeg ik: '*Cómo se llama esta Señora?*'

Consuela spreidde veelzeggend haar handen. '*No sé.*'

'*Y sus señas?*'

'*No sé.*'

Later, toen Consuela weg was, vertelde ik Tobin over dit gesprek.

Hij schudde zijn hoofd. 'Een oude, aristocratische, Russische vrouw, nogal excentriek, die het moeilijk heeft gekregen? Wat opmerkelijk! Niet precies het type dat bij je opkomt als je aan een chanteur denkt. En Consuela wist niet hoe ze heet of waar ze woont? Verdorie!'

'Ik weet het. Is het niet om je dood te ergeren? Ik heb geprobeerd meer uit haar los te krijgen, maar dat was het enige wat ze wist. Misschien was ze echt een vriendin.'

Tobin tuitte zijn mond. 'Het klopt niet.'

'Nou, we hebben in ieder geval de kleren uitgezocht,' zei ik. 'Sommige zijn nog nooit gedragen en een boel hebben een bekend label. Ik denk dat ze nog heel wat geld waard kunnen zijn. Er zijn winkels die in tweedehands haute couture doen. Zal ik eens voor je informeren?'

'Ik vind dat je al meer dan genoeg hebt gedaan.'

'Het is echt zo gebeurd.'

'Nou, als je het niet erg vindt.'

'Ik ga er maandag achteraan. Maar er is één probleem. Ik kan je niet bereiken. Ik heb je nummer niet.'

'Dat is zo verholpen.' Hij stak zijn hand in zijn broekzak en haalde een kleine portefeuille te voorschijn waar hij een visitekaartje uit nam. 'En nu vind ik dat ik je op zijn minst een drankje schuldig ben. Ik weet niet hoe het met jou zit, maar ik ben hier vandaag wel lang genoeg geweest.'

'Het is geen blij huis, hè?'

'Nee, zeker niet. Harvey heeft gelijk dat hij het verkoopt.' Hij legde zijn hand licht op mijn schouder. 'Vooruit, trek je jas aan en laten we maken dat we hier wegkomen.'

Uiteindelijk aten we samen in een bistro aan King's Road. Ik was een beetje ongerust voor het geval Nigel vroeg zou thuiskomen van zijn brainstormsessie, maar besloot dat hij dan pech had gehad.

Onder het eten bespraken we wat er nog meer voor motieven zouden kunnen zijn waarom de prinses gechanteerd had kunnen worden, waarvan er een paar zo absurd waren dat we helemaal vergaten dat het een ernstig onderwerp was en we de slappe lach kregen.

Toen ik de tranen uit mijn ogen veegde, probeerde ik me de laatste keer te herinneren dat iemand me zo aan het lachen had gemaakt. Nigel had vroeger, toen we elkaar nog maar pas kenden, vast ook gekheid gemaakt, anders was ik niet verliefd op hem geworden. Maar toen we eenmaal waren getrouwd, was aan veel dingen een eind gekomen – hoeveel precies begon ik nu pas in de gaten te krijgen.

'Is er iets?' vroeg Tobin. 'Waarom kijk je zo somber?'

'Het spijt me, dat was niet de bedoeling – ik dacht alleen ergens aan en–'

'Wat? Vertel op. Vooruit.'

Ik glimlachte. 'Nee, het was niets. Echt.'

Hij knikte en zakte achteruit in zijn stoel, terwijl hij met duim en wijsvinger peinzend in zijn onderlip kneep. Toen zei hij: 'Weet je, je hebt een heel fascinerend gezicht. Ik heb nog nooit iemand gekend met zoveel verschillende gelaatsuitdrukkingen. Ik zou uren naar je kunnen kijken zonder me te vervelen.'

Ik voelde hoe ik bloosde en hij lachte, niet wreed, niet onvriendelijk, maar warm en ontspannen. 'Als je niet zo argeloos oprecht was, had je zelfs actrice kunnen worden,' zei hij. 'Maar ik geloof niet dat je tot voorwendsels in staat bent, zelfs niet op bevel.'

Toen nam hij de menukaart op en vroeg: 'Wat zou je voor toetje willen? Ik heb nogal zin in vanilleijs met een heleboel chocoladesaus.'

Hoofdstuk 11

Nigel kwam die zaterdagnacht niet thuis, en zondagnacht ook niet. Zondagochtend belde ik eindelijk mijn familie en hoorde dat tante Biddie het heel vervelend vond dat ze mijn vaders dichtbundel nog steeds niet had kunnen vinden. 'Ik heb ik weet niet hoeveel lang verloren gewaande schatten teruggevonden,' zei ze, 'maar geen spoor van het boek. Het moet toch ergens zijn...'

Ik vertelde zowel haar als Miranda over mijn bezoek aan Beadle Walk en over de chanteur, maar ik vertelde niet dat Tobin me de portretten van de prinses had willen geven en ook niet over mijn vreemde gevoelens over de icoon. Die twee dingen lagen me te na aan het hart om via de telefoon te bespreken.

Aan het eind van mijn gesprek met Miranda vroeg ze: 'Heb je Nigel al over de prinses verteld?'

'Nee, daar heb ik nog steeds geen kans voor gekregen.' Ik vertelde over Macintyre. 'Dus je ziet, nu hij dat allemaal aan zijn hoofd heeft, zou het hem niet interesseren.'

'Wat ben jij lankmoedig,' merkte ze op.

'Nee hoor. Het is Nigels werk. Daar kan ik niet tegenop, wel?'

'Nee, ik denk van niet, maar–'

'Maak je geen zorgen, Miranda. Het gaat prima, heus.'

'Nou, als jij het zegt.'

Daarna las ik de pagina's van Het Boek door die ik tot dusverre had geschreven en tegen het eind van de middag had ik er nog zes af. Toen ging ik verder met mijn handgeschreven dagboek en noteerde de gebeurtenissen van de vorige dag, wat ik veel gemakkelijker vond.

Die maandag gaf Juliette – die veel meer van winkelen houdt dan ik – me de namen van een paar winkels die nagenoeg nieuwe kleding verkopen en toen Miles aan de lunch zat, belde ik Tobin om hem de bijzonderheden te geven.

Hij bedankte me en ik vroeg hoe de paashazen vorderden. 'O, ik heb er echt lol in,' zei hij grinnikend. 'De klant voegt er steeds weer wat extra's aan toe met het gevolg dat mijn hazenfamilie almaar groter wordt. Er is heel wat incest in Fulham. Bij de laatste telling had ik drie volwassen hazen, een mannetje en twee vrouwtjes, die samen een stuk of veertig kinderen hebben...'

Ik lachte en we kletsten nog even, tot mijn andere telefoon ging. 'Het spijt me, ik moet ophangen.'

'Ja, en ik moet terug naar de tekentafel – of moet ik zeggen mijn wild-park...?'

Die avond kwam Nigel thuis, ongeschoren en met kleren die eruitzagen of hij erin had geslapen, en kondigde aan dat Bron en hij het eens waren geworden over hun concept. Waarna hij een douche nam, de wekker op halfzeven zette en in bed viel.

De veertien dagen erna verliepen volgens hetzelfde patroon. We maak-ten bij Goodchild een bijzonder drukke tijd door, omdat de jaarverslagen binnenstroomden. Miles had wat binnen de onderneming stiekem zijn 'speculatieve bui' werd genoemd, die hem altijd rond deze tijd van het jaar leek te overvallen en dikwijls eindigde met de overname van een nieuw bedrijf. Het was net of hij, nu hij had gezien wat hij de afgelopen twaalf maanden had bereikt, verveeld raakte en op jacht moest naar een nieuwe prooi. Niemand wist welke kant hij uit zou gaan – waarschijnlijk wist hij het zelf niet eens. Hij stak enkel onderzoekende voelsprieten uit die tot vergaderingen leidden waarvan ik de uitkomst pas te horen kreeg als er iets concreets uit kwam.

Vaker dan niet waren de eerste indicatie die ik kreeg dat er iets aan de hand was, geruchten in de financiële pers die meestal niet klopten. Voor Miles was een deel van de lol zijn concurrenten en de manipulatoren op de effectenbeurs, die hem scherp in de gaten hielden, op een dwaalspoor te zetten om ze af te leiden.

Elke avond als ik thuiskwam – zelden voor zeven uur – werkte ik een uur of twee aan Het Boek. Nigel kwam rond middernacht thuis, volkomen uitgeput en totaal niet benieuwd naar mijn leven. Ik geloof dat ik mijn haar paars had kunnen verven en dat het hem niet eens zou zijn opgeval-len. Als ik vroeg hoe hij vorderde, kreeg ik meestal alleen een gebrom als antwoord.

Hij werkte ook het hele volgende weekend door en ik profiteerde van zijn afwezigheid om verder te gaan met Het Boek. Ik had niets van Tobin gehoord en ik nam dus aan dat hij nog steeds tot over zijn oren in de paas-hazen zat.

Net toen ik op donderdag van de week erna bijna klaar was met strijken – het was Valentijnsdag, hoewel Nigel er niet aan had gedacht – belde tante Biddie. 'Ik heb het gevonden!' kondigde ze triomfantelijk aan. 'En je raadt nooit waar het lag!'

'Dat raad ik zeker nooit,' zei ik lachend. 'Dus vertel het me maar liever.'

'Op de meest voor de hand liggende plaats natuurlijk en absoluut de enige plaats waar ik niet de moeite had genomen om te kijken. In Stephens boordendoos.'

'O, natuurlijk! Waar had hij anders kunnen liggen?'

'Nou moet je niet sarcastisch doen, Cara. Als ik doodga, hebben Miranda en jij Stephens boordendoos nog nodig. Al mijn papieren zitten erin – mijn ziekenfondskaart, mijn geboorte- en trouwakte, mijn obligaties, mijn testament en dergelijke. De geboorte-, huwelijks- en overlijdensakten van mijn ouders zitten er ook in, hoewel ik niet denk dat je die nodig zult hebben.'

'Wil je me voor je doodgaat dan nog wel even vertellen waar we oom Stephens boordendoos kunnen vinden?' vroeg ik laconiek.

'Daar zeg je zo wat. Hij stond in het rommelhok, maar dat is eigenlijk niet zo'n verstandige plaats. Ik zal een betere plek moeten bedenken.'

'Blijf maar liever leven.'

'Ja, dat is een veel beter idee. Hoe dan ook, om op Connors boek terug te komen, ik heb ook nog een paar brieven gevonden. Er staat veel meer in dan ik dacht. In één staat zelfs een adres – een adres in Parijs moet ik erbij zeggen, niet in Italië, vrees ik. Nu zou ik ze je kunnen toesturen, maar dat doe ik eigenlijk liever niet, voor het geval ze kwijtraken in de post. Je kent Jessie toch, hè, mevrouw Ashton, mijn vriendin in Clun? Nou, die stuurde me een keer iets aangetekend en dat is in rook opgegaan. Volkomen verdwenen. Niemand heeft enig idee waar het kan zijn gebleven. Gelukkig was het niet zo heel erg belangrijk, maar het had dat wel kunnen zijn. Dus vroeg ik me af, als Nigel nog aan zijn project werkt, of je zin hebt om nog een weekend te komen?'

'Dat lijkt me een uitstekend idee.'

'Ik weet dat het een heel eind rijden is en dat je nog maar pas bent geweest...'

'Dat geeft niet. Je weet hoe graag ik naar Avonford kom en ik sterf van nieuwsgierigheid om dat boek en die brieven te zien.'

'Als ik iets mag voorstellen, kom dan liever weer zaterdag dan hier vrijdagavond in het donker heen te rijden.'

'Met het oog op de tijden waarop ik op het moment lijk te werken, is dat waarschijnlijk heel verstandig,' stemde ik nogal aarzelend toe, omdat ik wel heel benieuwd was naar haar vondsten.

Tante Biddie zuchtte. 'Nigel en jij zijn me een stel, hè?'

Omdat ik niet goed wist hoe ik op dit commentaar moest reageren, zei ik dat ik zaterdagochtend bij haar zou zijn, wenste haar welterusten en legde neer.

Ik moest haar nieuws gewoon aan iemand vertellen. Ik zette de strijkplank weg en ging naar beneden, naar Sherry en Roly, maar omdat ze niet thuis waren, belde ik Tobin.

'Wat vreemd, ik zat net aan je te denken,' zei hij.

'Ik hoop dat je iets aardigs dacht.'

'Natuurlijk. Waar zit je? Thuis?'

'Hemel, ja. De goede Miles mag dan een beetje een slavendrijver zijn, maar zo erg is hij nou ook weer niet.'

Hij grinnikte. 'Ik dacht dat je uit zou zijn om het feest van de patroonheilige van de minnaars te vieren.'

Dat verklaarde waar Sherry en Roly waren, bedacht ik vluchtig. 'Nee,' zei ik, 'Die tijd hebben wij, saaie oude getrouwde echtparen, wel gehad.'

'Saai is geen woord dat bij je past.'

'Dank je.'

'Vertel me nou maar liever waaraan ik dit telefoontje dank.'

'Nou, ik moest gewoon met iemand praten. Tante Biddie belde net en ze heeft mijn vaders dichtbundel gevonden en een paar brieven.'

Het was een halfuur later toen ik eindelijk neerlegde. Ik weet niet meer precies waar we het nog meer over hadden. We kletsten gewoon gezellig over tante Biddie en Avonford en zijn werk en mijn baan en dat soort dingen – niets belangrijks –, eigenlijk het soort gesprek dat ik net zo goed met Miranda of Stevie of Juliette had kunnen hebben.

Behalve dan dat Miranda, Stevie en Juliette, hoe graag ik ze ook mocht, geen vogeltjes in mijn hart aan het zingen brachten.

's Zaterdags regende het 't grootste deel van de weg naar Avonford. Toen ik aankwam regende het nog steeds, maar tante Biddie stond voor de deur met een buurvrouw te kletsen. Ik toeterde, zwaaide en reed door de hoge hekken de binnenplaats op.

Een paar tellen later stond ze al naast me, met een zeer verontwaardigd gezicht. 'Je raadt nooit wat mevrouw Tilsley me net vertelde! Volgend jaar bestaat de abdijkerk achthonderd jaar en ze – wie "ze" ook mogen

163

zijn – zijn kennelijk van plan het gebouw een facelift te geven.' Ze zweeg dramatisch. 'En ze zijn van plan de klok een wijzerplaat te geven.'

De kerkklok van Avonford had Miranda en mij toen we kinderen waren altijd eindeloos gefascineerd, en ongetwijfeld talloze generaties voor en na ons. De klok had geen wijzerplaat om de mensen de tijd aan te geven, maar sloeg elk kwartier en speelde een beiaardwijsje op het hele uur. Degene die dit had bedacht, had een nogal oneerbiedig gevoel voor humor gehad, want om zes uur 's morgens speelde hij 'Vroeg in de morgen'; op de openingstijd van de kroegen speelde hij 'Drink to me only with thine eyes' en bij begrafenissen leek hij altijd ofwel 'Barbara Allen' of 'Clementine' te spelen. Tot zijn repertoire behoorden tevens 'The Vicar of Bray', 'The Lincolnshire Poacher' en 'Oh! Dear! What Can the Matter Be?'

'Dit betekent oorlog,' verklaarde tante Biddie. 'Mevrouw Tilsley en ik hebben al besloten met een petitie rond te gaan – ik hoop dat je ook zult tekenen, Cara – en als dat niet helpt, leggen we de zaak aan ons parlementslid voor en zo nodig aan de hoogste rechtbank in het land. De klok een wijzerplaat geven! Heb je ooit zoiets belachelijks gehoord?'

Ik moest wel lachen en ze voer vol achterdocht tegen me uit: 'Wat is er zo leuk aan?'

'Het spijt me, maar het is grappig als je erover nadenkt. De meeste klokken hebben een wijzerplaat.'

'Maar de onze niet! Je weet wie erachter zit, hè? Het is die nieuwe dominee. Ik heb mannen met een baard die op sandalen lopen nooit vertrouwd. Hij is met al die nieuwe diensten begonnen, waarbij iedereen elkaars hand moet vasthouden en elkaar moet zoenen. Alle woorden zijn ook veranderd. Je zou psalm 23 niet meer herkennen. Ik begrijp niet waarom mensen altijd van alles moeten veranderen. En dan vraagt hij zich nog af waarom zijn gemeente achteruitgaat. Je zou je haast bij de doopsgezinden aansluiten. Ik weet niet wat Stephen zou zeggen als hij nog leefde.'

'Ik wist niet dat je zo'n trouwe kerkganger was.'

'Dat ben ik ook niet. Maar het gaat om het principe.'

Ik huiverde in de kille regen. 'Mag ik voorstellen dat we dit gesprek binnen voortzetten, voordat we allebei drijfnat zijn?'

Ze keek met iets van verbazing naar de lucht. 'Wat vreemd. Ik had niet in de gaten dat het regende. Zo zie je maar hoe kwaad ik ben. Ja, natuurlijk, kom gauw binnen.' Toen we in de keuken waren, kreeg haar moederlijke ik de overhand boven haar strijdvaardige ik. 'Wil je ontbijten of zullen we vroeg lunchen? Ik vond dat we vandaag maar eens een mixed grill moesten nemen. Ik weet niet hoe het met jou zit, maar dat is iets wat ik voor mezelf nou nooit maak.'

'Een kop thee en een vroege lunch komen me prima uit.'

'O, kijk, daar komt Tiger je al begroeten.'

Voor de Aga lagen drie lammetjes. 'Je gezinnetje is weer groter geworden,' merkte ik op.

'Dit zijn nieuwe. Larry en Mary zijn terug naar de boerderij. Stevie houdt me steeds weer voor dat ik wat meer fantasie moet gebruiken als ik ze een naam geef, dus heb ik deze samen de drie gratiën genoemd. Misschien niet zo gepast, maar wel klassiek.'

'Het lijkt mij een goed idee, ze zien er toch precies hetzelfde uit.'

'Ze zijn niet precies hetzelfde,' wierp ze tegen. 'Gratie één heeft grotere oren dan de andere. Gratie twee heeft een zwart vlekje op haar neus. En gratie drie is de kleinste van het stel. Zo'n lief klein ding.'

'Mijn naam is Joey Trowbridge en ik woon op The Willows in Avonford. Wat ben jij een knappe jongen. Kra. Kra.'

Ik gaf hem wat gierst en bewonderde toen Gordon, die in de tuin heen en weer liep als een schildwacht voor Buckingham Palace. 'En Chukwa?' informeerde ik.

'Die slaapt nog steeds de slaap der rechtvaardigen.'

Toen we het ons allebei met een kop thee aan de keukentafel gemakkelijk hadden gemaakt, gaf ze me een manilla envelop. 'Nou, daar zijn ze dan, voor wat ze waard zijn. Maar je zult zien dat ik gelijk had toen ik zei dat hij een slecht briefschrijver was.'

Er zaten maar vijf brieven in de envelop, allemaal geschreven op ruitjespapier, een beetje zoals tekenpapier, het soort dat Franse scholieren in hun schriften hebben.

Mijn vaders handschrift was, zoals ik had verwacht, groot en zwierig, met forse halen. Toch kon het niet besluiten welke richting het uitging en de letters stonden soms rechtop en soms hingen ze voor- of achterover.

Boven de eerste brief stond alleen: Parijs, april 1929.

> *Lieve Biddie,*
>
> *Het is nu helemaal voorbij. Van een* cause celèbre *ben ik nu een* cause célibataire *geworden. Patricia krijgt haar scheiding en Imogen, die me naar Parijs heeft gelokt, heeft aangekondigd dat ze nu beseft dat ze veel in het leven heeft gemist en is van plan de verloren tijd in te halen*

door plezier te maken – wat inhoudt dat Elizabeth en zij
eindeloos feestjes, bals en nachtclubs aflopen.

Gelukkig voelt Imogen zich schuldig aan het mislukken
van mijn huwelijk en betaalt ze niet alleen de huur van een
klein appartement voor me, maar draagt ze ook bij aan
mijn levensonderhoud, totdat ik geschikt werk heb gevon-
den. Ik moet af en toe sardonisch grinniken bij het idee
aan wat ouwe Abraham zou zeggen als hij wist hoe zijn
lieve dochter zijn zuurverdiende geld uitgaf.

Ze gelooft nog steeds dat ik geweldig veel talent heb en
verzekert me dat ze alles zal doen wat in haar macht ligt
om me te helpen mijn carrière te bevorderen. Zo af en toe
moet ik opdraven voor de een of andere literaire grootheid
die ze voor zich heeft ingenomen. 'Dit is mijn lievelings-
dichter,' zegt ze dan en dan ga ik opzitten en pootjes geven
als een lief schoothondje en doe ik al mijn kunstjes.

Maar er zijn slechtere manieren om te leven en in Parijs
is aanzienlijk meer te doen dan in Dewfield.

     Veel liefs,
     Connor

          84 bis, rue des Châtaigniers,
               Montparnasse,
             Paris, 14ième.

             18 december 1930

    Lieve Biddie

Een kattebelletje om Stephen en jou een 'joyeux Noël et
une bonne nouvelle année' te wensen – of misschien moet
ik zeggen 'felice Natale e buon Capodanno', want sinds
mijn laatste brief ben ik lid geworden van de Italiaanse
gemeenschap. Ik woon op kamers bij een Italiaanse schil-
der, Amadore Angelini, die ik via een Spaanse schilder heb
ontmoet. Zie je nou wat een kosmopolitische stad dit is!

Mijn Italianen zorgen voor me alsof ik familie van ze
ben. Ik denk zelfs dat Italianen en Ieren meer gemeen heb-
ben dan alleen een beginletter. Of misschien komt het

*gewoon omdat ik eigenlijk een Latijns temperament heb –
misschien ben ik in een vorig leven Italiaan geweest.*

*Papa Angelini schildert de portretten van de rijke bour-
geois en laat ze er als engelen uitzien, terwijl mama
Angelini kookt als een engel. Ze hebben drie kinderen,
twee jongemannen en een veel jonger meisje, al zien we
weinig van de oudste zoon, Benedetto, die in Italië woont
en daar in een familiebedrijf werkt. Het meisje doet me op
een vreemde manier aan jou denken, toen jij net zo oud
was. Herinner je je Gekke Moraid nog?*

*Papa Angelini en de twee zonen zijn vol van de roemrijke
daden van Mussolini en we hebben af en toe geweldige
discussies.*

*Ik ben druk in de weer en heb veel interessante kennis-
sen gekregen. Imogen houdt me nog steeds onder haar
hoede. De afgelopen zomer hebben we met een stel een
lange vakantie aan de Côte d'Azur doorgebracht en in
februari gaan we met z'n allen skiën in St.-Moritz.*

Met andere woorden, het gaat uitstekende met me.

In de hoop dat met jou en de jouwen alles goed is,
        Je liefhebbende broer,
        Connor

'Angelini!' bracht ik uit. 'Dat moet dezelfde schilder zijn die het portret van de prinses heeft geschilderd. Je weet wel, waar ze met een tiara
en juwelen op staat. Dan was die Spaanse schilder vast El Toro.'
'Ja, dat klopt,' zei tante Biddie. 'Lees maar verder.'

                                    rue des Châtaigniers, Parijs
                                    20 december 1935

Lieve Biddie,

*Het lijkt een leven geleden dat ik in Avonford was en nu
ligt onze arme moeder in haar graf.*

*Mijn gelukkige huishouden is niet meer zo gelukkig als
vroeger, want er heerst veel vijandigheid jegens de
Italianen in Parijs sinds Mussolini Abessinië is binnengevallen. Wie zijn de Engelsen en de Fransen om Mussolini
te hekelen omdat hij zijn eigen imperium wil? Hypocrieten
zijn het, allemaal. Mama Angelini blijft proberen papa*

over te halen terug te gaan naar Italië, maar hij is te zeer
francofiel om te vertrekken – tot mijn grote opluchting. Na
vier jaar ben ik mij op mijn zolderkamertje erg thuis gaan
voelen.

Ik heb de Angelini's nu des te meer nodig, omdat Imogen
naar Amerika is teruggegaan. Haar vertrek is niet zonder
drama verlopen, want ze is er vandoor met een Russische
prins. Vaarwel, kip met de gouden eieren. Maar er zijn er
meer waar zij vandaan kwam, van wie sommigen zelfs nog
aantrekkelijker zijn. Er is veel te zeggen voor het vrijgezel-
lenleven. Vive la liberté!

Het leven hier is nooit saai. Een volgende keer meer...
Veel liefs,
Connor

'Die Russische prins was waarschijnlijk Dmitri,' zei ik zacht. 'Maar houdt dat in dat Imogen Humboldt al die tijd in zijn onderhoud heeft voorzien?'

Tante Biddie zoog haar adem in. 'Ik ben bang van wel.'

'Hij zegt niet dat hij werkt of een baan heeft.'

'Weet ik. Ik heb het akelige gevoel dat hij werd onderhouden. En ik heb ook het akelige gevoel dat de Angelini's hun huur niet altijd ontvingen.'

rue des Châtaigniers, Parijs
december 1936

Lieve Biddie,

Ik ga oorlog voeren! Net als Don Quichot gaat deze rid-
der met zijn sombere gelaat tegen windmolens vechten.
God weet waarom ik ga. In theorie omdat mijn vriend, de
Spaanse schilder Juan Maria Toro, me heeft overgehaald
voor de vrijheid te vechten tegen muitende Spaanse gene-
raals en hun fascistische bondgenoten. Ik bedoel niet dat
we van plan zijn de wapens op te nemen: ik zal met de pen
vechten en Toro met verf.

In de praktijk ga ik omdat in Parijs de grond me nogal
heet onder de voeten wordt. Een kleine amourette is slecht
aan het aflopen. De echtgenoot van de lieve dame dreigt
me te laten verbannen. Voorzichtigheid is de moeder der
wijsheid...

Dat gezegd hebbende leef ik eigenlijk, net als de meeste werkende mensen hier in Parijs, erg met de Spaanse loyalisten mee, voornamelijk omdat ik tegen dictators ben, of ze nu Spaans, Duits of Italiaans zijn. En dit heeft me in de problemen gebracht bij Angelini, met wie mijn discussies de laatste tijd wel erg verhit zijn geworden.

Arme Amadore, zijn ster is aan het verbleken. De Franse middenklasse wil haar portret niet laten schilderen door een Italiaan. Het spijt me voor hem. Hij is een eenvoudige, fatsoenlijke ziel die van Frankrijk houdt en tegelijkertijd gelooft dat Mussolini een groot man is omdat hij in Italië de rust heeft laten terugkeren en het land van de communisten heeft gered. Om dezelfde reden gelooft hij dat Hitler goed is voor Duitsland – hoewel hij de Duitsers als ras niet mag en de vriendschap tussen Italië en Duitsland niet vertrouwt.

Je ziet, je broer ontwikkelt dan wel geen politiek geweten, maar wel een politiek bewustzijn.

Daarmee neem ik afscheid van je. Adiós!

Veel liefs,
Connor

Ik begon aan de laatste brief.

Perpignan, mei 1939

Lieve Biddie

Ik heb je veel te veel te vertellen om in een brief te zetten, dus dit moet voldoende zijn tot ik je weer zie. Ik leef, maar ook maar net. Nadat ik meer dan twee jaar praktisch ongeschonden heb overleefd, werd ik bij de laatste gevechten buiten Barcelona overhoop geschoten. Een slager van een chirurg heeft een kogel verwijderd die mijn hart net had gemist. Als ik een hart heb tenminste. Toen ik naar Spanje vertrok, had ik niet gedacht dat ik zo veranderd van geest zou terugkomen. En nu moet ik wel vrezen dat heel Europa weldra in een oorlog zal zijn verwikkeld waarvoor Spanje nog maar een oefening zal blijken.

Dit kamp is de hel op aarde, met letterlijk honderddui-

169

zenden vluchtelingen voor wie de Fransen helemaal niet
aardig zijn. Toro brengt me naar een vriend van hem in
Roquebrune om te herstellen tot ik fit genoeg ben om naar
Parijs terug te keren.
    Met innig veel liefs voor jou en je gezin,
      Connor

Ik las alle brieven nog een keer en schudde toen perplex mijn hoofd. 'Ik ben nu nog meer verbijsterd dan eerst. Hij is af en toe zo cynisch, zeker in de eerste brieven. Toch is deze laatste volkomen anders. En hij heeft kennelijk dus toch gevochten – niet alleen met de pen.'

Tante Biddie tuitte haar lippen. 'Wie weet? Ik kan me Connor heel moeilijk als soldaat voorstellen. Niet dat het hem aan moed ontbrak, maar hij was niet het soort man dat in koelen bloede kon doden, en dat is waar soldaat zijn toch op neerkomt. Een regime haten is één ding, maar de afzonderlijke mannen doden die er onder dienen, is iets heel anders.'

'Wat ik nog steeds niet begrijp is waarom hij, als hij tegen dictators was, de oorlogsjaren juist in Italië doorbracht? We zijn weer terug bij dezelfde vraag.'

'Als je het antwoord wilt weten, denk ik dat je zult moeten proberen Amadore Angelini op te sporen – of, als hij niet meer leeft, wat heel goed zou kunnen – zijn kinderen. En omdat we niet weten waar Angelini in Italië woonde, zou dat een reis naar Parijs noodzakelijk kunnen maken. Je hebt toch nog contact met Ginette, hè?'

Ginette was mijn Franse penvriendin aan wie ik een paar uitwisselings-bezoeken had gebracht toen ik nog op school zat en die me had geholpen een baan in Parijs te vinden toen ik van school kwam. Zij is ook degene geweest die me aan Michel had voorgesteld – niet dat ik haar dat heb ver-weten.

'Natuurlijk.'

'En waar woont ze nu?'

'In Parijs.'

Tante Biddie zei verder niets, maar gaf me nog een envelop, waar een heel dun boekje in zat, waarvan het omslag van dik tekenpapier leek te zijn gemaakt. De titel luidde:

    Bloemlezing
      door
    Connor Moran

Ik sloeg het voorzichtig open. Op het schutblad had mijn vader in zijn zwierige handschrift geschreven: *Voor Biddie, van je liefhebbende maar dolende broer, Connor.*

Op de volgende pagina stonden de gegevens van de uitgever: Helicon Press, Ltd., Londen. Op de volgende pagina stond: 'Eerste uitgave, 1928.' Ik sloeg de bladzijden van papier van slechte kwaliteit om. De meeste gedichten leken nogal kort.

'Je moet ze niet nu lezen,' zei tante Biddie. 'Lees ze later maar, als je alleen bent. En dan wil ik dat jij de bundel houdt. Jij zult hem meer waarderen dan ik. En ik vind dat je de brieven ook moet houden.'

's Avonds kwamen Miranda, Jonathan en Stevie, en nadat ze van het drama van de kerkklok hadden gehoord, namen we de brieven nog eens door.

Ik las de gedichten van mijn vader die avond, zittend in bed, met Tiger op schoot en een warme kruik aan mijn voeten.

En tegen de tijd dat ik ze uit had, begon ik het gevoel te krijgen iets dichter bij die ondoorgrondelijke figuur te staan. Literair gezien was zelfs ik me ervan bewust dat die gedichten niet vreselijk goed waren. De meeste waren liefdesgedichten, soms op het sentimentele af, en zonder de verfijning, de taalkundige bedrevenheid en, bovenal, de intensiteit van de gedichten die hij tijdens de Spaanse Burgeroorlog had geschreven.

Toch lag voor mij hun belang niet in hun literaire verdienste, maar in wat ze zeiden over zijn ware aard, de verborgen diepten onder de cynische buitenkant. Ik had de man die op aarde had rondgelopen, die zich had uitgesproken en zich in het buitenland onder andere mannen had gemengd dan wel niet gekend, maar ten langen leste hadden mijn gedachten zijn gedachten beroerd. Onze geesten hadden elkaar eindelijk geraakt.

HOOFDSTUK 12

Tot ik zondagavond de schoorstenen van Londen bereikte, was ik in gedachten bij mijn vader, maar toen ik in de buitenwijken van Uxbridge kwam, zette ik de knop om en dwong mezelf terug te keren naar het heden, naar Nigel en Macintyre.

Nigel kwam vlak na mij thuis. Hij had een stoppelbaard van een paar dagen, zijn ogen waren bloeddoorlopen en zijn gezicht was grauw van vermoeidheid. 'Ah, je bent er. Een goed weekend gehad?'

'Heerlijk, dank je. En jij? Helemaal klaar voor de grote dag?'

'Zo klaar als maar kan.'

'Hoe laat is je bespreking?'

'Pas om twee uur, goddank. We nemen de pendel van tien uur.'

'Wie gaan er met je mee?'

'Bron en Liam. Heb ik nog schone overhemden?'

'Ik hoop van wel. Ik heb donderdag een hele stapel gestreken.'

'Goddank.'

Bedank Hem niet, dacht ik, bedank mij liever. Maar ik hield mijn mond. Dit was niet het moment om ruzie te maken.

'En mijn pak is pas naar de stomerij geweest, hè?'

Ik knikte, terwijl ik dacht: ja, het is er helemaal vanzelf heen gelopen en weer terug gewandeld.

'Goed, nou, dan ga ik maar naar bed. Ik ben bekaf. En zorg er in gods-naam voor dat ik me morgen niet verslaap.'

We sliepen allebei niet lekker. Nigel lag de hele nacht te draaien en te woelen en viel toen, nadat hij me klaarwakker had gemaakt, vlak voor de wekker ging in een diepe slaap. Ik zette de wekker uit, stond op, trok mijn peignoir aan en ging naar de keuken waar ik voor ons allebei koffie maak-te.

Om kwart over zeven verscheen hij in de deur van de keuken, waar ik uit zijn buurt bleef. Hij had, merkte ik, zijn gebruikelijke hoed niet op en hij nam Hugh ook niet mee. 'Goed, dan ga ik. Tot vanavond.'

172

'Ik hoop dat het allemaal goed gaat,' zei ik. 'Ik zal voor je duimen.'

Op kantoor belde ik Tobin zodra ik de kans kreeg.

'Wel heb ik ooit, Amadore Angelini!' riep hij uit. 'Ik zou die brieven en dat boek graag willen zien. Kunnen we elkaar vanavond na je werk ontmoeten voor een drankje?'

Zeer tegen mijn zin antwoordde ik: 'Nee, het spijt me, dat gaat niet, vanavond niet.'

'Ga je uit?'

Ik aarzelde en omdat ik toen bedacht dat we het onderwerp Nigel niet eeuwig konden ontwijken, vertelde ik de waarheid. 'Het is alleen dat Nigel vandaag een belangrijke bespreking in Glasgow heeft en ik thuis moet zijn als hij terugkomt.'

'Ik begrijp het. Oké.'

'Misschien morgenavond?'

'Nee, ik ben bang dat ik morgen onmogelijk kan,' zei hij en gaf geen verklaring.

Ik voelde dezelfde onredelijke steek van iets wat bijna net zo op jaloezie leek als toen ik op Beadle Walk oog in oog had gestaan met Consuela.

'Maar later deze week kan ik wel,' ging hij door. 'Bel me maar wanneer.'

Toen ik had neergelegd, viel ik ongebruikelijk wild op mijn schrijfmachine aan.

Nigel kwam pas na negen uur thuis, wat inhield dat ik best snel iets met Tobin had kunnen gaan drinken om dan nog steeds voor hem thuis te zijn geweest. Maar dat had ik niet kunnen weten en toen hij binnenkwam en er volkomen uitgeput uitzag, was ik blij dat ik er was. In een lege flat thuiskomen kon, zoals ik heel goed wist, heel ontmoedigend zijn.

'Hoe is het gegaan?' vroeg ik.

'O, wel goed, geloof ik.'

'Alleen maar goed?'

'Ze lieten totaal niet merken wat ze ervan vonden. Ze stelden al de juiste vragen en hopelijk gaven wij al de juiste antwoorden. Nu is het nog slechts een kwestie van geduldig afwachten.'

'Wanneer krijgen jullie te horen of je de opdracht krijgt?'

'Over een paar weken.'

'Zo lang?'

'Je moet niet vergeten dat het voor hen een belangrijke beslissing is. We hebben het over enorme bedragen. Ik heb de tekeningen van de presentatie bij me, als je wilt zien wat ik de laatste tweeëneenhalve week heb

173

gedaan.'

Hij ging naar de gang en kwam terug met een grote portfolio, die hij op de eettafel legde en waarin een stuk of vijftien vellen wit karton zaten met gedetailleerde tekeningen. 'Er zijn zeven tv-spotjes en de perscampagne,' legde hij uit.

'Zéven reclamespotjes?'

'Mensen worden het zat steeds weer dezelfde reclame op hun scherm te zien. Nou, dit is het eerste. Dat is de meest dramatische en komt daarom het sterkst over.'

Hij wees op het eerste vel. 'We beginnen hier met een enorme grond-verzetmachine, in de woestijn, die een berg zand voor zich uit schuift. De achtergrondmuziek is overigens "Wheels of Fire". Ken je de rocksong?'

Ik knikte.

'Er dwarrelen wolken stof en zand op.' Zijn vinger ging over de vellen. 'De zon gaat onder, dus is er een prachtige bloedrode hemel die voor een hoop sfeer zorgt. Dan krijgen we een close-up van een enorme band met het logo van Macintyre. Het stof slaat neer en er komt een figuur uit de grondverzetmachine. Dan krijgen we een lange blik op een wagen met vierwielaandrijving die op ons af komt. Hij komt naast de grondverzet-machine tot stilstand en er stapt een vent uit die naar de bestuurder van de grondverzetmachine loopt, die net bezig is zijn beschermende kleding uit te trekken. De helm gaat af en – kijk nou toch! – de bestuurder van de grondverzetmachine blijkt een meisje te zijn. Dan komt de tekst in beeld: "Macintyre voor als het lastig wordt".'

Het had je wel totaal aan ruimhartigheid moeten ontbreken, wilde je niet onder de indruk zijn. 'Het gaat er ongelooflijk uitzien,' zuchtte ik. 'Waar zou je dat opnemen?'

'Waarschijnlijk in Amerika.'

De rest van de tekeningen van de presentatie – elke reclamespot speel-de op een heel andere locatie in het buitenland – was net zo indrukwek-kend. De hoeveelheid werk die hij erin had gestopt – en de kwaliteit ervan – was verbluffend. 'Bedankt dat je ze me hebt laten zien,' zei ik. 'Nu ik ze heb gezien, kan ik gewoon niet geloven dat Macintyre jullie de account niet zal geven.'

Hij haalde zijn schouders op. 'Laten we hopen dat je gelijk hebt. Maar soms lukt het wel en soms lukt het niet. En nu, als je me wilt vergeven, schat, ga ik mijn schoonheidsslaapje inhalen.'

'Moet je morgen naar je werk?'

'Als je mijn bureau kon zien, zou je dat niet vragen. Het bezwijkt zowat onder de stapels papier. Er ligt een maand achterstallig werk op me te wachten.'

'Wat gebeurt er als je Macintyre inderdaad krijgt? Dan heb je zeker nauwelijks tijd om aan andere opdrachten te werken, of wel?'

'Dan zou ik helemaal geen tijd meer hebben voor iets anders. Maar één ding tegelijk. Dat zien we wel als het zover is. En als het zover komt, is het 't soort probleem waar ik maar al te graag mijn tanden in zet.'

Met het verstrijken van twee weken ging de spanning van het wachten, samen met het wegwerken van zijn achterstallige werk, zijn tol eisen. Met Nigel omgaan was net zoiets als proberen een mijnenveld over te steken. Ik hoefde maar een onschuldige opmerking te maken en hij beet mijn kop eraf. Zelfs de eenvoudigste vraag, zoals wat hij 's avonds wilde eten, leverde een vinnig antwoord op. Hij bleef laat thuiskomen en als hij thuis was, zat hij aan de televisie geplakt en reageerde zijn nerveuze spanning af op politici, programmamakers en reclamespotjes. Ik was wel een enorme sukkel geweest als ik over de prinses en mijn vader was begonnen.

Ik belde Tobin ook niet, hoewel ik de telefoon verschillende malen had opgepakt en daarna weer had neergelegd. Ik wilde me niet aan hem opdringen, zeker niet als hij het druk had. En ik wilde ook niet al te begerig lijken. Wat wij hadden was niet meer dan vriendschap – en die was nog maar net aan het ontluiken. Het was veel beter dat hij mij belde. Maar als ik hem had afgeschrikt door gewag te maken van Nigel, wilde ik de zaak rechtzetten – al had ik er eigenlijk geen idee van hoe.

Ik was niet de enige die leed onder Nigels prikkelbaarheid. Op een avond viel hij binnen met de mededeling: 'De een of andere rotzak heeft mijn parkeerplaats ingepikt.'

Toen ik uit het raam keek, herkende ik Roly's auto en zei: 'Ik ga wel naar beneden om te vragen of hij hem wil verzetten.'

Nigel was de deur al uit voor ik iets kon doen. Ik hoorde op de trap al hoe hij Roly een egoïstische lamstraal noemde die totaal geen rekening hield met anderen. En ik hoorde hoe Roly zei: 'Rustig maar, makker. Ik sta net op het punt om weg te gaan. Het spijt me...'

Toen ik de volgende avond van mijn werk kwam, ging ik bij Sherry langs. 'Het spijt me van gisteravond. Wil je Roly alsjeblieft mijn excuses aanbieden?'

'O, het geeft niets, maak je niet druk. Roly had beter moeten weten.'

'Evengoed was Nigel buitengewoon grof. Maar zonder te willen klinken of ik excuses voor hem maak, hij heeft op het moment nogal veel aan zijn hoofd.'

'Vergeet het nou maar. Roly zit er niet mee. Heb je tijd om even iets te drinken?'

'Lijkt me heerlijk.'

'Goed. Nog nieuws over je prinses?'

'Nee, maar ik ben meer over mijn vader te weten gekomen.' Ik vertelde haar van het portret op Beadle Walk en de brief waarin de Angelini's werden genoemd.

'Dat klinkt of je eigenlijk naar Parijs moet,' zei ze.

'Ik kan niet hard naar Parijs hollen nu Nigel in deze stemming is,' wierp ik tegen.

'Dat zeg ik ook niet. Maar als hij de Macintyre-account krijgt en naar Amerika gaat...'

Toen het eind van de tweede week van afwachten naderde, werd Nigel steeds moeilijker om mee te leven en begon mijn eigen geduld op te raken. Zoals altijd was het de druppel die de emmer deed overlopen.

Toen Nigel donderdagavond thuiskwam, was ik toevallig met tante Biddie aan het bellen, die me het laatste nieuws over de kerkklok vertelde. 'Eigenlijk is de hele stad verdeeld,' zei ze net. 'Het is klassiek tegenover modern. Wij, conservatieven, tegen de dominee en zijn volgelingen. Ik moet toegeven dat ik het eigenlijk wel leuk vind. Onze kant heeft besloten de kerk te bezetten als onze petitie niet werkt. O, en wat ik je nog wilde vertellen, de schilder is op The Willows begonnen. Het is zo'n aardige jongeman. Hij heet Tom en ik heb hem overgehaald...'

Nigel liet zijn koffertje vallen, smeet zijn jas op de grond en beende de woonkamer in waar hij klaarblijkelijk uit protest veel kabaal begon te maken. Zodra ik er bij tante Biddie een woord tussen kon krijgen, legde ik uit dat ik moest ophangen en ging de woonkamer in. 'Sorry, schat, dat was tante Biddie.'

Hij gaf me geen kans om door te gaan. 'Dat dacht ik al. En ik snap niet waarom je, als je de hele dag met haar hebt kunnen praten, dat nou net moet doen als ik thuiskom.'

Ik vond hem net een verwend kind dat een driftbui krijgt als het zijn zin niet krijgt of merkt dat het niet langer het middelpunt van de belangstelling is. En ik had al die jaren aan zijn buien toegegeven. Zoals zijn moeder dat voor mij had gedaan. 'Het is zijn artistieke temperament,' hoorde ik haar zeggen, tijdens een van haar sentimentele, vertrouwelijke gesprekjes. 'Dat moet je maar door de vingers zien, kind.' Ik bedacht opeens dat ze hem beter een flink pak rammel had kunnen geven.

Mijn geduld was opeens op. 'Ten eerste belde tante Biddie mij. En ten tweede heb ik niet de hele dag de tijd gehad om met haar te praten. Ik werk ook voor de kost, weet je nog? En wat *nou net* als jij thuiskomt betreft, je zou haast denken dat je elke dag op dezelfde tijd thuiskwam. Dit is de eerste keer in ik weet niet hoe lang dat je voor negen uur thuis bent.'

'Daar is een reden voor.'

'Ja, dat weet ik en daar heb ik rekening mee gehouden. Maar er is een grens aan hoe lang ik dat kan blijven doen. Ik ben het hartstikke zat om zo te leven. Wat heeft het voor zin getrouwd te zijn, als ik je toch nooit zie?'

Een van de afschuwelijkste dingen van kwaad worden is dat je, zodra je je stem verheft, weet dat je je greep op de situatie verliest.

Nigels mond vertrok zich tot een harde, dunne lijn. 'Cara, ik ben vreselijk gespannen en ik kan het nu niet hebben dat jij ruzie zoekt.'

Ik maakte het nog erger. 'Ik zoek geen ruzie.'

'Dat is wel waar.'

'Dat is niet waar. Jij bent ermee begonnen door met een rothumeur thuis te komen. Maar daar is niets nieuws aan. Dus jij bent gespannen. Nou, ik heb ook dingen aan mijn hoofd. Maar kunnen die jou wat schelen? Nee, er is maar één enkele persoon op aarde die er voor jou iets toe doet en dat is Nigel Sinclair. Bij jou is het de hele tijd ik, ik, ik. Een huwelijk is geven en nemen, Nigel – en jij neemt veel te veel voor lief.'

Hij slaakte een langgerekte, doodzielige zucht. 'Macintyre is toevallig het belangrijkste wat me in mijn hele carrière is overkomen.'

'En je carrière is belangrijker dan je vrouw?'

'Eerlijk gezegd – op dit moment – ja, inderdaad.'

Ik beende de kamer uit, knalde de deur achter me dicht en bleef in de gang staan. Als kind kun je onder dergelijke omstandigheden je toevlucht tot je slaapkamer nemen, maar als je getrouwd bent heb je zelfs dat toevluchtsoord niet meer. Ik dacht eraan naar Sherry en Roly te gaan, maar mijn trots verbood me dat.

Ten slotte gaf ik een trap tegen zijn koffertje en ging naar de keuken, waar ik de deur ook achter me dichtsloeg. Toen maande ik mezelf tot kalmte en draaide een maaltijd in elkaar die we in ijzige stilte aten, waarna Nigel van tafel opstond en naar zijn werkkamer ging.

We sliepen die nacht rug aan rug.

177

...

De volgende ochtend belde Tobin.

'Ik heb net iets heel ongelooflijks gehoord,' zei hij. 'Is er kans op dat we elkaar binnenkort zien?'

Ik was niet van plan dezelfde vergissing te begaan als de vorige keer en de kans dat Nigel die avond vroeg thuis zou komen leek, na onze ruzie van de vorige avond, buitengewoon klein. 'Vanavond?' stelde ik voor.

'Geweldig! Dan zie ik je om een uur of halfzeven voor je kantoor.'

Om vijf voor halfzeven belde Sergeant om te vertellen: 'Mevrouw Sinclair, met Sergeant hier. Meneer Touchstone is net aangekomen. Hij zegt dat hij vroeg is, maar ik dacht dat u het wel wilde weten. Zal ik hem naar boven sturen?'

'Nee, dank je, Sergeant, ik kom eraan,' antwoordde ik, terwijl ik bedacht dat we in de toekomst beter bij Chattertons konden afspreken.

'Arme ouwe Sergeant,' zei Tobin toen ik de trap af kwam. 'De nachtportier is weer laat. Ik hoop dat je je overuren betaald krijgt, Sergeant.'

'Dat krijg ik zeker,' vertelde Sergeant hem. 'Na vijf uur krijg ik dubbel betaald. Nou, prettige avond – u allebei.'

Ik glimlachte liefjes naar hem, maar ik kon hem wel wurgen.

Toen we bij Chattertons zaten, zei Tobin: 'Voor ik je mijn nieuws vertel, heb je die brieven toevallig bij je?'

Ik haalde ze met het boek uit mijn koffertje. Toen hij de brieven een paar keer had doorgelezen, deed hij het boek open, sloeg de bladzijden bijna eerbiedig om en liet zijn blik over de dichtregels gaan.

'Verbazingwekkend,' zei hij zacht. Toen keek hij naar me op. 'Weet je, als ik dit soort gedichten lees – die zo persoonlijk zijn – verwonder ik me altijd over de moed van de dichter dat hij zijn ziel zo heeft durven blootleggen. Emily Dickinson heeft eens geschreven: "Dichters moeten eigenlijk niet worden uitgegeven." Ik vraag me af of je vader het daarmee eens was en of er daarom nooit meer iets van hem is verschenen.'

'Denk je dat hij misschien meer heeft geschreven, dat hij nooit aan iemand heeft laten zien?'

'Hij moet toch iets hebben gedaan, al die tijd dat hij in Parijs was. Gedichten schrijven is – net als andere creatieve kunstvormen – een dwangmatige handeling, niet iets wat je naar wens doet of laat.'

Hij gaf me het boek en de brieven terug. 'Laat ik je nu vertellen wat ik heb uitgespookt. Afgelopen dinsdag, toen ik je niet kon ontmoeten, was ik in werkelijkheid op Beadle Walk met een paar experts van Christie's...'

Verbeelding, bedacht ik wrang, kon eerder een vloek dan een zegen zijn.

'Het testament is eindelijk geverifieerd en het huis is te koop gezet. De hele inboedel is weggehaald en alles van enige waarde dat Harvey niet op Kingston Kirkby Hall wil hebben, ligt veilig opgeslagen bij Christie's. Ze gaan het aan het eind van de zomer veilen.

Nou, een van die experts was ene Ffolkes, die zich heeft gespecialiseerd in eigentijdse kunst, en ik heb hem de twee portretten laten zien. Ze waren "interessant" zei hij, en hij haalde er vreselijk zijn neus voor op. Angelini deed hij af als een traditionele portretschilder die in Engeland nauwelijks bekend was, hoewel hij op het vasteland van Europa een zekere "cult"-aanhang had. Hij gaf nogal aarzelend toe dat het portret van Angelini technisch beter was uitgevoerd dan de El Toro. Anderzijds, omdat El Toro een schilder is die wereldwijde bekendheid geniet, zou het me niet veel moeite kosten een koper te vinden als ik dat portret in Londen zou willen verkopen. Ik denk dat hij wel wat enthousiaster was geweest als ik ze had weggedaan. Nu had hij er niets bij te winnen.

Er was een duidelijk verschil tussen zijn houding jegens die twee schilderen en die van de Russische deskundige toen hij de icoon zag. Hij was er ongelooflijk opgewonden over – nou ja, voor zover dat soort mensen ergens opgewonden over raakt. Hij blijkt uit de vijftiende eeuw te stammen en te behoren tot de Novgorod-school. Hij is veel meer waard dan de El Toro en de Angelini samen. Waar Harvey zeer mee in zijn nopjes was, toen ik het hem vertelde. Ik denk dat hij er achteraf spijt van had dat hij me de portretten had gegeven.'

Tobin haalde zijn sigaretten uit zijn zak en keek me aan met een ondeugende schittering in zijn ogen.

'Wist meneer Ffolkes iets meer over Angelini? Heb je hem verteld...?'

Toen hij overdreven nonchalant voor ons allebei een sigaret had opgestoken, zei hij: 'O ja, ik heb hem uitgelegd dat ik graag meer over het leven van de schilder te weten wilde komen en meneer Ffolkes wist me te vertellen dat hij tussen de twee wereldoorlogen in Parijs had gewoond en kennelijk bij het uitbreken van de Tweede Wereldoorlog naar Italië was teruggegaan. Helaas wist hij niet waar in Italië. En hij wist ook niet wat er daarna met hem is gebeurd.'

Hij zweeg doelbewust even.

'En?' vroeg ik, omdat ik aanvoelde dat er meer kwam.

'Nou, hij stelde voor dat ik, als ik echt meer wilde weten, contact zou opnemen met een bepaalde kunstexpert in Parijs. Maar hij zou me wel bellen met de gegevens, omdat hij die op dat moment niet bij zich had. Hij belde me vanmorgen. En de naam van de expert is...' Hij zweeg en grijnsde. 'Vooruit, raad eens.'

'Dat kan ik niet.'

'Toe, probeer eens.'

'Ik heb geen idee.'

'Oké. Het is prins Ludo Zakharin.'

Mijn mond viel open en Tobin barstte uit in een schaterlach.

'Prins Ludo Zakharin?' kon ik eindelijk uitbrengen.

'Hij is de zoon van Dmitri. Zijn moeder was vermoedelijk Imogen Humboldt.'

Ik schudde mijn hoofd. 'Maar dat is – dat is wel heel toevallig.'

'Nee hoor, niet als je er goed over nadenkt. De prinses, Dmitri, baron de St-Léon, Imogen Humboldt, El Toro, Angelini en je vader waren allemaal tegelijkertijd in Parijs en zelfs als ze niet helemaal in dezelfde kringen verkeerden, kenden ze elkaar allemaal wel.'

'Maar toch–'

'Als er iets toevallig is, is het wel dat meneer Ffolkes Ludo Zakharin kent en zelfs dat is geen echt toeval. Je mag toch aannemen dat iemand in de positie van meneer Ffolkes alle belangrijke kunstexperts in alle grote steden van de wereld kent.'

'Ja, dat denk ik wel.'

'Hoe dan ook, ik heb Ludo Zakharin vanmorgen in Parijs gebeld, voor ik jou belde, en ik werd gelukkig meteen met hem doorverbonden. Ik heb hem niet alle bijzonderheden gegeven, maar hem alleen verteld van mijn relatie met de prinses, dat ik de twee portretten had geërfd en dat meneer Ffolkes me zijn naam had gegeven.

Hij wist nota bene wie ik was. Kennelijk had hij Howard een paar keer in Parijs ontmoet. Hij beweerde dat hij de begrafenis van de prinses zeker had bijgewoond als hij niet op vakantie op Mauritius was geweest. Dat had ons een hoop tijd en speculatie bespaard.

Maar waar het om gaat is dat hij een galerie aan de rue du Faubourg St Honoré heeft – Galerie Zakharin. Omdat hij niet bepaald onbemiddeld zal zijn, neem ik aan dat het eerder om een zakelijk belang gaat dan een full-time baan. Toch weet hij duidelijk waar hij het over heeft, want hij stelde een aantal zeer pertinente vragen over de twee portretten. Hij was veel complimenteuzer over Angelini's werk dan meneer Ffolkes en beschreef hem als een zeer kundig en veelzijdig portretschilder.

De meeste schilderijen van Angelini zijn gemaakt in opdracht van privé-personen – zoals je vader in een van zijn brieven vermeldde. Dus pas toen de modellen begonnen uit te sterven en de volgende generatie geen portret van Grandpère Henri in de salon wilde hebben hangen, begonnen zijn schilderijen op de markt te komen. Toen bleek dat veel Franse beroemdheden uit die tijd – Zakharin noemde onder anderen Giraudoux, Eric Satie en Georges Auric – voor hem hadden geposeerd, begon in Frankrijk meer belangstelling voor het werk van Angelini te ontstaan.

Hij ging zelfs zover dat hij me vertelde dat hij, als ik zou besluiten de schilderijen te verkopen, een klant had die bijna zeker een zeer goede prijs zou bieden.'

'Wist hij iets over Angelini zelf?'

'Heel weinig, zo te horen. Hij bevestigde wat meneer Ffolkes dacht, namelijk dat Angelini bij het uitbreken van de Tweede Wereldoorlog naar Italië was teruggekeerd, waarna hij het schilderen voor de verkoop kennelijk heeft opgegeven. Hij is tijdens of vlak na de oorlog overleden.'

'Hij wist niet waar Angelini in Italië had gewoond?'

'Hij zei dat er nooit een reden was geweest om te proberen erachter te komen.'

'Dmitri leeft toch nog, hè?'

'Zo klonk het wel, maar er was een grens aan het aantal vragen dat ik met goed fatsoen aan de telefoon kon stellen.'

Even zaten we in stilte en dronken van onze wijn. Toen zei hij: 'Er moeten nog andere leden van de familie Angelini in leven zijn. Weet je wat ik zou doen als ik jou was? Ik zou zelf met Ludo Zakharin gaan praten. Ik zou naar Parijs gaan.'

'Mmm. Jij bent deze week al de derde die dat zegt. Eerst tante Biddie, toen Sherry – en nu jij.'

'Duidelijk een geval van grote geesten die langs dezelfde lijnen denken. Waarom doe je het dan niet? De goede Miles zal het toch niet erg vinden als je een paar dagen vakantie neemt?'

'Nee, natuurlijk niet.'

Tobin wreef over zijn kin, waarbij hij me over tafel aankeek op zo'n manier dat ik zeker wist dat hij mijn gedachten kon lezen en wist dat Nigel de spelbreker zou kunnen zijn. En ja hoor, hij zei: 'En je man zou je toch ook wel een paar dagen laten gaan, hè?'

Ik haalde nietszeggend mijn schouders op.

'Je hebt hem toch wel over de prinses verteld?'

Ik keek omlaag, naar de tafel.

181

'Bedoel je dat hij het niet weet?'

'Nee.'

'Waarom in godsnaam niet?'

'Nou, het zal wel stom klinken, maar ik heb sinds Oliver Lyons interview geen kans gehad om fatsoenlijk met hem te praten. Hij zat in het Caribisch gebied toen het op televisie was en meteen na zijn terugkomst heeft zijn bureau hem gevraagd een gooi te doen naar een belangrijke nieuwe klant – Macintyre – ze maken banden. Dat was de bespreking waar hij vorige week heen moest toen ik je niet kon ontmoeten. Hij moest naar Glasgow voor de presentatie.'

'Ja, dat snap ik. En wanneer hoort hij de uitslag?'

'Begin volgende week.'

'Hmm. En hij heeft geen enkele belangstelling getoond voor wat er misschien met jou is gebeurd terwijl hij aan het ploeteren was?'

'Onder normale omstandigheden had hij dat heus wel gedaan,' zei ik, plotseling in de verdediging, zoals ik dat ook tegenover tante Biddie, Miranda en Sherry had gedaan. Dat kwam doordat ik het al jaren zo gewend was: een mengeling van ingebakken loyaliteit jegens Nigel en onwil om zelf dwaas over te komen of het lijdend voorwerp te lijken. 'Hij is op het moment alleen vreselijk gespannen. Er staat veel voor hem op het spel. Dit kan zijn carrière maken of breken. Daarom heb ik hem niet willen lastigvallen met iets wat betrekkelijk onbelangrijk is. Mijn vader is tenslotte al heel lang dood.'

Weer reageerde Tobin met: 'Hmm.'

'En dat is een van de redenen waarom ik hem niet wil lastigvallen over, zoiets als, naar Parijs gaan,' ging ik hakkelend verder.

'Ja, natuurlijk, dat is volkomen begrijpelijk onder de omstandigheden. Nou, laten we hopen dat hij de klus krijgt. Hij heeft hem vast verdiend.'

'O absoluut,' verzekerde ik hem, terwijl in mijn hart tegelijkertijd een stemmetje vroeg: 'Waarom doe je dit? Wie probeer je te overtuigen? Waarom doe je zoveel moeite om Nigel te rechtvaardigen – en dan nog wel tegenover Tobin? Als het je bedoeling was om Tobin af te schrikken, had je het niet beter kunnen doen.'

Mijn vrees leek bewaarheid toen Tobin op zijn horloge keek en zei: 'Nou, dan kan ik je maar beter niet langer ophouden. Ik wil je niet in de problemen brengen omdat je laat bent.'

'Ik heb geen haast,' protesteerde ik, maar het plezier was al van de avond af. Ik had het verknald.

'Kom op. Ik ben zelf getrouwd geweest en ik weet hoe het is. Drink je glas leeg, dan breng ik je thuis. Mijn auto staat vlakbij, bij een parkeer-meter.'

'O, doe alsjeblieft geen moeite, ik ga wel met de ondergrondse.'

'Nee, nee, ik sta erop.'

Iets in zijn gezicht zei me dat ik maar beter niet kon tegenstribbelen.

Tobin had een Fiesta, net als ik. Hij was het soort bestuurder waar ik het meeste van houd, die rustig en vol zelfvertrouwen het verkeer in rijdt, soepel schakelt en voorzichtig remt, heel anders dan Nigel, die altijd reed of hij op een racecircuit zat.

'Hoe staat het met de paashazen?' vroeg ik, bij gebrek aan een ander neutraal gespreksonderwerp, toen hij via Piccadilly naar Hyde Park Corner reed.

'Allemaal op een holletje verdwenen. Ik ben aan mijn volgende klus bezig – ik illustreer een brochure voor een oliemaatschappij, waarin ik word geacht benzine milieuvriendelijk te laten lijken. Misschien moeten jouw Nigel en ik onze ideeën maar eens bundelen...'

Ik reageerde niet en daarna zei geen van ons tweeën iets tot we bij een ingewikkeld knooppunt in Camden kwamen, waarop Tobin vroeg: 'Welke kant uit?' Tja, welke kant?

'O, sorry, linksaf, de afslag naar Kentish Town.'

Toen we de verkeerslichten hadden gehad, keek Tobin steels naar me. 'En dubbeltje voor je gedachten.'

Ik staarde recht voor me uit en schudde mijn hoofd. 'Dat zijn ze niet waard.'

Toen we bij Linden Mansions kwamen, vroeg ik hem aan het eind van de oprit te stoppen. Hij liet de motor lopen en draaide zich naar me toe. 'Denk na over Parijs, wil je?'

Ik knikte. 'Ja, dat doe ik. En dank je voor alles.'

Hij nam mijn gezicht tussen zijn handen en kuste me, licht en teder, op de lippen, niet alsof het de eerste keer was, maar alsof het al eerder was gebeurd en daarom de natuurlijkste zaak van de wereld was.

Toen zei hij: 'Maak je geen zorgen. Ik begrijp het wel.'

Toen ik de deur van de flat open deed, zag ik dat overal licht brandde. Uit de woonkamer kwam het geluid van een mannenstem die opgewon-den boven het gejuich van voetbalsupporters uit klonk. Ik kon Tobins han-den nog op mijn gezicht en zijn lippen nog op mijn mond voelen. Ik trok mijn jas uit en ging naar de keuken, omdat ik die gewaarwording van Tobin nog niet kwijt wilde...

De deur van de zitkamer ging open. Nigels stem schreeuwde: 'Cara, ben jij dat?'

'Ja,' antwoordde ik onwillig.

Zware voetstappen in de gang. Een dreigende aanwezigheid in de deuropening. Toen: 'Waar heb jij verdomme gezeten?'

'Uit, voor een drankje,' zei ik, met een kalmte die ik niet voelde, omdat ik er zeker van was dat hij de afdruk van Tobins kus moest kunnen zien.

'Geweldig! Dat is echt geweldig!' riep hij uit, vol arrogante verontwaardiging. 'Ik had vanavond naar een vergadering gemoeten, maar ik heb in plaats daarvan alle mogelijke moeite gedaan om vroeg thuis te komen. En wat vind ik dan? Een lege flat. Ik wacht en wat gebeurt er? Geen telefoontje. Niets. Dus maak ik wat te eten voor mezelf en kijk naar die verdomde televisie. En dan kom jij kalmpjes binnenwandelen en vertelt dat je uit bent geweest, voor een drankje. Ik neem aan dat het vanochtend niet bij je is opgekomen om me van je plannen op de hoogte te brengen?'

'Als je me had gewaarschuwd dat je vroeg thuis zou komen, had ik een andere afspraak gemaakt,' antwoordde ik.

'Afspraak? Wat voor afspraak? Je bent expres uitgegaan om mij te ergeren, nietwaar – om me iets duidelijk te maken?'

Op dat moment kwam uit de woonkamer geschreeuw, gejuich en boegeroep, terwijl de stem van de sportverslaggever krankzinnig opgewonden werd. 'Nee, dat kan niet! Ja, toch! Het is niet te geloven! Het is echt niet te geloven!'

Nigel draaide zich abrupt om en ging uitvinden wat er voor verpletterends was gebeurd. En hij zou mij er ongetwijfeld de schuld van geven dat hij het hoogtepunt van de wedstrijd had gemist...

Hij had dus alle mogelijke moeite gedaan, hij had zijn avond verknald, hij had een vergadering afgezegd. Ik had er wat onder willen verwedden dat de vergadering die hij beweerde te hebben gemist in een kroeg in West End was om naar deze voetbalwedstrijd te kijken. Maar het was om je dood te ergeren dat ik hem, zij het ongewild, zo in de kaart had gespeeld.

In de verte klonken nog meer gejuich, geschreeuw en flarden van een liedje, en toen werd het stil. Toen Nigel niet weer in de keukendeur verscheen, besefte ik dat het mijn beurt was om de volgende zet te doen.

Ik dacht aan Tobin. Ik dacht aan tante Biddie. En ik dacht aan de prinses. Ik haalde diep adem en ging de woonkamer in waar Nigel languit op de bank een tijdschrift lag te lezen.

'Wil je iets drinken?' vroeg ik.

'Ik heb nog bier.' Hij keek niet op.

'Wie heeft gewonnen?'

'Waarom vraag je dat, als je niet eens weet wie er speelden?'

'Wat heb je voor dag gehad?'

'In godsnaam, zie je niet dat ik probeer te lezen?'

'Sorry. Ik wilde je niet storen.'

Hij smeet het tijdschrift op de grond en ging rechtop op de bank zitten. 'Oké, dus nu je je bedoeling duidelijk hebt gemaakt, kun je me maar beter vertellen over die belangrijke dingen die in jouw leven zijn gebeurd. Vooruit, ik ben één en al oor.'

'Ik probeerde helemaal niets duidelijk te maken,' zei ik gelijkmoedig.

Op dat moment ging de telefoon. Toen ik ging opnemen, bad ik dat het niet voor mij zou zijn. Dat was het niet. Toen Nigel van de telefoon terugkwam, zei hij: 'Dat was Brian Turner. Ik ga morgen golfen.'

Omdat ik mijn stem niet vertrouwde, knikte ik alleen maar. Vlak daarna ging ik naar bed.

Na het partijtje golf op zaterdag kwam Brian met Nigel mee terug en bleef eten, waarbij ze het de hele tijd over auto's hadden, terwijl ik me in mijn eigen wereldje terugtrok. Tegen de tijd dat ik had afgewassen, waren ze allebei behoorlijk aangeschoten en had Nigel het over Macintyre. Ik ging naar bed en liet ze maar begaan.

Zondag ging zonder incidenten voorbij. Nigel waste en poetste zijn auto, en ging toen naar de kroeg voor een spelletje darts met Brian. 's Middags verdiepte hij zich in de zondagskranten, terwijl ik – omdat ik niet door kon gaan met Het Boek en omdat je net zo goed een superslechte dag kunt hebben als je toch al een slechte dag hebt – de oven schoonmaakte, waardoor ik uit Nigels buurt bleef en een van mijn meest gehate klusjes klaarde.

Tot aan mijn ellebogen in het vet probeerde ik te beslissen of ik wel of niet wilde dat hij de Macintyre-account zou krijgen. Als hij hem wel kreeg, zou zijn stemming hopelijk verbeteren, maar dan zou ik hem maanden niet zien. En als Macintyre naar een ander bureau ging, zou hij nog ongenietbaarder worden en zouden zijn bestaande accounts hem evengoed van huis houden. Per saldo leek het eerste alternatief de voorkeur te verdienen...

HOOFDSTUK 13

's Maandags was ik zo gespannen als een strak opgewonden veer en had ik er moeite mee me ook maar ergens op te concentreren. Afgezien van mijn vroege ochtendsessie met Miles om zijn programma voor de komende weken door te nemen, bestond mijn werk voor het grootste deel gelukkig alleen uit routinematig typewerk.

Ten slotte, om een uur of vier, had ik het niet meer en belde ik Nigel. De telefoniste bij Massey Gault & Lucasz vroeg wie er belde en zei toen: 'Ik weet niet of hij al terug is van de lunch. Blijft u even aan de lijn.'

Het leek wel of ik een eeuwigheid moest wachten voor de telefoniste zei: 'Ik verbind u nu door.'

'Hallo,' schreeuwde Nigel bijna met een geroezemoes van opgewonden stemmen op de achtergrond.

'Ik ben het maar,' zei ik. 'Ik vroeg me af of je al nieuws had.'

'Ja, we hebben het vanmorgen gehoord. We hebben de account!'

Ik zakte krachteloos in mijn stoel. 'Gefeliciteerd!'

'Ja, het is geweldig. Ik dacht wel dat we hem zouden krijgen. Maar je weet het maar nooit.'

'Je had het me wel even kunnen laten weten.'

'Sorry, het heeft ons allemaal een beetje overvallen. Liam reed de champagne naar binnen en toen zijn we het gaan vieren.'

'Ja, het klinkt inderdaad of er een feestje aan de gang is. Nou, dan houd ik je niet langer van de feestelijkheden af.'

'Oké. Bedankt voor het bellen, schat. Tot straks.'

Ik legde neer en bleef doodstil zitten, terwijl ik probeerde omwille van hem wat enthousiasme op te brengen en niet egoïstisch te zijn. Daarbij dacht ik terug aan alle moeite die hij ervoor had gedaan en probeerde mezelf ervan te overtuigen dat als iemand succes verdiende, hij het wel was. Dat hij me niet had gebeld, nou ja, het zou best kunnen dat ik, als ik in zijn schoenen had gestaan, door de opwinding van het moment misschien ook had verzuimd hem te bellen om het goede nieuws te laten weten...

In een verzoenende bui ging ik na mijn werk naar Fortnum & Mason's en kocht Nigels lievelingskostjes – parmaham, meloen, gerookte zalm en verse asperges – samen met wat aardbeien, slagroom en een fles champagne. Toen ik thuiskwam, zette ik de champagne in de koelkast en maakte het eten klaar: ik sneed de meloen in kunstige vormen en schikte ze op een schaal met de parmaham; ik rolde de gerookte zalm rond de gekookte aspergepunten en schikte ze op een andere schaal; ik sneed de aardbeien in vieren en marineerde ze in port met suiker. Toen ging ik, nadat ik de tafel had gedekt, compleet met kaarsen en de twee laatste kristallen champagnefluiten van de set wijnglazen die tante Biddie ons als huwelijkscadeau had gegeven, zitten wachten.

Tegen elf uur moest ik wel tot de conclusie komen dat het feest was voortgezet. Ik ruimde de tafel af, maakte voor mezelf een sandwich met gerookte ham en sla en zette de rest van het eten in de koelkast. Toen hij om middernacht nog niet thuis was, begon ik ongerust te worden. Toen ik om één uur nog niets van hem had gehoord, was ik ervan overtuigd dat hij een ongeluk had gehad.

Om halftwee hoorde ik de dieselmotor van een taxi op de oprit. Toen ik uit het raam keek, zag ik Nigel waggelend achter uit de auto komen en onvast tegen de taxi gaan staan. Ik haalde diep adem en ging naar beneden, naar de hoofdingang.

'Hallo, lieveling,' mummelde hij, 'shorry dat ik sho laat ben. We hebben een feeshje gevierd.'

'Ik denk dat hij een beetje hulp nodig heeft om in bed te komen, liefje,' deelde de taxichauffeur me met een grijns mee, terwijl hij Nigel wat kleingeld teruggaf, dat hij prompt liet vallen en er toen op handen en voeten achteraan ging in een poging het op te rapen.

Dat soort dingen lijkt gewoon niet amusant als je volkomen nuchter bent. 'Nigel, laat liggen,' zei ik geprikkeld en trok hem overeind. 'Dat vinden we morgen wel.'

'Kun je het alleen af, liefje?' vroeg de taxichauffeur.

'Ik denk het wel, dank u,' antwoordde ik stijfjes.

Op de een of andere manier kwamen we de trap op en de woonkamer in, waar Nigel op de bank zakte. 'We hebben Macintyre,' kondigde hij aan. 'Goeie ouwe Macintyre heeft ons gekoshen. God shegene Macintyre en iedereen die daar werkt. En ik ben teut – harshtikke teut. Ik drink al shampagne vanaf vanochtend tien uur.'

'Wat goed zeg.'

'Cara, weesh nou geen ouwe sheur. Het ish de mooishte dag van mijn leven.'

Waarop zijn hoofd op de sofa zakte en zijn ogen dichtvielen. Ik probeerde hem wakker te maken, maar hij was totaal van de wereld, dus trok ik zijn schoenen uit, tilde zijn benen op, haalde het dekbed van het logeerbed en legde dat over hem heen.

Toen ik hem de volgende ochtend wakker maakte met een beker pikzwarte koffie en een glas zuiveringszout, was hij in een bedroevende conditie. Ik ging naar mijn werk om hem in zijn eentje te laten bijkomen, maar toen ik op kantoor kwam, belde ik wel het reclamebureau om ze te waarschuwen dat hij waarschijnlijk laat zou zijn. Kennelijk was er nog niemand en de telefoniste verbond me uiteindelijk door met Liams secretaresse, die lachend zei: 'O, dat verbaast me niets. Toen ik gisteravond uit de kroeg wegging stond Nigel op tafel te dansen. Het is fantastisch nieuws over Macintyre, hè?'

'Ja,' stemde ik in, terwijl ik wat warmte in mijn stem probeerde te leggen, 'fantastisch.'

De volgende avond kwam hij vroeg thuis. Hij had nog steeds last van een kater, maar hij toonde zich berouwvol dat hij zo dronken was geweest. 'Dat was niet de bedoeling,' zei hij. 'Ik was eigenlijk van plan thuis te komen en je mee uit eten te nemen. Maar Liam stond erop iedereen mee te nemen naar de kroeg en je weet hoe het gaat, het ene drankje leidt tot het andere.' Ik knikte.

'Maar ik ga je toch mee uit nemen. Dat is wel het minste wat ik kan doen, na de manier waarop je de hele tijd alles van me hebt gepikt. Ik weet dat ik niet gemakkelijk in de omgang ben geweest.'

'Dat kun je wel zeggen.'

Hij deed een poging tot een berouwvolle glimlach. 'Cara, het spijt me. Ik weet dat ik een egoïstische lamstraal ben geweest, maar ik heb alles wat ik had in die presentatie gestopt en hoewel ik voortdurend heb geprobeerd me te verzoenen met het idee dat we zouden kunnen verliezen, kon ik de gedachte gewoonweg niet verdragen.'

'Ja, dat begrijp ik best.'

'Dus kunnen we het verleden laten rusten?'

'Ik neem aan van wel.'

'Zullen we het afzoenen?'

We voegden de daad bij het woord, maar plichtmatig, zonder hartstocht.

Toen zei hij: 'Ik ben bang dat ik het de rest van de week erg druk heb, dus vind je het erg als we ons etentje uitstellen tot zaterdag? Dan hoef ik niet bang te zijn dat ik laat ben en zullen we ons echt kunnen ontspannen en ervan kunnen genieten.'

''Tuurlijk. Wanneer je maar wilt.'

'Weet je wat, kies jij het restaurant maar. En maak je geen zorgen over de kosten. Dit is jouw speciale uitje. Maar als je het niet erg vindt, reserveer dan meteen een tafel als je toch bezig bent...'

Tegen zaterdag was Nigel niet alleen hersteld van zijn kater, maar was hij alle spanningen van de afgelopen weken kwijt. Hij floot als hij 's morgens opstond en kwam niet als een brombeer uit kantoor. Het leek wel of de jaren waren weggevallen en hij de man weer was met wie ik was getrouwd.

Zoals tante Biddie altijd zei, je moest dankbaar zijn voor kleine zegeningen. Hij had tenminste zijn verontschuldigingen aangeboden en hij probeerde zijn leven te beteren. Het zou kleingeestig zijn om wrok te koesteren vanwege onbezonnen woorden die in een woedende bui waren gezegd. Iedereen zei wel eens dingen waar hij later spijt van had, ik ook. Dus reserveerde ik een tafel in een Frans restaurant in Highgate Village, dat op loopafstand lag en waar de keuken creatief genoeg was en de prijzen hoog genoeg waren voor Nigels maatstaven van een bijzonder avondje uit.

Het mag dan mijn speciale uitje zijn geweest, maar Macintyre domineerde het gesprek. Nigel beschreef de verbale worstelingen die Bron en hij tijdens hun brainstormsessies hadden gehad, lachte om een paar van de excentrieke slogans die Bron had bedacht en die hij onmogelijk in iets visueels had kunnen omzetten, tot ze eindelijk op "voor als het lastig wordt" waren gekomen.

'Maar om "Wheels of Fire" als muziekthema te gebruiken, was mijn idee,' schepte Nigel op. 'Bron vond het echt vreselijk dat hij daar zelf niet op gekomen was. Ik vind het heerlijk hem de loef af te steken.'

En dat ging zo maar door, tot ik eindelijk de kans kreeg te vragen: 'Dus wat gebeurt er nu? Wanneer gaan jullie aan de tv-spotjes beginnen?'

'Zo gauw mogelijk. Allereerst moeten we een productiebedrijf kiezen. We zijn al begonnen om proefopnamen op te vragen. Dat worden er waarschijnlijk een stuk of dertig, allemaal van vijftien tot dertig minuten, wat wil zeggen dat we twee of drie dagen voor een televisie geplakt zitten. Vervelend maar nodig. Het is duidelijk dat het van wezenlijk belang is om de juiste producent te krijgen.

Dan maken we een voordracht, trekken de favoriet aan en hopen dat ze binnen ons budget en ons tijdschema kunnen blijven. Dat wordt het grootste probleem, vrees ik. We hebben maar drie maanden tot de eerste uitzending, begin juli. De media-afdeling is al begonnen met zendtijd kopen.

Als we een producent hebben gevonden, gaan we pas echt aan de slag – o, je weet wel, alle gebruikelijke gedoe, alleen op een veel, veel grotere schaal – het vinden van de juiste locaties, het kiezen van de modellen, er voor zorgen dat we de juiste voertuigen op de juiste plaats krijgen, vluchten en accommodatie boeken, auto's regelen voor op locatie, enzovoort, enzovoort. Zodra we de eerste spot hebben opgenomen, beginnen we eigenlijk al met de tweede. Je begrijpt toch wat ik bedoel als ik zeg dat het 't geweldigste is dat me ooit is overkomen?

En dan beginnen we tegelijkertijd aan de perscampagne te werken, die ook begin juli moet beginnen. Tussen het bekijken van proefopnamen door ga ik volgende week op zoek naar een junior art-director voor het knip- en plakwerk en moet ik portfolio's van fotografen bekijken. Dan moet Bron besluiten of we een nieuwe tekstschrijver inhuren of er intern een overplaatsen...'

'Het klinkt niet of ik je erg veel zal zien,' merkte ik op.

Hij had het fatsoen om berouwvol te kijken. 'Nee, ik ben bang van niet.'

'O, nou ja...'

'Maar, dat gezegd hebbende,' ging hij haastig verder, 'het zal eigenlijk niet zoveel verschil maken met hoe het nu is. Ik bedoel, de komende paar weken worden behoorlijk druk, maar ik zal de meeste tijd wel hier in Londen zijn. Hoewel ik de locatie waarschijnlijk wel moet gaan bekijken voor we de eerste reclamespot opnemen en dan denk ik dat het filmen twee tot drie weken gaat duren. Maar de tweede – de fietsen –, nemen we in Nederland op, dus dat is wat dichter bij huis.'

'O.'

'Toe zeg, kijk eens wat vrolijker.'

'Ik ben niet onvrolijk.'

'Het is voor mij ook niet bepaald een pretje, hoor. Het wordt verdomd hard werken. Maar op den duur zal het 't waard zijn.'

'Dat hoop ik.'

We verzonken in stilzwijgen toen de ober onze borden weghaalde. Toen zei ik rustig: 'Als je het toch zo druk krijgt, ga ik misschien een paar dagen naar Parijs.'

'Naar Parijs? Waarom in 's hemelsnaam?'

'Ik wou Ginette opzoeken.'

'Ik wist niet dat je nog steeds contact met haar had.'

'Natuurlijk wel. Ze is een van mijn oudste vriendinnen.'

'Nou, ik neem aan dat er geen reden is waarom je niet zou gaan, als je dat leuk vindt. Ik moet toegeven dat ik Parijs altijd vreselijk overgewaardeerd heb gevonden. De galeries en musea zijn geweldig, maar de rest... Geef mij New York maar.'

Die avond vree Nigel voor het eerst sinds voor Kerstmis met me. Het was al voorbij voordat mijn lichaam er nog maar half klaar voor was en het gaf me zelfs geen blijvend gevoel van ongenoegen. Nigel slaakte een zucht, waarschijnlijk bedoeld om zijn genoegen te uiten, maar het klonk eerder als opluchting dat de klus was geklaard. Toen draaide hij zich om en viel in een diepe slaap.

De volgende paar weken waren wat gemakkelijker dan de weken ervoor en ons privé-leven kreeg weer iets normaals. Hoewel Nigel nog steeds onder grote druk stond en lange dagen maakte, was hij veel meer ontspannen. Zijn team was snel samengesteld. Zijn nieuwe junior art-director was een andere autogek, Peter, terwijl de junior tekstschrijver, Gary, al bij het reclamebureau werkte en alleen aan een ander bureau hoefde te gaan zitten.

Tegen het eind van de week was ook het productiebedrijf gekozen. 'Over geluk gesproken,' verzuchtte Nigel. 'Ik had nooit gedacht dat we BoCo zouden kunnen krijgen – tenminste, ik dacht dat we misschien een van haar collega's zouden krijgen, maar niet Bo Eriksson zelf. Ze is erg kieskeurig over de dingen waar ze aan werkt – en sinds ze een paar jaar geleden in Cannes een Gold Award heeft gekregen, kan ze zich dat nog veroorloven ook. Maar ze vond de tekeningen van de presentatie geweldig en ze kwam met een paar heel goede eigen ideeën.

Je weet toch wie Bo Eriksson is, hè? Haar grootvader was Willi Eriksson, een van de grote filmregisseurs uit Hollywood van voor de oorlog. Haar vader was scriptwriter en haar moeder actrice. Ik geloof dat ze een zus heeft die ook actrice is. Ze heeft samen met haar tweelingbroer Sven de leiding van BoCo. Bo is de creatieve geest, de leidster, en hij is de organisatorische geest, de producer. Ze is een heel verbazingwekkende vrouw – ze barst gewoon van de energie en ze zit vol ideeën. Persoonlijk vind ik het zonde dat ze reclameboodschappen maakt. Maar wie ben ik om dat aan te vechten? Wat Hollywood eraan verliest, win ik erbij.'

Daarna hoorde ik zoveel over Bo Eriksson dat ik haar naam net zo zat werd als die van Macintyre en ik kon 'Wheels of Fire', dat Nigel onop-houdelijk draaide als hij thuis was, niet meer horen.

Intussen schreef ik Ginette en toen tante Biddie, Miranda en Sherry om de beurt vroegen of ik iets aan Parijs had gedaan, had ik de voldoening dat ik hun kon vertellen dat ik eraan werkte. Ginette antwoordde per kerende post en stelde voor dat ik met Pasen zou komen, zodat we zoveel mogelijk tijd samen zouden kunnen doorbrengen.

Om ervoor te zorgen dat ik niet meer terug kon, belde ik Tobin ook.

'Gefeliciteerd,' zei hij. 'Ik zal Ludo Zakharin bellen en een afspraak voor je maken.' Hij zweeg even. 'Hoe gaat het verder? Heeft je man de Macintyre-account gekregen?'

'Ja, inderdaad.'

'Nou, dat is goed nieuws.'

'Ja, dat is het zeker,' zei ik en vroeg me toen af waarom ik zoveel enthousiaster klonk dan ik me werkelijk voelde.

Misschien stelde Tobin daarom niet voor om samen iets te gaan drin-ken. Of misschien had hij het druk omdat hij probeerde de deadline van zijn brochure voor de oliemaatschappij te halen.

'Er is één probleempje,' zei hij, toen hij me terugbelde. 'Ludo Zakharin is van plan het paasweekend niet in Parijs te zijn. Maar hij zou de don-derdag voor Pasen om drie uur kunnen. De goede Miles wil je donderdag toch wel vrij geven?'

Toen ik Miles bij de eerstvolgende goede gelegenheid vroeg of ik een extra dag aan het paasweekend kon plakken, stemde hij dadelijk toe en zei dat mijn timing niet beter had gekund, omdat hij zelf een lang weekend naar zijn huis in Monte Carlo ging. 'Ik ben dinsdagochtend weer terug,' voegde hij eraan toe, 'dus als jij er dan ook weer bent, vind ik het prima.'

Wat later op de dag belde de secretaresse van Sir Utley Trusted, die Miles wilde spreken en uitlegde dat het in verband stond met de reis van Sir Utley naar Monte Carlo dat weekend. Het verbaasde me niets. Miles bracht zijn vakanties zelden alleen door en combineerde zaken meestal met genoegen.

Die avond kwam Nigel thuis met een fles champagne, opgetogen over het nieuws dat hij als erkenning voor het binnenslepen van de Macintyre-account gepromoveerd was tot senior art-director en een partnerschap in het reclamebureau aangeboden had gekregen. 'Van nu af aan wordt het Massey Gault Lucasz *en Sinclair*,' kondigde hij aan. 'En raad eens wat voor auto ik krijg!'

Ik schudde mijn hoofd en probeerde mijn stemming aan de zijne aan de passen.

'Een Porsche 911 sportcoupé!'

'O, wat geweldig!' riep ik uit, terwijl ik me afvroeg wanneer hij de kans zou krijgen ermee te rijden als hij zoveel weg zou zijn. Omdat ik er niets slimmers over wist te vragen, informeerde ik toen maar: 'Wat voor kleur wordt hij?'

De champagne had overdag vast al rijkelijk gevloeid, want hij nam geen aanstoot aan mijn typisch vrouwelijke vraag zoals anders.

'Zilver, natuurlijk,' antwoordde hij en liet de kurk zo hard knallen dat hij tegen het plafond vloog.

'En daarnaast,' ging hij door, toen we op zijn succes hadden gedronken, 'krijg ik aandelen in het bedrijf en een geweldige salarisverhoging. Als je je baan wilt opzeggen en een niet-werkende vrouw wilt worden, kan dat.'

Het werd me even rood voor de ogen – maar ik zei alleen liefjes: 'Dank je, schat. Liever niet.'

'Nou ja, het aanbod staat. O, en nu ik er toch aan denk, we nemen Bo en Sven aanstaande zaterdag mee uit eten. Ik vind dat we maar naar het Ivy moeten. Dat is het soort restaurant waar Bo van houdt.'

Die vrijdag reed hij 's morgens met de rode BMW weg en kwam 's avonds thuis met een splinternieuwe zilverkleurige Porsche. De volgende dag was het bitter koud, met sneeuwvlagen, maar toen ik toevallig naar buiten keek, zag ik Nigel hof houden voor een aantal mannelijke bewoners van Linden Mansions – die zich er allemaal kennelijk niet van bewust waren wat voor weer het was. Een paar van hen stonden met hun hoofd onder de motorkap, terwijl Roly met een verheerlijkt gezicht achter het stuur zat.

Even later kwam ik Sherry tegen. 'Zijn mannen geen uiterst vreemde wezens?' merkte ze op. 'Roly is normaal totaal niet in auto's geïnteresseerd en hij is altijd de eerste die over kou klaagt. Maar je moet hem eens zien, als je naar buiten gaat.'

'Ik heb het al gezien.'

'Het gaat Nigel kennelijk zeer voor de wind.'

'Mmm. Hij is net gepromoveerd en heeft een partnerschap gekregen.'

'Voor je het weet, ga je verhuizen,' voorspelde ze. 'Dan is Linden Mansions niet goed genoeg meer voor jullie.'

Dat had ze heel goed gezien. Tijdens de lunch zei Nigel: 'Misschien moeten we aan verhuizen denken. De Porsche mag niet buiten staan. We hebben iets met een garage nodig. Ik zou best weer in Islington of

Camden willen wonen. Die wijken zijn erg trendy aan het worden. Bo gaat een flat kopen met uitzicht op Regent's Canal...'

Ik verheugde me niet bepaald op een etentje met Bo en omdat ik vastberaden was aan de verwachtingen te voldoen, besteedde ik extra veel zorg aan mijn uiterlijk. Doordeweeks was ik naar Oxford Street geweest en had een klassiek eenvoudig zwart jurkje gekocht – knielang, mouwloos, hoog gesloten en heel strak, zoals het jurkje dat Audrey Hepburn in *Breakfast at Tiffany's* droeg – en een paar nieuwe zwarte schoenen.

Mijn haar moest nodig geknipt worden, wat inhield dat het net lang genoeg was om op te steken, waardoor ik er elegant uitzag. Toen ik de oorbellen met hangende pareltjes had ingedaan en de bijbehorende broche die tante Biddie me voor mijn eenentwintigste verjaardag had gegeven had opgespeld, deed mijn spiegelbeeld me vaag aan de prinses denken.

'God, wat zie jij er knap uit,' merkte Nigel op, toen ik de woonkamer binnenkwam. 'Dan kan ik me ook maar beter verkleden.'

We gingen laat weg, omdat hij niet kon besluiten welke breedgerande hoed hij zou dragen en of we Hugh zouden meenemen of niet. Uiteindelijk ging Hugh mee. 'Je weet nooit wie we nog tegen het lijf lopen,' legde Nigel uit. Toen we aan West End kwamen, was het moeilijk een geschikte parkeerplaats voor de kostbare Porsche te vinden, maar we waren toch nog eerder in het Ivy dan Bo en Sven, die een kwartier na ons opdoken. Het opmerkelijke was dat Nigel er heel rustig onder bleef dat hij moest wachten. Ik had zelfs het gevoel dat hij ongewoon nerveus was.

Het viel moeilijk te zeggen hoe oud Bo en Sven waren, maar in de loop van de avond rekende ik uit dat ze een paar jaar ouder moesten zijn dan ik. Ze waren zo identiek als tweelingen van verschillend geslacht maar kunnen zijn: lang, blond, met blauwe ogen en knap op een Scandinavische manier.

Dat gezegd hebbende, was Bo in geen geval een blonde stoot. Ze gebruikte niet veel make-up en je kon zien dat ze veel in de zon had gezeten, want ze had kleine rimpeltjes rond haar ogen. Ze was eenvoudig gekleed in een blouse en rok, en haar enige sieraad was een stevig, praktisch uitziend horloge. Haar handdruk was ferm en ze sprak met een sterk Amerikaans accent.

Het werd al gauw duidelijk dat zij de dominantste van het tweetal was. Ze beheerste het gesprek vanaf het allereerste begin en maakte gebruik van de associaties van het Ivy met de theaterwereld om op de proppen te komen met een reeks anekdotes over haar familie en hun connecties met

Hollywood. Onder andere omstandigheden had ik haar verhalen misschien heel interessant gevonden, ondanks de namen die ze noemde om indruk te maken. Nu dacht ik voortdurend: op wie probeer je eigenlijk indruk te maken?

Dat viel nogal moeilijk te zeggen, want hoewel Nigel aan haar lippen hing, leek ze het voornamelijk tegen mij te hebben. En telkens wanneer hij probeerde het gesprek weer naar zich toe te trekken en over zijn werk te beginnen, zei ze iets in de trant van: 'Laten we het vanavond niet over werk hebben. Dat is niet eerlijk tegenover Cara.'

Ze was met een stuntman getrouwd geweest. 'Hij heette Jan en er was, net als bij de meeste Polen, een steekje aan hem los,' zei ze. 'Ik geloof niet dat hij wist wat angst was, dus nam hij de krankzinnigste risico's, gewoon voor de lol, puur om te bewijzen dat hij iets kon. Hij kwam om toen hij uit een vliegtuig sprong. Zijn parachute had moeten opengaan zodra hij buiten beeld was, maar er ging iets mis. Het ongeluk werd in de doofpot gestopt en ik kreeg smartegeld, maar alle geld in de wereld kon Jans dood niet goedmaken. Weet je, ik mis die vent nog steeds geweldig, zelfs nu nog.

Daarna wilde ik niet meer in Amerika blijven. Sven was net gescheiden, dus besloten we naar Londen te gaan en een nieuw leven te beginnen. En dat gaat geweldig goed.'

Ik moest wel onder de indruk zijn van haar moed.

Ze zei nog eens hoe vervelend ze het vond dat ik thuis moest blijven terwijl Nigel weg was om te filmen. 'Zo is Svens huwelijk stukgelopen,' legde ze uit. 'Zijn vrouw werd het zat dat ze hem nooit zag en ik kan het haar niet kwalijk nemen. Nigel, je moet heel goed voor Cara zorgen voor we beginnen te filmen. Waarom ga je niet een lang weekend met haar weg? Het wordt Pasen. Je zou naar Schotland kunnen gaan met die nieuwe auto van je.'

'Ja, dat zou kunnen,' zei Nigel weifelend. 'Maar dan wordt het allemaal wel een beetje krap. Als we van plan zijn de negende te vertrekken om naar locaties te kijken, kan ik het me eigenlijk niet veroorloven om vlak daarvoor vrij te nemen.'

'Het geeft niet,' zei ik tegen Bo. 'Omdat ik wist dat Nigel het zo druk zou hebben, heb ik al plannen gemaakt om de paasvakantie naar Parijs te gaan.'

Ze wierp me een taxerende blik toe. 'Je hebt vrienden in Parijs?'

'Ja, ik ga naar een oude vriendin. We hebben elkaar in jaren niet gezien. Ik verheug me er echt op.'

'O, dan is het goed.'

'Heb je al besloten waar jullie de reclameboodschappen gaan filmen?' vroeg ik haar.

'De precieze plaatsen weten we nog niet, maar de eerste zal waarschijnlijk ergens in de Mojave- of Coloradowoestijn worden opgenomen, achter Los Angeles. Dat is een onherbergzame streek. Ken je Californië?'

'Nee, ik ben nog nooit in Amerika geweest.'

'Nigel moet je een keer meenemen.'

Toen ik het Ivy verliet, voelde ik me beter dan toen ik er kwam. Bo was een vreemd mengelmoesje. Maar wat er in haar verleden ook was gebeurd, ze was er als een taaie tante uitgekomen en 'carrièrevrouw' was haar op het lijf geschreven. Nigel had eindelijk zijn evenknie gevonden.

Toen we in de Porsche zaten, wendde Nigel zich beschuldigend tot mij toen hij zich een weg had gebaand door het verkeer van Theaterland rond Shaftesbury Avenue. 'Je had me niet verteld dat je had afgesproken naar Parijs te gaan.'

'Jij had me niet verteld dat je had afgesproken naar Amerika te gaan.'

'Je wist dat het kon gebeuren.'

'Inderdaad. Daarom ben ik mijn eigen plannen maar gaan maken.'

De rest van de weg naar huis legden we in stilte af.

De avond voor ik naar Parijs ging – iets meer dan een maand na onze laatste ontmoeting – zag ik Tobin weer. Op mijn voorstel, zonder enige nadere uitleg, troffen we elkaar bij Chattertons. Natuurlijk had Sergeant uitgerekend die avond geen dienst.

Bovendien bleek mijn aanvankelijke nervositeit, voor het geval er sprake van enige verlegenheid tussen Tobin en mij zou zijn, volkomen onterecht.

'Ben je er helemaal klaar voor?' vroeg hij, toen hij onze wijn had ingeschonken.

'Ja, en ik verheug me er geweldig op.'

'Uitstekend. Ik heb een paar dingen voor je bij elkaar gezocht om mee te nemen.' Hij haalde een envelop met kartonnen rug uit zijn versleten diplomatenkoffertje. 'Hier zitten een paar foto's van de twee portretten in, zodat je onze vriend Ludo – pardon, prins Zakharin – iets kunt laten zien. En het adres en telefoonnummer van de galerie. Hij bevindt zich in de rue du Faubourg St Honoré, dus moet hij tamelijk gemakkelijk te vinden zijn.'

'Overweeg je de portretten te verkopen?'

'Ik heb je beloofd dat ik ze zou houden, voor het geval je van gedachten zou veranderen.'

'Nee,' zei ik vastberaden. 'Het was heel lief van je om ze me aan te bieden, maar ik wil ze niet. En als jij ze ook niet wilt, vind ik dat je ze beter kunt verkopen.'

Hij keek me onderzoekend aan en knikte toen. 'Nou ja, laten we maar eens kijken wat Ludo Zakharin te zeggen heeft. Nu heb ik in deze envelop ook het portret van Dmitri gedaan dat op de toilettafel van de prinses stond. Het is aan jou om te besluiten of je hem wel of niet aan Ludo Zakharin laat zien. Als je het doet en hij de wens uit hem te houden, mag hij hem wat mij betreft hebben. Het zal heel intrigerend zijn om te zien hoe hij op jouw verhaal reageert. Ik hoop echt dat hij je kan helpen.'

'Zo niet, dan heb ik altijd nog een leuk weekend. Ik heb Ginette eeuwen niet gezien.'

'Wat doet ze voor de kost?'

'Ze is secretaresse, net als ik. Ze werkt voor een farmaceutisch bedrijf.'

'Is ze getrouwd?'

'Nee, hoewel ik niet weet waarom niet, want ze is erg knap.'

'Er is meer in het leven dan het huwelijk,' merkte Tobin met een grijns op.

Ik kon mezelf wel slaan.

Hij veranderde van onderwerp. 'Ik heb je al een tijdje willen vragen hoe het gaat met je poging Stevie Smith naar de kroon te steken. Je bent toch nog aan het schrijven, hè?'

'Als ik de kans krijg.' Ik had eigenlijk al een pagina of zestig en ik ging het steeds moeilijker vinden. Over mijn jeugd schrijven was al moeilijk genoeg geweest, maar mijn huwelijksleven beschrijven, dat zoveel onaangename dingen bevatte, bleek bijna onmogelijk. Toch hield ik vol, omdat ik wist dat hij gelijk had gehad toen hij zei dat ik schoon schip moest maken.

'Heb je er al een titel voor?'

'Nee, en ik denk ook niet dat het er een krijgt.'

'Ga je het mij laten lezen?'

'Ik weet het niet.'

'Ik zou het heel graag willen. Ik heb zo'n gevoel dat het beter is dan jij denkt.' Hij keek op zijn horloge. 'En nu wil ik je niet opjagen, maar ik neem aan dat je nog moet pakken en waarschijnlijk nog moet koken voor je man. Of zit hij weer in het buitenland?'

'Volgende maand pas. Een paar dagen nadat ik uit Parijs terug ben, gaat hij naar Amerika.'

'Dat klinkt als een nogal slechte timing.'

'O, hij gaat alleen een paar dagen op verkenning,' zei ik zonder er echt bij na te denken. Toen besefte ik dat ik het weer had gedaan, dat ik het liet klinken of ik Nigel zou missen.

Tobin reageerde ditmaal niet op mijn opmerking. In plaats daarvan dook hij in zijn koffertje en haalde er een klein doosje uit. 'Voor je vertrekt, is er nog iets.'

In het doosje lag op een bedje van watten de zilveren hanger met het tweekoppige paard met de belletjes.

'Ik ben dit zo'n beetje aan het napluizen geweest,' ging hij verder. 'Ik dacht dat het Russisch was, maar dat is het niet. Het is een kopie van een antiek, traditioneel Fins ontwerp, dat teruggaat tot de tijd van de kruistochten. Ik neem aan dat het oorspronkelijk een symbolische betekenis had, maar ik ben er niet achter gekomen wat.'

'Fins? Is dat niet een beetje vreemd?'

'Waarschijnlijk niet zo vreemd als het klinkt. Finland was tot de revolutie een Russisch groothertogdom, waarna het onafhankelijk werd.'

Hij deed het doosje dicht en gaf het me over tafel heen. 'Ik wil dat jij hem krijgt. Ik weet dat het niet veel is, maar alleen al het feit dat de prinses hem heeft gehouden, geeft aan dat hij belangrijk voor haar geweest moet zijn.'

'Weet je het zeker?'

Zijn ogen twinkelden. 'Ik kan me niet voorstellen dat Harvey of ik hem ooit zullen dragen.'

'Dank je. Dat is heel lief. Ik zal er zuinig op zijn.'

Hij stond op. 'Het spijt me, maar ik ben vandaag niet met de auto, zodat ik je niet naar huis kan brengen. Maar ik breng je wel naar de ondergrondse.'

Buiten het station bleef hij staan en legde zijn handen om mijn gezicht. 'Veel plezier in Parijs – en val niet voor de charmes van Ludo Zakharin, hoor.'

Net als hij eerder had gedaan, kuste hij me op de lippen, zacht en kort. Toen draaide hij zich met een glimlach om en liep weg.

HOOFDSTUK 14

In je eentje reizen is heel anders dan met iemand samen. Hoe anders precies was ik vergeten tot ik op Heathrow kwam. Toen ik had ingecheckt, mengde ik me onder de kosmopolitische menigte in de vertrekhal, waar ik genoot van het gevoel van ongebondenheid en zorgeloosheid. Ik was ontzettend blij dat Nigel er niet bij was, die zich alleen maar zou hebben geërgerd over de verloren tijd en geen genoegen had beleefd aan het vooruitzicht van de reis, omdat hij alleen maar zo snel mogelijk wilde aankomen.

Ik bestudeerde het bord met de vertrektijden. Als de wereld zo groot was, waarom bracht je dan zo'n groot deel van je leven op één klein stukje door? Of liever, waarom bracht ík het op één klein stukje door? Waarom vloog Nigel altijd ergens heen, terwijl ik thuisbleef – afgezien van elk jaar twee weken vakantie, die werden doorgebracht op een strand van Nigels keuze – en terwijl ik het was die er als kind naar had verlangd te reizen?

O, er waren redenen genoeg: plicht, verantwoordelijkheid, de noodzaak om mijn brood te verdienen en bezit te vergaren; zelfs die hardnekkige behoefte van me om ergens thuis te horen en erbij te horen. Maar afgezien van het bord met vertrektijden en alle andere passagiers op de luchthaven leek geen van deze redenen echt goed genoeg.

Er schoot me een regel van een van mijn vaders gedichten te binnen:

Anderen zijn jong en dansen; o, waarom kan ik dat niet?

Ik probeerde me mezelf voor te stellen als een vrije en onafhankelijke geest, bevrijd van alle ketenen, vrij om te gaan waar ik wilde en te doen wat ik wilde. Stel je voor dat ik niet terug hoefde naar de Goodchild Group. Stel je voor dat ik niet terug hoefde naar Linden Mansions...

Het begin van nog een van mijn vaders gedichten schoot me te binnen:

199

Trekvogels horen bij geen echt land;
Ze nestelen, rusten uit, vliegen weer verder;
En wie zal ze missen als ze nooit meer terugkomen?

Miles zou weldra een andere secretaresse vinden om mij te vervangen. Tenslotte was niemand onmisbaar. Ook Nigel zou het zonder mij wel overleven. Hij zou het vervelend vinden als er niemand was om voor hem te wassen, te strijken en te koken, maar verder zou hij me niet echt missen...

Waar zou ik dan heen gaan? Naar Rio de Janeiro? Hongkong? Caïro? Athene? Mexico-Stad? Wladiwostok? Johannesburg? Melbourne? Of naar Parijs? Ik glimlachte stiekem toen mijn eigen vluchtgegevens op het bord verschenen. Eén stap tegelijk. En Parijs, al was het dan misschien niet ver, beloofde opwinding genoeg voor de naaste toekomst.

Ik had het geluk dat ik aan boord een plaats bij een raam kreeg, vlak voor een vleugel, naast een zakenman van middelbare leeftijd, die een dik dossier uit zijn koffertje haalde, dat hij aandachtig ging zitten bestuderen. Uit gewoonte wierp ik een blik op het briefhoofd van het getypte vel papier. Het was de naam van een bedrijf, maar niet een waar ik ooit van had gehoord. Toen draaide ik, me ervan bewust dat mijn passieve nieuwsgierigheid voor bemoeizucht kon worden gehouden, mijn hoofd om, om uit het raampje te kijken en bedacht ik hoe vreemd het toch was dat dingen die voor ieder van ons afzonderlijk belangrijk zijn, anderen niets zeiden.

De motoren van het vliegtuig voerden hun toerental op, we reden naar de landingsbaan en stegen uiteindelijk op. Stewardessen serveerden koffie met croissants en kwamen toen langs met wagentjes met belastingvrije spullen.

Mijn probleem was dat ik in een sleur terecht was gekomen – een goedbetaalde, comfortabele sleur, dat wel – maar toch een sleur. Eigenlijk zat ik aan twee kanten in een sleur – die van mijn werk en die van mijn huwelijk.

Mijn huwelijk was een onoplosbaar probleem, dus dacht ik na over mijn werk. Had ik er echt plezier in? Vervulde het een of andere diepe innerlijke behoefte? Vooruit, wees eerlijk. Nee, niet echt. Ik bracht niets tot stand. Ik deed niets waar ik trots op kon zijn of waar de mensheid mee geholpen was. Waarom bleef ik het dan doen? Ik had geen enkele kans op promotie. Ik had de top van mijn specifieke carrièreladder bereikt.

Waarom had ik er dan zelfs niet aan willen denken een niet-werkende vrouw te worden toen Nigel laatst had voorgesteld dat ik zou ophouden met werken?

Was het om het geld? Ik had het altijd heel belangrijk gevonden om onafhankelijk te zijn, financieel en in elk ander opzicht. Toen ik zwanger was, had ik me grote zorgen gemaakt over het vooruitzicht volkomen afhankelijk van Nigel te zijn. Dat was een van de mindere gevolgen van het geadopteerd zijn. Omdat ik mijn hele jeugd anderen zoveel verschuldigd was geweest, wilde ik, zodra ik volwassen was, op eigen benen kunnen staan.

Dus ja, geld speelde wel degelijk een rol. Maar niet omdat ik zo dol op geld was. Geld en bezit waren voor mij niet zo belangrijk als voor Miles of zelfs voor Nigel. Waarom bleef ik dan bij Goodchild? Omdat ik deel van de organisatie was gaan uitmaken. Omdat ik me daar veilig voelde. Omdat ik het gevoel had dat ze me nodig hadden. Omdat mijn collega's tevens mijn vriendinnen waren...

O, mijn wereldje was maar zo klein – Avonford, Linden Mansions en Wolesley House – met zo weinig echte vrienden – tante Biddie, Miranda, Juliette en, nu, Tobin.

Neem Tobin nou. Had hij geen ideaal bestaan? Hij woonde alleen, hoefde zich tegenover niemand te verantwoorden en deed het werk waar hij het meest van hield. Zijn schilderijen waren waarschijnlijk geen grote kunstwerken – omdat ik er nog nooit één had gezien, wist ik dat natuurlijk niet zeker –, maar ze waren origineel en dus uniek, net als Miranda's aardewerk en net als mijn vaders gedichten.

Neem nou bijvoorbeeld mijn vader. Hij had mijn soort leven heus niet gepikt. Hij was een rebel geweest die overal tegenin ging en weigerde zich naar de regels van de maatschappij te voegen. Hij was telkens opnieuw weer losgebroken om te doen wat zijn hart hem ingaf.

Dus zette ik mezelf aan tot positief denken. Als ik bij Goodchild wegging, waar kon ik dan heen? Terug naar iets als Jacksons, waar ik de kans zou hebben om meer te reizen en meer mensen van mijn leeftijd en jonger te ontmoeten? Of anders een reclamebureau – onder het motto: als je ze niet kunt verslaan, sluit je dan maar bij ze aan? Nee, dat was niets voor mij. Ik zou het vreselijk vinden de hele dag met mensen als Bron en Bo – of zelfs Nigel – te moeten werken. Public relations dan? Ik zou best persberichten kunnen schrijven – en ik zou massa's mensen ontmoeten. Maar zouden het mijn soort mensen zijn – of weer van die patsers?

Dan was er nog de uitgeverij. Stel je voor dat ik voor een uitgever zou werken, net als Stevie Smith. Maar zou ik bij een uitgeverij gelukkiger zijn dan mijn vader er was geweest? Hij had het werk deprimerend gevonden, had tante Biddie gezegd, omdat hij zelf wilde schrijven en zijn tijd niet wilde verdoen met lezen wat andere mensen hadden geschreven.

Daar kon ik inkomen. Boeken lezen voor je plezier moest heel anders zijn dan lezen voor je werk. En het was voor een beginnend schrijver van wie nog niets was uitgegeven, vast heel ontmoedigend om dagelijks met het werk van succesvolle schrijvers te worden geconfronteerd. Ik zou niet voor een uitgeverij kunnen werken en aan Het Boek blijven schrijven, al was het dan in mijn eigen tijd. Vergelijking zou me niet inspireren maar ontmoedigen.

Moest ik per se voor iemand anders werken? Zou ik niet ook voor mezelf kunnen werken? Maar wat moest ik dan doen? Ik kon niet schilderen of pottenbakken. Afgezien van mijn talen was ik nergens echt goed in. Vertalen was de enige voor de hand liggende keus en daar had ik de juiste opleiding niet voor. Hoe dan ook, ik wilde niet elke dag de hele dag andermans woorden van de ene taal in de andere vertalen. Dat was niet de oplossing voor mijn probleem.

Tegen die tijd staken we Het Kanaal over en even later vlogen we boven de Franse kust. Ik zette mijn problemen van me af, om er op terug te komen als ik weer in Engeland was, en dacht liever terug aan het geweldige avontuur van mijn allereerste bezoek aan Frankrijk, per trein. Reizen per vliegtuig was in die tijd alleen voor de heel rijken weggelegd.

Terwijl ik op het platteland van Noord-Frankrijk neerkeek, onderbroken door de brede rivieren waar zoveel veldslagen uit de Eerste Wereldoorlog naar waren genoemd, herinnerde ik me mijn opwinding en nervositeit toen de trein koers zette richting Parijs. Toen werd het land nog met paarden bewerkt en toen we Parijs naderden, was ik getroffen door de lange rijen populieren.

Ginette, haar ouders en haar jongere broer hadden me destijds op het Gare du Nord staan opwachten. Ze hadden me herkend van mijn foto, hoewel ik hen niet had herkend. Haar vader was op me afgestormd, had geroepen: 'Bonjour, Cara!', had me stevig omhelsd, me op beide wangen gekust en was toen losgebarsten in een praktisch onverstaanbare stroom Frans. De Krystals waren zo lief voor me geweest – zoals ook Pia's familie in Bologna lief voor me was geweest. Wat had ik een geluk gehad dat ik in de loop der jaren zoveel lieve mensen had ontmoet die me in hun hart hadden gesloten.

Ik vroeg me af of Ginette er nog hetzelfde uit zou zien en of we nog wel goed met elkaar zouden kunnen opschieten nu we elkaar zo lang niet hadden gezien. In mijn laatste brief had ik haar gewaarschuwd dat ik die middag een afspraak had, maar ik had geen bijzonderheden gegeven. Zij nam ook een vrije dag en kwam me van het vliegveld halen. Omdat mijn vliegtuig om elf uur Franse tijd zou landen, zouden we vier uur hebben om bij te praten voor we naar Galerie Zakharin moesten.

De stewardess haalde onze plastic bordjes en kopjes op. De stem van de piloot vroeg ons alle sigaretten te doven en onze veiligheidsgordels weer vast te maken. Het vliegtuig maakte een flauwe bocht en begon zijn afdaling naar Charles de Gaulle. Door mijn raampje zag ik de buitenwijken van Parijs. In de verte kon ik nog net de Sacré Coeur onderscheiden.

De zakenman naast me stopte zijn papieren weer in zijn koffertje en ging toen met zijn vingers op het deksel zitten trommelen. Het deed me aan Nigel denken. Maar hij was Nigel niet. Nigel zat in Londen. Ik kon hem vijf hele dagen vergeten.

Toen ik eenmaal uit het vliegtuig was gestapt, voelde ik niets van de ontspannen afstandelijkheid die ik op Heathrow had ervaren. Het enige wat ik wilde, was herenigd worden met mijn koffer, de douane en paspoortencontrole achter me laten en Ginette vinden.

We herkenden elkaar tegelijkertijd. Ze was veranderd, maar alleen ten goede. De wat onbeholpen onhandigheid van haar jongere jaren was verdwenen en ze had een zeer Parijse zelfverzekerdheid en elegantie gekregen. Haar lichtbruine haar was losjes opgestoken en haar make-up was onberispelijk. Ze was ook afgevallen en zag er buitengewoon slank uit in een prachtig gesneden, zwarte rok tot op haar kuiten, een crèmekleurig jasje, met een sjaal elegant om haar hals geslagen en zwarte laarzen met hoge hakken.

Ik droeg een van mijn lievelingskostuums, dat nonchalant modieus was en comfortabel om in te reizen: een beige jersey broekpak met bruine suède enkellaarsjes met lage hakken, en een driekwart cameljas. Vergeleken met Ginette voelde ik me echter opeens sjofel en nogal haveloos.

Ze riep in het Frans: 'Cara! Wat heerlijk om je weer te zien!' en sloeg haar armen om me heen, precies zoals haar vader dat twintig jaar geleden op het perron van het Gare du Nord had gedaan, en gaf me twee zoenen op elke wang. Toen zei ze, terwijl ze mijn armen vasthield: 'Ik heb me zo op dit weekend verheugd. Hoeveel jaar is het geleden dat we elkaar voor het laatst hebben gezien? Je bent totaal niet veranderd.'

'*Toi non plus*,' verzekerde ik haar.

Gearmd liepen we door de ultramoderne, ronde luchthaven naar de plaats waar de bussen naar Porte Maillot vertrokken. 'Je schreef dat je vanmiddag een afspraak hebt,' zei ze, toen de bus ons naar het centrum bracht. 'Dus, wat wil je doen? Zullen we eerst naar mijn appartement gaan om je koffer weg te brengen en dan gaan lunchen?'

'Prima.'

'Waar is je afspraak?'

'In de rue du Faubourg St Honoré.'

'Ah, in het centrum – dat is gemakkelijk.'

De rest van de busrit brachten we elkaar op de hoogte van elkaars familienieuws. Op Porte Maillot doken we de metro in en namen de ondergrondse naar Villiers. Toen we weer op straat liepen, werd ik overstelpt door de ondefinieerbare Parijse sfeer. Die geur, die een mengeling is van stof en uitlaatgassen en bloeiende paardekastanjes en knoflook en versgebakken baguettes. Dat geluid, dat een mengeling is van rappe Franse tongen, het gieren van autobanden en het lawaai van claxons. De voorstedelijke huizen en winkels die totaal niet lijken op de voorstedelijke huizen en winkels in Londen.

Ginette woonde in een oud pand, met een kleine binnenplaats in het midden, waar een oudere conciërge met een scherpe blik, aan wie Ginette me voorstelde, een oogje in het zeil hield. 'We noemen haar Madame Guillotine,' giechelde ze, toen we de trap op liepen, en ik voelde me gerustgesteld. Onder Ginettes chique uiterlijk zat nog steeds de vriendin uit mijn jeugd.

Haar flat op de eerste verdieping was veel kleiner en knusser dan de mijne in Linden Mansions, maar was, zoals ze zei, groot genoeg voor haar alleen. Ik kreeg een gerieflijke kamer, met een dubbel divanbed, een zware houten kleerkast en ladekast. Aan de muur hingen een bont geweven wandkleed en een print van Buffet.

'Ik ben bang dat ik geen auto heb,' zei Ginette, terwijl ik mijn weinige zaken uitpakte. 'Zullen we naar St Honoré lopen of ga je liever met de metro?'

'O, laten we gaan lopen.' Toen wierp ik een blik op haar laarzen.

Ze interpreteerde mijn blik goed. 'Maak je geen zorgen, ze zitten heel comfortabel. Er is een restaurantje in de rue Rennequin, waar ze heerlijke vis hebben. Daar zouden we kunnen eten...'

Ze had gelijk wat de vis betrof. We aten tong met een witte botersaus die je het water in de mond deed lopen, *pommes frites* zoals álleen de Fransen die kunnen maken en een gemengde salade waarin de sla nou niet bepaald het belangrijkste ingrediënt was. Dat alles werd weggespoeld met een witte wijn die twee keer zo goed was als je ooit in Londen zou kunnen vinden, en voor een kwart van de prijs.

We hervatten ons gesprek waar we er eerder mee waren opgehouden. Toen we onze families hadden gehad, gingen we door over ons werk. Ik zinspeelde op waar ik in het vliegtuig aan had zitten denken en Ginette lachte. 'Ik weet precies wat je bedoelt. Ook mijn leven lijkt maar al te dikwijls uit niets dan *metro*, *boulot* en *dodo* te bestaan.'

De ondergrondse, werk en slaap, dat vatte mijn bestaan ook aardig samen.

'Maar vandaag is er geen *boulot*,' zei ze. 'Dus vertel me eens wie je gaat opzoeken in de rue du Faubourg St Honoré.'

'Dat is een lang verhaal,' waarschuwde ik haar.

'Ik ben dol op lange verhalen, zolang ze maar goed aflopen.'

'Dat weet ik nog niet.'

Nogmaals, maar voor het eerst in een vreemde taal, vertelde ik haar alles over de prinses en mijn vader. Terwijl ik vertelde werd mijn Frans, stellig geholpen door de wijn, steeds vloeiender en kwamen woorden die ik zo goed als vergeten was opeens weer bij me op.

Toen ik klaar was en Ginette mijn vaders brieven had laten zien, riep ze uit: '*Mais c'est incroyable, tout ça!*' Ze bekeek me aandachtig en zei toen: 'Het is mogelijk, veronderstel ik, dat je de dochter van een prinses bent – je hebt de evenwichtige houding, het *sang-froid*. Maar de dochter van een Russische prinses – nee. Je bent te Engels – je hebt niet genoeg temperament om Russisch te zijn.'

'Prinses Shuiska was heel koel en beheerst.'

'Hoe oud was ze?'

'Tachtig.'

'En het einde nabij. Maar in haar jeugd was ze onberekenbaar geweest. *Ma chère Cara*, jij bent nooit onberekenbaar geweest.'

'Mijn vader wel.'

'Reden te meer waarom deze prinses je moeder niet was.'

Ik sprak haar niet tegen.

'Mag ik mee naar prins Zakharin?' vroeg ze.

'Ik hoop van harte dat je mee wilt gaan. Ik kan wel wat morele steun gebruiken.'

Om even voor drie uur die middag waren we in de exclusiefste straat van Parijs, de rue du Faubourg St Honoré, met aan het ene uiteinde de ambtswoning van de president, het Palais de l'Élisé, en aan weerskanten de grote modehuizen.

De Galerie Zakharin had markiezen boven zijn twee etalages en boven de ingang in het midden. In de ene etalage stond een enkel schilderij tegen een achtergrond van gedrapeerde blauwe satijn met gouddraad. In de andere stond, tegen meer van dezelfde stof, een beeldje van een ballerina in een fijnbewerkt kostuum op een marmeren sokkel.

Ik keek naar Ginette, haalde diep adem en deed de deur open. Binnen stond een overdadig geüniformeerde Franse tegenhanger van Sergeant – welhaast een dubbelganger van General de Gaulle – majesteitelijk op vanachter een bureau en bekeek ons uit de hoogte. *'Bonjour, Mesdames.'*

Terwijl ik me verzette tegen het gevoel dat ik er verfomfaaid uitzag, meldde ik: *'J'ai un rendezvous avec le Prince Zakharin.'*

'Comment vous appelez-vous?'

'Madame Sinclair.'

'Oui, madame. Un instant.'

Hij nam een telefoon op en meldde iemand anders dat we er waren. Toen wees hij op de deur links van ons en zei: *'On vous attend par là.'*

Die deur ging open en een man van middelbare leeftijd, die er zeer gedistingeerd uitzag en ons eerbiediger bejegende dan de portier, verwelkomde ons met een buiging. *'Bonjour, Mesdames. Entrez, s'il vous plaît. Monsieur le Prince sera à vous dans un moment.'*

Toen ik naar binnen liep, zonken mijn voeten weg in een hoogpolig tapijt en kreeg ik een geur in mijn neus die, als hij in een flesje had gezeten, 'Weelderigheid' had kunnen heten.

Het vertrek dat voor ons lag, was wel dertig meter diep. De wanden hingen vol schilderijen, die elk afzonderlijk werden verlicht door een lamp met een porseleinen kapje, en werden onderbroken door zuilen, sommige puur voor de sier, andere met beeldjes en beeldhouwwerken. In het midden stonden een tafel en een paar stoelen.

Een bewerkte deur aan de andere kant van het vertrek ging open en er kwam een man aan die zo op de prins Dmitri van de foto leek die op de kaptafel van de prinses had gestaan en nu in mijn schoudertas zat, dat hij niemand anders dan Ludo Zakharin kon zijn. Hij had hetzelfde dikke, zwarte haar, dezelfde donkere ogen en gelaatstrekken die niet regelmatig genoeg waren om als knap te worden beschreven, maar die een globale indruk gaven van een buitengewoon aantrekkelijk man – een die zich bovendien ten volle van zijn aantrekkelijkheid bewust was.

Hij was ongeveer één meter tachtig, slank gebouwd en bewoog zich met een soepele gratie, waarbij zijn figuur werd benadrukt door een donkergrijs kostuum van uitstekende snit. Zijn huid was gebruind tot een duur olijfbruin, dat nog donkerder leek door het blauw van zijn overhemd. Zijn voeten moesten me wel opvallen. Ze waren heel sierlijk en klein voor zijn lengte, maar leken toch niet buiten proportie bij de rest van zijn lichaam.

Zijn glimlach liet gelijkmatige witte tanden zien, maar bereikte zijn ogen niet toen zijn blik snel van Ginette naar mij ging en daarna op mij bleef rusten. 'Mevrouw Sinclair?'

Was het mijn gezicht of waren het mijn kleren die me verraadden, of allebei?

'Ik ben prins Zakharin.' Hij sprak Engels, met een vaag Amerikaans, meer Midden-Atlantisch, accent, waarbij hij het woord prins benadrukte.

'Dank u zeer dat u me wilt ontvangen,' antwoordde ik in het Frans en stak mijn hand uit. De hand die de mijne schudde was klein, net als zijn voeten, met een heel zachte huid.

'Het genoegen is geheel aan mijn kant,' beweerde hij, terwijl hij zijn kin ophief en me over zijn neus aankeek, zodat ik precies in zijn neusgaten kon kijken. Zijn manier van doen deed me aan de prinses denken. Hij had dezelfde vorstelijke houding en hetzelfde autocratische optreden.

'Dit is mijn vriendin, Mademoiselle Krystal,' zei ik.

'*Enchanté, Mademoiselle*' zei hij met een uitgestreken gezicht in onberispelijk Frans. Toen ging hij in het Frans verder en richtte zich tot mij: 'U komt in opdracht van meneer Touchstone?'

'Voor een deel. Ik geloof dat hij het via de telefoon met u heeft gehad over twee portretten van prinses Hélène Shuiska die in zijn bezit zijn, één van El Toro en één van Amadore Angelini. Ik heb er foto's van meegebracht, voor het geval u die zou willen zien.'

'Heel graag. Laten we erbij gaan zitten.' Hij bracht ons naar de tafel in het midden van het vertrek. Wanneer ik aan Ludo Zakharin denk, komt het beeld van die tafel en die stoelen me weer voor ogen. De stoelen waren meer dan prachtig, diep en rond, met zwartgeschilderd houtwerk dat was gevernist en met vogels beschilderd. De tafel bestond uit een blad van grijs marmer dat niet door poten werd gedragen maar door vier vogels van zilverkleurig brons en een zeer gestileerd ontwerp: lang en slank, met een gebogen staart en gespreide vleugels waarop het tafelblad rustte. Hun verenkleed was zeer gedetailleerd en hun poten vormden de klauw over de bal waarop de tafel stond. Ze waren prachtig, maar net zo hard als het metaal waaruit ze waren gegoten.

Toen we zaten, haalde ik Tobins foto's van de twee portretten uit mijn tas.

Ludo Zakharin bekeek ze lang en aandachtig. Toen zei hij: 'Dus dit zijn de portretten. Ik wist dat ze bestonden, hoewel ik ze nog nooit had gezien. De prinses wilde ze nooit tentoonstellen, laat staan verkopen. Mijn vader, prins Dmitri, heeft heel wat keren geprobeerd haar over te halen ze weg te doen, maar ze weigerde altijd. Ze beweerde dat ze tot haar liefste bezittingen behoorden, dat ze wat haar betrof van onschatbare waarde waren. Meneer Touchstone gaf me via de telefoon te verstaan dat hij niet overwoog ze te verkopen. Is hij van gedachten veranderd?'

Ik aarzelde, omdat ik voorzichtig terrein wilde verkennen. 'Hij staat in dubio. Voor hij een definitief besluit neemt, zou hij iets meer over hun achtergrond willen weten – en over de schilders zelf, vooral Angelini. Ik trouwens ook, daarom ben ik hier.'

Hij keek me op een vreemde manier aan. 'Hebt u de prinses gekend?'

'Nee. Ik heb haar onlangs in een televisie-interview gezien, dat is alles.'

Ah, ja, een Engelse vriend van me heeft me over dat programma verteld. Dus uw relatie is niet met de prinses zelf, maar met meneer Touchstone?'

Misschien verbeeldde ik het me maar, maar zijn toon leek te insinueren dat mijn relatie met Tobin niet helemaal onschuldig was. Het bloed steeg me naar de wangen, minder uit verlegenheid dan uit ergernis.

'Ik denk dat ik u moet uitleggen dat mijn vader Connor Moran was,' zei ik, naar ik hoopte nogal uit de hoogte.

Even reageerde hij totaal niet. Zijn gezicht bleef star. Hij knipperde zelfs niet met zijn ogen. Toen zei hij zacht: '*Grand Dieu!* Ja, natuurlijk, het haar. *Voilà qui explique beaucoup.* Het is bizar, ik dacht al dat u iets bekends had. Ik had het gevoel dat we elkaar al eens hadden ontmoet, hoewel ik wist dat dat niet zo was.'

'Dus u hebt van mijn vader gehoord?'

'*Mais bien sûr.* Connor Moran was een van mijn moeders protégés, die ze bij zijn carrière probeerde te helpen toen ze voor de oorlog in Parijs woonde.'

'Heeft ze het dikwijls over hem gehad?'

'Alleen terloops, net zoals ze over andere oude kennissen sprak.'

'Mijn vader en zij waren, eh, heel goede vrienden.'

'Dat is een beetje overdreven. Ik vermoed dat zij belangrijker voor hem was dan hij voor haar. Nadat ze naar Amerika was teruggekeerd en met mijn vader was getrouwd, hebben ze beslist geen contact meer gehad.'

Het kwam me voor dat net zoals tante Biddie mijn vaders relatie met Imogen Humboldt voor mij geheim had gehouden, Imogen Humboldt diezelfde relatie ook best voor haar zoon geheim kon hebben gehouden.

Ik dacht niet dat het zin had hem te vertellen dat zijn moeder gedeeltelijk verantwoordelijk was geweest voor het mislukken van mijn vaders eerste huwelijk. Hij zou me waarschijnlijk niet eens hebben geloofd.

Hij keek me onderzoekend aan, met een ondoorgrondelijke uitdrukking, zoals ik me voorstel dat hij naar een schilderij zou kijken dat een vervalsing zou kunnen blijken te zijn. Toen vroeg hij: 'En uw moeder? Wie was zij?'

'Dat weet ik niet. Ik hoop dat u me misschien kunt helpen daar achter te komen.'

Hij keek me aan met hagedissenogen waarin geen vraag of aanmoediging te lezen stond.

Ik legde uit dat ik aan het eind van de oorlog ergens in Italië was geboren en hoe mijn vader me naar Engeland had gebracht en aan mijn tante had verteld dat zijn vrouw in het kraambed was overleden. 'En dat heb ik tot januari van dit jaar geloofd, tot ik het televisie-interview met de prinses zag. Toen ontdekte ik dat mijn vader en zij ten tijde van mijn geboorte getrouwd waren, waardoor het mogelijk is dat zij mijn moeder is geweest.'

Aan zijn ongeloof viel niet te twijfelen. 'Als Hélène een kind had gehad, heb ik dat nooit geweten – en ik weet zeker dat mijn vader het ook niet heeft geweten,' zei hij stijfjes. Aan zijn toon te oordelen zou je denken dat ik beweerde dat ik een bloedverwant van hem was.

'Leeft prins Dmitri nog?' vroeg ik, vastberaden me niet uit het veld te laten slaan.

'Nee, hij is vorig jaar overleden.'

'Dat spijt me.' En het speet me ook, hoewel meer ter wille van mezelf dan van Ludo Zakharin.

'Pff. Hij was vijfentachtig en hij had elk jaar daarvan ten volle geleefd.'

Hij stond op en liep in gepeins verzonken heen en weer. Ginette wierp me een blik toe en ik haalde mijn schouders op. Het leek me net zo waarschijnlijk informatie uit hem los te krijgen als een parel uit een gesloten oester te peuteren.

Toen leek hij ergens toe te hebben besloten en kwam hij terug. 'U moet me mijn gebrek aan manieren maar niet kwalijk nemen,' zei hij zacht, weer beleefd en hoffelijk. U overviel me een beetje. Mag ik u thee of koffie aanbieden – of een aperitief?'

Ginette sprak de enige keer tijdens de hele bijeenkomst. 'Koffie zou heel welkom zijn.'

Hij wenkte de man die ons binnen had gelaten en die nog bij de deur rondhing. '*Demandez à Marie-Claude de nous apporter du café.*'

'*Oui, monsieur le Prince.*' De man knikte en verdween toen door een van de deuren aan de andere kant van de galerie.

Ludo Zakharin ging weer zitten. 'Ik neem aan dat het mogelijk is dat Hélène een kind heeft gekregen en het bestaan ervan voor mijn vader geheim heeft gehouden. Wanneer is uw vader ook weer overleden?'

'In de herfst van 1945.'

'Dus u hebt hem eigenlijk niet gekend?'

'Nee. Ik weet alleen wat mijn tante me over hem heeft verteld en dat gaat voornamelijk over de tijd dat hij nog jong was, voordat hij naar Parijs ging. Tot ze het televisie-interview met de prinses zag, had mijn tante zelfs nog nooit van haar gehoord, laat staan dat ze wist dat ze getrouwd waren geweest. U kunt zich wel voorstellen dat het voor ons allebei een schok was.'

Op dat moment ging de deur aan de andere kant van de galerie weer open en verscheen een tengere jonge vrouw, gekleed in een marineblauw pakje, met een rode sjaal om haar hals, met een blad. Ze zette het blad op tafel en wierp me intussen een neerbuigende maar nieuwsgierige blik toe. Ik voelde gewoon dat ze zich afvroeg wat er in 's hemelsnaam zo bijzonder aan me was dat haar werkgever zo lang met ons praatte.

Toen ze de koffie had ingeschonken en weer weg was, keek Ludo Zakharin nogmaals naar Tobins foto's en zei toen: 'Nu begrijp ik waarom meneer Touchstone erop stond deze foto's aan u mee te geven. Helaas denk ik niet dat ik u erg zal kunnen helpen bij uw zoektocht. De prinses sprak zelden over haar verleden. Mijn vader heeft misschien meer geweten dan hij heeft verteld, maar...'

'Hebben de prinses en hij contact gehouden?'

'O ja, ze waren zeer op elkaar gesteld. Als ze naar Parijs kwam, zocht ze hem altijd op. En hij heeft haar talloze malen financieel uit de brand geholpen. Ik hoop dat u niet denkt dat ik kwaad spreek van de doden wanneer ik zeg dat ze in Parijs een slechte reputatie had verworven. Ze heeft meermalen schulden gemaakt die ze niet kon terugbetalen en dan betaalde mijn vader ze voor haar. De allerlaatste keer dat ze hem kwam opzoeken – vlak voor zijn dood – was het om hem te vragen of hij haar vijftig-duizend pond wilde lenen.

Die keer weigerde mijn vader haar het geld ronduit, maar hij bood wel aan het in te zetten in een spelletje chemin-de-fer. Hij zette het geld dat ze nodig had in tegen deze twee portretten. Hoewel ik nog steeds niet begrijp waarom hij ze zo graag wilde hebben. Hij wilde het me destijds niet zeggen. Als ik het hem vroeg, lachte hij alleen.'

'Gokte de prinses?'

'Goeie God, ja! Wist meneer Touchstone dat dan niet?'

'Ik geloof van niet.'

'Niet dat ze aan mijn vader kon tippen. Voor haar was het meer een manier om haar inkomen te verhogen. Wijlen de graaf van Winster en zij gingen dikwijls naar de races in Longchamps. De graaf was verre van rijk en Hélène had een dure smaak. Na zijn dood werd ze nog verkwistender dan daarvoor.'

'Gokte de graaf ook?'

'Alleen op de races, voor zover ik weet. Ik neem aan dat u niet gokt?'

'Nee, afgezien van heel af en toe een gokje op de Grand National en dan lijkt het wel of mijn paard bij de eerste hindernis altijd al achterop raakt.'

'Mijn vader had het altijd over geluk in de liefde en ongeluk in het spel. Hopelijk geldt dat voor u?'

Ik glimlachte alleen maar.

'Mijn vader heeft zijn hele leven gegokt. Eigenlijk was het zijn beroep.'

'Ik weet maar heel weinig over hem,' zei ik, 'alleen dat hij de prinses tijdens de revolutie uit Rusland heeft helpen ontsnappen en dat hij uiteindelijk met Imogen Humboldt is getrouwd.'

'Dus u weet ook niet dat het grotendeels aan hem te danken is dat El Toro in de hele wereld bekend is geworden?'

Ik schudde mijn hoofd.

'De prinses heeft het in haar interview niet over zijn gokken gehad of over zijn belangstelling voor kunst?'

'Nee, ze zei alleen dat hij verschillende zakelijke initiatieven ontplooide.'

Ludo Zakharin lachte en door die lach werd hij opeens bijna menselijk. 'Verschillende zakelijke initiatieven! Wilt u de ware toedracht horen?'

'Ja, natuurlijk'

'Nou, wat er feitelijk gebeurde was dat hij, toen hij begin jaren twintig net in Parijs was aangekomen, een huis had om in te wonen en over de fondsen op de Franse en Zwitserse bankrekeningen van zijn familie kon beschikken. Toen raakte het geld op en moest hij een manier bedenken om aan geld te komen zonder te hoeven werken voor de kost.

Hij vertelde graag dat hij zijn eerste weddenschap afsloot toen hij zestien was, op de races in St.-Petersburg, toen hij al zijn spaargeld op drie paarden zette, in een reeks weddenschappen waarbij hij de winst telkens voor de volgende weddenschap inzette – met andere woorden, hij schakelde de weddenschappen. Geen van de paarden was favoriet in zijn specifieke race, maar mijn vader ging op zijn intuïtie af. Ze wonnen alledrie.

Hij geloofde altijd erg in intuïtie. Er waren dagen, zei hij, dat hij zich gelukkig waande en andere waarin hij voelde dat het geluk niet met hem was. Over het algemeen beschermt de duivel zijn vrienden en mijn vader kon door zijn winsten – op de races en in het spel – een uiterst comfortabel leven leiden.

Toen, in 1935, liet zijn geluk hem tijdelijk in de steek. Tegelijkertijd verslechterde de politieke situatie in Europa. Hitler was in Duitsland aan de macht gekomen en vertoonde al tekenen van de komende militaire agressie. Frankrijk was niet langer de lusthof van vroeger. Veel Amerikanen gingen terug naar huis – onder wie mijn moeder – hoewel het in haar geval was om de bruiloft van haar broer bij te wonen.

Ze vertrok met de *Queen Mary*, die zijn eerste reis maakte. Mijn vader besloot een ander soort gok te wagen. Hij wist genoeg geld bij elkaar te krijgen voor een enkele reis. Een week – of hoe lang de reis ook duurde – maakte hij mijn moeder onverdroten het hof. Tegen de tijd dat ze in New York van boord gingen, waren ze verloofd.

De familie Humboldt vierde een dubbele bruiloft en toen moest mijn vader een andere, maar weer niet al te inspannende manier vinden om aan de kost te komen. Weer had hij het geluk aan zijn kant. Mijn grootvader was al begonnen het voorbeeld van de Getty's en de Guggenheims te volgen door in kunstwerken te investeren. Maar hij bewoog zich op onbekend terrein en was als de dood dat hij door gewetenloze handelaren zou worden opgelicht. De crash op Wall Street van 1929 had de bodem uit de kunstmarkt geslagen en er waren ongelooflijke koopjes te halen – als het tenminste koopjes waren.

Het was een door de hemel gezonden kans voor mijn vader, die een goed gevoel voor kunst had, een feilloze blik en contacten in juist die steden van Europa waar de meeste kunstschatten te vinden waren – te meer omdat de oorlog steeds dreigender dichterbij kwam. Verder kende hij schilders als El Toro, wiens werk in de Verenigde Staten nog niet erg bekend was, persoonlijk, waardoor hun schilderijen relatief goedkoop konden worden aangekocht. Dit, voorspelde hij terecht, waren de meesterwerken van morgen.

Zijn gokkersinstinct kwam hem in het zakenleven goed van pas – een zesde zintuig, een intuïtief gevoel voor wat juist was. Door zijn vooruitziende blik hangt in de Humboldt Gallery thans een unieke verzameling schilderijen van El Toro, waaronder zijn beroemde muurschilderingen van de Russische revolutie en zijn drieluik van de Spaanse Burgeroorlog.

Mijn vader ging samenwerken met een kunsthandelaar uit New York, ook een Rus, die – om het maar botweg te zeggen – al het vuile werk opknapte, terwijl mijn vader zijn inkomen aanvulde met pokeren en veel van zijn winst uitgaf aan vrouwen van wier bestaan mijn moeder niets wist.

Toen in 1939 in Europa de langverwachte oorlog uitbrak, gebeurden er twee dingen. Het ene was dat er een abrupt einde kwam aan de toevoer van kunstwerken. Het andere was dat Amerika voorbereidingen begon te treffen om zich ook in de strijd te mengen. Mijn vader kreeg van zijn schoonvader te horen dat de Humboldt-organisatie zijn diensten goed kon gebruiken om overheidscontracten binnen te slepen. Hij kreeg de een of andere titel – vice-president verbindingsoperaties, geloof ik – en in principe bestond zijn werk uit het fêteren van senatoren en generaals die, vermoedde mijn grootvader, geïmponeerd zouden raken door hun nauwe band met een lid van de Russische adel.

En dat waren ze misschien ook wel geweest, als mijn vader zich maar enige moeite had getroost om zijn werk goed te doen. Maar poker en vrouwen trokken hem veel meer dan pompeuze politici en hoge legerpieten met een borst vol medailles. Keer op keer hield hij zich niet aan afspraken en uiteindelijk ontdekte mijn grootvader natuurlijk wat daar de reden voor was.

Dat leidde tot een stevige botsing. Mijn vader kreeg een strenge preek over zijn verantwoordelijkheden als echtgenoot en zijn plicht jegens zijn vaderland en toen hij zich absoluut niet berouwvol toonde, dreigde mijn grootvader hem niet alleen uit het bedrijf te gooien, maar ook uit de familie te zetten. Het is haast lachwekkend. Mijn vader was toen vijfenveertig en werd behandeld als een stout kind. Anderzijds had hij een zeer comfortabel bestaan in een tijd dat miljoenen op het slagveld omkwamen. Hoewel hij het grootste deel van zijn leven op het scherp van de snede had geleefd, had hij een gezond gevoel voor zelfbehoud.

Hij werd gered door twee gebeurtenissen: de ene was mijn komst op aarde – het gevolg van een laatste wanhopige poging tot verzoening tussen mijn ouders; de andere was dat Amerika aan de oorlog ging deelnemen. Beide gebeurtenissen vonden plaats in dezelfde maand van hetzelfde jaar – december 1941 – waardoor de aandacht van mijn grootvader werd afgeleid van de slippertjes van zijn schoonzoon.

Mijn moeder was echter een ander verhaal. Zij besefte dat ze was gebruikt, en wat liefde was geweest, tenminste van haar kant, veranderde in haat. Ze leefden samen in een situatie die steeds vijandiger werd, tot ze zijn aanwezigheid niet langer kon verdragen. Er werd een scheiding over-eengekomen en toen de oorlog voorbij was, ging mijn vader als vrij man terug naar Parijs, aanzienlijk rijker dan toen hij er was vertrokken.

Toen moet hij deze galerie hebben gekocht. Ik geloof dat de vorige eigenaar in bezettingstijd met de nazi's had geheuld en graag een onop-vallend leven op het platteland wilde gaan leiden. Mijn vader, die contact had gehouden met zijn Russische collega in New York, hervatte de zaken die hij had gedaan voor de oorlog tussenbeide kwam, maar nu vanaf de andere kant van de Atlantische Oceaan, waar schilders die voor de oorlog honger hadden geleden, nu van honger omkwamen. Hij verkocht zelfs aan de Humboldt Collection.

En dat is het zo'n beetje. Ik ben door mijn moeder opgevoed tot ik acht-tien was. Toen ben ik hierheen gekomen om kunst te studeren – aange-moedigd door mijn moeder, die tot het eind van haar leven francofiel is gebleven – en, net als zij, voelde ik me hier meteen thuis. Ik heb nog een tijdje met het idee gespeeld schilder te worden, tot me duidelijk werd dat het me aan het nodige talent ontbrak. Ik had echter wel een natuurlijke gave om de schilderijen van anderen naar waarde te schatten. Met andere woorden, in dat opzicht leek ik op mijn ouders.

Mijn moeder was intussen hertrouwd – met een van haar vaders vice-presidenten – voor wie ik een afkeer had die wederzijds was. Dus bleef ik hier en nam mettertijd de galerie van mijn vader over. Hij is nooit her-trouwd. Hij zei altijd dat zijn grafschrift zou moeten zijn dat hij nooit twee keer dezelfde fout maakte.'

Ludo Zakharin zweeg en dronk van zijn koffie, terwijl ik probeerde alles wat hij had gezegd in me op te nemen. Toen vroeg ik: 'Weet u wan-neer uw vader precies naar Parijs is teruggegaan?'

'Dat moet eind 1945 of begin 1946 zijn geweest.'

'Dus dat was omstreeks dezelfde tijd dat mijn vader mij naar Engeland bracht.'

'Ik zie het verband niet helemaal.'

Ik beet op mijn lip en besloot toen dat ik in godsnaam het risico maar moest nemen dat ik hem zou beledigen. 'Dit is heel onbeschaamd van me, maar hadden uw vader en de prinses een verhouding?'

'Waarom vraagt u dat?'

Ik haalde de foto van prins Dmitri uit mijn tas. 'Deze stond op haar toi-lettafel.'

Ludo Zakharin knikte. 'Die heb ik eerder gezien. Mijn vader had er ook een afdruk van. Hij is gemaakt in een café aan de Champs Élisées.' Hij keek weer naar de portretten. 'De relatie tussen mijn vader en haar was heel vreemd. Ik heb nooit geweten wat hij precies voor haar voelde. Als hij iemand iets ten nadele van haar hoorde zeggen, viel hij haar vurig bij. Toch kon hij haar ook sarcastisch afkraken en haar zo bespotten dat het bijna wreed was.

Ik neem aan dat het mogelijk is dat ze minnaars waren toen ze uit Rusland weggingen, maar als dat zo is, geloof ik niet dat de verhouding lang heeft standgehouden toen ze eenmaal in Parijs waren. Zoals u misschien weet, is Hélène met baron Léon de St-Léon getrouwd, terwijl mijn vader zijn bestaan als playboy voortzette. Ze was erg trots – niet het soort vrouw dat ontrouw zou tolereren.'

'Weet u ook maar iets over haar huwelijk met mijn vader?'

'Waarschijnlijk nog minder dan u. Ze heeft hem in mijn bijzijn nooit genoemd.'

'Dus u weet niet waar ze in Italië hebben gewoond?'

'Ik vrees van niet.'

'En kent u niet iemand die hen destijds heeft gekend?'

'Er komt niet meteen iemand bij me op. De meeste van haar tijdgenoten zijn helaas niet meer onder ons.'

'Ik weet uit een paar brieven die mijn vader aan zijn zuster heeft geschreven dat hij een tijdje bij de Angelini's op kamers heeft gewoond toen hij in Parijs was...'

'Ah! Vandaar de vragen van meneer Touchstone aan de telefoon.' Hij spreidde veelzeggend zijn handen. 'Het spijt me, ik kan u niet helpen. Het enige wat ik weet, is dat Angelini na de Eerste Wereldoorlog met zijn gezin naar Parijs is gekomen en een tijdje El Toro's studio in Montmartre heeft gedeeld, waarna hij naar Montparnasse is verhuisd. Hij was een zeer begenadigd schilder, maar werd door zijn innovatievere tijdgenoten overschaduwd. Maar anders dan velen van hen stel ik me zo voor dat hij met zijn werk een zeer redelijk inkomen verdiende.

Ik geloof dat hij, toen hij bij het uitbreken van de oorlog naar Italië terugging, een betrekking als docent heeft aangenomen, waarschijnlijk in een van de grote steden, mogelijk Turijn, Milaan of Rome. Hij is tegen het eind van de oorlog overleden, maar ik weet niet waaraan.'

'En u weet niet wat er met zijn gezin is gebeurd?'

'Ik ben bang van niet. Als hij een schilderij eenmaal had verkocht, was het niet meer van hem. Dus zelfs als ik een Angelini verwerf, hebben de bijzonderheden over de herkomst ervan te maken met de vorige eigenaars van het schilderij, niet met de schilder zelf – afgezien van het jaar waarin het is geschilderd.'

Hij stond op. 'Maar ik zal u iets laten zien dat, onder de omstandigheden, voor u van belang kan zijn. We hebben kortgeleden een Angelini uit een veiling verkregen. Het is een beetje een gok van mijn kant. Als u hier even wilt wachten.'

Hij kwam spoedig terug met een ingelijst schilderij – een portret van een klein meisje met lang, donker haar en grote bruine ogen onder rechte, stevige wenkbrauwen, tegen een achtergrond van zonnebloemen die veel groter waren dan zij. Zelfs als Ludo Zakharin het ons niet had verteld, had ik geweten wie de schilder was.

'Een aardig schilderijtje, niet?' merkte hij op, toen hij het me gaf.

Ondanks het verschil in onderwerp had het hetzelfde soort licht als het portret van de prinses. Het kind leek een soort innerlijke gloed uit te stralen en de zonnebloemen glansden alsof er een gouden waas over lag, iriserend als paarlemoer. De datum in de onderhoek, onder de signatuur van de schilder, was 1930.

'Wat vind ik dat prachtig,' verzuchtte ik. 'Wie is het model?'

'De dochter van de schilder. Vandaar mijn gok. Mijn klanten hebben doorgaans liever portretten van bekende figuren en beroemdheden. Zelfs de prinses geniet een zekere bekendheid.'

'Angelini's dochter... Het meisje over wie mijn vader had geschreven dat ze hem aan tante Biddie deed denken toen zij zo oud was.

'Ik neem aan dat het veel geld waard is?'

Hij haalde zijn schouders op. 'Niet zoveel als meneer Touchstones portretten van de prinses.'

'Maar meer dan ik me zou kunnen veroorloven met wat ik als secretaresse verdien?'

'Dat denk ik wel.'

Met tegenzin gaf ik hem het schilderij terug.

'Ik zal wat inlichtingen voor u inwinnen over Angelini's leven nadat hij naar Italië is teruggegaan,' zei Ludo Zakharin. 'Misschien dat een van mijn contacten daar aan informatie kan komen die u van nut kan zijn.'

Maar hij vroeg me niet naar mijn adres of telefoonnummer en hoe hoffelijk hij uiteindelijk ook was gebleken, ik kon me niet aan de indruk onttrekken dat hij me zou vergeten, bijna zodra ik de galerie uit was.

HOOFDSTUK 15

Toen we weer op de rue du Faubourg St Honoré stonden, na een '*Au revoir, Mesdames*' van General de Gaulle dat van aanzienlijk meer respect getuigde dan bij onze aankomst, zochten Ginette en ik een café op, waar we onze indrukken van Ludo Zakharin bespraken.

'*Quel poseur!*' riep Ginette vol afschuw uit. 'Ik durfde niets te zeggen toen we binnen waren. Ik verafschuw zijn soort. *Prince* Zakharin! Sinds de revolutie, bijna tweehonderd jaar geleden, hebben we in Frankrijk geen aristocratie meer gehad en toch noemt hij zich prins. En daar vallen mensen voor. Ze denken dat hij iets bijzonders is, dus betalen ze belachelijke prijzen voor de schilderijen die hij verkoopt. De manier waarop hij tegen je sprak toen je vroeg hoeveel dat schilderij waard was, was walgelijk. Zo uit de hoogte!

Wat was zijn vader? Een gokker, die om geld getrouwd is. Heeft hij gevochten voor het Frankrijk dat hem asiel verleende toen hij uit Rusland weg moest? O nee! Hij vluchtte naar Amerika. En hij kwam pas terug toen het weer veilig was.

En zijn zoon is geen haar beter. Hij kwam hier om kunst te studeren en hij is van Parijs gaan houden. *Je t'en prie.* Hij wilde gewoon zijn *service militaire* ontduiken. Daarom is hij naar Parijs gekomen. Ik ben zo blij dat je niet op zijn spelletje bent ingegaan door hem met zijn titel aan te spreken. Daar zou ik gewoon misselijk van zijn geworden.

Wat de kleine Mademoiselle Chanel betreft... Ons koffie serveren in porselein van de Galeries Lafayette. Ik heb het herkend. Ik heb thuis precies hetzelfde. En ga me nou niet vertellen dat ze dat voor hun beste klanten gebruiken. O nee! Die krijgen Sèvres-porselein. Maar plebejers als wij–'

Ik lachte. 'Wat maakt het uit, als zij er gelukkig mee zijn? En hij heeft me een boel nuttige informatie verstrekt.'

Ze wierp me een duistere blik toe. 'Ik hoop dat je niet hun kant gaat kiezen omdat je moeder misschien een prinses was. Pff! Als ik erachter kwam dat ik familie van hem was, zou ik de relatie liever ontkennen en wees blijven.'

'Dat ben ik wel met je eens,' zei ik zachtaardig. 'En hij dacht er vast net zo over. Ik weet niet of je het hebt gemerkt, maar hij stond nou niet bepaald te springen om mij in de familie op te nemen.'

'Nee, dat is waar,' gaf ze toe. Ze nam een slokje van de Pernod die ze beweerde nodig te hebben om de smaak van Galerie Zakharin uit haar mond te krijgen. Toen vroeg ze: 'Denk je dat hij wist dat je vader een verhouding met zijn moeder heeft gehad?'

'Nee, dat denk ik niet.'

'Waarom heb je het hem niet verteld?'

'Dat zou maar voor afleiding hebben gezorgd die nergens voor nodig was.'

'Het had hem misschien uit de plooi gebracht.'

'Maar daarom ben ik hem niet gaan opzoeken. Ik wilde meer over míjn moeder te weten komen – niet over de zijne.'

'En jij weet meer dan hij, en dat is goed. Maar denk maar niet dat hij in Italië gaat informeren. Hij zal heus geen moeite doen.'

We hadden het nog een tijdje over prins Zakharin en de feiten die we over de prinses en Dmitri te weten waren gekomen. Toen vroeg Ginette: 'Nou, wat zou je de rest van het weekend willen doen?'

'Een leuke tijd hebben in Parijs?' stelde ik voor.

En dat deden we dan ook – hoewel ik mijn vader en de prinses niet helemaal uit mijn hoofd kon zetten.

Het weer had dat paasweekend beter gekund, maar het regende tenminste niet. Op vrijdagochtend beklommen we de treden naar de Sacré Coeur en zwierven daarna wat door Montmartre, waar we gekheid maakten over de prestaties van de hedendaagse schilders op de place du Tertre, en ik nam een foto van Ginette voor El Toro's voormalige studio aan de rue Cortot. Weer was ze onberispelijk gekleed, terwijl ik – helaas – was teruggevallen op mijn Londense weekendplunje van jeans en een trui.

's Middags slenterden we langs de avenue Foch, een laan met bomen met aan weerskanten schitterende herenhuizen, in één waarvan de prinses vroeger met baron Léon de St Léon had gewoond. Het leek er niet echt toe te doen welk huis het precies was geweest – ze waren allemaal zo voornaam en stonden zozeer voor een leven van pracht en praal dat ik me niet eens kon voorstellen.

Op zaterdag gingen we naar Montparnasse. Voor we vertrokken, waarschuwde Ginette me dat de wijk de laatste tien jaar of zo erg was veranderd. Niet alleen probeerde de massieve, ultramoderne Tour

Montparnasse in het silhouet van Parijs de Eiffeltoren te overtroeven – maar veel van de oude panden waren afgebroken.

Mijn vader en Amadore Angelini hadden de rue des Châtaigniers 84 bis beslist niet herkend. Waar het huis waarschijnlijk had gestaan, stond nu een afschuwelijk functioneel pand van glas en beton met kantoren en appartementen.

'Dat noemen ze vooruitgang,' merkte Ginette verdrietig op. 'Ze zeggen dat het nodig is om Parijs de eenentwintigste eeuw in te brengen. In La Défence, waar mijn kantoor ligt, is het precies zo. Een pronkstuk van eigentijdse architectuur noemen ze dat, met zijn enorme wolkenkrabbers. Het pand waarin ik werk, is tachtig meter hoog en ik zit op de bovenste verdieping. Ik heb een fantastisch uitzicht – maar het Parijs waar ik op uitkijk, is niet meer het Parijs van vroeger. Misschien ben ik ouderwets, maar...'

Ik drukte haar arm. 'Dat zijn we allebei.'

We zwierven via de begraafplaats van Montparnasse, waar beroemdheden als Baudelaire, Maupassant, César Franck en de literaire grootheden van de existentialistische jaren vijftig, Simone de Beauvoir en Jean-Paul Sartre, begraven liggen, naar de boulevard Raspail en het *quartier Latin*.

We aten een hapje in een café dat vol studenten en toeristen zaten, waar de achtergrondmuziek bestond uit hits uit de jaren zestig van Edith Piaf, Jacques Brel en Antoine. Een ervan bracht allerlei herinneringen boven aan mijn rampzalige romance met Michel van zo lang geleden.

Want weet je, meisje, toen we elkaar ontmoetten
wisten we allebei dat het niet lang kon duren...
Je had vooruit moeten denken, en jezelf niet in het wit moeten zien,
Je hebt het de hele tijd geweten...

Dat liedje van Antoine was Michels favoriet geweest. Toen hij me de bons gaf, had hij gezegd dat het onze relatie verwoordde. Nu ik naar de tekst luisterde, kwam het bij me op dat ik er misschien meer van had moeten leren en dat het niet alleen op mijn romance met Michel sloeg, maar ook op mijn relatie met Nigel.

Ginette nam me mee naar de legendarische tweedehands boekwinkel Shakespeare & Co., waar ik voor Tobin een Bibliothèque Miniature-editie uit 1915 van *Les fleurs du mal* van Baudelaire kocht. Het was een aardig, in stof gebonden boekje, versierd met bloemen, van nog geen vijf bij zes centimeter. Toen ik het betaalde, liet ik de winkelbediende in een opwelling mijn vaders boekje zien.

Tot mijn grote verbazing knikte hij herkennend, maar toen ik vroeg of Helicon Publishing nog bestond, antwoordde hij: 'Nee. Het was een klein bedrijfje dat in de jaren twintig begon en folders, recensies, bloemlezingen en ander nogal esoterisch literair werk publiceerde. Begin jaren dertig is het ter ziele gegaan. Deze uitgave zou wel wat waard kunnen zijn. Wilt u dat ik haar voor u taxeer?'

'Dank u, maar ik zou er niet over piekeren haar te verkopen. Connor Moran was mijn vader.'

Hij leek niet onder de indruk. Ik neem aan dat je in een dergelijke winkel aan dat soort dingen gewend raakt. Maar hij kwam wel met de informatie dat hij dacht dat mijn vader vroeger in Montparnasse had gewoond.

'Daar zijn we net geweest,' vertelde ik hem. 'Het huis waar hij woonde, bestaat niet meer.'

Hij haalde op de Franse manier zijn schouders op.

'U weet verder niets over hem?'

'Het spijt me, maar nee...'

'Nou, het was de moeite van het proberen waard,' zei Ginette, toen we weer buiten stonden, 'maar we schijnen niet veel geluk te hebben, hè?'

Daarna slenterden we langs de boulevard Saint-Germain en bleven staan om naar de buitenkant van Café Deux Magots te kijken, dat door Hemingway beroemd was geworden, en Café de Flore, waar Sartre en Simone de Beauvoir vroeger hof hadden gehouden. Delen van Parijs waren dan misschien verdwenen, maar er was nog een heleboel over.

Onder het lopen kletsten we over onze studententijd en de schrijvers en schilders die de grootste indruk op ons hadden gemaakt. Zoals steeds sinds ik was aangekomen, was onze conversatie vriendelijk zonder intiem te zijn, zonder iets van de vertrouwelijkheden waarvan ik Sherry en Juliette deelgenoot maakte – of zelfs Tobin wat dat betreft. Maar dat was natuurlijk te verwachten tussen twee mensen die elkaar jaren niet hadden gezien. En ik vond het prima zo. Er kwamen genoeg indrukken op me af zonder de bijkomende intensiteit van diepgaande gesprekken.

Die avond was Ginettes antipathie voor Ludo Zakharin voldoende gezakt om me mee te nemen naar een Russisch restaurant aan de rue de Passy en daar vroeg ze opeens, na een paar glazen wodka uit de kan op tafel: 'Zijn Nigel en jij gelukkig?'

Het heeft iets bevrijdends van huis weg te zijn, in gezelschap van iemand die jou aardig vindt, maar die je waarschijnlijk een hele tijd niet meer zult zien.

Ik gaf een heel goede imitatie van de Franse manier van schouderophalen.

Ginette knikte. 'Toen je aankondigde dat je zonder Nigel zou komen, dacht ik al dat het niet helemaal goed zat tussen jullie. En sinds je aankomst heb je hem nauwelijks genoemd. Gelukkig getrouwde echtgenotes praten voortdurend over hun man, zoals moeders hun kinderen altijd ophemelen.'

Ik glimlachte.

'Maar afgezien van je vader heb je het alleen maar over Miles Goodchild en Tobin Touchstone gehad. Aanvankelijk dacht ik dat je een verhouding met Miles Goodchild had.'

Daar moest ik om lachen. 'Ik kan je verzekeren van niet.'

'Lach maar. Maar je hebt me niet de hele waarheid verteld toen je laatst over je werk klaagde. Iemand die ontevreden is over zijn werk, zoekt een andere baan. Zo eenvoudig is dat. Maar als je verliefd bent op je baas, is dat niet zo simpel, zeker als hij getrouwd is.'

Iets in haar stem maakte dat ik haar doordringend aankeek. 'Ben jij...?'

'Ja, Jean-Pierre en ik zijn al jaren minnaars. Maar dat is een andere kwestie. We hebben het nu over jou. Als je niet verliefd bent op Miles Goodchild, ligt het probleem ergens anders. En waar kan dat anders zijn dan in je huwelijk?'

Ik prikte in mijn *hors d'oeuvres*.

'Misschien raak je na twaalf jaar een beetje op je werk uitgekeken, dat is begrijpelijk, maar dat is niet meer dan een excuus dat je hebt verzonnen om niet over de werkelijkheid te hoeven nadenken. Het probleem ligt in je privé-leven, in je huwelijk. Je werkende leven is vol – maar je privé-leven is leeg.'

'Mogelijk,' gaf ik toe. 'Hoewel minder sinds ik achter het bestaan van de prinses ben gekomen.'

'Nee. Wees eerlijk. Het is niet alleen de prinses. Het is die Tobin.'

Ik keek haar op mijn hoede aan. 'Waarom zeg je dat?'

'Je verraadt jezelf,' kondigde ze triomfantelijk aan. 'Wanneer je het maar over die Tobin hebt, klaart je gezicht op, wordt je stem krachtiger, gaan je ogen sprankelen. En toen we in de Galerie Zakharin waren, bloosde je over iets wat Monsieur de prins zei.'

'Ik bloosde niet. Ik werd kwaad.'

'*Quand-même*... Misschien overdrijf ik een beetje. Maar vertel me over hem. Is hij getrouwd?'

'Gescheiden.'

'Wat is er in zijn eerste huwelijk misgegaan?'

'Ik heb geen idee. Ik ken hem nog niet goed genoeg om dat te vragen.'

'*Dis donc!* Hoe goed moet je iemand kennen voordat je zo'n simpele vraag kunt stellen?'

'Heel goed, tenzij hij zelf met de informatie komt.'

'En je kent hem nog niet erg goed? Heb je een verhouding met hem?'

'Nee, het is een volkomen onschuldige vriendschap.'

'Is hij verliefd op je?'

Ik haalde mijn schouders op en gaf toen eerlijk toe: 'Ik weet het niet.'

Ze slaakte een diepe zucht. 'O, jullie Engelsen... En Nigel? Is hij jaloers?'

'Nigels weet niet eens dat hij bestaat.'

'Een vriendschap dus die volkomen onschuldig maar clandestien is. Dan heb je misschien nog een kans.'

'Een kans waarop?'

'Dat het iets wordt – dat je geluk zult vinden.'

'Dat klinkt niet of jij gelukkig bent in je relatie.'

'*Au contraire*. Als ik bij Jean-Pierre ben, ben ik heel gelukkig. Als we niet bij elkaar zijn, ben ik erg ongelukkig. Dit weekend is hij bijvoorbeeld met zijn gezin naar de Provence, daarom ben ik blij dat je naar Parijs bent gekomen.'

'Voel je je niet schuldig?'

Ze goot de inhoud van het glas door haar keel en schonk het weer vol. 'Nee. Soms voel ik me kwaad, maar niet schuldig.'

'Zou je met hem willen trouwen?'

Ze tuitte haar lippen. 'Op mijn zwakke momenten denk ik van wel. Maar als ik me sterk voel, denk ik van niet. We hebben een spreekwoord: liefde is blind – en als je trouwt krijg je je gezichtsvermogen terug. Het huwelijk ontdoet de liefde van alle romantiek. Echtgenote zijn is iets heel anders dan maîtresse zijn. Ik zou niet zoveel van Jean-Pierre houden als ik zijn ondergoed moest wassen en voor hem moest zorgen als hij verkouden was.'

'Maar jullie werken toch samen...'

'Dat is niet hetzelfde als getrouwd zijn. Hij brengt zijn zwakheden of zijn vuile ondergoed niet mee naar kantoor – of naar mijn flatje.'

'Weet zijn vrouw van jullie verhouding?'

'O ja.'

'Waarom gaat ze dan niet bij hem weg?'

'Daar dreigt ze af en toe wel mee. Maar ze zal haar dreigement nooit uitvoeren. Waarom zou ze? Ze is bijna vijftig en ze heeft weinig kans een andere echtgenoot te vinden, zeker niet een die zo goed voor haar is als Jean-Pierre.'

'Ben jij niet jaloers op haar?'

'Alleen tijdens weekenden als dit, als zij hem heeft en ik niet. Maar op geen enkele andere manier. Hij vrijt nooit met haar. Hij koopt nooit speciale cadeautjes voor haar. En hij is meestal bij mij. Je bent langer op je werk dan je thuis bent...'

De rest van de avond hadden we het voornamelijk over haar verhouding. Uit verschillende opmerkingen die ze maakte, kreeg ik de indruk dat ze een veel eenzamer bestaan leidde dan ik. Afgezien van Jean-Pierre leek ze geen intieme vrienden te hebben en ik denk dat het een opluchting voor haar was dat ze het openlijk over hem kon hebben, zonder remmingen. Toch leek ze er gelukkig mee. Zoals ze haar situatie zelf openhartig samenvatte: 'Ik heb mijn eigen flatje, mijn onafhankelijkheid, mijn vrijheid. En Jean-Pierre heb ik ook...'

's Zondags gingen we naar Compiègne, waar we tot maandagmiddag bleven – een paar heerlijke dagen die we voornamelijk doorbrachten met het ophalen van nostalgische herinneringen. Toen we weer in Parijs waren, aten we tijdig, omdat ik de volgende ochtend heel vroeg naar Londen terug moest. 'Bedankt dat je gekomen bent,' zei Ginette tegen het eind van de maaltijd. 'Ik ben zo blij dat we onze vriendschap hebben hervat. Ik was er eigenlijk niet zo zeker van of het nog wel wat zou worden...'

'Ik was er ook niet helemaal gerust op,' gaf ik toe. 'Maar ik dacht niet dat je erg veranderd kon zijn.'

'Mensen veranderen wel, vooral vrouwen. Het huwelijk verandert ze meer dan wat ook. Opeens is het of er twee soorten vrouwen bestaan – degenen die een man hebben en degenen die er geen hebben.' Ze glimlachte. 'Maar jij valt er tussenin.'

Ik sprak haar niet tegen. Er viel niets bij te winnen als ik de reden voor mijn diepgewortelde opvattingen over trouw – in het huwelijk en anderszins – zou verduidelijken. Dan had ze me dom gevonden – ik begon mezelf ook af te vragen of mijn ideeën niet een beetje al te stevig verankerd waren...

'Wat je vader betreft,' ging ze verder, 'ik hoop dat je vindt dat je bezoek de moeite waard is geweest? Ik heb toch het gevoel dat je een beetje teleurgesteld bent. *Monsieur le Prince* heeft je niets verteld wat je niet al wist en het huis waar je vader bij Angelini woonde, bestaat niet meer. Wat jammer toch...'

'Ik ben een boel te weten gekomen,' verzekerde ik haar. 'En ik heb nog een heerlijk weekend gehad ook.'

'Ik hoop dat ik je niet al te erg heb verveeld met mijn gepraat over Jean-Pierre.'

'Helemaal niet. Ik wilde alleen dat ik hem had kunnen ontmoeten.'

'Het is beter zo.'

'Waarom zeg je dat?'

'Hij is niet zoals je zou verwachten. Als je hem had ontmoet, was je misschien teleurgesteld geweest. Nu heb je een beeld van hem zoals ik je dat heb gegeven.'

Tijdens mijn vlucht terug naar Heathrow de volgende morgen bleven deze woorden door mijn hoofd spelen. Het kwam bij me op dat we de wereld allemaal een uiterlijk tonen, maar omdat we vele facetten hebben, krijgt iedereen een andere indruk van ons. Niemand ziet in één oogopslag het hele beeld – en niemand ziet wat er onder het uiterlijk verborgen zit, behalve dat wat wij willen laten zien of wat anderen onthullen als ze ons beschrijven. En alles wat een ander zegt, zal de waarheid onvermijdelijk vervormen, hoe weinig ook, als een spiegel of de lens van een camera. Niemand van ons kan een ander waarlijk begrijpen. Hoe kunnen we ook, als we onszelf niet eens begrijpen?

Zo was het met Jean-Pierre. Zo was het ook met mijn vader en de prinses. En zo was het ook met mij. Zelfs nu, terwijl ik Het Kanaal overstak, nam ik een andere vorm aan en draaide ik mijn Parijse kant weg van het licht, zodat hij werd verborgen.

Toch was ik me er tegelijkertijd van bewust dat Parijs en Ginette hun stempel op me hadden gedrukt. Er was meer in het leven dan *metro, boulot, dodo*.

De Cara Sinclair die op Heathrow landde, was nog steeds de trouwe echtgenote van Nigel en de loyale secretaresse van Miles Goodchild, maar ze had een beetje Parijs in haar bloed...

'Hoe was het in het vrolijke Paris?' informeerde Sergeant, met een ondeugende knipoog, toen ik langs zijn balie kwam. 'Ik hoop dat je naar de Moulin Rouge bent geweest. Cha-cha-cha.'

Ik moest opeens aan General de Gaulle denken en ik glimlachte.

'Heb je een fijn paasweekend gehad?' vroeg Dorothy.

'Geweldig, dank je. En jij?'

'Heerlijk. Onze kleindochter is komen logeren. Ze is zo'n lief en zoet kind. Ze heeft het hele weekend nauwelijks gehuild. We hebben een heleboel foto's gemaakt – ik zal ze meebrengen als ze klaar zijn.'

Juliette stak haar hoofd om de hoek van de deur van mijn kantoor, net toen ik de post had opengemaakt. 'Hoe was de knappe prins?'

Ik grijnsde. 'Dat was hij nog ook.'

'Ben je nog iets te weten gekomen?'

'Een heleboel, maar niet precies de dingen waarvoor ik erheen was gegaan.'

'Wat bedoel je daarmee?'

'Ik bedoel dat ik meer weet dan toen ik vertrok.'

'Je doet wel heel geheimzinnig. Is hij aan je voeten in zwijm gevallen of heeft hij je de helft van het familiefortuin aangeboden of zoiets?'

Ik lachte. 'Niets van dat alles. Ik heb gewoon een heel interessante tijd gehad.'

'Zullen we vandaag samen lunchen?'

'Dat zou ik wel willen, maar laat ik eerst even kijken hoe het met Miles zit.'

Toen ging de telefoon en kondigde Dorothy aan: 'Massimo Patrizzi aan de lijn.' Ik greep naar mijn stenoblok en schakelde van Engels en Frans over op Italiaans, terwijl Massimo Patrizzi *Pronto! Pronto!* in mijn linkeroor schreeuwde.

Miles kwam een uurtje later, met een glimlachje dat zowel engelachtig als duivels was en me deed denken aan een ondeugende scholier die probeert iets geheim te houden. Het was een glimlach die ik herkende en die meestal een nieuwe aanwinst voorspelde. Als ik bedacht dat Sir Utley Trusted tot zijn weekendgasten had behoord, leek het niet onmogelijk dat Trusted Supermarkets kandidaat was voor een overname.

'Heb je het leuk gehad in Parijs?' vroeg hij.

'Enig, dank je. Hoe was jouw Pasen?'

'Heel goed. Ik heb vijftigduizend frank gewonnen met roulette, wat het nog leuker heeft gemaakt.'

Geen woord over Sir Utley Trusted, hoewel het me had verbaasd als hij iets had gezegd. Ik lachte en moest aan prins Dmitri denken.

Met het werk van donderdag dat er nog lag, vloog de ochtend voorbij en ik zag geen kans om Tobin te bellen. Om één uur ging Miles lunchen en wipten Juliette en ik naar de sandwichbar waar ik mijn confrontatie met Ludo Zakharin beschreef en ze mij over haar weekend met haar man in Devon vertelde. 'Het was hemels,' zei ze intens tevreden, 'vier hele dagen samen. We hebben in een fantastisch hotelletje gelogeerd, aan een beek. Dat was net iets voor jou geweest...'

Behalve dan dat zo'n weekend met Nigel nooit zou plaatsvinden.

We waren nog niet lang terug van de lunch toen Tobin belde. 'Ik vond dat ik je maar beter even tijd kon gunnen om er weer in te komen voor ik je belde.'

'Bedankt, het was een behoorlijk hectische ochtend.'

'Wanneer ben je teruggekomen?'

'Vanmorgen. Ik ben van het vliegveld meteen naar kantoor gegaan.'

'Hoe is het gegaan?'

'Schitterend. Ik heb je een boel te vertellen.'

'Heeft Ludo je meteen als lang verloren nicht in de armen gesloten?'

Ik lachte. 'Nee, niet bepaald.'

'Maar je hebt hem je verhaal wel verteld?'

'Natuurlijk. En hij heeft me een heleboel over zijn vader en de prinses verteld. Wist je dat ze gokte?'

'Gokte? Nee, dat hoor ik voor het eerst.'

'Zij, en de graaf kennelijk ook.'

'Lieve hemel! Daar had ik geen idee van.'

'Kennelijk gingen ze dikwijls naar de races van Longchamps.'

'Als je me nou. Zo zie je maar weer. Je kunt iemand kennen en tegelijkertijd helemaal niet kennen.'

Ik vertelde hem wat Ludo had gezegd, over de prinses die in Parijs schulden had gemaakt en dat Dmitri haar uit de brand had geholpen, en over hun laatste kaartspel waarbij zij de twee portretten had ingezet.

'Het wordt steeds vreemder,' zei hij zacht. 'En wat had hij over de portretten zelf te zeggen?'

'Hij zou ze graag willen kopen. Daar is geen twijfel aan. O, maar Tobin, ik moet je het allervreemdste nog vertellen, en dan moet ik ophangen, vrees ik. Ik heb Miles net horen terugkomen. Ludo had daar een portret van Angelini's dochter, van toen ze nog klein was. Dat was zo prachtig. Als ik er het geld voor had gehad, had ik het ter plekke gekocht.'

'En hij wist verder niets over Angelini's familie?'

'Nee, hij zei tegen ons hetzelfde als tegen jou. Dat hij geen idee had wat er met ze was gebeurd nadat ze naar Italië waren teruggegaan.'

'O, nou ja, het was de moeite van het proberen waard en het spijt me dat het is mislukt.'

'O, het was helemaal geen mislukking. Maar hoor eens, ik moet nu ophangen. Het spijt me!

'Natuurlijk. Ik kan de goede Miles toch niet laten wachten. Wanneer kan ik je zien?'

Ik had graag gezegd: 'Vanavond?' Maar mijn gezonde verstand won het. Het was mijn eerste avond thuis en Nigels laatste voor hij op verkenning naar Amerika ging. 'Vanavond kan ik beter naar huis gaan,' zei ik met tegenzin, 'maar morgen misschien?'

'Dan bel ik je morgenmiddag. Hoe klinkt dat?'

'Geweldig. Dag dan.'

Ik kwam die avond thuis in een flat die eruitzag of hij door een bom was getroffen en rook zoals een kroeg na een wilde avond ruikt. In de gang, de woonkamer en het eetgedeelte stonden overvolle asbakken, en op elk beschikbaar oppervlak stonden lege glazen, wijnflessen en bierblikjes. Her en der lagen kussens op de grond. Chips en pinda's waren vertrapt. In de keuken stonden stapels vuile borden, bergen bestek en stapels bekers. De afvalemmer was boordevol. Op het afdruipvlak lagen theezakjes tussen een halve pot gemorste oploskoffie. Het was duidelijk een geweldig feest geweest.

Ik werd opeens woedend. Ik nam mijn koffer mee naar de slaapkamer, waar ons bed onopgemaakt was en Nigels kleren her en der op de grond lagen. In de badkamer zat aangekoekte zeep in de wastafel en de douche, op het deksel van het toilet lag een vochtige handdoek en stak het lege rolletje van het toiletpapier nog in de houder, terwijl een nieuwe rol uitgerold op de grond lag, alsof er een jonge hond mee aan de haal was gegaan.

Ik had niet verwacht dat Nigel zou stofzuigen en schoonmaken. Ik had niet verwacht dat het bed verschoond zou zijn of de was gedaan was. Met andere woorden, ik had niet op een wonder gehoopt. Maar ik had aangenomen, zeker omdat hij degene was met een obsessie voor netheid, dat hij er toch voor zou zorgen dat de flat er bij mijn terugkeer netjes zou uitzien – zoals ik dat altijd voor hem deed als hij uit het buitenland terugkwam – of zelfs als hij aan het eind van de dag uit kantoor kwam...

Toen kwam het bij me op dat dit misschien een vorm van protest was omdat ik was weggegaan: een kinderachtig 'ik zal haar eens wat laten zien, dan zal ze zich wel schuldig voelen'. Maar in dat geval had hij een normale rommel achtergelaten, zoals in de slaapkamer en de badkamer. Nee, Nigel had besloten een feestje te geven en had domweg aangenomen dat ik zijn rommel wel zou opruimen als ik thuiskwam. Het was niet uit protest omdat hij zich verwaarloosd voelde, maar je reinste achteloze, verdomde egoïsme.

Ongerust ging ik de logeerkamer in, maar tot mijn opluchting was die nog net zo netjes als ik hem had achtergelaten. Ik zette mijn koffer op de grond en ging op het bed zitten.

Mijn vaders dichtbundel zat nog in mijn handtas. Ik haalde hem eruit en sloeg hem open bij het allereerste gedicht, terwijl ik bedacht dat mijn vader nooit kon hebben gedacht dat zijn dochter, zestig jaar later, zijn woorden zou lezen en ze zo van toepassing zou vinden op haar eigen huwelijk.

> *Aan liefde komt een keer een eind:*
> *Op de zoete dag volgt de donkere nacht;*
> *Toen we nog jong waren, hadden we lief, maar nu*
> *eindigt intens lichamelijk genot in somberheid.*
> *Het heeft zo moeten zijn:*
> *Na een warme lach zijn we nu zwaar van tranen.*
> *Geen lieve woordjes meer; het hart houdt op te slaan;*
> *We verzinken in jaren van diepe stilte.*

Op dat moment ging er iets dood in me. Het knapte of brak niet met een verscheurend gekraak. Het ontplofte niet en ging niet in rook op. Het schreeuwde niet van ellende. In plaats daarvan gaf het de ongelijke strijd om het leven ineens op, als een kwijnende plant, waarvan het blad aan het verwelken is en de wortels onder de grond al een tijdje aan het wegrotten zijn. En toen het gebeurde, had ik bijna een gevoel van opluchting, alsof ik er niet langer verantwoordelijk voor was dat iets in leven te houden, terwijl ik al die tijd diep in mijn hart had geweten dat het geen nieuw leven kon worden ingeblazen.

Ten slotte ging ik puin ruimen. Ik zette alle ramen open en stopte alle rommel in een vuilniszak. Ik waste en droogde af, haalde een doek over alle oppervlakken, dweilde de keukenvloer en zoog het kleed in de gang en de woonkamer. Ik maakte het bed op en maakte de badkamer schoon, waarna ik mijn koffer uitpakte en het bed in de logeerkamer opmaakte. Ten slotte ging ik terug naar de keuken om te zien of in de provisiekast of koelkast nog iets te eten stond. Het brood was beschimmeld, maar de koelkast was nog vol. Nigel had zich kennelijk verlaten op afhaalmaaltijden, of hij had buiten de deur gegeten.

Ondanks al mijn geren en gedraaf kreeg ik het opeens heel koud. Zo koud dat ik onbeheerst begon te rillen. Ik deed de ramen dicht en schonk mezelf een stevige slok in van de whisky die ik in de taxfree winkel op Charles de Gaulle voor Nigel had gekocht. Langzaam begon mijn bloed weer door mijn aderen te stromen, zij het traag, en begon ik weer warm te worden. Maar mijn geest bleef als verdoofd en het was of er een steen op mijn hart lag.

Tegen de tijd dat de voordeur openging en Nigel binnenkwam, had ik mezelf weer min of meer in de hand. Ik hoorde hem door de gang naar de keuken gaan en een verbaasde brom geven. Toen kwam hij de woonkamer binnen en zag mij. 'Wat doe jij hier in 's hemelsnaam?' wilde hij weten. 'Je zou morgen pas terugkomen.'

'Nee. Vandaag. Dinsdag.'

'O, God. Het spijt me.' Hij liet zijn verontschuldiging als een beschuldiging klinken.

'Ik neem aan dat je een feestje hebt gegeven.'

'Het was eigenlijk geen feestje als zodanig. Ik heb alleen Bo en een paar andere mensen gevraagd iets te komen drinken en iedereen is langer gebleven dan ik had verwacht. Bovendien was het vier uur toen de laatsten vertrokken. Ik was van plan vanavond op te ruimen. Maar ik zie dat jij het al hebt gedaan. Bedankt.'

Ik knikte alleen.

'En, heb je het leuk gehad in Parijs?'

Ik knikte weer.

'Cara, ik wist echt niet dat je vandaag zou terugkomen. Ik dacht eerlijk dat je morgen pas zou komen.'

'Ten eerste moest ik vandaag werken. En ten tweede, als ik morgen was teruggekomen, had ik je niet meer gezien voor je naar Amerika ging.'

'O, daar heb ik niet aan gedacht. Nou, vooruit, vertel op. Hoe was Parijs?'

'Geweldig. Ik heb er echt van genoten. En ik wilde dat ik er was gebleven.'

Hij zoog zijn adem in. 'Als dit het soort bui is waarin je bent teruggekomen, had je er misschien inderdaad beter kunnen blijven.'

'Ik ben in geen enkel soort bui teruggekomen. Ik voelde me echt goed tot ik deze flat binnenkwam.'

Hij schudde geërgerd zijn hoofd. 'Ik heb tijd noch energie noch zin om ruzie te maken. Ik heb gezegd dat het me spijt en meer kan ik niet doen. Nu ga ik verder met pakken.'

Dat was mijn thuiskomst uit Parijs. En dat was het einde van mijn liefde voor Nigel. En dat was eigenlijk het begin van het eind van ons huwelijk.

Ik vind het nog steeds vreemd, als ik eraan terugdenk. Ik hield niet op van Nigel te houden en ons huwelijk begon niet uit elkaar te vallen vanwege een gootsteen vol afwas en het feit dat er geen nieuwe rol toiletpapier was opgehangen. En ook niet omdat hij zijn carrière boven al het andere stelde. Of omdat naar Parijs gaan een rusteloosheid bij me had opgeroepen. Of omdat hij met Bo Eriksson naar Amerika ging. Of omdat ik Tobin had ontmoet.

Al die dingen droegen uiteindelijk wel bij tot het mislukken van ons huwelijk, maar ze waren er niet de oorzaak van. Mijn liefde ging dood, omdat ik besefte dat Nigel niet alleen onattent en zelfzuchtig was, maar omdat hij niet meer van me hield. Als hij van me had gehouden, was hij niet vergeten op welke dag ik zou thuiskomen. Als hij van me had gehouden, had het hem wel zoveel kunnen schelen dat hij het had onthouden. En wat misschien nog het allerverdrietigste was, was dat het mij ook niet meer kon schelen. Vroeger wel, maar nu niet meer. Zo snel en simpel was dat.

We gingen niet tegen elkaar tekeer, er werden over en weer geen bittere beschuldigingen geuit, er was geen openlijke breuk, geen enorme schismatische kloof: geen uiterlijk teken eigenlijk dat er van het ene moment op het andere ook maar iets was veranderd.

Terwijl hij pakte, maakte ik een maaltijd voor ons klaar. Ik sliep niet in de logeerkamer zoals ik vaag van plan was geweest. De volgende morgen wekte ik hem bij het ochtendgloren, belde een taxi om hem naar het vliegveld te brengen en gaf hem een vluchtige zoen toen hij vertrok.

Maar vanaf dat moment was de heerlijke tijd van onze liefde voorbij en begon de donkere nacht te vallen.

Hoofdstuk 16

In tegenstelling tot mijn ontvangst door Nigel liet mijn hereniging met Tobin bij Chattertons niets te wensen over. Ik gaf hem het dichtbundeltje van Baudelaire dat ik bij Shakespeare & Co. had gekocht, waarmee hij veel opgetogener en blijer was dan ik had verwacht.

'Zoiets heb ik nog nooit gezien!' riep hij uit, en hij hield het bijna net zo eerbiedig vast als mijn vaders dichtbundel. Hij probeerde zelfs het eerste gedicht te vertalen – en dat deed hij veel beter dan ik had verwacht. 'Niet slecht voor iemand die na zijn schooltijd geen Frans meer heeft gesproken, hè?'

Toen liet hij me alle bijzonderheden van ons gesprek met Ludo Zakharin herhalen en luisterde even aandachtig naar mijn beschrijving van al het andere dat Ginette en ik in het weekend hadden gedaan. Ik vertelde hem ook van Ginettes verhouding – hoewel ik haar commentaar over Nigel, Miles en hem niet herhaalde.

Op het menu stonden mediterrane garnalen met knoflook en boter. 'Moet je vroeg naar huis?' vroeg Tobin.

'Nee, Nigel is onderweg naar de Verenigde Staten.' Zijn vlucht was om tien uur 's morgens van Heathrow vertrokken, wat betekende dat hij om negen uur 's avonds Engelse tijd en één uur 's middags plaatselijke tijd in Los Angeles zou landen. Ik betwijfelde ten zeerste of hij me na aankomst zou bellen en als hij dat wel deed en er werd niet opgenomen, dan had hij pech gehad.

Ik zei Tobin niets van wat ik in Linden Mansions had aangetroffen: dat was iets wat alleen Nigel en mij aanging. 'Hoe was jouw weekend?' vroeg ik.

'Dat was zo-zo. Harvey en Gwendolen waren in de stad en ik heb zaterdag met ze gegeten. Het ziet er trouwens naar uit dat er een koper is voor Beadle Walk. En zaterdag heb ik met mijn kinderen doorgebracht. Ik neig tot de conclusie dat kinderen erop vooruitgaan naarmate ze ouder worden. Joss is heel menselijk aan het worden en Pamela wordt een buitengewoon knappe meid. Ze heeft haar eerste echte vriendje – een medeballetstudent. Ik neem ze volgende week allebei mee uit eten. Dat wordt een heel nieuwe ervaring. Maar toch, het is vleiend dat ze mijn gezelschap zoekt.'

Ik voelde een scherpe steek van jaloezie, zo pijnlijk dat het me moeite kostte om het niet te laten merken. Ik wist dat het idioot was om jaloers te zijn op Tobins broer en op zijn kinderen – zijn broer en zijn kinderen nog wel! – , maar ik kon er niets aan doen. Ik hield mezelf voor dat ik ontzet zou zijn als hij jaloers was op tante Biddie en Miranda – of zelfs op Nigel. Maar dat hielp evenmin. Mijn oude plaaggeest was terug, en hoe, en al mijn oude onzekerheden kwamen weer boven. Het was of een oud litteken, zo op het oog onzichtbaar en daardoor bijna vergeten, opspeelde om me aan zijn bestaan te herinneren...

Aan het eind van de avond bracht Tobin me met de auto thuis.

Als je als passagier in een auto zit, zeker 's avonds, is het net of je met iemand een kamer deelt en nog praat als het licht al uit is, in die zin dat je vindt dat je dingen kunt zeggen die je anders niet zou zeggen. 'Mag ik je iets persoonlijks vragen?' vroeg ik.

'Wat je maar wilt.'

'Wat is er misgegaan in je huwelijk?'

'Ah.' Hij nam Hyde Park Corner en zei toen: 'Nou, dat verhaal is eenvoudig genoeg. Ik trouwde het verkeerde meisje en zij trouwde de verkeerde man. We ontmoetten elkaar tijdens mijn eerste baantje. Dawn was typiste, ze werkte voor de beauty-redacteur van het tijdschrift. Ze was heel knap, erg sexy en de mannen zwermden om haar heen als bijen om kamperfoelie. Ik was de gelukkige aan wie ze de voorkeur gaf.

We trouwden en binnen een jaar was ze zwanger van Joss. Ze gaf haar werk op en speelde huisvrouw en moeder, wat leuk was tot de nieuwigheid eraf begon te gaan. Toen ging ze zich vervelen. Ze miste haar vrijheid, ze miste haar uitjes met vriendinnen, ze miste de bewondering van andere mannen. We begonnen afschuwelijke ruzies te krijgen. Toen werd ze weer zwanger en werd Pamela geboren.

Joss was een heel lieve baby geweest, maar Pamela was afschuwelijk. Ze huilde de hele nacht en had voortdurend aandacht nodig. Om de problemen nog erger te maken, overleed Alice kort nadat Joss was geboren en kwam Howard in Londen wonen. Zoals ik je al heb verteld, bracht hij meer tijd bij ons door dan op Beadle Walk, en dat maakte de verhouding tussen Dawn en mij er ook niet beter op. Toen hij eenmaal met de prinses was getrouwd, werd het allemaal wat rustiger, dat wil zeggen dat we hem minder zagen, maar de klad zat er toen al in.

Ik werkte destijds bij Astra Publishing en een van mijn collega's was een beeldschoon, monter meisje dat Penny heette. We gingen op zakenreis en we eindigden samen in bed. Onze verhouding duurde een maand of zes, tot een gemeenschappelijke kennis het op zich nam Dawn in te lichten. Ik hoef je niet te vertellen dat er een enorme scène van kwam. Ze maakte dat ik me een doortrapte ellendeling ging voelen, wat ik natuurlijk ook was. Maar we zoenden het af en legden het bij.'

Hij zweeg even toen hij om Marble Arch heen reed en ik zat doodstil.

'Penny vond ergens anders een andere baan. Ze had niet echt een alternatief. We konden niet samen blijven werken. Maar tegen die tijd bloedde de verhouding toch al langzaam dood. Ze heeft het eigenlijk uitstekend gedaan. Ze is tegenwoordig hoofd van de kunstafdeling van Rambler Books.'

'Dus je hebt nog wel contact met haar?'

'Ja zeker. We zijn zelfs nog heel goede vrienden. Rambler publiceert non-fictie kinderboeken en Penny geeft me af en toe opdrachten.'

'O, zit dat zo,' zei ik met zachte stem.

Hij lachte. 'Iemand, ik weet niet wie, zei eens dat een man en een vrouw pas echt vrienden kunnen worden als ze een verhouding hadden kunnen hebben en samen hebben besloten het niet te doen – of als ze wel een verhouding hebben gehad en elkaar daarna nog steeds aardig vinden.'

En wat moest ik daar nou van denken, vroeg ik me af.

'Waarom ben je naar Dawn teruggegaan?' vroeg ik ten slotte.

'Voornamelijk vanwege de kinderen.'

'Hield je nog van haar?'

'God, het is moeilijk om terug te kijken en te proberen je te herinneren wat je op een bepaald moment voelde, maar ik denk eigenlijk van wel, anders had ik nooit gepikt wat ik allemaal heb gepikt. Na Penny schreef Dawn me de wet voor. Toen mijn vader overleed en ik als freelancer ging werken, keerden we de rollen zo'n beetje om. Omdat ik thuis werkte, besloot Dawn dat ik huisman zou worden, terwijl zij weer aan het werk ging.

Ze nam een baan aan als secretaresse van de moderedacteur van een van de dagbladen. Een tijd lang ging alles prima – vanuit haar oogpunt, niet vanuit het mijne. Ik zorgde voor de kinderen als ze uit school kwamen en in de vakanties. Als Dawn uit kantoor kwam, was het eten klaar. Enzovoort.

Toen gebeurde het onvermijdelijke. Ze begon steeds later thuis te komen en vaker dan niet was ze dronken. Ze belde vaak dat ze op kantoor was opgehouden, maar uit het achtergrondlawaai kon ik opmaken dat ze in een kroeg zat. Ten slotte raakte mijn geduld op. We kregen een enorme ruzie, waarbij ze mij er – onder andere – van beschuldigde dat ik een saaie Piet was geworden. En dat was ik waarschijnlijk ook, omdat ik nooit uit dat rothuis leek te komen.

Nou, we sukkelden nog een paar maanden door en toen kondigde ze plotseling aan dat ze verliefd was op een journalist van de nieuwsredactie, een vent die Mark Osborne heette, en dat ze wilde scheiden. Natuurlijk heb ik Mark uiteindelijk ontmoet en het vreemde was dat ik hem onder andere omstandigheden best aardig had gevonden. Hij was gescheiden en had een stel kinderen die hij onderhield. Zijn vrouw was er met een ander vandoor – dat is tenminste wat Dawn me vertelde.

Onze scheiding verliep buitengewoon onaangenaam. Mijn voornaamste zorg gold de kinderen en ik probeerde de voogdij over ze te krijgen. Maar Dawn had een zeer doortastende advocaat, van een firma die voor de krant werkte en tegen wie mijn jonge advocaat geen schijn van kans had. Terwijl het gekrakeel aanhield, raakten de kinderen natuurlijk steeds meer van streek. Uiteindelijk, of dat nu goed of fout was, gaf ik toe en liet ze met haar meegaan. En natuurlijk beloofde ik voor hun onderhoud te betalen. Ze melkte me volkomen uit. Ons huis in Blackheath moest worden verkocht – er zat nog een enorme hypotheek op – en op de een of andere manier hield ik net genoeg over om een aanbetaling te doen op een kleine tussenwoning in Fulham. En dat is het wel zo'n beetje.'

'Wat voelde je eigenlijk, toen ze je over Mark vertelde?' vroeg ik met een klein stemmetje.

Hij zuchtte diep. 'Wil je de waarheid?'

'Ja.'

'Nu, afgezien van mijn zorg om de kinderen kreeg vooral mijn mannelijke eergevoel een dreun. Afwijzing doet altijd pijn. Maar, zoals dat met alle kneuzingen gaat, ben ik ervan hersteld. Het duurde aanzienlijk langer om te verwerken dat ik de kinderen kwijt was. Dat was buitengewoon pijnlijk, vooral toen Dawn ze tegen me probeerde op te zetten. Maar nu ze ouder zijn, kunnen ze de dingen duidelijker zien.'

'En sinds je scheiding?' dwong ik mezelf te vragen. 'Heb je veel vriendinnen gehad?'

Hij lachte droogjes. 'Nou, de afgelopen zeven jaar heb ik een paar keer een verhouding gehad die je serieus zou kunnen noemen. De tweede eindigde een jaar geleden en sindsdien leid ik een zeer kuis bestaan. Niet zozeer uit vrije keus als wel uit noodzaak, moet ik bekennen. Als je getrouwd bent, lijkt de wereld vol aantrekkelijke, loslopende vrouwen. Maar als je alleen bent, blijken ze opeens allemaal getrouwd te zijn.'

Geen van ons beiden zei nog iets tot we op West Hill kwamen, waar hij aan het eind van de inrit stopte en de motor uitzette. Er hing een bijna voelbare spanning in de lucht, alsof we allebei wachtten tot de ander iets zou zeggen of doen. Mijn hart bonsde zo hevig dat ik haast zeker wist dat Tobin het kon horen.

Opeens draaide hij zich om en nam me in zijn armen, trok me dicht tegen zich aan en kuste me, heel anders dan hij me ooit eerder had gekust, niet licht en zacht, maar stevig en hard en vol hartstocht. Toen trok hij zich even abrupt terug, hield me bij de schouders en keek me in de ogen, met ogen als diepe, ondoorgrondelijke, donkere poelen.

Ik begon te beven en hij ontspande zijn greep. 'Het spijt me, dat was niet mijn bedoeling.'

Ik wilde zeggen: 'Ik ben blij dat je het hebt gedaan', maar er kwamen geen woorden. En ik wist niet helemaal zeker of ze dan wel gemeend waren geweest.

'Toen ik weer vrijgezel was, heb ik me de regel gesteld dat ik nooit iets met een getrouwde vrouw zou beginnen. Maar toen kwam jij in mijn leven.'

Ik verstijfde.

'Gaat het wel met je?' vroeg hij.

'Ja,' fluisterde ik. 'Prima.'

Ik stapte uit en liep zonder om te kijken de rest van de oprit af, Nigels Porsche voorbij en Linden Mansions binnen.

Het duurde die avond een hele tijd voor ik in slaap viel. Nou, dat was het antwoord op Ginettes vraag. En hoever kwam ik ermee? Van één kant bekeken, maakte het Tobin niet beter dan Nigel. Anderzijds was Dawn niet bepaald een engel geweest.

En die kus, voor ik uitstapte? Wat had die betekend? En zijn laatste woorden? Hoe moest ik die opvatten?

Ten slotte gaf ik mijn vruchteloze gevraag op en viel in een onrustige slaap.

Ik had gelijk dat Nigel niet belde. Hij liet zelfs helemaal niets van zich horen. In plaats daarvan belde donderdagochtend een meisje me op kantoor. 'Met Massey Gault Lucasz en Sinclair,' zei ze. 'Nigel heeft net vanuit de Verenigde Staten gebeld en me gevraagd je te zeggen dat hij goed is aangekomen.'

'O, ik begrijp het,' zei ik en zweeg. Maar het zag ernaar uit dat Tracey verder niets te melden had. 'Bedankt dat je het me hebt laten weten.'

'Dat is oké,' antwoordde ze en hing op nu ze haar plicht had gedaan.

Het kwam bij me op dat ik geen telefoonnummer van hem had in Amerika en dat ik, als ik hem zou moeten bellen, Tracey, wie dat dan ook mocht zijn, zou moeten bellen en haar ernaar zou moeten vragen, of haar een boodschap moeten laten overbrengen. Maar omdat ik hem niets te zeggen had, was het misschien maar beter zo.

Op zaterdag zat ik het grootste deel van de dag te schrijven. Ik moest Ginette en Ludo Zakharin een bedankbriefje sturen, en daarna had ik mijn dagboek en Het Boek. 's Avonds – toen Tobin met Pamela en haar vriend-je naar de schouwburg was – at ik bij Sherry en Roly. Nogal tot mijn verbazing merkte ik dat ik het over Tobin kon hebben zonder dat mijn stem me verraadde. Of anders leek Sherry en Roly niets ongewoons op te vallen.

Op zondagochtend belde ik tante Biddie om haar eveneens van alles op de hoogte te brengen – nou ja, van bijna alles. Maar hoewel ze geïnteresseerd was, was ze eigenlijk met haar gedachten bij de kerkklok.

Het opknappen van de buitenkant van de kerk was inmiddels begonnen en Tom, de schilder, was de avond voor Goede Vrijdag op de steiger geklommen en had een spandoek opgehangen dat door het Women's Institute was gemaakt, met daarop de woorden: RED ONZE KLOK. Een van de populaire dagbladen had het verhaal opgepikt en had, omdat ze het idee van een klok zonder wijzerplaat wel leuk vonden, een foto van het spandoek tegen de lege muur van de klokkentoren gepubliceerd.

'Wat er ook gebeurt, wij gaan het winnen,' kondigde tante Biddie aan.

Ik lachte, dankbaar dat ze zo door de kerkklok in beslag werd genomen dat ze minder op mijn gemoedstoestand lette dan anders.

Daarna ging ik een lange wandeling over de Heath maken.

Het was een heerlijke lentedag. Mensen lieten hun hond uit en waren met hun kinderen aan het vliegeren of met modelvliegtuigjes aan het vliegen. Ik liep met mijn handen in mijn zakken en dacht aan Ginette. '*Als ik bij Jean-Pierre ben, ben ik heel gelukkig. Als we niet bij elkaar zijn, ben ik erg ongelukkig.... Ik zou niet zoveel van Jean-Pierre houden als ik zijn ondergoed moest wassen en voor hem moest zorgen als hij verkouden was... Ik heb mijn eigen flatje, mijn onafhankelijkheid, mijn vrijheid. En Jean-Pierre heb ik ook.*'

Maar ik zat anders in elkaar dan Ginette. Maîtresse zijn, een verhouding hebben, was niets voor mij. Ik was niet geschikt voor een dubbelleven: dat ik Nigel niet van de prinses en Tobin had verteld – hoewel ik niets had om me schuldig over te voelen –, was al erg genoeg.

Er had echter meer dan een greintje waarheid gezeten in wat ze over het huwelijk en echtgenotes had gezegd. Je trouwde uit liefde – of tenminste wat je dacht dat liefde was. En zoals zij zei, ontdeed het huwelijk de liefde van alle romantiek. Het ontdeed haar ook van heel wat andere dingen. En in mijn geval gaf het er weinig voor terug.

In wezen was het enige echte voordeel dat ik nu met Nigel was getrouwd, materieel. Ons gezamenlijke inkomen stelde ons in staat in Linden Mansions te wonen en uit eten te gaan wanneer we maar wilden. Ik kon een eigen auto hebben, kleren kopen, naar Parijs gaan. Als we uit elkaar gingen, zou ik van mijn salaris niet in dezelfde stijl kunnen leven.

Wat was de prijs van die manier van leven? '*Ik heb mijn eigen flatje, mijn onafhankelijkheid, mijn vrijheid.*' Wat was de prijs van vrijheid? En wat had vrijheid voor waarde als ze stond voor leegte, met niets om het gat te vullen dat de ander had achtergelaten?

Ik dacht na over Nigel. Wat waren de voordelen van een huwelijk van zijn kant bekeken? Ze moesten precies dezelfde zijn. Hij had het voordeel dat hij een huis had met een huishoudster om voor het huis en voor hem te zorgen.

'*Ze is bijna vijftig en ze heeft weinig kans een andere echtgenoot te vinden, zeker niet een die zo goed voor haar is als Jean-Pierre... Hij vrijt nooit met haar. Hij koopt nooit speciale cadeautjes voor haar. En hij is meestal bij mij.*'

Het was bijna of Ginette mij had beschreven. Alleen was ik nog geen vijfendertig – over een paar weken pas. Zeker, vijfendertig was niet bepaald jong, maar vijftig zou een echte midlifecrisis betekenen. En Nigel had een verhouding met zijn werk, niet met iemand als Ginette.

Maar hier schoot ik niet erg mee op. Het was allemaal negatief, het opnieuw verkennen van bekend terrein. '*Vertel me het oude, stokoude verhaal.*' Dat was de eerste regel van een liedje dat tante Biddie altijd zong toen ik nog klein was en 'een van die fases' in mijn ontwikkeling doormaakte. Mijn hele leven, leek het wel, was 'een van die fases'.

Wat ik moest doen, was mijn emotionele huis op orde brengen – mijn leven in vakjes verdelen – en elk vakje apart bekijken. Als ik dat kon, zou ik mezelf niet alleen veel ellende besparen, maar er misschien zelfs achter komen wat ik met de rest van mijn leven wilde.

Toen ik weer in de flat was, zette ik een punt achter mijn zelfbeschouwing, zette een pot thee voor mezelf en kroop in een fauteuil met *Tender is de Night*. Dat was dan misschien niet het juiste boek om te lezen in de stemming waarin ik verkeerde, maar het speelde wel in de juiste tijd en het juiste land – de jaren twintig in Frankrijk – en al was het af en toe intens verdrietig en was de knoeiboel die de personages van hun leven maakten niet erg geruststellend, het was prachtig geschreven en F. Scott Fitzgeralds opmerkingen waren nog net zo relevant als vroeger.

De week erna belde Tobin me een paar keer, maar hij maakte geen toespeling op ons gesprek op de terugweg naar Linden Mansions, en hij zinspeelde ook niet op onze kus. En we zagen elkaar evenmin. Wat hem betrof, hij had een haastklus die hem de eerste paar dagen helaas volkomen in beslag zou nemen.

Wat mij betrof, hield Miles me op kantoor buitengewoon druk bezig. Het leed geen twijfel meer dat Miles iets van plan was. Hij hield een heleboel vergaderingen in zijn suite in het Ambassador – waar James Warren soms bij aanwezig was. De telefoonlijnen bleven gonzen van bedrijvigheid, met bellers als Sir Utley Trusted, Oswald Jaffe van Allied Vintners en Craig Vidler, de president van WWT. Maar ik had er geen idee van wat ze bespraken. Juliette ook niet, hoewel ook zij besefte dat er iets ophanden was.

Later vroeg ik me af of ik het had moeten zien aankomen, maar daar was geen reden voor. Ik dacht in termen van overnames en fusies. Net als iedereen bij de financiële pers en op de effectenbeurs. Het gevolg was dat de waarde van de aandelen van de Goodchild Group steeg, zoals altijd wanneer men dacht dat Miles op overnamepad was.

Op vrijdag belde Tracey weer, deze keer om me te vertellen dat Nigel de volgende dag terug zou vliegen, en de avond erna kwam hij keurig thuis, zeer gebruind, doodmoe en erg afwezig. Beleefd was het woord, veronderstel ik, om zijn manier van doen jegens mij te beschrijven en ik nam dezelfde houding aan.

Ondanks zijn jetlag ging hij niet meteen naar bed, maar bleef op om me over zijn reis te vertellen: de honderden kilometers die ze hadden gereden tot ze bij het Silurianmeer kwamen – dat geen meer meer was, maar woestijn. Het was ongeveer drie uur rijden van Los Angeles en het dichtstbijzijnde stukje bewoonde wereld was een gat dat Baker heette en bestond uit een paar huizen, een paar motels en een hamburgertent die naast elkaar aan de snelweg lagen. 'Niet echt een vakantieoord, maar precies het soort locatie dat ik in gedachten had toen ik me de reclameboodschap voorstelde,' zei hij.

Rick, de cameraman, en hij hadden het samen kennelijk uitstekend kunnen vinden, want hij had het meer over hem dan over Bo. Zijn opmerkingen over Bo bleven eigenlijk beperkt tot dingen als: 'Ja, het gaat prima met haar. Ze weet waar ze het over heeft. Ze is erg vastberaden.' Als ik tussen de regels door las, kreeg ik de indruk dat Bo en hij een paar forse botsingen hadden gehad, en dat gaf me een kwaadaardig soort voldoening.

Zoals dat ging met weekenden, had ik wel eens een beter weekend gehad, maar het had ook veel slechter gekund. Het was of we, met onuitgesproken wederzijdse instemming, ieder voor zich hadden besloten niets te doen om de ander nodeloos tegen de haren in te strijken.

Die zondagochtend sliep hij uit en 's middags nam hij me mee voor een ritje in de Porsche, waarbij hij me terloops vertelde dat hij vrijdags weer naar Californië zou gaan, met de verklaring: 'Dan hebben we het weekend om bij te komen van de jetlag en ons te organiseren voor we maandag beginnen met filmen.'

De rest van die week zag ik hem alleen 's morgens even en elke avond een uurtje of zo, want hij had het heel druk met besprekingen en het afronden van afspraken voordat ze de spot konden opnemen.

Eén avond gingen Tobin en ik na het werk snel iets drinken bij Chattertons, maar er hing een geforceerde sfeer die er vroeger nooit was geweest. Onze conversatie was vormelijk en Tobin keek steeds op zijn horloge. Eerst dacht ik dat hij om mij de tijd in de gaten hield, maar uiteindelijk gaf hij toe dat hij met iemand zou gaan eten als hij bij mij wegging.

'Nota bene met Penny, over wie ik je laatst vertelde,' zei hij. 'Ze heeft een erg opwindend nieuw project op stapel staan – een hele serie boeken over de natuur. Ik hoop dat ik daar wat illustraties voor mag maken.'

Om halfacht gingen we bij Chattertons weg en gingen we ieder ons weegs. Toen ik thuiskwam, schonk ik mezelf een stevige borrel in en probeerde niet aan Penny te denken.

Op donderdag bracht Nigel een kopie van zijn schema mee, een uitvoerig document met vluchtnummers, bijzonderheden over hotels, een opnameschema met camera's en verlichtingsapparatuur, filmvoorraden, huurauto's, evenals de namen, functies, privé- en zakelijke telefoonnummers van absoluut iedereen die aan de reclamespot meewerkte, zowel in Amerika als in Engeland.

'Dit is voor jou,' zei hij. 'Hierin staat alle informatie die je je maar kunt denken. Maar als je ergens mee zit, bel je Tracey maar. Die helpt je wel.'

'Tot een paar dagen geleden wist ik niet eens dat Tracey bestond,' merkte ik op.

'Ik zou niet weten waarom niet. Ze werkt al voor me sinds we Macintyre hebben gekregen. Ze heeft een organisatorisch wonder verricht door dit samen te stellen. Ze is een juweeltje, verreweg de beste secretaresse die ik ooit heb gehad.'

Ik beet op mijn tong en reageerde niet. In plaats daarvan vroeg ik: 'Wanneer kom je terug?'

'Dat staat er allemaal in,' zei hij, terwijl hij de bladzijden omsloeg. 'Hier staat het. Bo en ik komen vijftien mei terug – dat is een donderdag, dan kan de film vrijdags worden ontwikkeld en hebben we een proef om in het weekend mee te werken. Daarna gaan we naar Amsterdam.'

'Dat wil zeggen dat je er op mijn verjaardag niet bent.'

'O, God,' kreunde hij. 'Dat was ik vergeten. Sorry, schat, maar ik ben bang dat daar niets aan te doen is.'

De volgende ochtend vroeg was hij alweer weg.

Tracey belde om me te laten weten dat Nigel veilig in Amerika was aangekomen. Ze was iets mededeelzamer dan de vorige keer. 'Hij zegt dat het er vreselijk heet is. Ik zou best naar Californië willen, jij niet?'

Een paar dagen later belde Tobin en vroeg of ik op een avond na mijn werk tijd had om een glas wijn met hem te drinken. We gingen naar Chattertons en het eerste wat ik deed, was informeren hoe zijn etentje was verlopen – waarbij ik probeerde nonchalant te klinken.

'O, die arme Penny,' zei Tobin. 'Ik heb echt met haar te doen. Ze is een schat van een meid, maar ze heeft het op het moment een beetje moeilijk. Maar het ziet er wel naar uit dat ik heel wat werk krijg van haar nieuwe kinderserie.'

'Goed,' zei ik nogal stijfjes. 'Ik bedoel, goed dat van de boeken.'

'Ja, ik verlang er echt naar ze te doen.'

Afgezien daarvan stelde ons gesprek weinig voor – we hadden het over zaken als tante Biddie en de kerkklok. Aan het eind bood hij niet aan me thuis te brengen en ik nam de ondergrondse naar huis.

Ik moest er niet aan denken wat Ginette zou hebben gezegd.

Het weekend van bank holiday ging ik naar Avonford om mijn verjaardag alvast te vieren. De drie gratiën stonden inmiddels bij Mary en Larry in de wei en in hun plaats was Reynard het vossenjong gekomen, die door een auto was aangereden. Tiger kon maar niet besluiten wat hij van deze nieuwkomer vond.

'En Chukwa?' vroeg ik tante Biddie.

'Is ontwaakt en heeft ontdekt dat hij paardebloemen lekker vindt.'

'En Nutkin?'

'Hij heeft drie kleintjes.'

'Hoe kan híj nou drie kleintjes hebben?'

'O, ik ben hopeloos met seksen. Ik noem alle dieren nou eenmaal hij. En nu we het er toch over hebben, Gordon heeft een ei gelegd.'

Ik barstte in lachen uit. 'Dan zul je hem een andere naam moeten geven.'

'Ja, dat zei Stevie ook al. Maar wat zegt een naam nou helemaal?'

'En hoe staat het met de kerkklok?'

Op haar gezicht brak een brede grijns door. 'We zijn op een geweldig idee gekomen. We denken dat elke verandering in het aanzien van de kerk moet worden goedgekeurd door de welstandscommissie. Dus hebben we een klacht ingediend bij de gemeenteraad. Er is volgende week donderdag een vergadering. Ik ben zeer benieuwd.'

Die zondag kwamen Miranda, Jonathan en Stevie en ik trakteerde hen allemaal op een lunch in de Lygon Arms in Broadway. Tante Biddie gaf me een oorspronkelijke uitgave van *The Times* van 8 mei 1945. Miranda had een prachtige vaas voor me gemaakt, versierd met vlinders tegen een lichtblauwe achtergrond. En Stevie had een prachtig geïllustreerd, ouderwets pop-upboek met sprookjes ontdekt, met onder meer het sprookje van de prinses op de erwt.

Toen we in het restaurant zaten, vroeg Miranda me naar mijn plannen voor de dag zelf en ik wilde net zeggen: 'Ik ga net doen of het een gewone dag is', toen het bij me opkwam dat niets me in de weg stond om een etentje te geven. 'Ik denk dat ik 's avonds een paar vrienden vraag,' zei ik.

En dat deed ik ook. Ik gaf mijn allereerste etentje zonder Nigel. We waren maar met ons vijven: Stevie en Roly, Juliette, Tobin en ik.

Ik had er lang en diep over nagedacht voor ik Tobin vroeg, en toen dacht ik: waarom eigenlijk niet? Het ergste wat hij kon doen, was weigeren te komen. Anderzijds lag de gereserveerdheid van onze paar laatste ontmoetingen helemaal aan mij. Als ik niet oppaste, kwam ik er misschien achter dat ik hem, door te proberen afstand te bewaren, voor altijd had buitengesloten en dat was wel het laatste wat ik wilde. Ik nodigde hem niet bepaald uit voor een intiem dineetje voor twee, dus daar kon geen misverstand over bestaan. En als de anderen verkozen zijn aanwezigheid verkeerd op te vatten, dan was dat jammer. Ze hadden allemaal van hem gehoord, van zijn relatie met de prinses en hoe aardig hij voor me was geweest, dus moesten ze kunnen accepteren dat vriendschap tussen ons niet per definitie een ontluikende romance inhield.

Toen ik hem belde, zei hij: 'Ah! Ik vroeg me al af hoe je het ging vieren. Dank je, ik zal heel graag tot de geëerde gasten behoren.'

Ik deed de avond tevoren boodschappen en koos een beproefd en vertrouwd menu waarvoor ik tijdens het etentje zelf niet te veel tijd in de keuken hoefde door te brengen. Nog die avond maakte ik gazpacho, die ik in de koelkast zette. Het hoofdgerecht was *coq au vin*, nieuwe aardappeltjes en broccoli. De kip maakte ik ook die avond klaar, zodat ik hem de volgende dag alleen maar hoefde op te warmen. Als dessert maakte ik schaaltjes citroenmousse, die ik ook vast maakte, zodat ik ze zo uit de koelkast kon halen.

Op de dag zelf gaf Miles me een paarse doos van Asprey, dichtgebonden met een paars lint, waar een mooie handtas in zat, van prachtig soepel zwart leer, met een goudkleurige draagketting, die niet alleen elegant was, maar nog bedrieglijk ruim ook. Hij vergat mijn verjaardag nooit, vanwege de datum, maar hij had me nog nooit zo royaal bedacht.

Ik was erop voorbereid dat Nigel mijn verjaardag totaal zou vergeten, maar ook hij had eraan gedacht. 's morgens werd er een bos bloemen bezorgd door een bloemenzaak in Charlotte Street en 's middags belde Nigel. Alles ging prima, zei hij. Ze hadden een paar tegenslagen gehad. De eerste was toen ze ontdekten dat Macintyre de verkeerde banden had gestuurd. En de volgende was een plotseling en hevig noodweer met overstromingen geweest, waardoor het opgedroogde meer in een paar uur in een echt meer was veranderd. Maar nu waren ze de verloren tijd aan het inhalen en als alles goed ging, was hij volgende week om deze tijd terug, zoals gepland.

'Afgezien daarvan is het verdomde heet,' zei hij. 'Het bier verdampt haast voor je het kunt opdrinken. En dat is het zo'n beetje, alleen wil ik je nog een fijne verjaardag wensen. Nogmaals sorry dat ik niet bij je kan zijn. Maar probeer er toch maar van te genieten.'

Van Miles mocht ik vroeg weg en ik stoof naar huis om de aardappels te schillen, de broccoli klaar te maken en kleine schaaltjes met croutons, gehakte olijven, komkommer, hardgekookt ei en rauwe ui te maken voor bij de gazpacho. Toen dekte ik de tafel met een helder wit tafellaken, het beste zilveren bestek en tante Biddies kristallen wijnglazen. Ik vouwde de servetten tot waaiers en zette bij elk couvert een tuiltje bloemen. Ten slotte nam ik een douche, maakte me op en trok de jurk aan die ik had gekocht om naar het Ivy te gaan, met de hanger van de prinses als sieraad.

Even later kwamen mijn gasten, allemaal binnen een paar minuten na elkaar: Sherry en Roly als eersten en toen Juliette en Tobin, allemaal bewapend met flessen champagne.

De avond was een groot succes. Iedereen kon prima met elkaar overweg en ontdekte massa's om over te praten. En om over te lachen. Ik kan me niet eens meer herinneren waar we zo om hebben gelachen, maar dat doet er ook niet toe. We lachten gewoon veel om grappige, rare dingen. Zelfs Roly, die toch geneigd was te vergeten dat een dineetje een gezellige gelegenheid was en dan tegen de andere gasten begon te preken – wat Nigel altijd in het verkeerde keelgat schoot – was in een opperbeste stemming.

Zoals Sherry opmerkte, toen ze de borden in de vaatwasser zette terwijl ik koffie maakte: 'Roly gedraagt zich werkelijk voorbeeldig. Hij heeft nog met niemand onenigheid gehad.'

Maar Nigel was er dan ook niet om hem tegen de haren in te strijken.

Ja, als Nigel erbij was geweest, was het een heel andere avond geweest.

Maar Nigel zat niet alleen in Californië, zijn naam viel zelfs helemaal niet. Het was of we stilzwijgend hadden afgesproken allemaal net te doen of hij niet bestond. Of misschien valt hem met dat stilzwijgen een grotere eer te beurt dan hij verdiende en was ik de enige die hem opzettelijk niet noemde, en waren de anderen, tenminste tijdelijk, vergeten dat hij bestond.

Maar na het eten kreeg ik de schrik van mijn leven. Tobin ging naar de gang, waar hij zijn jas had gelaten, en kwam terug met een pak dat hij me met een uitgestreken gezicht gaf, terwijl hij zei: 'Van harte gefeliciteerd.'

Erin zat het schilderij van Angelini's dochter.

Letterlijk met stomheid geslagen schudde ik mijn hoofd, terwijl de anderen zich verdrongen om het te bewonderen. Mijn eerste reactie was dat ik wilde dat ik het had gekocht toen ik in Parijs was – of dat ik mijn mond erover had gehouden toen ik terug was. Uiteindelijk slaagde ik erin uit te brengen: 'Dat had je niet moeten doen. Ik wilde dat ik niets had gezegd.'

Hij grijnsde. 'Waarom niet?'

'Omdat... Het was vreselijk duur.'

'Nee hoor. Het heeft me niet eens iets gekost.'

'Hoe bedoel je?'

'Ik ben een ruilhandeltje aangegaan. Ik heb besloten je op je woord te geloven en ik heb het geruild tegen El Toro's portret van de prinses.'

'Maar dat is niet...'

Hij legde zijn vinger tegen mijn lippen. 'Houd op met tegenspreken. Vind je het nog steeds mooi, nu je het weer ziet?'

'Natuurlijk. Het is een prachtig schilderij. Maar–'

Sherry draaide zich om. 'Cara, in 's hemelsnaam! Heeft niemand je nooit geleerd netjes "dank je wel" te zeggen?'

Dit was niet het moment om een scène te maken. Ik keek op naar Tobin. 'Sorry. Ik ben er heel blij mee. Het is een geweldig cadeau. Dank je wel.'

Aan het eind van de avond ging Tobin tegelijk met de anderen weg. Maar heel even stonden we alleen in de gang.

'Bedankt voor een heerlijke avond,' zei hij.

'Ik kan dat schilderij niet aannemen,' zei ik. 'Het is te veel.'

Hij nam mijn gezicht tussen zijn handen. 'Zeur er nou niet meer over.' Toen kuste hij me vol op de mond, o zo teder.

Op dat moment kwamen Sherry, Roly en Juliette de kamer uit. Tobin liet zijn handen zakken en ik liep haastig naar de kapstok.

Die zondag wandelden Sherry en ik over de Heath naar Kenwood House. 'Wat ga je doen met het schilderij dat Tobin je heeft gegeven?' vroeg ze.

'Ik weet het niet. Ik wilde dat hij het me niet had gegeven. Het is gewoon te veel.'

'Wat bedoelde hij toen hij zei dat hij het had geruild tegen de El Toro?'

Ik legde uit dat hij me aanvankelijk allebei de portretten van de prinses had aangeboden en Sherry knikte. 'Roly en ik vonden hem erg aardig. Ik denk dat hij behoorlijk van streek zou zijn als je weigert dat schilderij aan te nemen. En als het hem toch niets heeft gekost...'

'Dat maakt niet uit. Het legt mij een verplichting op.'

'Ik wil niet nieuwsgierig zijn, maar wat is de relatie tussen jou en hem?'

'We zijn gewoon vrienden. We zijn een paar keer samen iets wezen drinken en dat is eigenlijk alles.'

'Weet Nigel al van hem af?'

'Nee. Maar alleen omdat hij zo opging in Macintyre dat ik geen kans heb gezien om ook maar ergens met hem over te praten.'

'Hmm. Wanneer komt hij terug?'

'Aanstaande donderdag. Maar daarna gaat hij weer weg, naar Nederland.'

'En waar is het schilderij nu?'

'Nog ingepakt, onder in mijn kast.'

'Dat verdient het niet.'

'Dat weet ik, maar wat moet ik anders?'

'Ik weet wat ik in jouw plaats zou doen,' zei Sherry. 'Ik zou het in de woonkamer hangen, in plaats van Nigels afschuwelijke klodders inspiratie.'

Ik wist een lach op te brengen.

'Maar ik snap wel dat daar ruzie van zou kunnen komen,' ging Sherry door. 'Weet je wat, zullen wij het een tijdje voor je onder onze hoede nemen? Dan kun je ernaar komen kijken wanneer je maar wilt en hoeft Nigel er niets van te weten.'

Het leek een elegante oplossing. 'Zou je het erg vinden?'

'Het zal me een genoegen zijn, zolang Tobin het maar niet verkeerd opvat.'

Ik was niet van plan Tobin een geregelde bezoeker van Linden Mansions te laten worden. Hij hoorde daar net zomin thuis als het schilderij van Angelini's dochter.

'Hij hoeft er nooit achter te komen.'

Opeens klonk uit de bomen rond Kenwood House de roep van een koekoek. Ik hoorde de prinses zeggen: 'Het beste herinner ik me de koekoeken die er elk voorjaar kwamen. Ik had nog nooit – en heb later ook nooit meer – zoveel koekoeken gehoord. Ze zongen zo luid dat je er 's morgens niet van kon slapen.'

'Dat is de eerste koekoek die ik dit jaar hoor,' merkte Sherry op. 'Dat wil zeggen dat het nu echt zomer wordt. Toen ik klein was, was er een bos bij ons in de buurt dat nota bene het Koekoeksbos heette.'

We liepen in kameraadschappelijke stilte verder, tot de roep van de koekoek wegstierf tot een echo.

De volgende dag, midden op de middag, belde Tobin en kondigde plompverloren aan: 'Ik heb Ludo Zakharin net aan de telefoon gehad. Het is hem gelukt contact op te nemen met Angelini's dochter en je had gelijk. Je vader heeft de oorlog inderdaad bij hen doorgebracht.'

Ik zakte achteruit in mijn stoel. 'Angelini's dochter? Het meisje van het portret?'

'Ik neem aan van wel. Ze woont kennelijk nog steeds in haar ouderlijk huis in een dorp dat San Fortunato heet, in Lombardije.'

'Wat heeft ze precies gezegd?'

'Dat weet ik niet. Zakharin stuurt me een kopie van een brief die hij van haar heeft ontvangen. Ik bel je natuurlijk zodra ik hem heb.'

'Het verbaast me dat hij de moeite heeft genomen.'

'Mij niet. Hij is een opportunist. Door jouw bezoek is hij een schilderij kwijtgeraakt waarvan hij wist dat hij het moeilijk zou kunnen verkopen en heeft hij een El Toro gekregen waarvoor hij wel klanten had. En hij wil het Angelini-portret van de prinses nog steeds graag kopen. Bovendien hangt het huis van Angelini's dochter misschien wel vol schilderijen van Amadore, en in dat geval is hij er graag als eerste bij. Door ons een kleine dienst te bewijzen, bewijst hij zichzelf misschien een oneindig veel grotere dienst. Een nogal cynisch standpunt misschien, maar ik denk wel dat ik gelijk heb.'

Voor ik iets anders kon zeggen dan: 'Dank je heel erg dat je het me hebt laten weten', zei hij: 'Dan kan ik je nu maar beter aan het werk laten en zelf ook nog wat doen. Ik bel je zodra ik iets van Zakharin hoor. Pas intussen goed op jezelf.'

Toen ik had neergelegd, zocht ik San Fortunato op in onze kantooratlas – maar het was te klein om erin te staan. Dus belde ik het Italiaans Verkeersbureau, waar het meisje van de afdeling inlichtingen het dorp ten slotte aan het Meer van Lugano vond en aanbood me informatie over de streek te sturen met bijzonderheden over geheel verzorgde reizen, hotels en vluchten.

De post bracht de verwachte envelop woensdagochtend, toen ik net naar mijn werk wilde gaan, en in de trein bekeek ik de folders.

Er was maar één foto van San Fortunato, een verbluffend mooi plaatje, vanaf het meer genomen. Langs de oever stonden enkele tientallen huizen, in pasteltinten, met terracotta daken, waar een kerk bovenuit stak. Vlak achter het dorp liep het terrein steil omhoog en was dicht bebost tot aan een richel, met op de rand nog een paar huizen. Aan de andere kant van een diepe kloof of ravijn stond nog een kerk in eenzame pracht op zijn eigen heuveltje. Daarachter vormden verweerde bergtoppen een schitterende achtergrond. Een omgekeerde versie van het hele tafereel werd weerspiegeld in het donkere water op de voorgrond.

Ik was nog niet lang op kantoor toen Tobin belde om te zeggen dat hij de brief van Ludo Zakharin had ontvangen en dat hij me om één uur voor Wolesley House zou opwachten.

Toen ik beneden kwam, zei Sergeant: 'Meneer Touchstone staat buiten te wachten. Ik heb hem een hele tijd niet meer gezien. Een heel aardige heer. De wereld zou een stuk prettiger zijn als er meer mensen als hij op rondliepen.'

Tobin stond tegen het hek geleund de deuropening in de gaten te houden. Hij kwam haastig op me af, gaf me een snelle zoen – helaas in het volle zicht van Sergeant –, pakte toen mijn hand en trok me mee naar Chattertons. Geen van beiden zei een woord tot we binnen waren. Hij bracht me naar een besloten zitje en greep in zijn zak. 'Lees maar vast,' zei hij, 'dan haal ik iets te eten en te drinken voor ons.'

Ludo Zakharin had een kopie van zijn eigen brief aan Angelini's dochter gestuurd, evenals het origineel van haar antwoord. Beide brieven waren in het Frans. De zijne was van 10 april en gericht aan Madame Filomena Angelini. Hij luidde:

> *Madame,*
> *Ik heb uw naam en adres van mijn collega, Profesore Vittorini, en ben zo vrij u te schrijven namens een cliënt in Londen, een zekere mevrouw Cara Sinclair, die de Galerie Zakharin onlangs heeft bezocht en van mij een portret heeft gekocht van u als meisje, in 1930 door uw geachte vader geschilderd.*
> *Mevrouw Sinclair is de dochter van de Ierse dichter Connor Moran, die uw familie voor de oorlog in Parijs kende. Zij denkt dat haar vader de oorlog in Italië heeft doorgebracht en vraagt zich af of u haar informatie zou kunnen verstrekken over waar hij heeft gewoond, zodat ze haar onderzoek naar zijn leven kan voortzetten.*
> *Helaas zijn mijn eigen vader, prins Dmitri Zakharin, en zijn nicht, prinses Hélène Shuiska, die mevrouw Sinclair misschien hadden kunnen helpen, allebei onlangs overleden.*
> *Ik maak graag van deze gelegenheid gebruik, Madame, om u te verzekeren dat uw vaders werken nog steeds veel gevraagd worden door kunstkenners van over de hele wereld.*

Het antwoord was in een onberispelijk en duidelijk handschrift, op dik crèmekleurig velijnpapier, met het adres: Villa Lontana, Granburrone, San Fortunato, Lombardije, Italië. Onder het briefhoofd stond een driecijferig telefoonnummer. De brief was van 8 mei 1980 en luidde:

> *Monsieur le prince,*
> *Ik dank u voor uw brief, die me zeer verraste. Na zoveel jaar verwachtte ik geen nieuws uit Parijs.*

Natuurlijk ben ik blij te horen dat mijn vaders schilderij-
en nog steeds bij uw cliënten in de smaak vallen, maar ik
kan me het portret dat u noemt niet herinneren.
   Wat Connor Moran betreft, hij heeft de oorlog hier door-
gebracht, op Villa Lontana. Als mevrouw Sinclair zelf con-
tact met me wil opnemen, zal ik haar vragen over hem
naar beste weten beantwoorden.
   Agreéz, monsieur le prince, mes salutations meillieurs,
   Filomena Angelini

Tobin zette twee glazen wijn en een bord met sandwiches op tafel. 'Uit haar naam zou je afleiden dat ze nooit getrouwd is, hoewel hij haar met Madame aanspreekt.'

'In Frankrijk vindt men het beleefd alle dames op leeftijd met Madame aan te spreken, of ze getrouwd zijn of niet.'

'Is het je ook opgevallen dat ze op je verjaardag heeft geschreven?'

'Ja. Wat een vreemd toeval, hè?'

'Misschien, misschien ook niet.' Hij keek me op zo'n manier aan dat ik wist dat hij hetzelfde dacht als ik. Als de prinses mijn moeder niet was, dan...

We proostten, dronken van onze wijn en hij vroeg: 'Ben je er al achter gekomen waar San Fortunato ligt?'

Ik dook in mijn tas, haalde er de envelop van het Verkeersbureau uit en vouwde de folder met het kaartje open. 'Het ligt hier,' zei ik, terwijl ik wees. 'Er staat ergens een foto van.' Ik bladerde de andere folders door. 'Ja, hier heb ik hem.'

Hij keek er lang en aandachtig naar, en vroeg toen: 'Wat betekent Lontana?'

'Ver weg, afgelegen.'

'Dat dacht ik al. De prinses zei dat de villa uitkeek op het meer en omringd was door bossen, wat waarschijnlijk betekent dat hij tegen de berghelling lag. Het zou een van die huizen daarboven kunnen zijn, die eruitzien of ze op het punt staan over de rand te tuimelen.'

'Daar heeft het wel veel van weg,' gaf ik toe. 'En de bomen zien eruit of ze zich met hun wortels vastklampen. Maar de helling kan niet zo steil zijn als hij eruitziet. Er moet ergens een weg omhoog lopen om bij die huizen te komen – en bij die kerk daarboven.'

'Hmm, vooral bij de kerk. Kijk eens naar het formaat van die kerken, vergeleken met de huizen. En twee nog wel, voor een paar honderd inwoners. Over de allesomvattende macht van de rooms-katholieke kerk gesproken...'

Hij bekeek de rest van de folders. 'In het dorp schijnt een hotel te zijn. Het Hotel del Lago. Vijftien kamers, vijf met douche, toilet en uitzicht op het meer. Overnachting met ontbijt vanaf veertigduizend lire per nacht. Dat is heel redelijk.'

Opeens had ik het gevoel dat het me allemaal te snel ging. Alles ging veel te vlug en het gebeurde allemaal tegelijk.

'Mmm,' bromde ik, maar ik keek hem niet aan.

'Het dichtstbijzijnde vliegveld is Milaan, daar zou je een auto kunnen huren. Als je 's morgens het eerste vliegtuig zou nemen, zou je er waarschijnlijk tegen lunchtijd zijn.'

'Mmm,' deed ik weer.

Hij stak zijn hand over de tafel heen, legde hem onder mijn kin en hief mijn hoofd op, waardoor ik hem wel moest aankijken. 'Wat is er?'

Mijn antwoord kwam ongewild, de woorden kwamen vanzelf. 'Ik weet het niet. Alles. Het is allemaal te veel. Ik ben er nog steeds niet gelukkig mee dat ik dat portret heb aangenomen. En nu we Filomena zelf hebben gevonden, o, ik weet het, het klinkt stom, maar om de een of andere reden ben ik bang.' En ik bedoelde niet alleen bang om achter de waarheid over mijn vader en moeder te komen, maar bang om Tobin en mij en hoe het verder moest.

Zijn ogen keken diep in de mijne, alsof hij probeerde in mijn hoofd te kijken. Toen liet hij zijn hand zakken en knikte. 'Ik lijk op het moment alles verkeerd te doen. Ik had gehoopt je een plezier te doen toen ik je het portret van Filomena gaf. Het was niet mijn bedoeling je van streek te maken. En wat naar San Fortunato gaan betreft, je hoeft er niet heen. Niemand dwingt je. Je kunt er hier mee ophouden.'

Ik knabbelde aan een sandwich en kreeg mezelf weer in de hand. 'Nee, ik kan er nu niet mee stoppen.'

Hij glimlachte met zijn ogen naar me. 'Goed. Dus ga je haar bellen of schrijven? Of waag je het erop en ga je er gewoon heen?'

'Ik ga er eerst over nadenken,' zei ik.

'Maar je neemt wel contact met haar op?'

'Ja,' beloofde ik. 'Ik neem wel contact met haar op.'

Sergeant zei geen woord toen ik op Wolesley House terugkwam.

Er was moed voor nodig geweest om Oliver Lyon de eerste keer te bellen. Het vooruitzicht contact op te nemen met Filomena Angelini was veel angstaanjagender. Ik wist niets over haar, behalve bij benadering haar leeftijd en het feit dat ze haar jeugd in Parijs had doorgebracht, terwijl ik van Oliver Lyon tenminste had geweten hoe hij eruitzag en met wat voor soort man ik te maken zou krijgen.

Dus zocht ik uitvluchten en hield ik mezelf voor dat het hoe dan ook beter zou zijn haar van huis uit te bellen dan vanaf kantoor. Maar toen ik eenmaal thuis was, aarzelde ik nog steeds en ging ik op weg naar boven eerst bij Sherry en Roly langs. Het portret van Filomena hing in hun woonkamer en het kleine meisje staarde me met haar grote bruine ogen aan terwijl ik Sherry en Roly op de hoogte bracht van de laatste ontwikkeling.

Het was een prachtig schilderij en ik wist dat het mijn hart zou breken als ik er afstand van moest doen.

Toen ik wegging, keek Sherry van mij naar het schilderij en stelde voor: 'Waarom stel je je definitieve besluit niet uit tot je naar Italië bent geweest en Filomena hebt ontmoet?'

Ik knikte, dankbaar dat zij de beslissing voor me had genomen.

Boven, in mijn eigen flat, belde ik tante Biddie. 'Ik wilde je net bellen,' zei ze. 'We hebben gisteren zo'n opwindende dag gehad. Er is hier iemand geweest van het een of andere ministerie dat over oude monumenten gaat en hij beweerde categorisch dat de kerk op de monumentenlijst staat. En hij gaat de zaak opnemen met de aartsbisschop van Canterbury – nou ja, misschien niet met de aartsbisschop zelf, maar dan toch met zijn kantoor of wie daar over kerkgebouwen gaat. En morgen is de gemeenteraadsvergadering. O, die dominee zal het nog betreuren dat hij zoveel problemen heeft veroorzaakt.'

Na een kwartiertje of zo kon ik er eindelijk een woord tussen krijgen en vertelde ik haar over de brieven.

'Dat is geweldig!' riep ze uit. 'Waarom heb je dat niet meteen gezegd? Dus wanneer ga je naar Italië?'

'Dat weet ik nog niet. Ik moet eerst kijken of ik vrij kan krijgen. En dan moet ik Filomena Angelini natuurlijk nog bellen om erachter te komen of ze me wel wil zien.'

Vlak voor ik naar bed ging, belde Miranda. 'Mam heeft me net verteld van de laatste ontwikkelingen in de prinses-sage. Begin juni heeft Stevie voorjaarsvakantie en zij vertelde dat ze graag met je mee zou willen, áls je zou besluiten naar San Fortunato te gaan. Jonathan en ik hebben het erover gehad en we denken dat het een heel goede ervaring voor haar én gezelschap voor jou zou zijn. Wij zouden al haar kosten natuurlijk betalen...'

Het ging me niet alleen allemaal veel te vlug, ik had er ook niet veel meer over te vertellen...

De volgende dag bleef het lot een partijtje meespelen toen Miles me vertelde dat zijn programma voor de komende twee of drie weken ging veranderen. Een reis naar Europa moest worden afgezegd en in plaats daarvan zouden James Warren en hij in de week van 2 juni naar New York gaan. Hij vroeg me plaatsen te boeken op de Concorde en kamers in het Waldorf Astoria te reserveren, maar hij gaf me geen idee over het doel van de reis en ook niet wie ze daar gingen ontmoeten.

'Als jij er toch niet bent, mag ik die week dan een paar dagen vrij nemen?' vroeg ik.

Hij straalde gewoon. 'Dat had je niet beter kunnen timen. Waar dacht je heen te gaan?'

'Ik heb natuurlijk nog niets geboekt, maar misschien naar Italië.'

'Doen,' beval hij. 'Als Juliette tenminste niet van plan is op hetzelfde moment weg te zijn.'

Juliette had geen plannen om ergens heen te gaan. Afgezien van Nigel en Filomena Angelini zelf lagen er geen obstakels op mijn weg.

Nigel kwam die avond in een opmerkelijk hartelijke stemming thuis, niet louter beleefd, zoals voor hij vertrok, maar onverwacht openhartig. Hij bleef zelfs een paar uur bij een glas wijn met me zitten praten.

Over het algemeen was alles goed gegaan met de opnamen, zei hij, hoewel hij er – zoals altijd – niet honderd procent zeker van kon zijn tot hij de film zag, die Bo bij aankomst in Engeland meteen had weggebracht om te laten ontwikkelen.

'Hoe konden Bo en jij deze keer met elkaar overweg?' vroeg ik.

'O, prima. We hadden af en toe nog wel verschil van mening, maar niets ernstigs. Ze heeft beslist heel uitgesproken ideeën over dingen en ik moest een paar keer op mijn strepen gaan staan. Maar ze accepteerde dat ik de baas was. En ik moet haar nageven, ze neemt haar werk buitengewoon serieus. Ik ben tot de conclusie gekomen dat ze eigenlijk nogal onzeker is, dus houdt ze zich groot om dat te verbergen. Het moet erg moeilijk zijn in de voetstappen van haar vader en grootvader te treden. En het kan ook niet gemakkelijk zijn te werken in wat in wezen een mannenwereld is.'

'Nee,' zei ik, verrast door zijn ongebruikelijke poging het karakter van een ander te analyseren, terwijl ik probeerde het beeld dat hij van haar schetste te verenigen met de indruk die ik in het Ivy had gekregen.

Hij vertelde verder over de rest van de ploeg en de bar achter Denny's hamburgertent, waar iedereen 's avonds bij elkaar kwam om de dorst van die dag te lessen. 'Ik heb nog nooit zo'n hitte meegemaakt,' zei hij. 'Als je Baker inrijdt, staat daar een enorme thermometer – net een klein Eiffeltorentje – zodat je de temperatuur van alle kanten kunt aflezen, die je eigenlijk helemaal niet wilt weten. Dat noodweer was echt niet te geloven – een paar van de beste opnamen hebben we daarna gemaakt.'

Voor we naar bed gingen, vroeg ik hem naar zijn plannen voor de komende paar weken.

'Sorry, schat,' zei hij. 'Ik ben bang dat we het hele weekend aan de proefopnamen werken, die we in stukjes knippen en ruw monteren, zodat de film kan worden afgemonteerd als wij in Amsterdam zijn.'

'Wanneer ga je dan naar Amsterdam?'

'Volgende week vrijdag. Ik dacht dat ik je dat had verteld.'

'Nee, alleen dat je zou gaan. Hoe lang blijf je daar?'

'Een dag of veertien, denk ik. Dat zal ik morgen bij Tracey moeten navragen.'

Toen we in bed lagen, wachtte me nog een verrassing. In plaats van meteen in slaap te vallen, trok hij me naar zich toe en begon me hartstochtelijk te zoenen. 'God, wat heb ik je nodig,' zei hij zacht. 'Ik heb je vreselijk gemist.'

Ik lag daar maar, volkomen verstijfd, niet in staat om te reageren. Het was afschuwelijk. Ik wilde hem wegduwen, me heel klein maken, mezelf tegen hem beschermen. Maar dat kon ik niet. Dus liet ik hem overal natte zoenen planten en met zijn vingers over alle geheime plekjes van mijn lichaam gaan, in een poging een verlangen in me te wekken dat ik niet voelde. Om het nog erger te maken, maakte hij geen haast met vrijen, hoewel hij toch doodmoe moest zijn en ik ontdekte tot mijn verbijstering dat mijn lichaam begon te reageren.

Ik kneep mijn ogen stijf dicht en deed iets nog afschuwelijkers. Ik deed het niet expres. Het gebeurde gewoon. Tobins gezicht verscheen voor mijn gesloten ogen en ik merkte dat ik me verbeeldde dat Nigel Tobin was. Terstond ontspande mijn lichaam zich en begon ik genot te voelen waar ik eerder afschuw had gevoeld.

Naderhand schreide ik bittere tranen, die Nigel verkeerd uitlegde. 'Dat had je net zo nodig als ik, hè?' zei hij zacht. 'God, ik voel me een stuk beter.'

Geen van ons beiden sliep goed. Nigel lag te draaien en te woelen, terwijl bij mij de nachtmerrie uit mijn jeugd terugkwam. Deze keer was ik niet in een moeras maar op de helling boven San Fortunato. Opeens hield de steile rots op en viel ik de diepte in. Mijn gil wekte ons allebei en Nigel mopperde: 'Wat is er?'

'Gewoon, een droom,' zei ik, terwijl ik me afvroeg waar mijn leven me in godsnaam heen voerde.

De volgende ochtend bracht hij me een beker koffie op bed en ging toen meteen naar zijn werk. Verontrustende herinneringen kwamen terug en ik stapte onder de douche, waar ik mezelf stevig afboende in een poging alle sporen van de vorige nacht weg te wassen.

Juliette en ik kwamen tegelijk op Wolesley House aan. 'Wat zie jij bleek,' merkte ze op. 'Voel je je wel goed?'

'Ja, prima,' zei ik. 'Ik heb alleen niet zo best geslapen, dat is alles.'

Gelukkig was het een drukke dag en had ik geen tijd om te piekeren. En tot mijn grote opluchting belde Tobin niet. Dat had ik niet kunnen verdragen.

Nigel kwam die avond met een pestbui thuis, die ik toeschreef aan een jetlag waar hij alsnog last van kreeg. De film was goed, deelde hij kortaf mee. Nu kwam het alleen nog op de montage aan, waar Bo en hij het hele weekend mee bezig zouden zijn. Hij gaf me het schema voor zijn reis naar Amsterdam. Na het eten ging hij naar bed en toen ik ten slotte ook kwam, sliep hij als een roos.

Zaterdag wijdde ik aan stompzinnige klusjes, waarna ik me weer een beetje mens voelde. Nigel kwam na zijn eerste dag monteren in een veel betere stemming thuis en toen hij een paar drankjes op had, durfde ik te vragen: 'Zou je het erg vinden als ik met Stevie naar Italië ging, als jij in Nederland zit?'

Hij aarzelde even en lachte toen. 'Hemel, eerst Parijs en nu Italië. Jij reist wat af, zeg.'

'Nou, het is nog maar een idee, maar het is Stevies voorjaarsvakantie.'

'Waar wou je heen?'

'Naar een dorp dat San Fortunato heet, aan het Meer van Lugano.'

Ik dacht dat hij zou vragen waarom uitgerekend dat dorp. Maar hij zei alleen: 'Nou, als jij dat leuk vindt, zie ik niet in waarom niet.'

Op zondagochtend, toen hij naar de montagestudio was, raapte ik al mijn moed bijeen en draaide het nummer van Filomena Angelini.

De telefoon ging heel lang over en ik wilde net ophangen toen een vrouwenstem antwoordde: '*Pronto!*'

'*Pronto!*' antwoordde ik. '*Vorrei parlare con la Signora Angelini, per favore.*'

'*E chi è Lei?*'

'*Mia chiamo Cara Sinclair e telefono di Londra.*'

'*Cóme?*'

Ik herhaalde mijn naam.

De stem aan de andere kant van de lijn zei aarzelend: '*Si. Un momento.*'

Ik hoorde voetstappen weglopen, gevolgd door verschillende andere geluiden. Toen zei een andere vrouwenstem: '*Pronto! Sono Filomena Angelini.*' De stem klonk onvast.

'*Buon giorno, signora.*' Ik ging in het Italiaans verder. 'U spreekt met Clara Sinclair. Prins Zakharin heeft u over mij geschreven en u was zo vriendelijk terug te schrijven dat ik contact met u mocht opnemen om meer over mijn vader, Connor Moran, te weten te komen.'

Er viel een lange stilte en toen zei ze: 'Ja, dat klopt.'

'In uw brief zei u dat mijn vader de oorlog bij uw familie heeft doorbracht.'

Weer een stilte. Toen: 'Dat is juist. Hij is jarenlang een huisvriend geweest.'

'En hebt u prinses Hélène Shuiska ook gekend?'

'Ja, haar heb ik ook gekend.'

Ik besloot de sprong maar te wagen. 'Zoals u misschien weet, is mijn vader vlak na de oorlog overleden. Ik was nog maar een paar maanden oud toen hij stierf, dus herinner ik me niets van hem. Het enige wat ik tot voor kort wist, was dat hij de oorlog ergens in Italië had doorgebracht, dat ik daar ben geboren en hij me naar Engeland heeft gebracht, zodat zijn zus voor me kon zorgen. Hij vertelde mijn tante dat mijn moeder in het kraambed was overleden. Nu heb ik een paar maanden geleden ontdekt dat hij ten tijde van mijn geboorte met prinses Hélène Shuiska was getrouwd.'

Ik hield expres op.

Aan de andere kant van de lijn was het zo lang stil dat ik me begon af te vragen of onze verbinding was verbroken. Toen vroeg ze met zwakke stem: 'U wist niet dat hij met de prinses was getrouwd?'

'Nee, tot die tijd had ik zelfs nog nooit van haar gehoord. Mijn tante ook niet.'

Weer was het stil.

Deze keer verbrak ik de stilte. 'De prinses gaf een televisie-interview, maar helaas overleed ze kort voor het werd uitgezonden, dus kwam ik pas na haar dood achter haar bestaan.'

'O, ik begrijp het.' Weer een stilte. 'En hoe kwam u bij mij terecht?'

'Dat was een beetje een gok. Mijn tante liet me een paar brieven van mijn vader zien, die voor de oorlog vanuit Parijs waren geschreven toen hij bij uw familie verbleef. Omdat ik wist dat uw vader in de oorlog naar Italië was teruggegaan, dacht ik dat mijn vader misschien contact met u had gehouden. Het is prins Zakharin gelukt u op te sporen en hij heeft me de brief gestuurd die u hem hebt geschreven.'

'Ah, nu wordt het me wat duidelijker.'

'Verbleef de prinses in de oorlog ook bij u in San Fortunato?'

'Ja, ze was een groot deel van de tijd ook hier, op Villa Lontana.'

'Was ze helemaal tot het eind van de oorlog bij u?'

Er viel weer een lange stilte voordat ze zei: 'Het is moeilijk om me precies te herinneren wat er zo lang geleden is gebeurd. Aan het eind van de oorlog gebeurden er zoveel dingen tegelijk. En ik was nog zo jong...'

'Ik ben acht mei negentienvijfenveertig geboren,' hielp ik haar verder, 'de dag dat de oorlog voorbij was.'

Weer een stilte. Toen: 'Nee, tegen het eind van de oorlog woonde de prinses hier niet meer.'

'Maar mijn vader nog wel?'

'Ja, hij was hier nog.' Ik had het gevoel dat ik de woorden uit haar moest trekken.

'En ik? Hebt u mij ooit gezien? Wist u van mijn bestaan?'

Ze fluisterde bijna, toen ze antwoordde: 'Ja, ik wist dat je bestond.'

'Wilt u me dan alstublieft vertellen wat er is gebeurd? Was de prinses mijn moeder? En waarom heeft mijn vader me naar Engeland gebracht?'

'O, dit is te moeilijk voor me.' Er klonk nu pijn in haar stem door. 'Ik kan er door de telefoon niet meer over zeggen. Het waren slechte tijden, heel slechte tijden...'

'Zou u met me willen praten als ik naar San Fortunato kwam?'

Aan het eind van weer een nog langere stilte, zei ze: 'Ja, ik zou wel met u willen praten.'

'Ik dacht erover met veertien dagen te komen. Bent u er dan?'

'Dan al? Maar ja, dan ben ik er. Ik ben er altijd. Ik verlaat Villa Lontana tegenwoordig nog maar zelden.'

'Ik zal u niet zomaar overvallen. Ik zal bellen zodra ik er ben,' zei ik, omdat ik niet wilde dat ze een excuus vond om van gedachten te veranderen.

'Dank u,' zei ze zwakjes. '*Arrivederci* dan, *Signora.*'
'*Arrivederci, Signora.*'

Toen ik neerlegde, werd ik getroffen door de letterlijke vertaling van het Italiaanse woord voor 'tot ziens'. Het betekende 'tot we elkaar weerzien'.

HOOFDSTUK 17

Daar stond ik dan weer op Heathrow, en al had ik genoten van de nieuwigheid van het alleen naar Parijs reizen, nu was ik blij met Stevies gezelschap. Ze was de vorige middag naar Londen gekomen, overlopend van enthousiasme, waardoor ik er meer plezier in kreeg en meer moed vatte. Voor haar was deze hele reis een avontuur: haar allereerste bezoek aan Italië, waar nog bij kwam dat het niet zomaar een vakantie was, maar een reis die ergens toe diende – we hadden een missie. Ze voorzag geen complicaties en verwachtte geen rampen. *Che serà, serà* – zoals het Italiaanse gezegde luidt – wat er ook gebeurt. Hoe het ook zou aflopen, de komende week zou voor haar een onvergetelijke gebeurtenis worden.

In zekere zin was het reizen met haar alsof ik met een jongere versie van mezelf op pad was, in een tijd dat ik niet alleen vol optimisme had gereisd, maar erop had gerekend dat me aan het eind van mijn reis een nieuwe en onvergetelijke ervaring wachtte.

Ze kletste praktisch zonder ophouden, gaf commentaar op de andere passagiers op het vliegveld, giechelde over wat ze uithaalden, vroeg zich af waar ze heen gingen en vandaan kwamen; ze vertelde me dat ze meerdere boeken had meegenomen, onder andere *Italiaans op reis*, evenals een fototoestel, zodat ze een heleboel te doen zou hebben als ik langdurig in gesprek zou raken met Filomena Angelini, gesprekken waaraan ze niet zou kunnen deelnemen. Ik hoefde me over haar dus geen zorgen te maken. Ze zou me niet in de weg lopen, beloofde ze. Ze zou me niet tot last zijn.

En ze had allerlei soorten kleren bij zich, naast de spijkerbroek en het sweatshirt die ze droeg. Ze had een korte broek, T-shirts en een bikini bij zich voor het geval het heet zou zijn. 'Ik weet dat het hotel geen zwembad heeft, maar misschien kunnen we in het meer zwemmen, hoewel papa zegt dat de riolering er waarschijnlijk op uitkomt, Italië kennende. Maar we kunnen nog altijd zonnebaden. En ik heb een chic jurkje bij me voor het geval we ergens worden uitgenodigd. Filomena kent misschien nog wel een heleboel artistiekerige mensen – en Italianen zijn erg modebewust. Ik wil je niet teleurstellen, Cara.'

De afgelopen week was het afschuwelijk weer geweest – het had bijna onafgebroken geregend – en bitter koud voor de tijd van het jaar. Nigel had me sinds het moment dat hij in Nederland zat, gebeld om te zeggen dat het in Amsterdam net zo was en dat zijn eerste opnameweek letterlijk in het water was gevallen, waardoor hij enorm achter lag op zijn schema. Bovendien had Macintyre weer niet de goede banden gestuurd en had een van de kinderen die meededen waterpokken gekregen.

Maar vandaag waren alle wolken verdwenen en lag Londen zich te koesteren in de warme zon.

Stevie zei, voor de zoveelste keer: 'Ik vraag me af hoe ze is. Ik ben zo benieuwd naar haar. En ik vraag me af hoe de villa eruitziet. Ik weet dat de prinses zei dat het er heel primitief was, maar ik denk dat ze snobistisch deed en dat het er eigenlijk heel geweldig is, met marmeren gangen, hoge ramen en statige binnenplaatsen vol beelden – o, en een boel loggia's.'

'We gaan niet naar Venetië of Rome, Stevie, maar naar een klein bergdorpje. En hoewel het een villa wordt genoemd, is het waarschijnlijk een gewoon Italiaans huis.'

Ik probeerde me in haar in te leven, in een poging Londen en mijn werk te vergeten, en wat Miles in New York aan het bekokstoven was; ik trachtte Nigel en die vreemde, abrupte stemmingswisselingen van hem te vergeten: het ene ogenblik zo intiem en het volgende zo afstandelijk; het ene ogenblik zo hartstochtelijk en het volgende zo onverschillig; ik deed mijn best om Tobin te vergeten en de vrijpartij waar hij niets van wist.

Ik had voor ons vertrek ook Tobin gesproken. Hij had gezegd: 'Ik ben blij dat je Stevie meeneemt. Het zal voor haar een hele ervaring zijn en dan heb jij tenminste gezelschap.'

'Wie denk je dat die vrouw was die eerst de telefoon aannam, toen je belde?' vroeg Stevie.

'Ik heb geen flauw idee, schat. Dat zien we wel als we daar zijn.'

Ten slotte mochten we aan boord van het vliegtuig, waar we weer geluk hadden en plaatsen bij het raam kregen, voor de vleugel. Een stewardess bracht ons koffie met een broodje en een andere ging met het wagentje met belastingvrije goederen rond.

'Ik heb zitten denken,' zei Stevie opeens. 'Als de prinses je moeder niet was, denk je dat Filomena het dan zou kunnen zijn?'

'Daar heb ik ook aan gedacht,' gaf ik toe.

'Het zal heel vreemd zijn als zij het is. Zowel voor haar als voor jou.'

'Mmm,' mompelde ik.

'Ben je bang om haar te ontmoeten?'

'Een beetje wel,' antwoordde ik, een van de grootste understatements aller tijden.

'O, ik hoop zo dat ze aardig is.'

'Nou, daar komen we gauw genoeg achter.' Ik hoopte dat ik als tante Biddie klonk – koel, rustig, beheerst en de situatie meester, zoals een tante hoort te zijn.

Het vliegtuig won hoogte en de aarde verdween onder de wolken.

'Je hebt de foto's van de portretten van de prinses toch wel bij je, hè?' vroeg Stevie.

'Ja.' Ik had er ook een bij me van Angelini's portret van Filomena als meisje, die Roly voor me had gemaakt.

'En je vaders dichtbundel en zijn brieven?'

'Natuurlijk. Die heb ik altijd bij me.'

'Ik vraag me af hoe Filomena is.'

Op het vliegveld van Milaan verliep alles wonderbaarlijk gesmeerd. Onze huurauto stond al voor ons klaar en het was zelfs de Fiesta waar ik om had gevraagd, zodat de bediening vertrouwd zou zijn en ik daar dus niet over in hoefde te zitten wanneer ik in het angstaanjagende Italiaanse verkeer aan de verkeerde kant van de weg moest rijden. Ik was intens dankbaar dat het vliegveld buiten Milaan lag zodat ik niet door het centrum hoefde – de ringweg was al erg genoeg.

'Ik geloof niet dat je ook maar een druppel Italiaans bloed in je aderen hebt,' zei Stevie beschuldigend, toen we een halfuurtje hadden gereden. 'Je bent door en door Engels. Je verwacht dat alle andere bestuurders in hun spiegeltje kijken en je ook voorrang geven als je voorrang hebt.'

Herinneringen kwamen boven aan de manier waarop Liz in Rimini had gereden, met haar hand op de toeter en haar linkervoet boven het rempedaal. 'Je hebt gelijk,' zei ik, 'ik ben Engels.' Hoewel Nigel, viel me in, zich destijds geestdriftig in de strijd had gestort en ze met gelijke munt had betaald.

Het was een opluchting toen we op de snelweg naar Como zaten, waar ik op de rechterbaan kon blijven en me door de maniakken kon laten inhalen. Ten slotte gingen we de bergen in en reden we een tunnel door, aan de andere kant waarvan we werden verrast door een spectaculair uitzicht over het Comomeer. 'Nu kunnen we kiezen,' deelde Stevie mee, die de kaart had zitten bestuderen. 'We kunnen de snelweg aanhouden of langs het meer rijden. Kunnen we dat doen? We hebben toch de tijd, hè? Of wil je zo snel mogelijk naar San Fortunato?'

'Nee, ik wil er niet op een holletje heen. Ik snuif liever eerst wat sfeer op...'

Dat werd een heerlijke rit, ondanks de smalle wegen en het afschuwelijke weekendverkeer, die geregeld werd onderbroken door Stevies opgewonden uitroepen. 'Cara, kijk toch eens!' 'O, is het niet prachtig?' Bergen rezen op aan weerskanten van het helderblauwe meer, waarover veerboten van het ene haventje naar het andere pendelden en zeilboten in een lichte bries laveerden. De huizen in de zonnige, schilderachtige dorpen waren in alle pastelkleuren geschilderd, met balkons en terrastuinen vol fleurige bloemen. Af en toe vingen we een glimp op van een imposant kasteel of een prachtige villa. De bomen waren fris groen – zilverkleurige olijfbomen tussen hoge, donkere cipressen.

In Menaggio lunchten we in een restaurant aan het meer, in de schaduw van een moerbeiboom. De zon was heet, de lucht had een lome warmte en het gekwebbel van Italiaanse stemmen om ons heen was opbeurend. Londen leek opeens heel ver weg – deel van een andere wereld. Bijna met tegenzin vroeg ik om onze rekening en Stevie, die zichzelf tot penningmeester had benoemd, genoot van het idee dat ze lire-miljonair was en telde de bankbiljetten uit.

We verlieten het Comomeer en reden via een reeks haarspeldbochten naar een hoogvlakte. De bergtoppen in het noorden hadden witte pieken, net als die waar we met het vliegtuig overheen waren gevlogen. Toen bereikten we Porlezza aan de oostelijke punt van het Meer van Lugano en begonnen we aan het laatste stuk van onze reis, over een smalle, bochtige weg met aan weerskanten hoge, beboste rotswanden waar we af en toe via een tunnel doorheen reden.

'Dit meer is heel anders dan het Comomeer,' merkte Stevie op. 'Het is veel ruiger, maar hoewel het niet zo lief is, is het haast nog mooier.'

Het verkeer was nog beangstigender en er werd voortdurend naar me getoeterd omdat ik de bochten te langzaam nam volgens chauffeurs die de weg als een racebaan leken te beschouwen en wier voornaamste doel leek alle anderen van de weg te rijden, tegen de loodrechte rotswand aan de ene kant of het meer aan de andere kant in.

Opeens maakten de steile rotsen aan onze rechterkant plaats voor een breed ravijn, waardoor een riviertje in een waterval omlaag viel. Ik wierp een snelle blik het dal in en ving een glimp op van een grote kerk, hoog tegen de helling. Toen kwamen we over een brug, namen een bocht en kondigde een bord aan: San Fortunato.

'We zijn er!' riep Stevie opgetogen.

Na een paar honderd meter door de dichtbebouwde dorpsstraat kwamen we aan bij een plein met keitjes, geflankeerd door huizen, winkels en een café. Er torende een kerk bovenuit en vlak achter de kerk begon de steile, beboste helling.

'Stop, Cara, stop!' schreeuwde Stevie.

Omdat ik aannam dat zich een noodsituatie voordeed, ging ik hard op de rem staan, waardoor achter me een fanfare van autotoeters losbarstte.

'Linksaf! Nu!' ging Stevie door. 'Daar is het Hotel del Lago!'

Zonder richting aan te geven draaide ik het parkeerterrein op en kwam op de enige vrije parkeerplaats tot stilstand.

'Goed zo,' zei Stevie. 'Zo rijd je op z'n Italiaans.'

'Poeh!' zuchtte ik, terwijl ik achteruit zakte.

'Ik denk dat je er nog heel goed in wordt, nu je door hebt hoe het moet,' deelde Stevie mee.

We stapten uit. Rechts van ons lag het hotel, recht voor ons lag het meer, links stak een kleine kaap uit waarop een paar grote huizen van drie verdiepingen stonden en achter ons lag het plein. Ik legde mijn hoofd in mijn nek, maar de huizen op de rotsrichel boven San Fortunato lagen verscholen achter de daken, de kerk en de bomen.

In plaats van het rustige plekje dat het in de folder van het Verkeersbureau had geleken, was het er typisch Italiaans rumoerig, met een eindeloze stroom auto's, scooters en bussen die over de hoofdweg raasden. Door open ramen blèrde popmuziek en vrouwen riepen naar elkaar vanaf balkons waarop was te drogen hing. Om het lawaai nog erger te maken, luidden de kerkklokken en van het meer kwam het geluid van een scheepsfluit, toen een stoomboot de steiger naderde.

We gingen Hotel del Lago binnen en kwamen in een aardige ontvangstruimte. Een nogal corpulente vrouw van middelbare leeftijd – op een Italiaanse manier gemoedelijk – kwam een kantoortje uit en ik stelde me voor. In het Italiaans verwees ik naar mijn telefonische reservering en schriftelijke bevestiging.

Ze knikte energiek. '*Si, Signora Sinclair*. We verwachten u. Ik ben Signora Nebbiolo, de eigenaresse. Welkom in Hotel del Lago. En ik heb goed nieuws voor u. Iemand heeft op het laatste moment afgezegd, dus in plaats van de tweepersoonskamer die u hebt besproken, kunt u het appartement krijgen. Dat is maar tienduizend lire per nacht meer. Ik zal het u laten zien en als u het ziet, weet ik zeker dat u het 't geld waard zult vinden. Nu dan, waar is uw bagage?'

'In de auto.'

Ze riep: 'Giuseppe!' en ergens vandaan kwam een knappe jongeman in kelnerkleding te voorschijn.

'Mijn zoon,' deelde Signora Nebbiolo ons trots mee.

Hij nam Stevie bewonderend op en liep bereidwillig met ons mee naar de auto om onze koffers te halen. Daarna liepen we achter elkaar een trap af, een gang met een marmeren vloer door en een reeks vertrekken binnen.

Er was een zitkamer, eenvoudig gemeubileerd met een paar leunstoelen, een tafel en eetkamerstoelen, een eenpersoons divanbed en een kast. Aan de andere kant gaven openslaande deuren toegang tot een balkon. Er kwam een badkamer op uit, een kleine alkoof met een piepklein keukentje, en een slaapkamer, ook met openslaande deuren naar het balkon. Het gekke was dat we volkomen waren afgesloten van het lawaai buiten: het enige geluid dat de stilte verstoorde, was de fluit van de stoomboot, die anders, hoger klonk toen de boot vertrok naar het volgende stadium van zijn reis over het meer.

'O, wauw!' riep Stevie uit. 'Dit is hemels!'

Signora Nebbiolo lachte voldaan. '*Le piace?*'

'*Si*,' antwoordde Stevie met klem.

Voor vijf pond extra was het een koopje. 'Dank u, Signora,' zei ik. 'We nemen het appartement.'

Giuseppe troonde Stevie mee naar de openslaande deuren, waar hij in rap Italiaans uitlegde hoe de jaloeziedeuren open en dicht gingen, een uitleg die hij gelukkig vergezeld liet gaan van een demonstratie. Stevie wierp hem een van haar fabelachtige glimlachjes toe waarbij ze haar wimpers liet wapperen. Hij smolt bijna.

Inwendig grijnzend dacht ik: dat moet ons een goede bediening in het restaurant opleveren.

Toen we alleen waren, vroeg ik: 'Zullen we tossen om de slaapkamer?'

'Nee,' zei Stevie. 'Neem jij hem maar. Ik wil hier slapen. En ik ga de openslaande deuren ook niet dichtdoen. Ik ga in bed liggen luisteren naar het kabbelende water beneden en naar de maan boven de bergen kijken.'

'Zolang Romeo maar niet op het balkon kan klimmen,' merkte ik droogjes op.

'O, daar had ik niet aan gedacht.' Ze stoof naar buiten en riep toen: 'Cara, kom eens naar het uitzicht kijken!'

We zetten onze ellebogen op de balustrade. Onder ons lag een klein terras met tafeltjes en stoelen, waarvan de meeste bezet waren. Aan de andere kant stond een stenen muur, met potten vol planten erlangs tot aan een treurwilg, waarvan de afhangende takken boven het meer hingen.

Tegenover ons lagen onbewoonde, beboste hellingen. We volgden ze met onze ogen naar het westen, naar Zwitserland, waar de bergen, gedomineerd door de duidelijk herkenbare piek van de Monte di San Salvatore, achter de stad Lugano oprezen en er net zo blauw uitzagen als het water van het meer.

Stevie slaakte een diepe, tevreden zucht voor ze naar binnen ging om haar fototoestel te halen en een paar foto's te maken. Ten slotte rukten we ons los, vonden wat kouds te drinken in de koelkast in het keukentje, pakten onze koffers uit, fristen ons op en kleedden ons om.

'Wat wil je nu gaan doen?' vroeg ik.

'Wat jij wilt. Het is vast allemaal even zalig.'

'Laten we dan maar op verkenning gaan.'

'Bedoel je op zoek naar Filomena?'

Ik schudde mijn hoofd. We hadden nog een hele week. Nu ik zolang had gewacht, kon ik nog wel wat langer wachten. Je moet nooit met dichte ogen springen. Bezint eer ge begint. Ik herhaalde deze en soortgelijke clichés bij mezelf, terwijl ik tegen Stevie zei: 'Laten we eerst de omgeving maar eens bekijken.'

Dus gingen we terug naar boven, naar de receptie, waar Signora Nebbiolo ons registratieformulieren gaf en we ons paspoort afgaven. Ze wierp een blik op het mijne en zei: 'Bent u in Italië geboren, Signora? Dat verklaart waarom u zo goed Italiaans spreekt.'

'Dank u. Maar ik heb mijn hele leven in Engeland gewoond.'

Voor ze kon informeren waar ik was geboren, vroeg ik hoe lang zij al in San Fortunato woonde. Sinds 1956, al bijna vijfentwintig jaar, vertelde ze. Ze was hier komen werken als kamermeisje en was met een van de kelners getrouwd. Toen de vorige *padrone* met pensioen was gegaan, hadden haar man en zij het hotel van hem gepacht. Ze hadden vier kinderen, van wie Giuseppe de oudste en de enige jongen was. Een van haar dochters hielp ook in het hotel en de andere twee zaten nog op school.

Daarna praatten we nog even over San Fortunato en wat een leuk plaatsje het was en dergelijke, wat me handig op de vraag bracht: 'Kent u toevallig een huis dat Villa Lontana heet?'

Ze keek verrast. 'Ja, ik weet waar het ligt. Het ligt niet in San Fortunato zelf, maar voorbij Granburrone, in de bergen. Wacht, dan laat ik het u zien.' Ze liep naar een rek aan de muur waar ze een stapel folders uit nam, waarvan ze er een opensloeg bij een kaartje van de streek. 'Hier ligt San Fortunato. U rijdt langs het meer naar Varone.' Ze wees op het volgende dorp en volgde toen met haar vinger een weg die bochtig tegen de helling op liep, langs verschillende afgelegen boerderijen en gehuchten, en uiteindelijk bij een paar zwarte stipjes vlak boven San Fortunato uitkwam. 'Dit is Granburrone.' Nog een paar haarspeldbochten, daarna een enkel zwart stipje. 'En daar ligt Villa Lontana.'

De weg liep langs Villa Lontana door naar de rand van een dal – het ravijn waardoor ik een blik naar boven had geworpen vlak voor we San Fortunato binnenreden –, waarna hij aan de overkant terugliep en bijna precies tegenover Villa Lontana bij een kerk eindigde. 'L'Abbazia e Convento della Madonna della Misericordia,' legde Signora Nebbiolo uit. Toen kreeg haar nieuwsgierigheid de overhand. 'Waarom stelt u belang in de Villa Lontana?'

'Ik heb een introductie voor Signora Angelini van een vriend in Parijs.'

'O, ik begrijp het.'

'Kent u haar?'

'Nee, dat niet, maar–' Toen sloot ze stijf haar mond.

'Haar vader was schilder,' probeerde ik nog.

Ze haalde haar schouders op. 'Ja, dat heb ik gehoord.'

Wat ze had willen zeggen, had vast niet op Angelini geslagen. 'Komt de Signora vaak in het dorp?' vroeg ik.

'Nee, nooit. Ze is nogal eenzelvig.'

Hier kwam ik verder niets te weten, besloot ik, en vroeg: 'Kan ik dit kaartje kopen?'

'Hier,' zei ze, 'neem maar mee. Het is gratis, van het Verkeersbureau. Neem deze informatie ook maar mee. Er zit een dienstregeling bij voor de stoomboot en de bus. En hier is een folder over San Fortunato. Met de geschiedenis van het dorp en gegevens over wandelingen en bezienswaardigheden, zoals de *Abbazia* en onze eigen kerk.' Ze wees in de richting van het plein.

'Dank u. En kunt u ons nu vertellen hoe we op het terras komen waar we vanaf ons balkon op uitkijken?'

'Maar natuurlijk!' Ze wees recht vooruit. 'Aan die gang liggen de lounge, de bar en het restaurant. Het diner wordt trouwens vanaf zeven uur gereserveerd. Zo komt u bij een trap naar het terras.'

We volgden haar aanwijzingen en kwamen in de zon uit.

'Ik heb er wel iets van begrepen. Maar niet alles. Wat zei ze over

Filomena?' vroeg Stevie.

'Niet veel, vrees ik. Het klinkt of ze nogal een kluizenaar is.'

'Tegen de tijd dat we hier vertrekken, spreek ik vloeiend Italiaans. Nou ja, misschien niet vloeiend, maar in elk geval genoeg voor een gesprek.'

Op dat moment verscheen Giuseppe, een en al glimlach. 'Willen de *Signore* iets drinken?'

Ik keek naar Stevie, die haar hoofd schudde.

Giuseppe bleef bij ons in de buurt en negeerde zijn bestaande klanten toen we ons tussen de tafeltjes door een weg baanden naar de stenen balustrade. Naast de treurwilg gleden twee zwanen majestueus langs een paar treden naar een steigertje waar een roodgeschilderde roeiboot lag afgemeerd.

Stevies ogen glansden. 'Cara, kijk eens! O, denk je dat we daarmee het meer op kunnen?'

Even later, nadat Giuseppe ons galant aan boord had geholpen, roeide Stevie ons het meer op. Net als ik had ze op de Avon leren roeien.

'Je hoeft jezelf geen Italiaans te leren,' merkte ik op. 'Ik ken iemand die je daar maar al te graag bij wil helpen.'

Stevie lachte. 'Het is wel een stuk.'

'Uh-uh. Ik ben verantwoordelijk voor je, weet je nog?'

'Maak je maar geen zorgen, ik meen het niet echt.' Ze zuchtte tevreden en trok aan de riemen. 'Loopt de Zwitserse grens over het meer?'

'Ja, vlak langs een dorp dat Oria heet.'

'Dus we zouden zo Zwitserland in kunnen roeien, net als Hemingway en Catherine in *Farewell to Arms*?'

'In theorie wel, denk ik.'

'Laten we het een keer proberen.'

'Dan worden we waarschijnlijk gearresteerd.'

'Dat zou wat zijn.'

'Nou, laten we ons vandaag maar beperken tot de andere kant. Ik wil Granburrone bekijken.'

'Oké.' Ze verlegde haar koers iets. 'Ik kan er gewoon niet over uit hoe prachtig het hier is. Kijk toch eens naar de weerspiegelingen in het water. En het is zo helder, je kunt de vissen zien. Staat in een van die folders wie San Fortunato was?'

Met tegenzin wendde ik mijn ogen van het uitzicht af en vond het antwoord op haar vraag. 'Het is een plaatselijke heilige die in de veertiende eeuw al heilig is verklaard en zijn volledige naam is San Fortunato Rocca. Hij was de zoon van de schatrijke tiran die al het land in deze buurt bezat, waaronder Sacro Monte, waar de Abbazia e Convento della Madonna della Misericordia – de abdij en het klooster van de madonna van barmhartigheid – nu staan.

Op een dag, toen Fortunato op de berghelling was, verscheen de madonna aan hem. Kort daarop overleed zijn vader, waarna hij die plek van de berg aan de orde van de augustijnen gaf en de rest van het land en zijn bezittingen aan de armen en behoeftigen. Vanaf die tijd leidde hij een kluizenaarsbestaan in een grot. Op verschillende plaatsen langs het voetpad naar de abdij staan veertien kruisen die de kruisweg voorstellen, de weg van Christus naar de Calvarieberg. De oorspronkelijke kruisen die Fortunato heeft gemaakt, zijn helaas al lang verdwenen, maar de vervangende kruisen zijn fascinerend door hun prachtige houtsnijwerk.'

Ik liet de folder op mijn schoot vallen en stak mijn vingers in het water, terwijl ik naar de bergen keek. Granburrone was nu goed te zien en erboven werd een huis zichtbaar dat een eindje van de andere af stond.

Anders dan de andere huizen stond het niet zo gevaarlijk tegen de helling, maar leek het verder naar achteren te staan, haast alsof het in de berg was gebouwd in plaats van ertegen. Het stond tegen een achtergrond van bomen, waartussen cipressen stonden die op wachters leken. Het huis lag op het zuiden en keek uit over het meer, met een voorgevel van meerdere verdiepingen met elk een eigen balkon met galerij. Het lag te ver weg om het goed te kunnen zien, maar het zag eruit of het een kleine terrastuin had, voor de bomen begonnen.

'Dat moet Villa Lontana zijn,' zei ik.

Stevie liet haar riemen rusten, waardoor de boot zachtjes afdreef. 'Goh, wat een huis. Niet bepaald een gewoon huis, Cara.'

'Mmm, dat had ik mis.'

En wat had ik nog meer mis, vroeg ik me af.

De abdij stond aan de andere kant van het ravijn. 'Hoe zei je ook weer dat de abdij heette?' vroeg Stevie.

'L'Abbazia e Convento della Madonna della Misericordia.'

Stevie herhaalde de naam langzaam. 'Hij is ook prachtig. Hij ziet er erg oud uit.'

Ik sloeg de folder weer open en vertaalde: 'De abdij van de madonna van barmhartigheid is eind dertiende eeuw gebouwd. Boven de hoofdingang is een fresco van de madonna met aan de ene kant Sint-Augustinus en aan de andere kant Sint-Fortunato. Het klooster zelf is in de veertiende eeuw gesticht en wordt geleid door een augustijner orde van liefdezusters – een orde van verpleegkundigen. Vooral de Romaanse kloosters,

266

het Chiostro del Paradiso – de paradijsgangen –, zijn een bezoek waard. Ze zijn opmerkelijk vanwege de fijnzinnige soberheid van hun architectuur en de prachtige zerken in de galerijen.'

Stevie nam een paar foto's en begon toen weer naar het midden van het meer te roeien, terwijl ze Villa Lontana en de abdij in het zicht hield.

Het was heel stil hier, midden op het meer, waar alleen het zachte gespetter van de riemen de stilte verstoorde. Hoe dichter we de onbewoonde overkant naderden, hoe meer we ons bewust werden van het luide gezang van vogels, dat ons met de wind bereikte. En het luidst in dat koor klonk de kenmerkende, tweetonige roep van de koekoek. Niet één koekoek, maar tientallen.

Afgelopen zondag was ik nog in Londen geweest en had ik Filomena Angelini voor het eerst gebeld. Deze zondag was ik in het zicht van Villa Lontana. Als ze uit het raam keek, had ze me misschien wel in de gaten.

'Goed,' zei ik, 'ik geef toe. Keer maar om en ga terug naar het hotel. Dan zal ik haar bellen.'

De volgende morgen reed ik over de smalle, bochtige, slechte weg van Varone naar Granburrone. Tot mijn opluchting kreeg ik geen sliert auto's achter me aan en kon ik mijn eigen tempo aanhouden, hoewel we af en toe wel een auto tegenkwamen die in tegenovergestelde richting naar beneden raasde en leek aan te nemen dat ik wel aan de kant zou gaan en zou stoppen om hem er langs te laten. Als dat gebeurde, hoorden we door het open raampje de kenmerkende roep van de koekoeken in het bos om ons heen.

Af en toe liep er een brandgang, zo'n vijftien meter breed, tussen de bomen door – en vingen we een glimp op van de Abbazia e Convento della Madonna della Misericordia, boven op de Sacro Monte, met ver erachter de met sneeuw bedekte bergtoppen. Dan maakte de weg een haarspeldbocht, werden we weer ingesloten door bomen en verdween de abdij uit het zicht.

Ten slotte kwamen we in Granburrone, waar de huizen vlak aan de weg stonden die maar net breed genoeg was voor één enkele auto. Het dorpje had iets vreemd primitiefs, waardoor je het gevoel had dat de tijd eeuwen was teruggezet. Er stonden deuren open en daaruit keken uitdrukkingsloze boerse gezichten hoe we langsreden.

Voorbij de huizen maakte de weg een scherpe bocht en rechts van ons liep de grond steil af. Even later kwam er een vrijstaand huis in zicht dat vanaf de weg gezien bedrieglijk klein leek en waarvan de aanwezigheid werd aangekondigd door een hoge, stenen muur die de tuin aan de blikken van nieuwsgierige voorbijgangers onttrok. Deze muur zat vast aan het huis zelf, waarvan het gele stucwerk haast tot wit was verbleekt. De ramen waren verborgen achter luiken. Dan volgde een stoep naar een deur, waarnaast een bord stond met: Villa Lontana. Daarna liep de muur nog een meter of dertig door, voor hij een haakse bocht naar rechts maakte. Aan de andere kant stonden de cipressen die we vanuit de roeiboot hadden gezien. Daarachter begon het bos weer, dat het huis met zijn tuin omsloot.

Op een parkeerplaats tussen de bomen stond een grijze Fiat waar ik naast tot stilstand kwam. We stapten allebei uit zonder iets te zeggen. Het rook er naar dennenhars en de lucht was vol van het gebeier van kerkklokken en het gezang van vogels.

Er zaten heel wat soorten vogels in die bomen. Er klonk een heel welluidend koor en orkest van vogels: vogels uit de keeltjes waarvan vloeibare muziek vloeide; vogels die kweelden en floten en koerden en kwetterden. Maar het luidst en indringendst klonken de koekoeken – alsof het bos van hen was en op elke tak een koekoek zat.

'Er was een bos bij ons in de buurt dat nota bene het Koekoeksbos heette...'

'Zie ik er goed uit?' vroeg Stevie.

We hadden allebei een zomerjurk aan – Stevie een los vallende, blauwe denim zonnejurk, ik een crèmekleurige overhemdjurk. 'Je ziet er geweldig uit.'

'Jij ook – heel koel, rustig en beheerst.'

Ik wilde dat ik me ook zo voelde.

We liepen naar de voordeur en Stevie zei nog een keer: 'Ik vraag me af hoe ze is.'

Ik haalde diep adem en trok aan een lang, smeedijzeren belkoord, en van heel diep in het huis hoorden we een getingel, gevolgd door het geluid van voetstappen. Een vrouw deed open, die ouder was dan Signora Nebbiolo, maar qua uiterlijk niet erg van haar verschilde. Haar volle figuur was in een blauw met wit geruite overall gehuld.

Volgens mijn berekeningen moest Filomena Angelini halverwege de vijftig zijn en deze vrouw zag er op zijn minst tien jaar jonger uit. Ik kon me echter vergissen en schijn bedriegt. 'Signora Angelini?' vroeg ik. 'Sono Cara Sinclair.'

De vrouw schudde haar hoofd en haar ogen gingen van mij naar Stevie. Toen zei ze: 'Non sono Signora Angelini, ma la signora aspette Loro.

Prego, entrate.'

Ze ging achteruit en liet ons binnen. De hal met zijn marmeren vloer en slechte licht kwam ons kil en somber voor na de warme zon buiten. Ik had vaag de indruk dat er meerdere deuren op uitkwamen: ze waren allemaal dicht. Aan de andere kant klopte de vrouw op een deur en een stem riep: '*Si, entrate.*' Naast de deur was een nisje in de muur met een beeldje van de maagd Maria, met eronder een tuiltje bloemen en een flakkerend kaarsje.

We liepen van het donker een kamer in die leek te glanzen van hetzelfde soort wit en geel en goudkleurige licht waaraan ik een schilderij van Angelini zo snel en gemakkelijk kon herkennen. De muren en het plafond waren wit. De gordijnen waren diepgeel; de leunstoelen en banken waren bekleed met een warm bruin katoenfluweel en hadden vergulde houten armleuningen en poten, waar veel van het verguldsel was afgesleten. Het tapijt was dofbeige, maar het zonlicht, dat binnenstroomde door de openslaande deuren die op een balkon uitkwamen, viel er in een brede straal op die puur goudkleurig was.

Aan de muren hingen een paar portretten in Amadores onmiskenbare stijl – een van een schilder voor een ezel, het andere van een vrij jonge vrouw met donker haar. De enige andere versiering was nog een altaartje voor de maagd Maria – ook weer met een brandende kaars.

Ik hoef mijn ogen maar dicht te doen en dan is het of ik er weer ben, dan herleef ik dat moment: die allereerste keer dat ik op Villa Lontana was en Filomena in haar stoel zag zitten en over het blauwe meer en de blauwe bergen zag uitkijken, terwijl het gebeier van de klokken van de Abbazia e Convento della Madonna della Misericordia door het dal weerklonk en het bos galmde van de roep van talloze koekoeken.

Toen draaide ze haar stoel om en reed naar ons toe.

HOOFDSTUK 18

Ze bracht de rolstoel tot stilstand en keek naar ons op. Ze droeg een witte blouse, met aan de kraag een broche met camee en over haar onderlichaam lag een deken. Haar haar, dat achter in haar nek tot een knot was samengetrokken, was staalgrijs. Ze had een krachtig gezicht – eerder knap dan mooi, met donkerbruine ogen onder dikke, donkere wenkbrauwen. Haar neus was puur Romeins en haar mond had volle lippen met aan weerskanten diepe groeven in de vaalbleke huid.

Er schoten talloze gedachten door mijn hoofd, onder andere dat iemand me wel eens had kunnen waarschuwen dat ze invalide was, snel gevolgd door de bijna schuldige overweging dat dat totaal geen verschil zou hebben gemaakt. En dan de overweging dat haar zwakke stem en haar aarzelende woorden toen ik haar uit Londen had gebeld, heel goed aan haar slechte gezondheid te wijten konden zijn geweest. En daarna het besef dat er net zo weinig duidelijke lichamelijke gelijkenis tussen haar en mij bestond als tussen de prinses en mij.

Ze stak haar hand uit en zei zacht en beverig: '*È incredibile*. U lijkt precies op uw vader.'

Toen ik haar hand in de mijne nam, was hij koel, bijna koud.

'Dank u zeer dat u me hebt willen ontvangen,' zei ik, hartstochtelijker dan ik van plan was geweest.

Ze keek van mij naar Stevie. 'Is dit uw dochter?'

'Nee, de dochter van mijn nicht. Mag ik u Stevie Evans voorstellen?'

Ze schudden elkaar de hand en Stevie zei: '*Buon giorno, Signora Angelini.*'

'Spreek jij ook Italiaans?'

Een groot deel van de vorige avond was doorgebracht met *Italiaans op reis*, zonder hulp van Giuseppe. Stevie zei: '*Non parlo bene italiano, ma capisco un poco.*'

Signora Angelini glimlachte flauw en vroeg hoe oud ze was.

Stevie antwoordde: '*Ho diciasette anni.*'

'Zeventien – ik weet nog dat ik zo oud was als jij. Ook ik was jong en te knap en hoopvol. Ik zat toen nog niet in een rolstoel.' Ze schudde haar hoofd en duwde haar stoel iets naar achteren. 'Kom, ga alsjeblieft zitten. Lucia zal koffie brengen. Of hebt u liever thee?'

'Dank u, koffie is prima,' antwoordde ik.

Lucia ging weg en Signora Angelini manoeuvreerde haar stoel behendig terug naar het raam. 'Het is zo'n prachtige dag,' zei ze. 'Zullen we de tuin ingaan?'

'Als u wilt,' zei ik. 'We willen niet dat u moeite voor ons doet.'

'Het is geen moeite.'

Terwijl Stevie en ik achteruit gingen om haar voor te laten gaan, keken we elkaar aan en ik zag mijn eigen schrik op Stevies gezicht.

Signora Angelini reed het balkon op, met aan het uiteinde een afrit die naar een pad liep, dat weer onder een poort door naar een bestrate binnenplaats leidde, waar twee van kussens voorziene ligstoelen en een tafeltje in de halfschaduw van een vijgenboom stonden. Roze rozen in volle bloei, gonzend van de bijen, klommen over de boog van een loggia. Terracotta urnen en aardewerken potten stonden vol bloemen. Zwaluwen schoten een nest in en uit onder het overhangende gedeelte van het balkon, onder het slaken van opgewonden, kwetterende kreten. In het midden stond een fontein, die water spoot uit de engelachtige lippen van een cupidobeeld op voet in een verzonken vijver vol waterlelies waarboven een libelle heen en weer schoot. Het gespetter van het water overstemde het geluid van de koekoeken bijna – maar niet helemaal.

'Dit is mijn eigen tuin,' verklaarde ze, terwijl ze met haar handen rond de binnenplaats gebaarde. 'Lucia's man, Cesare, zorgt voor de rest.'

'Hij is prachtig.' Ik ging op een van de ligstoelen zitten en Stevie kuierde weg, de rest van de tuin in, die afliep in een reeks terrassen en bij het bos eindigde.

Lucia kwam met een blad uit een andere deur, naast de loggia. Ze schonk onze koffie in en toen ze had gevraagd of we nog iets anders wilden en Signora Angelini een bezorgde, bijna moederlijke blik had toegeworpen, ging ze weer weg.

Filomena en ik waren alleen.

'Kent u dit deel van Italië, *Signora*?' vroeg ze.

'Helemaal niet. Ik ben hier voor het eerst.'

'Maar u was al wel in Italië geweest?'

'Meerdere malen. Ik heb een tijdje in Italië gewerkt voor ik trouwde.'

'Wat is uw beroep?'

'Ik ben nu secretaresse van een bestuursvoorzitter.'

'Het moet een heel goed gevoel zijn zakenvrouw te zijn. Ik heb nooit gewerkt voor de kost. Ik heb de kans niet gekregen. Toen ik een meisje was, in Parijs, droomde ik ervan ooit voor een van de grote *maisons de haute couture* te werken, voor Else Schiaparelli of Coco Chanel. Maar toen brak de oorlog uit en gingen we terug naar Italië. Daarna gebeurde dit' – ze wees op de rolstoel – 'en moest ik mijn dromen opgeven. Maar zo is het leven nu eenmaal en daar kun je niets aan doen.'

Natuurlijk brandde ik van nieuwsgierigheid om te vragen wat er was gebeurd, maar net zoals ik graag over het werkelijke doel van mijn bezoek zou beginnen, verbood de beleefdheid me dat. Ze moest de tijd hebben om hoogte van me te krijgen.

We dronken met kleine slokjes van onze koffie en ik voelde hoe haar bruine ogen me nerveus aankeken over de rand van haar kopje, dat licht trilde in haar hand. Toen zei ze: 'Ik heb niet alles begrepen wat u me vorig weekend door de telefoon vertelde. Zou u het me allemaal nog eens willen uitleggen?'

Ik knikte en begon nogmaals aan mijn verhaal, waarbij ik het vertelde in de volgorde waarin het was gebeurd, te beginnen met Oliver Lyons interview, waar ik elk nieuw stukje informatie aan toevoegde zoals ik het had gekregen. Ze luisterde aandachtig en onderbrak me alleen om af en toe een vraag te stellen of een woord te suggereren als mijn woordenschat me in de steek liet.

'En nu ben ik hier, in San Fortunato,' zei ik ten slotte.

Ze keek uit over de tuin en de bomen, over de rode daken aan het meer en de klokkentoren van San Fortunato, naar het blauwe meer en de blauwe bergen. 'Waar is de *Signorina*? Haar koffie wordt koud.'

'Maakt u zich geen zorgen,' verzocht ik haar. 'Ze kan heel goed op zichzelf passen.'

'Zolang ze maar niet het bos ingaat.'

'Waarom niet? Is het niet veilig in het bos?'

Haar stem klonk ongerust. 'De hellingen zijn erg steil en de grond kan glad zijn. Ze kan wel vallen en een ongeluk krijgen.'

Op dat moment kwam Stevie in zicht, in gezelschap van een verweerde, grijsharige man die een kruiwagen duwde. 'Daar is ze!' riep ik uit.

Signora Angelini ontspande zich. 'Ah, ze is bij Cesare. Dan is het goed.'

Stevie zwaaide even en hield haar hoofd vragend schuin. Ik knikte terug om aan te geven dat alles goed ging. Ze haalde een boek uit haar tas en ging op het gras zitten, zo dichtbij dat we haar konden roepen, zo veraf dat ze ons niet afleidde.

'Hebt u zelf geen kinderen, Signora?' vroeg Filomena Angelini.

Ik schudde mijn hoofd. 'Ik had heel graag een gezin willen hebben, maar ik heb mijn eerste kindje verloren waarna ik er geen meer kon krijgen.' Ik weet niet goed waarom ik dat zei. Het was niet iets wat ik normaal tegen iemand zou zeggen, zeker niet tegen een vreemde.

Ze zei zacht: 'De natuur kan heel wreed zijn.'

'Het doet er niet meer toe. Stevie is bijna als een dochter voor me.'

Van onder haar deken trok Signora Angelini een rozenkrans te voorschijn en liet de glanzende kralen door haar vingers glijden. 'Ik weet hoe het kan zijn. Ik was zes toen uw vader voor het eerst in mijn leven kwam en hij werd meer een vader voor me dan mijn eigen vader – meer een broer dan mijn eigen broers.'

Ze keek verlegen naar me en ik glimlachte bemoedigend terug.

'Ik hield van uw vader. Ik heb hem aanbeden vanaf het moment dat ik hem voor het eerst zag, toen mijn vader hem meebracht naar ons huis in de rue des Châtaigniers. Hij was zo anders dan iedereen die ik ooit had gezien – hij leek totaal niet op een Fransman of een Italiaan. U weet natuurlijk hoe hij eruitzag – heel lang en nogal mager, met een bos rood haar. We noemden hem altijd Rosso en zo denk ik nog steeds aan hem. Rosso. Zijn haar was veel roder dan het uwe. En zijn huid was bleker. Hij kon niet in de zon zitten zonder te verbranden, terwijl ik zie dat u geen last hebt van de zon.

Hij had een persoonlijkheid die bij zijn voorkomen paste. Ik herinner me vooral zijn lach. Later lachte hij niet zoveel meer. Maar in die tijd leek hij altijd te lachen, alsof het leven een aanhoudende grap voor hem was, iets wat hij totaal niet serieus kon nemen. Of misschien was hij alleen bij mij maar zo.

Hij kon erg goed met kinderen overweg. Hij had de gave zich in de wereld van het kind te verplaatsen. Ik geloof eigenlijk niet dat hij ooit echt volwassen is geworden. Hij leek Peter Pan wel. Hij vertelde altijd de prachtigste verhalen. Nadat hij bij ons was komen wonen, vertelde hij me meestal 's avonds een verhaaltje voor ik ging slapen. Het verhaal was altijd anders. Hij beloofde dat hij me op een dag mee zou nemen naar Ierland om een dwerg te zien. Dankzij hem heb ik jaren geloofd – zelfs nog toen ik al lang volwassen was – dat er echt kleine mensen bestonden die dwergen werden genoemd.

Mijn broers dreven altijd de spot met me, maar ze waren een stuk ouder en hadden geen tijd voor een klein meisje. Benedetto was dertien jaar ouder dan ik en Emilio was tien jaar ouder. Dat is een groot leeftijdsverschil. Ik denk dat ze jaloers op me waren, omdat ik door iedereen werd verwend. Mijn ouders zeiden altijd dat ik een wonder was. Toen mijn moeder Emilio had gekregen, zeiden de dokters dat ze geen kinderen meer zou kunnen krijgen – en toen kwam ik nog. Maar ze had een afschuwelijke bevalling en ze heeft na mijn geboorte haar gezondheid nooit meer helemaal teruggekregen. Ze was nog niet eens zo oud als ik toen ze stierf.

En haar leven is verre van gemakkelijk geweest. Ze haatte Parijs. Ze heeft nooit Frans leren spreken en ze maakte er erg weinig vrienden. Maar mijn vader had de ambitie een groot schilder te worden en Parijs was het centrum van de artistieke wereld, en omdat ze een plichtsgetrouwe echtgenote was, deed ze wat er van haar werd verwacht.

Als mijn vader veel talent had gehad, waren de offers die ze bracht het misschien waard geweest, maar dat had hij niet. Hij was kopiist. Hij schilderde wat hij zag. Meer kon hij niet. En diep in zijn hart wist hij dat, waardoor hij erg verbitterd raakte.'

Ik fronste mijn voorhoofd en ze zweeg.

'Ik ben geen schilder,' zei ik, 'maar wat mij betreft had uw vader een heel kenmerkende stijl. Misschien was zijn werk veraanschouwelijkend en misschien was het niet zo vernieuwend als – zeg – dat van El Toro, maar ik vind het veel mooier.'

'Prins Zakharin zei in zijn brief dat u een van mijn vaders schilderijen hebt gekocht. Ik heb er geen herinnering aan.'

'Ik heb er een foto van meegebracht.'

Ze keek ernaar en haalde haar schouders op. 'Ja, dat ben ik, hoewel ik me het schilderij niet herinner. Als het in 1930 is geschilderd, moet ik vijf geweest zijn.'

Dan had ik er dus niet ver naast gezeten.

'Ik denk dat het hier geschilderd moet zijn, op Villa Lontana, toen we hier met vakantie waren. We kwamen hier iedere zomer terug – vanwege mijn moeders gezondheid en om mijn grootouders op te zoeken.'

'Woonden uw grootouders toen dan hier?'

'Ja, dit huis is door mijn overgrootvader gebouwd als zomerhuis. Hij was een erg rijk man, een zijdefabrikant, met een fabriek in Saronno, aan de weg tussen Milaan en Como. Misschien bent u er op weg naar San Fortunato langs gekomen. Die streek is een van de belangrijkste zijdecentra ter wereld. Misschien zijn de moerbeibomen u opgevallen?'

'Ik ben bang dat ik meer op het verkeer heb gelet.'

'Heel verstandig. Ik zou het doodeng vinden om auto te rijden.'

'Is de zijdefabriek nog in het bezit van uw familie?'

'Ja, hij is van mijn overgrootvader op mijn grootvader overgegaan, toen op mijn vaders oudste broer en daarna op zijn zoon. Benedetto heeft er ook gewerkt. Na de oorlog had hij er de leiding en nu hij met pensioen is, hebben zijn zonen het overgenomen.' Ze huiverde even, hoewel het erg warm was. 'Wat hebt u daar nog meer voor foto's?'

'Van de portretten van de prinses van uw vader en El Toro.' Ik gaf ze haar.

Het was opmerkelijk hoe haar stemming omsloeg. Haar ogen knepen zich samen tot spleetjes en haar lippen krulden zich. 'Ja, natuurlijk. Deze herinner ik me. Kijk haar toch eens met haar tiara en juwelen. Als je haar zo ziet, zou je niet zeggen hoe ze is begonnen. Pff! *La belle Hélène.*'

Ik schrok van het venijn in haar stem. 'Wat bedoelt u met hoe ze is begonnen?'

'O, dan heeft ze in dat televisie-interview dus niet haar hele leven beschreven? Vertel eens, wat zei ze precies over haar leven in Parijs?'

'Nou, eigenlijk niet zo heel veel.' Het was veel te ingewikkeld om uit te leggen dat ik het begin van het programma niet had gezien, dus herhaalde ik wat Oliver me had verteld. 'Ze beschreef hoe ze met prins Dmitri uit Rusland was ontsnapt en zei dat hij haar, toen ze in Parijs waren, had onderhouden, terwijl ze bij een getrouwde vriendin was gaan wonen die ze van voor de oorlog kende. Daarna is ze met baron de St-Léon getrouwd.'

'Prins Zakharin heeft haar onderhouden! Heeft ze verteld hoe?'

'Ze zei dat hij een huis had en over geld in Parijs kon beschikken, en dat hij verschillende zakelijke initiatieven ontplooide. Maar toen ik zelf in Parijs was, vertelde Ludo Zakharin dat zijn vader in werkelijkheid een gokker was geweest.'

Ze knikte heftig. 'En wat had de prinses te zeggen over haar huwelijk met baron Léon de St-Léon?'

'Ze zei dat ze heel gelukkig waren. O ja, en dat ze via hem veel grote schilders, dichters en musici had ontmoet, onder wie El Toro – en waarschijnlijk tevens uw vader en mijn vader, hoewel ze dat niet met zoveel woorden zei.'

De ogen van Signora Angelini glinsterden. 'Wat een web van waarheid en leugens! Ze kende El Toro en mijn vader lang voor ze baron Léon de St-Léon ontmoette. Ik zal u iets laten zien. Blijf hier. Ik ben zo terug.' Met een krachtige ruk bracht ze haar rolstoel in beweging en reed over de binnenplaats en onder de loggia door naar de deur waar Lucia eerder met het blad met koffie door naar buiten was gekomen. 'Lucia! Lucia!'

Ik hoorde hoe Lucia's stem bijna meteen antwoord gaf: '*Si Signora?*' maar niet wat ze nog meer zeiden.

Stevie keek op van haar boek en vormde met haar mond de woorden: 'Wat is er aan de hand?'

Ik kuierde naar haar toe. 'Alles goed met jou?'

'O, prima. Ik word prachtig bruin en ik kan al in het Italiaans zeggen: "Het meisje zit in de prachtige tuin en de vrouw is in huis". En hoe vergaat het jou?'

'We vorderen langzaam. Ik vertel het je later wel.'

Ik zat net weer in mijn stoel, toen Signora Angelini terugkwam, gevolgd door Lucia met een portfoliokoffertje, van ongeveer hetzelfde formaat als dat waarin Nigel zijn tekeningen voor presentaties bewaarde. Uit de onheilspellende blik die Lucia me toewierp, begreep ik dat haar niet aanstond wat er ging gebeuren en dat ze mij daar bovendien de schuld van gaf.

Ik schoof onze koffiekopjes opzij en Lucia legde het koffertje op tafel en maakte het open. Het zat vol schetsboeken en tekenblokken met waterverftekeningen, die Lucia een voor een aan Signora Angelini liet zien, tot Signora Angelini aankondigde: '*Si, questo!*'

Lucia gaf mij het schetsboek. Ik kreeg een serie potloodstudies van een jonge vrouw onder ogen, een naaktmodel. Ze had een prachtig lichaam, met kleine borsten, smalle heupen en lange, slanke benen. De tekeningen waren smaakvol, er was niets pornografisch aan, maar ze lieten ook weinig aan de verbeelding over.

'Sla eens om,' instrueerde Signora Angelini me en ik deed wat me werd gezegd. Er waren er nog meer. 'Dat is prinses Hélène,' gooide ze eruit, met een vernietigende nadruk op het woord 'prinses'. 'Zo kwam ze aan de kost toen ze in Parijs was. Prins Zakharin onderhield haar niet. Wat hij aan geld had, maakte hij op. Hij gokte dus en zij ging uit de kleren.'

Ik probeerde me vluchtig Ludo Zakharins reactie voor te stellen als hij de inhoud van dat koffertje zou kunnen zien.

'Er moet heel wat moed voor nodig zijn geweest om zoiets te doen, zeker in die tijd,' bracht ik voorzichtig naar voren, niet zozeer om de prinses te hulp te schieten als wel om wat tegenwicht te bieden en enigszins te relativeren.

Signora Angelini wilde er niets van weten. 'Moed! Ze genoot ervan met haar lichaam te pronken. Als ik in haar situatie had verkeerd, was ik nog liever doodgegaan van de honger.'

Als de schetsen haar zo ontstemden, waarom liet ze ze mij dan zien? vroeg ik me af. Toen ik opkeek en zag dat haar ogen strak op de naakte figuur van de prinses waren gericht, kwam het bij me op dat ze er een pervers genoegen aan beleefde ernaar te kijken.

'Wat mijn moeder betreft,' ging ze hartstochtelijk verder, 'kunt u zich voorstelde hoe zij zich voelde toen ze wist dat mijn vader – de grote schilder – zijn dagen zo doorbracht?'

Ik dacht aan de datum op het portret van El Toro en vroeg: 'Poseerde ze ook voor El Toro?'

'O ja. Maar kijk eens naar El Toro's schilderij hier.' Ze wees op de foto. 'Dat is alleen maar een wirwar van vormen en kleuren, geen aanschouwelijk beeld van een naakte vrouw. Hoe dan ook, El Toro was geen respectabel getrouwd man met een gezin.'

Haar logica ontging me een beetje en ik koos mijn volgende woorden met zorg. 'Waren die schetsen alleen voor uw vaders eigen gebruik' – ik hield me op tijd in, voor ik 'genoegen' kon zeggen –, 'of baseerde hij er andere werken op?'

'Wat maakt dat nou uit? Maar ja, hij maakte er schilderijen van die hij verkocht en die hem onder de aandacht van het publiek brachten. Hij veranderde het haar en het gezicht, zodat niemand de prinses zou herkennen. Maar toch kwamen er geruchten in omloop – en zij werd algemeen bekend. Waar ze maar ging, vroegen mensen zich af of zij het model was, hoewel behalve mijn vader en El Toro niemand zeker wist of zij het was. En ze vond het heerlijk te weten dat elke man in Parijs haar begeerde – de schaamteloze hoer.

Die schilderijen waren er de oorzaak van dat ze met baron Léon de St-Léon trouwde. Hij kocht er een en werd verliefd op het model. Kunt u zich zoiets voorstellen? Hij behoorde tot een van de oudste, rijkste en machtigste adellijke families van Frankrijk, met een afkomst die terugging tot Willem de Veroveraar. Zijn eerste vrouw was pas vier of vijf jaar dood. Hij had volwassen kinderen – kinderen van een zeer gevoelige leeftijd – die de liefdevolle invloed van een moeder nodig hadden.

Haar stem werd scheller. 'Maar hij trouwde met háár, die niets gaf om gezinsgeluk, met als gevolg dat de slet vrouw des huizes werd van een prachtig *hôtel* aan de avenue Foch, een *chateau* aan de Marne en een huis in Deauville. Ze had personeel om haar op haar wenken te bedienen. Ze had diamanten, bont, een tiara, een auto met chauffeur en haar eigen stal met racepaarden.

277

Toen gaf baron de St-Léon mijn vader opdracht haar portret te schilderen. Mijn vader nota bene. En mijn vader was zo trots dat hij haar had geholpen haar rechtmatige plaats in de maatschappij te herwinnen, zo blij dat hij werd gevraagd het portret van een van de beroemdste van alle society-gastvrouwen te schilderen. Waarom zijn mannen zo dom, zo onnozel, zo goedgelovig? Hij kon nooit genoeg doen om prinses Hélène te helpen.'

Haar stem werd schril, de woorden tuimelden over elkaar heen. 'Na wat ze baron de St-Léon had aangedaan, verdedigde mijn vader haar nog steeds. Ze heeft de baron geruïneerd, maar mijn vader weigerde nog steeds de waarheid over haar te geloven. Hij probeerde ons zelfs te laten geloven dat ze zich verantwoord had gedragen.'

Er speelden tal van vragen door mijn hoofd, maar ik begon me behoorlijk bezorgd te maken over de toestand van bijna-hysterie waartoe ze zichzelf opzweepte. Lucia kennelijk ook, want ze viel haar streng in de rede: '*Signora, basta cosí! Finialoma!*'

Signora Angelini zakte achteruit in haar stoel, met gesloten ogen, alsof ze al haar kracht had opgebruikt. Haar gezicht was lijkbleek, haar lippen bloedeloos.

Grimmig stopte Lucia de schetsboeken weer in het koffertje en ik greep de gelegenheid aan om de foto's weer in hun envelop te stoppen. Lucia nam het koffertje mee, terwijl ik me afvroeg wat ik moest doen. Ik was van zo ver gekomen en ik was nog maar zo weinig te weten gekomen, maar het zou neerkomen op wreedheid als ik het gesprek nu zou voortzetten.

Signora Angelini bewoog zich in haar stoel en staarde me met doffe ogen aan. 'Vergeef me. Ik weet niet wat me overkwam.'

'Er valt niets te vergeven. De fout ligt geheel bij mij, ik heb u aan dingen herinnerd die u duidelijk liever had willen vergeten. Het spijt me. Dat was niet mijn bedoeling.'

'Nee, dat weet ik wel. U wilde over Rosso horen. Toen kwam die vrouw tussenbeide.' Haar stem daalde tot een fluistering. 'Zowel in de dood als tijdens het leven.'

Op dat moment kwam Lucia terug met een glas water en een flesje pillen op een zilveren blaadje. Haar uitdrukking liet er bij mij geen twijfel over bestaan dat we weg moesten – en snel ook.

Ik wierp een blik op mijn horloge en zei: 'Misschien kunnen we maar beter gaan. Ik wil u niet vermoeien. Het is bijna tijd voor de lunch...'

'Waar logeert u?'

'In Hotel del Lago in San Fortunato.'

'Komt u me nog een keer opzoeken?'

Ik voelde Lucia's doordringende ogen haast in mijn achterhoofd, die me dwongen mijn afscheid niet te lang te rekken. 'Als u zeker weet dat u dat wilt.'

'Ja. Morgen voel ik me vast beter. Lucia belt u wel in Hotel del Lago. Vandaag was zo'n vreemde ervaring. O, wat lijkt u toch op uw vader.' In haar ooghoek welde een traan op.

Ik nam haar hand en zei vriendelijk: 'Tot ziens, Signora Angelini – en dank u.' Ondanks de warmte van de zon was haar hand nog steeds koud, al was haar greep verrassend stevig.

'Noem me alsjeblieft geen Signora Angelini. Noem me Filomena.'

'Als u dat prettig vindt. En als u mij Cara wilt noemen.'

'Dat zou ik heel graag willen – Cara.'

'U kunt wel door het tuinhek,' zei Lucia en wees langs het huis. 'Cesare is daarginds. Hij wijst het u wel.'

Ik riep Stevie, die overeind sprong. We volgden het pad en kwamen Cesare tegen, die een bloembed stond om te spitten. Hij rechtte zijn rug, gaf Stevie een brede glimlach en bracht ons naar een smeedijzeren sierhek in de muur, terwijl hij in een rauw dialect, dat ik nauwelijks verstond, vertelde over de bloemen die hij ging planten.

Toen we in de auto stapten, klonken zijn afscheidswoorden nog na: '*Arrivederci, Signore, arrivederci.*' En de koekoeken klonken nog luid door het bos.

We zeiden weinig tijdens de rit terug naar San Fortunato. Ik omdat ik volledig in beslag werd genomen door gedachten aan Filomena en me op de bochtige weg moest concentreren, en Stevie omdat ze mijn stilzwijgen respecteerde. Toen we bij Hotel del Lago kwamen, bracht Giuseppe ons naar een tafeltje op het terras aan het meer. Op het water dreven de zwanen majestueus langs, met een groepje donzige, grijze jongen achter zich aan.

'Ik weet dat je Italiaans beter wordt, maar hoe is het je in 's hemelsnaam gelukt met Cesare te praten?' vroeg ik Stevie, toen we onze maaltijd hadden besteld en ik het moment dat ik over Filomena moest praten nog even wilde uitstellen. 'Zelfs ik vond hem moeilijk te verstaan. Hij spreekt een heel sterk dialect.'

Ze lachte. 'Hij praatte heel langzaam en duidde dingen met zijn handen aan. En dat deed ik toen ook. Dus redden we ons prima. Hij heeft me de

279

hele tuin laten zien, tot zijn moestuin toe, en we zijn zelfs een stukje het bos in geweest. Er loopt trouwens een pad naar de abdij. Cesare heeft geprobeerd me er iets over te vertellen, maar dat heb ik niet begrepen, vrees ik.'

Giuseppe bracht een karaf witte wijn, een fles mineraalwater en een mandje brood. Omdat ik opeens dorst had, dronk ik een heel glas water in een keer leeg.

'En help me nu uit mijn lijden en vertel me wat er is gebeurd,' smeekte Stevie.

'Ik weet het eigenlijk niet goed,' antwoordde ik langzaam.

'Ze leek nogal van streek toen we weggingen.'

'Ik geloof dat ze helemaal niet in orde is en dat het gesprek haar vreselijk heeft vermoeid.' Het leek het eenvoudigst Filomena's gemoedstoestand toe te schrijven aan haar lichamelijke aandoening, hoewel ik ervan overtuigd was dat aan haar uitzinnigheid een veel diepere geestelijke oorzaak ten grondslag lag – en dat haar vaders houding jegens de prinses daar maar ten dele de oorzaak van was.

Onder het eten vertelde ik Stevie het belangrijkste van wat Filomena had gezegd en vertelde ik haar over de schetsboeken, maar ik kon me er niet toe brengen die verontrustende onderstroom van rauwe emotie te beschrijven. Als ik dat deed, zou ik op de een of andere manier misbruik maken van Filomena's zwakheid en een vertrouwen beschamen – bijna als een arts die zijn eed breekt.

Toen ik klaar was, vatte Stevie de feiten samen, zo ongeveer als Jonathan dat zou hebben gedaan. 'Er is iets vreemds. Als de prinses in 1924 met baron Léon de St-Léon is getrouwd en Filomena pas in 1925 is geboren, hoe wist ze dat alles dan over haar naakt poseren en dat verhaal dat elke man in Parijs haar begeerde?'

'Dat kan haar moeder haar hebben verteld – of misschien de prinses zelf, toen ze in de oorlog op Villa Lontana logeerde.'

'Als ze de prinses zo haatte, is dat nogal moeilijk te geloven.'

Ondanks haar jeugd had Stevie meer gevoel voor logica dan ik. 'Ja, daar zul je wel gelijk in hebben. Wat dat betreft is het even moeilijk om je voor te stellen dat de prinses en zij in hetzelfde huis woonden.'

'Zei ze verder niets over je vader?'

'Nee, alleen hoe dol ze als kind op hem was geweest.'

'Helemaal niets over zijn huwelijk met de prinses?'

'Zover zijn we niet gekomen. Ze begon geagiteerd te raken toen ze over baron de St-Léon begon.'

Stevie gooide wat brood over de balustrade naar de zwanen. 'Dus wat voel je nou van binnen? Wie van hen is je moeder? De prinses of Filomena?'

Ik nam de tijd voor ik antwoord gaf. Toen zei ik: 'Het lijdt geen twijfel dat Filomena verliefd was op mijn vader. Ze gaf het vrijwel toe. En daarom haat ze de prinses waarschijnlijk zo. Omdat de prinses getrouwd was met de man van wie zij hield. Nee, ik geloof niet dat er enige twijfel aan bestaat. De prinses moet mijn moeder zijn geweest.'

'Nou, klink maar niet zo teleurgesteld. Ik zeg nog steeds wat ik vanaf het begin heb gezegd. Ik kan me niets romantischers voorstellen dan ontdekken dat je biologische moeder een echte, springlevende prinses was.'

Ik glimlachte spijtig. 'Het probleem is dat hoe meer ik over haar hoor, hoe minder aardig ik haar ga vinden.'

Stevie dacht hierover na en knikte meelevend. 'Ja, ik begrijp wat je bedoelt, maar je zult het toch met me eens zijn dat Filomena de prinses niet erg zou mogen als ze verliefd was op je vader, denk je wel? Ik bedoel maar, zelfs als de prinses de aardigste mens op aarde was geweest, had Filomena haar nog steeds als rivale beschouwd.'

'Ja, daar zul je wel gelijk in hebben,' zei ik half gemeend.

'Nou, laten we dan maar hopen dat Filomena zich gauw beter voelt, zodat je haar weer kunt opzoeken. Kunnen we dan intussen vanmiddag met de roeiboot weg?'

Die avond belde Stevie Miranda om haar te laten weten dat alles goed met ons was en vlak daarna belde Tobin.

'Ik wilde alleen weten of alles goed was met jullie,' zei hij.

Het overviel me een beetje dat hij belde en ik voelde me onzinnig van de wijs gebracht, omdat Stevie in de kamer was. 'Ja, met ons gaat het prima, dank je.'

'Ben je al bij Filomena Angelini geweest?'

'Ja, vandaag.'

'En?'

'Nou, het was nogal een schok. Ze is invalide. We zijn maar kort gebleven, maar hopelijk kunnen we er nog een keer heen.'

'En hoe zit het met San Fortunato? Heb je enig gevoel van *déjà vu*?'

Ik lachte nerveus. 'Helemaal niet.'

'Je hebt niet het gevoel dat je je daar zo thuisvoelt dat je niet meer naar Engeland terug wilt?'

'Nou, het is hier prachtig. Ik kan het mijn vader niet kwalijk nemen dat hij het hier naar zijn zin had.'

'Ik zou je missen als je niet terugkwam.'

Ik wist niet wat ik daarop moest antwoorden, dus lachte ik nog maar een keer.

'Wie was dat?' vroeg Stevie, toen ik even later ophing.

'Tobin Touchstone, de vriend van Oliver Lyon, die Ludo Zakharin heeft gevonden en me met Filomena in contact heeft gebracht.'

'O, die. Wat aardig van hem om te bellen, hè?'

'Erg aardig,' zei ik instemmend en veranderde van onderwerp.

De dinsdag ging voorbij zonder nieuws van Villa Lontana. 's Morgens verkenden we het dorp, ook al stelde het niet veel voor. Er was maar één winkel, een soort winkel van Sinkel, waar we een paar ansichtkaarten kochten, en daarna kuierden we door de smalle steegjes die op het plein begonnen en beklommen een steile trap die naar de kerk van San Fortunato Rocco liep.

Binnen waren wat fresco's die het leven van de heilige voorstelden: als rijke jongeman; op de berghelling waar de madonna aan hem was verschenen; als filantroop die zijn land aan de kerk en zijn fortuin aan de armen gaf; als kluizenaar die in een grot op de beboste berghelling woonde.

Toen we weer buiten stonden, dwaalden we over het kerkhof met zijn rijkversierde graven, veel met een foto van de overledene, de meeste met bloemen getooid. Daartussen vonden we een dubbel graf met de namen van Amadore en Bettina Angelini.

's Middags klommen we naar de Abbazia e Convento della Madonna della Misericordia. Het pad was erg steil, maar verrassend goed begaanbaar. We stopten van tijd tot tijd op een kleine open plek die zorgvuldig van onkruid was ontdaan en waar een gebeeldhouwd kruis stond met een tuiltje bloemen eronder.

Van bovenaf konden we Villa Lontana duidelijk zien liggen. De kleine binnenplaats waar Filomena en ik hadden gezeten, konden we niet zien, maar de gestalte van Cesare die in de tuin werkte, konden we wel onderscheiden. We konden ook het pad zien dat van de abdij naar Granburrone liep. Het was in de helling uitgehakt en liep via een nogal gevaarlijk uitziende voetbrug over de rivier, hoog boven het ravijn, over een reeks watervallen, en kwam boven Villa Lontana uit.

De abdij straalde een ongelooflijke rust uit, hoewel we niet naar binnen wilden, omdat we allebei een korte broek en een T-shirt aan hadden. Maar het Chiostro del Paradiso vonden we wel, en dat was een van de mooiste begraafplaatsen die ik ooit had gezien, met bijna evenveel bloembedden als graven. Het was niet alleen een rusthof, maar ook een lusthof.

Er waren twee nonnen aan het wieden, die verlegen glimlachten toen we langskwamen. Van tijd tot tijd liepen andere nonnen door de overdekte arcaden rond de rechthoekige binnenplaats.

'Het moet een heel vreemd bestaan zijn, als je non bent,' zei Stevie zacht toen we buiten gehoorsafstand waren.

'Zonder zorgen,' suggereerde ik.

'Mmm, maar als je geen zorgen hebt, wil dat ook zeggen dat je niets hebt om naar uit te kijken.'

Stevie, kwam het opeens bij me op, was erg wijs voor haar leeftijd.

Op woensdag gingen we met de stoomboot naar Porlezza, die 's middags terugkwam met een hele lading schoolkinderen. We waren al een hele tijd niet meer in het hotel geweest en zaten op het terras iets kouds te drinken, toen Giuseppe haastig op ons af kwam om me te vertellen: '*La vogliono al telèfono, Signora.*'

Ik nam het gesprek in de receptie, waar Signora Nebbiolo me nieuwsgierig gadesloeg.

Het was Lucia. 'De Signora heeft me gevraagd u te bellen en de signorina en u morgen op de lunch te vragen,' zei ze met vlakke stem.

'Dat is erg vriendelijk van haar,' antwoordde ik. 'En we nemen de uitnodiging graag aan, als ze zich tenminste goed genoeg voelt.'

'Ja, ze is aardig hersteld. Als u rond de middag wilt komen?'

'Hebt u Villa Lontana gevonden?' informeerde Signora Nebbiolo, toen ik neerlegde.

'Dank u, ja,' antwoordde ik, maar ik deed geen poging om haar nieuwsgierigheid te bevredigen.

Toen ik weer op het terras kwam, zat Stevie ondeugend naar Giuseppe te grijzen, die haar met zijn glanzende, bruine ogen smekend aankeek.

Bij mijn terugkomst nam hij met een laatste smekende blik de benen.

'Hij heeft me mee naar een nachtclub gevraagd,' vertelde ze.

'Ga je?'

'Ik heb net gedaan of ik hem niet verstond.'

'Je mag best hoor, als je wilt.'

'Nee, ik denk dat ik deze uitnodiging maar afsla. Hoe dan ook, ik kon jou toch niet in je eentje laten zitten.'

'Dat is erg lief van je, maar ik denk dat ik het wel red voor een avond.'

'Dat weet ik nog zo net niet. Ik denk dat je een oppas nodig hebt.'

Ik wierp haar een boosaardig spottende blik toe en vroeg toen: 'Het gaat mij niets aan, maar heb je een vriendje, thuis op Holly Hill?'

'Een heleboel vrienden, maar geen vriendje. Te oordelen naar de ervaringen van mijn vriendinnen, zijn vriendjes een ernstig overschat iets. Ze willen volkomen bezit van je nemen en ze geven er niets voor terug. Ik ben van plan mijn hart zo lang mogelijk zelf te houden.'

Kinderen en gekken spreken de waarheid...

'Maar wat ik veel belangrijker vind, wie belde jou eigenlijk?' vroeg ze.

'Lucia. We zijn morgen voor de lunch gevraagd op Villa Lontana.'

Lucia begroette ons bij aankomst iets minder argwanend dan de vorige keer, terwijl Filomena de indruk wekte dat ze haar zenuwen beter in bedwang had. Voor de lunch zaten we op het balkon met een aperitief en keken uit op de Abbazia, met op de achtergrond het koor uit het koekoeksbos.

Ze vroeg me allereerst of we ons hotel gerieflijk vonden en wat we de afgelopen dagen hadden gedaan.

Ik vertelde haar dat we onder andere naar de abdij waren geweest en ze zei zacht: 'Ach, ja, de Via San Fortunato Rocco. Daar ben ik al heel lang niet meer geweest.' Toen verklaarde ze haastig: 'In de oorlog was dat het pad dat we naar het dorp namen. Het viel niet mee, met onze zware tassen de steile helling weer op, naar de top van Sacro Monte.'

Ik moest wel aannemen dat ze de laatste paar dagen veel had nagedacht en omdat ze had besloten de koe bij de horens te vatten, meteen maar over het onderwerp begon dat mij – en haar – het naast aan het hart lag.

Omdat ik haar niet wilde opjagen, probeerde ik het gesprek over de oorlog algemeen te houden. 'Hoe deed u dat in de oorlog met voorraden? Er is nu maar één winkel in San Fortunato.'

'We hebben nooit gebrek aan voedsel gehad, maar aan kleren was moeilijker te komen. We waren onafhankelijk zover dat mogelijk was, omdat we zoveel mogelijk onze eigen groenten kweekten en kippen en konijnen hielden. Als we iets bijzonders nodig hadden, gingen we met de stoomboot naar Porlezza. En er waren altijd goederen van de zwarte markt. Wij woonden aan een van de belangrijkste smokkelroutes naar en van Zwitserland. Misschien weet je dat smokkelen in deze streek een manier van leven was. Nu is het natuurlijk gemakkelijk om Zwitserland binnen te komen, maar in de oorlog werd de grens zwaar bewaakt en mochten wij, als Italianen, de grens niet over. Maar dat hield smokkelaars niet tegen.'

'Dat moet af en toe knap spannend zijn geweest.'

'Ja,' zei ze, 'we maakten veel mee.' Ze keek even naar Stevie. 'Het is niet eerlijk tegenover de *Signorina* dat we Italiaans spreken. Ik hoop dat ze het niet erg vervelend vindt.'

'Maak je maar geen zorgen,' zei Stevie in het Engels. 'Ik begrijp er een boel van. Jullie hebben het over smokkelaars. Ik begreep *contrabbandieri* en *Svizzera*.'

'Ze is erg intelligent,' merkte Filomena op.

'In onze familie hebben we een gave voor woorden en talen.'

'Dat gold zeker voor je vader – en voor jou.'

'Vind je het erg om het over mijn vader te hebben?'

'Nee, vandaag wil ik graag over hem praten. Maandag was het moeilijk. Ik was er niet op voorbereid. Toen ik je voor het laatst heb gezien, was je nog maar een paar maanden oud. En toen was je er opeens, als volwassen vrouw, en je leek zo op Rosso. Het was een schok.'

'Dat begrijp ik.'

Ze schudde haar hoofd. 'Nee, dat kun je onmogelijk begrijpen. Maar je moet me vertellen wat je wilt weten.'

'Wat je me maar kunt vertellen. Hoe zijn leven in Parijs eruitzag. Hoe het kwam dat hij de oorlog hier, op Villa Lontana, doorbracht.' Ik wachtte even, bang weer verontrustende herinneringen op te roepen door de prinses te noemen, waardoor ze misschien zou dichtklappen. Maar ik had geen andere keus. 'Over zijn huwelijk en over mijn geboorte.'

Ze nipte van haar vermout en keek langs ons heen over de boomtoppen naar de blauwe bergen aan de overkant van het meer. Toen zei ze: 'Ik zal bij het begin beginnen, hoewel ik je niet veel over zijn leven in Parijs buiten ons huis kan vertellen. Zoals ik je al heb verteld, was ik nog maar klein toen hij bij ons kwam wonen. Toen hij pas in Parijs was, had hij een flatje in Montmartre en mijn vader kreeg medelijden met hem. Wij hadden een groot huis en toen mijn broers naar Italië terug waren, hadden we ruimte genoeg.

Ik weet niet waar Rosso en mijn vader elkaar hebben ontmoet. Misschien in Toro's atelier of in het herenhuis van baron de St-Léon aan de avenue Foch – misschien zelfs in ons eigen huis aan de rue des Châtaigniers. Mijn vader was dol op gezelschap en hield open huis voor iedereen, zelfs mensen die eigenlijk volkomen vreemden voor hem waren. Als hun gezicht hem aanstond, sloot hij vriendschap met ze, wie of wat ze ook waren. Iedereen was welkom *chez* Angelini.

Dan werd mijn moeder boos op hem, want zij moest al het werk doen en kreeg er niets voor terug. Maar voor mij als kind was het heel onderhoudend. Soms mocht ik van mijn vader opblijven en zat ik aan zijn voeten naar de gesprekken te luisteren. "Als je luistert, leer je, Filomena," zei hij dan. "Al leer je alleen maar wat mannen voor dwazen zijn."

Die avonden waren geweldig – het gezelschap was zo kosmopolitisch en had zulke uiteenlopende meningen. Intellectuelen, filosofen, aristocraten, schilders, schrijvers, musici – ze waren allemaal welkom in onze nederige stulp. Ik heb sindsdien nooit meer zulke bezielende gesprekken meegemaakt. Er ontstonden dikwijls zulke hartstochtelijke ruzies dat de deelnemers bijna slaags raakten. O, die discussies had ik voor geen goud willen missen.'

Het ontging me niet dat de Amadore Angelini die ze nu leek af te schilderen, een heel andere man was dan de vader die ze afgelopen maandag met zoveel venijn had beschreven. Maar ik hield mijn mond.

'Dus je vader kan best een vriend van een vriend zijn geweest en zo voor het eerst bij ons thuis zijn gekomen. Misschien had Imogen Humboldt, de Amerikaanse erfgename, hem wel meegebracht. Ze was verliefd op je vader – ik weet niet of je dat wist?'

Behoedzaam zei ik: 'Mijn tante heeft me verteld dat ze bevriend waren.'

'O, ze was hartstochtelijk verliefd om hem. Veel vrouwen trouwens. Hij was een heel aantrekkelijke man. Maar hoewel hij geen cent bezat en Imogen Humboldt steenrijk was, weerstond hij de verleiding.'

Dus zo had hij het gespeeld. Hij had bekend laten worden dat hij Imogen Humboldt had afgewezen, niet andersom. En ongetwijfeld had hij het ook voordelig gevonden geen melding te maken van de vrouw die hij in Engeland had achtergelaten. Ik vroeg me af wat tante Biddie van deze versie van de gebeurtenissen zou zeggen.

'Desondanks was Imogen Humboldt heel royaal voor Rosso toen hij in Parijs aankwam. Misschien hoopte ze nog steeds dat ze zijn genegenheid kon kopen. Dat is mogelijk. Anderzijds moet je haar nageven dat ze voor iedereen royaal was. Al was ze nog zo rijk, ze was een heel eerlijke, oprechte vrouw – in tegenstelling tot anderen die ik zou kunnen noemen.' Haar ogen fonkelden. 'Als je Ludo Zakharin hebt ontmoet, weet je vast ook dat Imogen Humboldt later met prins Dmitri is getrouwd?'

Ik knikte.

'De prinses was woedend toen ze ontdekte dat prins Dmitri Imogen Humboldt achterna was gegaan naar Amerika en met haar was getrouwd. Poeh! Zo'n woede heb ik nog nooit gezien. Ze haalde naar iedereen uit, als een slang. Ja, dat beschrijft haar heel goed. Ze was net een slang, die lukraak met zijn tong uithaalde en zijn prooi vergiftigde en opslokte.'

'Denk je dat ze verliefd was op prins Dmitri?'

'Poeh! Die vrouw wist niet wat liefde was. Ze hiéld maar van één persoon – zichzelf. Nee, ik denk niet dat ze verliefd was op prins Dmitri, maar ze had wel geloofd dat hij verliefd op haar was. En toen hij met Imogen Humboldt trouwde, was haar trots danig gekrenkt. Uit wraak richtte ze al haar aandacht op je vader.'

Ik moest denken aan wat Stevie had gezegd en vroeg: 'Hoe weet je dit allemaal? Je was toen nog erg jong.'

'Dat je jong bent, wil nog niet zeggen dat je niet opmerkzaam kunt zijn, ook al begrijp je het niet altijd,' reageerde ze stekelig. 'Later, tijdens de oorlog, hadden je vader en ik veel tijd om te praten, hier, op Villa Lontana, en toen heeft hij me veel dingen uitgelegd die ik vroeger niet helemaal had begrepen.'

Op dat moment verscheen Lucia in de openslaande deuren. Ik voelde hoe ze Filomena's stemming peilde, om zich ervan te vergewissen dat haar meesteres niet al te opgewonden raakte. Duidelijk gerustgesteld, zei ze: 'De lunch is klaar, *Signora*.'

Filomena schudde haar hoofd om weer terug te komen in het heden. 'Dank je, Lucia. We komen eraan.'

Ze draaide haar stoel en ging ons voor, de salon door, de hal in. Stevie en ik liepen achter haar aan. 'Hoeveel kun je ervan begrijpen?' vroeg ik haar.

'Niet zoveel als ik wel zou willen, maar ik maak veel op uit af en toe een woord en haar uitdrukking en stem. Hoe dan ook, maak je over mij maar geen zorgen, ik red me wel.'

Hoewel de eetkamer hetzelfde uitzicht bood als de salon, was het een veel somberder, formeler vertrek, met muren van donker hout en zwaar meubilair. De enige contrasten vormden nog een kleine prie-dieu, een grote spiegel die licht van buiten weerkaatste, en twee schilderijen van Angelini aan de muren: een portret van een formidabel uitziende oude dame en een groepje van drie jonge mensen.

Er was voor drie gedekt en Cesare stond aan het hoofd van de tafel. Toen Filomena hem bereikte, tilde hij haar zo snel en moeiteloos uit de rolstoel op de eetkamerstoel dat ik nauwelijks merkte dat het gebeurde. Stevie en ik gingen aan weerskanten van haar zitten. Cesare ging weg toen Lucia met borden dampende soep binnenkwam. Ze schonk ons in aparte glazen wijn en water in, wenste ons '*Buon appetito, Signore*' en ging toen ook weg.

Toen Filomena haar lepel niet oppakte, dacht ik dat ze zou gaan bidden. In plaats daarvan zei ze: 'Het komt niet veel voor dat we gasten hebben. Ik hoop dat het jullie smaakt.'

'Deze soep ruikt heerlijk,' verzekerde ik haar.

'Hij is zelfgemaakt, met groenten die Cesare heeft gekweekt. Tast toe.'

'Mmm, è *delizioso*,' zei Stevie, na een paar happen.

Filomena glimlachte. 'Dat moet je tegen Lucia zeggen. Dat zal ze leuk vinden.'

Ik zat tegenover het portret van de oude dame. Ze was in het zwart gekleed en poseerde tegen een sombere achtergrond, dus had Angelini zijn unieke stralende licht alleen in haar witte haar kunnen gebruiken – en in haar ogen. Die ogen waren buitengewoon: zelfs onder het eten, voelde ik hoe ze naar me keken – en ze keken niet bepaald vriendelijk.

'Wie is de oude dame?' vroeg ik Filomena.

'Mijn grootmoeder, de moeder van mijn vader.'

'Ze ziet er erg streng uit.'

'Dat was ze ook,' antwoordde Filomena bars.

Ik vroeg me af hoe vaak mijn vader in deze kamer had gegeten, misschien wel op deze zelfde stoel had gezeten, tegenover datzelfde portret.

Stevie zat tegenover het portret van de drie jonge mensen. 'En dat?' informeerde ze in aarzelend Italiaans. Ze leerde beslist heel snel. 'Bent u dat met uw broers?'

'Ja. Mijn vader schilderde dat vlak voor we uit Parijs vertrokken, dus was ik een jaar of vijftien, Emilio vijfentwintig en Benedetto achtentwintig. Emilio staat rechts van me en Benedetto achter me.'

Ik draaide me om, om het goed te bekijken. Ze zeggen dat een schilderij veel zegt met weinig woorden en dat schilderij zei het helemaal. Een hele gezinsrelatie kwam erop tot uitdrukking.

De Filomena van vijftien jaar, met kort haar en een dikker gezicht, straalde nog de innerlijke gloed uit die het portret met de zonnebloemen dat Tobin me had gegeven opvallend maakte. Ze had iets zo levendigs dat ze naar voren leek te komen, alsof ze zo uit het schilderij zou stappen.

Haar broers daarentegen waren robuuste, onverzettelijke figuren.

Emilio's hand, die op Filomena's schouder rustte, leek haar tegen te houden, maar in zijn glimlach lag genegenheid, alsof hij zei: 'Ik doe dit voor je eigen bestwil.' Benedetto stond daarentegen onverdraagzaam tegenover die jeugdige onstuimigheid. Zijn ogen, net als de ogen van de oude dame, wezen frivoliteit minachtend af. Je kreeg het gevoel dat zijn brede schouders het gewicht van verantwoordelijkheid al torsten. Hoewel ik niets over hem wist, alleen dat hij het zijde-familiebedrijf had overgenomen, mocht ik hem meteen al niet.

Toen we onze soep op hadden – of liever, Stevie en ik de onze op hadden, onze gastvrouw had maar een paar hapjes genomen – rinkelde Filomena met een tafelbel die naast haar stond om Lucia te ontbieden. Stevie herhaalde haar lof tegen de huishoudster die met een gepaste blik van voldoening onze borden weghaalde en even later terugkwam met het hoofdgerecht – gevulde rode paprika's, met rijst en sla.

Even aten we in stilte. Toen pakte Filomena zonder aandringen de draad van haar verhaal weer op waar ze op het balkon was opgehouden, alsof er geen onderbreking was geweest.

'Zoals ik al zei, toen prins Dmitri met Imogen Humboldt naar Amerika ging, richtte de prinses haar aandacht op je vader. Ze wist hoe verliefd Imogen Humboldt op Rosso was geweest en dat hij haar gevoelens nooit had beantwoord. Voor haar stond hij voor het onbereikbare en ze wilde bewijzen dat zij kon veroveren wat haar rivale niet was gelukt.

Daarom liep ze hem achterna. Ze hield niet meer van je vader dan ze van prins Dmitri hield. Zoals ik al zei, ze was niet tot liefde in staat. Maar ze kon het niet verdragen afgewezen te worden, en dat was hoe ze de reactie van prins Dmitri interpreteerde. Ze had prins Dmitri niet zelf willen hebben – maar ze wilde ook niet dat Imogen Humboldt hem kreeg. Begrijp je wat ik probeer te zeggen?'

'Ja, ik begrijp het.'

'Rosso nam haar attenties echter wel serieus. Hij geloofde echt dat ze verliefd op hem was. Mannen zijn zo blind. Ze laten zich zo gemakkelijk door schijn bedriegen en zien alleen wat ze willen zien.

Maar je kunt het hem ook niet helemaal kwalijk nemen. Als mijn vader en Toro en baron de St-Léon – evenals talloze anderen – weg van haar waren, is er geen reden waarom Rosso dat niet zou zijn geweest. Ze was heel mooi, al zat haar schoonheid dan niet erg diep, en ze was heel welopgevoed, heel verfijnd, heel geraffineerd, en ze had ook nog Russisch blauw bloed.

Maar Rosso was van nature een rechtschapen en eerzaam man. Het kwam niet bij hem op dat de prinses het misschien alleen maar leuk vond om met hem te flirten en met hem speelde zoals een kat met een muis speelt. Hij zag alleen maar dat de vrouw van een vriend van hem – die tevens een belangrijke politieke figuur was – hem in verzoeking probeerde te brengen.

Toen El Toro aankondigde dat hij naar Spanje ging om in de Burger-oorlog te vechten, greep je vader dit als excuus aan om zich los te maken uit een gênante en voor alle betrokkenen mogelijk gevaarlijke situatie en ging met hem mee.' Ze zweeg even en nam een hap. 'In de tijd dat je vader nog uit Parijs weg was, was er een politiek schandaal waar baron de St-Léon bij betrokken was. Het is zo lang geleden dat ik niet meer precies weet waar het over ging, maar het had iets met spionage te maken. De prinses had een verhouding met een Duitser. Hij pleegde zelfmoord om haar te beschermen. De prinses nam diepe rouw aan – niet zozeer voor hem als wel voor zichzelf. Ze had gedacht de rest van haar leven in luxe te kunnen leven. In plaats daarvan ging het grootste deel van zijn nala-tenschap naar zijn kinderen. Niet dat ze arm was in de zin van wat jij en ik onder arm verstaan. Ze had al haar kleren, haar juwelen en andere zaken, zoals de portretten en een Russische icoon van de madonna met kind. Die icoon herinner ik me nog heel goed. De madonna had zo'n lief-hebbende uitdrukking.'

Haar ogen glinsterden, waardoor ik me bewust werd van het emotione-le strakke koord waarop ze zichzelf in evenwicht hield.

'Ja, ik heb hem gezien,' zei ik, terwijl ik probeerde mijn stem nuchter te laten klinken. 'Het is een schattig plaatje.'

Onze blikken ontmoetten elkaar en in haar ogen zag ik dat we hetzelf-de dachten. Ze leek er moed uit te putten en haar stem werd weer sterker.

'Ze had geen thuis meer en verhuisde naar het Ritz Hotel. Verder werd ze door al haar voormalige vrienden gemeden. Dat vertelde ze Rosso ten-minste – en hij geloofde haar.'

Ze zweeg weer, prikte in haar eten en schoof het over haar bord.

'Was mijn vader toen al terug uit Spanje?'

'Ja, hoewel hij niet meteen naar Parijs terugkwam. Hij heeft maanden in een ziekenhuis in Perpignan gelegen, waarna hij bij vrienden in de Midi ging logeren om te herstellen. Pas in het vroege voorjaar van 1940 kwam hij naar Parijs terug.

Toen hij terugkwam, was hij een ander mens. Hij sprak zelden over wat hij in Spanje had meegemaakt, maar het had diepe indruk op hem gemaakt. Hij was getuige geweest van extreme wreedheid, moed en leed. Hij had zelf bijna het leven verloren en hij is nooit echt helemaal hersteld. Ja, hij was een ander mens – rustiger, ernstiger – bijna alsof alle lach uit hem was verdwenen.'

Deze bijzonderheden kwamen tenminste overeen met mijn vaders brie-ven aan tante Biddie.

'Tegen die tijd was de Tweede Wereldoorlog uitgebroken, hoewel we toen nog in de "nepoorlog" zaten. Toen Hitler Polen was binnengevallen, waren we ons bedrieglijk veilig gaan voelen. We hoopten zelfs dat de oorlog voorbij was. Toen, kort nadat Rosso naar Parijs was teruggekeerd, vielen de Duitsers Nederland, België en Luxemburg binnen en werd duidelijk dat Frankrijk het volgende doelwit zou worden.

Dit klinkt je misschien vreemd in de oren, maar ik wist nooit goed met wie ik het politiek eens moest zijn. Wat nationaliteit betreft was ik Italiaanse, maar tot die tijd had ik het grootste deel van mijn leven in Parijs gewoond, dus voelde ik me meer Frans dan Italiaans. Mijn ouders en broers voelden zich daarentegen niet zo verdeeld in hun loyaliteit. Ze mochten Hitler en de nazi's niet, maar ze hadden veel vertrouwen in Mussolini. Frankrijk en Engeland waren in oorlog met Duitsland, maar hoewel Mussolini een verbond met Hitler had gesloten, wilde Mussolini nog niet aan de vijandelijkheden deelnemen. Italië leek een veilige haven.

Toen de Duitse legers Frankrijk binnenvielen, begonnen mijn ouders zich klaar te maken voor vertrek. Mijn vader zei tegen Rosso, die bij ons woonde, dat hij mee kon komen. Toen is hij met de prinses getrouwd, zodat zij ook met ons mee kon gaan. Ierland is, zoals je vast wel weet, de hele oorlog neutraal gebleven. Door haar huwelijk met Rosso kreeg de prinses de Ierse nationaliteit.'

'Dus daarom is hij met haar getrouwd,' zei ik zacht.

'Ja, hij is uit medelijden met haar getrouwd,' zei ze op bittere toon. 'Hij was nog maar kort daarvoor getuige geweest van de gruweldaden van de nazi's in Spanje. Je hebt vast wel gehoord wat de luftwaffe Guernica heeft aangedaan. En je moet toch weten hoe de Duitsers Warschau en Rotterdam hebben vernietigd. De Franse regering bleef volhouden dat het Franse leger zou standhouden langs de Marginotlinie en dat Frankrijk nooit zou vallen, maar het volk had weinig vertrouwen in de regering. We waren allemaal als de dood dat Parijs met de grond gelijk gemaakt zou worden.

Toen mijn moeder hoorde dat de prinses met ons mee zou gaan, was ze woedend. Ik weet nog dat ze tegen mijn vader tekeerging en wilde weten of hij van plan was al het uitschot mee te nemen. Maar mijn vader zei alleen: "Het zijn mijn vrienden. Ik kan ze niet in de steek laten."

Toen de Duitsers Parijs steeds dichter naderden, brak er paniek uit en sloeg in de stad de angst toe. Opeens deed op een zondag begin juni het gerucht de ronde dat er Duitse tanks aan de rand van de stad stonden en dat de regering de hoofdstad aan zijn lot overliet. Mijn vader kondigde aan dat we onmiddellijk naar Italië vertrokken.

Onze auto was propvol er was dus geen ruimte voor Rosso en de prinses. Maar Rosso ruilde een sieraad van de prinses voor een auto met een vrouw die vanwege het werk van haar man niet uit Parijs weg kon.

De volgende dag verlieten we Parijs. Die rit zal ik nooit vergeten. Mijn moeder zat voor in de auto bij mijn vader en ik zat achterin tussen dozen en koffers. Rosso en de prinses reden achter ons. Het was één enorme verkeersopstopping. Het leek wel of iedereen vertrok, voor de Duitsers uit wegvluchtte. We kropen vooruit. We hadden haast sneller kunnen lopen. We reden de hele nacht en toen we bij Menton de Italiaanse grens overstaken, hoorden we dat Mussolini diezelfde dag Frankrijk en Engeland de oorlog had verklaard. We hadden Frankrijk net op tijd verlaten.'

Stevie en ik waren al lang klaar met eten. Filomena schoof haar mes en vork op haar vrijwel onaangeroerde bord tegen elkaar en rinkelde met de bel. Met een afkeurende blik op Filomena's bord nam Lucia onze borden weg en kwam even later terug met een schaal fruit.

Intussen was Filomena achteruit in haar stoel gezakt, haar gezicht gegroefd van vermoeidheid. Ik wierp Stevie een blik toe en zag dat ook zij zich ervan bewust was dat ons bezoek ten einde liep.

Met moeite vermande Filomena zich. 'Vergeef me, ik ben opeens erg moe. Ik zal het verhaal snel afmaken.' Ze nam een slokje water en keek op naar het portret van haar grootmoeder. 'Wat er toen gebeurde, was dat mijn vader een betrekking als leraar aannam in Turijn en mijn moeder met hem meeging en mij hier, op Villa Lontana, achterliet bij mijn grootmoeder, Rosso en de prinses. Mijn broers waren al opgeroepen voor militaire dienst.

Toen we nog maar net in San Fortunato waren, hadden we een dienstmeid, maar die vertrok al snel, waarna ik al het werk in huis deed. Mijn grootmoeder was al moeilijk om voor te werken – maar de prinses... Ze verwachtte dat alles voor haar gedaan werd, zoals ze dat haar hele leven gewend was geweest. Voor haar was er nooit iets goed.

Rosso was graag op het platteland, maar zij haatte het en zag ons allemaal als boeren. 's Morgens werkte Rosso in de tuin en 's middags werkte hij aan zijn teksten. Hij had rust en stilte nodig om zich te concentreren, maar zij wilde hem niet met rust laten. Het ging haar niet om zijn gezelschap als zodanig, maar ze kon het niet uitstaan als ze werd genegeerd.

Mijn grootmoeder maakte het leven er niet gemakkelijker op. Ze deed niets dan klagen. Ze was een trotse vrouw en had haast net zo'n hekel aan de prinses als ik, omdat ze het haar kwalijk nam dat ze door haar als een mindere werd behandeld. Maar toch, we overleefden het.

Toen, in de zomer van 1943, ontsloeg de koning Mussolini en sloot Italië vrede met de geallieerden.' Haar stem kreeg iets geagiteerds. 'Toen de geallieerden vechtend door Italië naar het noorden trokken, vielen de Duitsers ons land binnen en bezetten het hele noorden. Mijn broer Emilio sneuvelde in de gevechten bij Monte Cassino.

Mijn oudste broer, Benedetto, werd door de Duitsers gevangengenomen en naar Pruisen gestuurd om daar in een kamp te werken. Toen stuurde mijn vader nieuws uit Turijn dat mijn moeder was overleden. Een paar maanden later, in het voorjaar van 1944, werd hij zelf gedood bij een geallieerde luchtaanval. Dat was een zeer wrede speling van het lot. Ja, dat waren zeer slechte tijden.

En er gebeurde nog iets anders. Heb je van de Conte di Montefiore gehoord?'

'De derde echtgenoot van de prinses?'

Filomena's ogen glinsterden. 'Ja, die. Hij was een vriend van baron de St-Léon geweest en hij kende mijn vader ook. Ik geloof dat mijn vader een keer zijn portret heeft geschilderd. Hij logeerde altijd in de avenue Foch als hij voor zaken naar Parijs kwam en bezocht baron de St-Léon en de prinses ook op het Château de Jonquières. Zelf had hij een prachtig *palazzo* in Genua – en een villa aan het Comomeer, waar hij zich terugtrok toen zijn fabrieken waren gebombardeerd.

Toen hij eenmaal aan het Comomeer woonde, bracht de prinses veel tijd in zijn villa door. Dan stuurde hij een auto om haar op te halen en haar weer terug te brengen. Aanvankelijk leek het fortuinlijk, want als zij er niet was, verminderden de spanningen in ons huishouden en als ze terugkwam, was ze in een veel betere stemming, omdat ze dan onder mensen was geweest die meer van haar eigen stand waren.

Als zij er niet was, betekende dat ook dat Rosso en ik hechter bevriend raakten.' Haar gezicht werd zachter. 'Tegen die tijd was ik achttien en had ik mijn jeugd al lang achter de rug. Je vader sprak met me als met een volwassene. Hij vertelde me alles over zijn leven – zijn jeugd in Ierland en zijn zuster. Hij vertelde me hoe hij van school en van huis was weggelopen en dat hij in een smerige sloppenwijk in Londen had gewoond waar hij had geprobeerd de kost te verdienen met het schrijven van gedichten, tot Parijs hem had geroepen – zoals ze mijn vader en talloze anderen had geroepen.

Het was zo'n aangrijpend verhaal dat mijn hart naar hem uitging. Dat zo'n uiterst gevoelig man zo had moeten lijden, leek puur tragisch. En nu had hij weer te lijden onder zijn huwelijk met een vrouw die niets om hem gaf, die hem als een stuk vuil behandelde.

Toen kwam ik ook achter het verleden van de prinses, haar avonturen van de tijd dat ze net in Parijs was aangekomen en hoe ze ertoe was gekomen om met baron de St-Léon te trouwen – de dingen waar ik je laatst over vertelde. Toen ook legde Rosso uit waarom hij met haar was getrouwd toen hij haar bij zijn terugkomst in Parijs helemaal alleen had aangetroffen: dat hij medelijden met haar had gehad en op zijn bescheiden manier voor haar had willen zorgen.'

Opeens zweeg ze weer, met een gezicht dat grauw zag van vermoeidheid. Ik hield mijn adem in en wilde dat ik haar kon dwingen de kracht te vinden om haar verhaal af te maken.

'Laten we weer naar het balkon gaan,' zei ze. Ze keek me vragend aan. 'Zou je het erg vinden me in mijn stoel te helpen?'

'Nee, natuurlijk niet.'

Ik werd overspoeld door medelijden en tederheid toen ik haar lichaam, dat licht en breekbaar aanvoelde als dat van een kind, in de rolstoel tilde. Zonder vragen duwde ik de stoel de eetkamer uit, de salon door en het balkon weer op.

Toen we eenmaal buiten waren, zei Stevie tactvol: 'Ik ga de tuin bekijken.'

Filomena en ik zaten een tijdje zwijgend bij elkaar en langzaam kreeg ze weer wat kleur. Toen zei ze, haast fluisterend: 'Zoals je inmiddels wel hebt begrepen, was ik verliefd op je vader. Ik hield al van hem sinds ik klein was en ik was van hem blijven houden. Ik hield met hart en ziel van hem. Er was niets wat ik niet voor hem had willen doen.'

Ik knikte langzaam.

Haar handen omklemden de zijkanten van haar stoel. 'Maar dat was mijn ongeluk. Hij was met de prinses getrouwd. Hoewel zij niet van hem hield en hij niet van haar, waren ze toch man en vrouw. Ze brachten de intiemste momenten van hun leven samen door.' Ze wierp me een blik toe en keek weg met wat ik opvatte als de gegeneerde uitdrukking van een oude vrijster die met een ervaren, jongere, getrouwde vrouw praat. 'Ze deelden hetzelfde bed.'

Het was dus zoals ik had gedacht. Filomena had van hem gehouden, maar de prinses was zijn bedgenote en mijn moeder geweest. Toch moest ik de vraag stellen: 'Dus zij was mijn moeder?'

Filomena spreidde haar handen in een wanhoopsgebaar dat ik alleen maar als instemmend kon uitleggen.

'Waar ben ik geboren? Hier, op Villa Lontana?'

Net als bij ons vorige bezoek, sloeg haar stemming van het ene moment op het andere om. 'Nee. Je bent niet hier geboren. Niet in dit huis.' Haar stem rees en haar woorden doorpriemden de lucht met scherpe, korte zinnetjes. 'Ze heeft vreselijke dingen gedaan en Rosso is daar achter gekomen. Ze had hem bedrogen. Met de Conte di Montefiore. Er was een hevige ruzie. Het was allemaal afschuwelijk. Ik moet er niet aan terugdenken. Maar Rosso geloofde altijd het beste van iedereen. Hij, hij... Ze, ze, ze...'

Ik dwong mijn eigen stem om rustig te klinken en vroeg: 'Hebben ze het bijgelegd?'

Ze staarde me met wilde ogen aan.

'En was ik het gevolg?'

Haar hele lichaam zeeg ineen en ze knikte.

'Wat gebeurde er toen?'

'Ze was woedend. Ze is weggegaan. Ze heeft Villa Lontana verlaten.'

'Was ze boos omdat ze geen kind wilde?'

Haar ogen glinsterden. 'O, jij arm kind. Jij arm, arm kind.'

'Wees alsjeblieft niet verdrietig om mij,' smeekte ik. 'Ze was niet de enige vrouw ter wereld die een kind kreeg dat ze niet had gepland en niet wilde. Ik heb er niet onder geleden. Ik ben goed verzorgd door mijn oom en tante en ik heb een heel gelukkig leven gehad.'

De tranen sprongen haar in de ogen. 'Je begrijpt het niet!' riep ze uit. 'Je was niet ongewenst. Rosso wilde je. Rosso aanbad je. Rosso bracht je hierheen. Hij droeg je in zijn armen. En ík wilde je. Ik wilde je als mijn eigen dochter opvoeden. Maar híj vond het niet goed. Híj wilde het niet hebben. Híj zei dat ik te jong was, dat ik–' De tranen liepen haar over de wangen en haar lichaam schudde van het pijnlijke, harde snikken.

Ik knielde naast haar neer, legde mijn arm om haar schouders en hield haar dicht tegen me aan. 'Toe, Filomena, maak je niet zo van streek.'

'Rosso nam je mee naar Engeland. Ik wist niet waar je was. Ik dacht dat je voor altijd was verdwenen. En toen ben ik gevallen. Weken heb ik in het ziekenhuis gelegen. Ik wilde dood. Maar God wilde me niet laten sterven. Alsof ik nog niet genoeg had geleden, strafte Hij me door me in leven te houden. En Rosso is nooit meer teruggekomen.'

Ze schudde heftig haar hoofd en de tranen stroomden over haar wangen.

'Hij is hier nooit meer teruggekomen. Ik heb hem nooit meer gezien. Ik heb hem nooit meer gezien. O, waarom moest ik blijven leven? Ik kan alleen maar geloven dat mijn leven een vorm van goddelijke vergelding is. God straft me door me in leven te houden.'

Ik voelde Lucia's aanwezigheid en toen ik opkeek, zag ik haar gezicht, waarop medelijden voor Filomena te lezen stond en vijandige afkeuring voor mij. In haar hand had ze een glas water en een klein doosje pillen. Ik liet Filomena's schouder los en kwam beverig overeind.

'Ga alstublieft weg,' beval Lucia onverbiddelijk. 'Ze heeft mijn zorg nodig.'

Ik knikte en ging de tuin in waarin mijn vader vroeger had gewerkt, liep de binnenplaats met zijn klaterende fontein over, stoof blindelings over het gras, rende de treden van de terrassen af, onwillekeurig aangetrokken door het bos.

'Ik was verliefd op je vader. Ik hield al van hem sinds ik klein was en ik was van hem blijven houden. Ik hield met hart en ziel van hem. Er was niets wat ik niet voor hem had willen doen...'

Ik was me er vaag van bewust dat ik Stevie hoorde roepen: 'Cara, Cara, is alles goed met je?' en dat ze me achterna kwam. Ik rende door tot ik tussen de bomen was, stormde door het kreupelhout en struikelde over stenen, tot de grond opeens begon te verdwijnen en ik aan de rand van het ravijn stond – precies zoals in mijn nachtmerrie.

Op de een of andere manier kwam ik tot stilstand. Nog één stap en ik was van die gevaarlijke helling naar beneden gestort, naar de bergbeek die ver onder me in watervallen naar het meer stroomde.

Trillend over mijn hele lijf deinsde ik achteruit en zakte op de grond.

'En toen ben ik gevallen. Weken heb ik in het ziekenhuis gelegen. Ik wilde dood. Maar God wilde me niet laten sterven. Alsof ik nog niet genoeg had geleden, strafte Hij me door me in leven te houden...'

Aan de overkant van het dal lag de Abbazia e Convento della Madonna della Misericordia wit te glanzen in de middagzon.

'Rosso wilde je. Rosso aanbad je. En ík wilde je. Ik wilde je als mijn eigen dochter opvoeden. Maar híj vond het niet goed...'

'Cara, ben je in orde?'

Met moeite draaide ik me om en keek in Stevies witte, bezorgde gezicht. Ik knikte en ze zakte naast me op de grond en stak haar arm door de mijne.

'Rosso is nooit meer teruggekomen. Hij is hier nooit meer teruggekomen. Ik heb hem nooit meer gezien...'

De vogels die waren verstomd toen ik de rust in hun bos had verstoord, begonnen weer zacht te zingen. Het luidst klonken de koekoeken, die me leken te bespotten met hun herhaalde, honende, tweestemmige roep.

HOOFDSTUK 19

Toen we ten slotte weer uit het bos kwamen en langs de rand van de tuin liepen, was bij de villa geen teken van leven te zien. Het balkon was leeg. Van Cesare was niets te bekennen. We verlieten de tuin via het smeedijzeren hek en liepen zwijgend naar de auto. Toen reed ik door Granburrone en over de bochtige, smalle weg door het bos met de koe-koeken naar Varone, ervan overtuigd dat ik nooit meer deze kant uit zou komen.

Toen we in San Fortunato kwamen, reed ik door het dorp heen en vroeg Stevie met een klein stemmetje: 'Waar gaan we heen?'

'Nergens in het bijzonder.'

'Wat is er gebeurd?'

Ik gaf haar een naar ik hoopte geruststellende glimlach. 'Het spijt me. Ik wilde je niet bang maken. Ze raakte alleen heel erg van streek – en daardoor raakte ik weer van streek.'

Na een tijdje kwamen we bij een café met een parkeerplaats en reed ik van de weg af. Op het caféterras zaten voldoende mensen om het gevoel te krijgen dat alles normaal was, maar niet zoveel dat het er druk was.

'Laten we koffie drinken,' zei ik.

Ik begon, net als Filomena, bij het begin. Al pratend begon ik me rusti-ger te voelen en tegen de tijd dat ik bij het deel van Filomena's verhaal was gekomen waarin mijn vader en de prinses hadden geprobeerd hun problemen in bed bij te leggen, met mijzelf als onvoorzien gevolg, klonk mijn stem me opmerkelijk vast in de oren.

Maar toen ik zei: 'Filomena hield zoveel van mijn vader dat ze me wilde houden,' kon ik niet voorkomen dat ik begon te stamelen. 'Maar hij vond het niet goed. Hij zei dat ze te jong was. Daarna maakte ze die smak. Ze zei dat ze dood wilde.'

'Het arme kind,' zuchtte Stevie. 'Wat afschuwelijk voor haar. Stel je voor dat je zóveel van iemand houdt dat je zijn kind bij een andere vrouw wilt houden. Dat is pas liefde. O, ik vind dat afschuwelijk triest.'

298

In mijn hoofd, zo niet in mijn hart, streed rede met emotie. 'Hoe oud zou ze in 1945 geweest zijn? Pas twintig, niet veel ouder dan jij. Zelfs als ze niet invalide was geworden, zou het moeilijk voor haar zijn geweest zo'n verantwoordelijkheid op zich te nemen. En oneerlijk ook. Nee, ik denk dat mijn vader er goed aan heeft gedaan – het was eigenlijk het enige wat hij kon doen.'

'En de prinses?'

'Het klonk of ze ergens heen ging waar ze mij kon krijgen – een of andere kliniek of ziekenhuis, neem ik aan – en toen bracht hij me terug naar Villa Lontana. Toen heeft hij me waarschijnlijk naar Avonford gebracht zodra na de oorlog de rust was weergekeerd en het transport weer functioneerde.'

Stevie keek me met grote ogen aan. 'Geloof jij dat hij net zoveel van Filomena hield als zij van hem en dat hij naar haar terugging toen hij jou bij oma had gebracht?'

'Dat zou ik graag hopen, maar wie weet?'

'Wanneer denk je dat ze ontdekte dat hij niet meer leefde?'

'Ik heb geen idee. Dat kon ik niet vragen. Tegen die tijd werd ze zo ongeveer hysterisch. Misschien heeft ze het in de krant gelezen. Of in een boek. In elk boek waarin hij wordt vermeld, staat duidelijk dat hij dood is.'

'Het moet afschuwelijk zijn geweest om er zo achter te komen.'

We dronken onze koffie op en kuierden het meer langs. Door mijn hoofd speelde voortdurend het refrein van Tennysons *Mariana*:

> *Ze zei alleen: 'Mijn leven is treurig,*
> *Hij komt niet,' zei ze;*
> *Ze zei: 'Ik ben moe, zo moe,*
> *Ik wou dat ik dood was!'*

Vijfendertig jaar had ze gewacht en gewild dat ze dood was. Toen betrad ik haar eenzame wereld, alleen omdat ik mijn eigen nieuwsgierigheid had willen bevredigen.

Ik voelde me heel erg schuldig. Ik had er verkeerd aan gedaan haar haar verhaal te laten vervolgen, waardoor oude wonden weer waren opengereten en spoken uit het verleden waren opgeroepen. Wat deed het er uiteindelijk toe wie mijn ouders waren geweest en wat ze hadden gedaan? Ze waren dood. Ze behoorden tot het verleden. Maar Filomena leefde nog – en behoorde tot het heden. En daarom was zij belangrijker.

299

Die avond, voor ik naar bed ging, schreef ik haar een kort briefje, in onbeholpen woorden om te proberen mijn spijt te uiten:

> *Lieve Filomena,*
> *Ik dank je uit de grond van mijn hart dat je me over mijn*
> *ouders hebt verteld en het spijt me heel erg dat ik je daar-*
> *bij zoveel pijn heb gedaan. Geloof me alsjeblieft, dat was*
> *niet mijn bedoeling. We vertrekken zondag uit San*
> *Fortunato en ik zal je niet meer lastigvallen.*

Ik overwoog of ik mijn adres in Londen erin zou zetten en besloot toen om het niet te doen, want dan zou het net lijken of ik antwoord verwachtte, of ik haar ergens toe wilde verplichten en dat was het tegenovergestelde van wat ik bedoelde.

Toen ik de brief in een envelop had gedaan en die had dichtgeplakt, liep ik het balkon op en leunde tegen de balustrade. Het was een heel stille nacht. Het dorp sliep en de stilte werd alleen verbroken door golfjes die zachtjes tegen de muur onder me kabbelden en af en toe door een auto die over de hoofdweg reed. De maan glansde zilver in het meer en ik kon nog net de vorm van de roeiboot onderscheiden die aan zijn tros naast de treurwilg lag te dobberen. De bergen aan de overkant waren kleurloze silhouetten.

Wilde ik Filomena's leed niet vergeefs laten zijn, dan moest ik proberen er enigszins uit wijs te worden – meer ter wille van haar dan van mij. Ik moest de stukjes van de puzzel in elkaar leggen en er een compleet beeld van maken. Misschien vond ik het niet leuk wat ik te zien kreeg, maar dat was onbelangrijk. Wat belangrijk was, was dat ik de waarheid onder ogen zag. En dat moest hier gebeuren, in San Fortunato, waar ik de eerste maanden van mijn leven had doorgebracht, verzorgd door Filomena en mijn vader.

Ergens, niet ver hiervandaan, had de prinses mij het leven geschonken. Wat was er daarna gebeurd?

Zij – of iemand anders – moest het mijn vader hebben laten weten en toen was hij me gaan halen. Omdat de prinses me niet had gewild – omdat ze een nieuw leven wilde beginnen met de Conte di Montefiore – had mijn vader me meegenomen naar Villa Lontana. Een paar maanden was ik verzorgd door Filomena en, waarschijnlijk, haar grootmoeder. Misschien was er wel een min in het dorp geweest om me te zogen. Daarna, toen ik was gespeend en het leven in het Europa van na de oorlog tot rust begon te komen, had mijn vader me naar Avonford gebracht. Ja, dat klonk allemaal zinnig.

Maar waarom had hij Biddie dan verteld dat mijn moeder in het kraambed was overleden?

Omdat dat voor een onweerlegbare reden had gezorgd. Als tante Biddie had geweten dat mijn biologische moeder nog leefde, ook al leefde ze dan met een andere man, was ze misschien niet zo bereidwillig geweest om mij te adopteren.

Maar wat had Filomena bedoeld toen ze zei dat haar leven een soort goddelijke vergelding was en dat God haar strafte door haar in leven te houden? Als ze niets verkeerds had gedaan, waarom moest ze dan gestraft worden?

Behalve dan dat ze – ik dacht aan haar rozenkrans en die altaartjes voor de Maagd – duidelijk zeer godsdienstig was. In de ogen van de Kerk had ze gezondigd. Door de man van een andere vrouw te begeren, had ze tegen een van de tien geboden gezondigd. En wie weet wat er verder nog was gebeurd? Misschien had mijn vader haar wel gekust – of misschien was hij nog wel verder gegaan.

Wat me bij Stevies vraag bracht. Was mijn vader van plan geweest naar Villa Lontana terug te gaan toen hij mij naar Avonford had gebracht?

Ik keek met strakke blik over het zilverkleurige meer en hoorde Filomena's wanhoopswoorden weer: *'Hij is hier nooit meer teruggekomen. Ik heb hem nooit meer gezien.'*

Had hij haar beloofd dat hij terug zou komen? Of – en in het licht van alles wat ik over hem had gehoord, leek dit me veel waarschijnlijker – had hij haar een belofte gedaan die hij niet van plan was geweest na te komen? Had hij haar afgescheept, was hij weggelopen uit een situatie die hij niet aankon, zoals hij eerder uit zoveel situaties was weggelopen?

Ik hoorde tante Biddie zegen: 'Connor liet dingen over zich heen komen, hij besloot er niet toe. Hij kwam in situaties terecht doordat hij zaken op hun beloop liet en wrong zich dan in allerlei bochten om er weer uit te komen.'

Mij naar Engeland brengen zou een door de hemel gezonden kans zijn geweest om zich los te maken uit een relatie die hem begon te vervelen. Hij was met evenveel aplomb aan Patricia en Imogen ontsnapt.

Met andere woorden, hij had tegen Filomena gelogen, zoals hij al eerder tegen haar had gelogen. Hij had haar niet over zijn huwelijk met Patricia verteld en ook niet over zijn verhouding met Imogen Humboldt. En als ik dacht aan zijn brief aan tante Biddie voor hij naar Spanje ver-

301

trok – '*In Parijs wordt de grond me nogal heet onder de voeten. Een kleine amourette is slecht aan het aflopen. De echtgenoot van de lieve dame dreigt me te laten verbannen. Voorzichtigheid is de moeder der wijsheid...* –, zou het mogelijk zijn dat hij inderdaad in 1935 of 1936 een verhouding met de prinses had gehad. In welk geval hij daar ook over had gelogen.

'*Hij was van nature een rechtschapen en eerzaam man.*'

Hij had ook gelogen over zijn reden om met de prinses te trouwen.

'*Hij is uit medelijden met haar getrouwd.*'

Niks medelijden. Zijn ervaringen in de Spaanse Burgeroorlog konden hem best diep hebben geraakt, maar het was uitermate moeilijk te geloven dat de vos wel zijn haren, maar niet zijn streken was kwijtgeraakt.

Mijn vader was dan in Filomena's ogen misschien een heilige gebleven, maar niet in de mijne. De mythen over hem die ik zo lang had gekoesterd, waren voorgoed vernietigd. De Byroniaanse held was zelfs geen gevallen engel meer, maar een sterfelijk mens met meer dan zijn portie menselijk falen.

Hij had de prinses om haar geld getrouwd, net zoals hij eerder met Patricia was getrouwd, en hij was om dezelfde reden achter Imogen Humboldt aan gelopen. De prinses was in haar eigen ogen dan misschien niet rijk geweest, maar in de zijne wel. '*Ze had al haar kleren, haar juwelen en andere zaken, zoals de portretten en een Russische icoon.*' En Amadore Angelini was zo vriendelijk geweest hun beiden een dak boven het hoofd te geven.

Wat de prinses betreft, ze was met mijn vader getrouwd omdat hij haar paspoort naar de vrijheid was geweest. Toen was de Conte di Montefiore aan het Comomeer op het toneel verschenen en had ze haar genegenheid op hem overgeheveld.

Hoeveel van wat Filomena over de prinses had verteld kon ik geloven? Zoals Stevie laatst had gezegd, was haar mening begrijpelijk bevooroordeeld. Toch, als je maar een kwart van wat Filomena me had verteld voor waar aannam – en dat optelde bij alles wat Oliver Lyon, Tobin en Ludo Zakharin hadden gezegd – kwam de prinses niet bepaald naar voren als het soort vrouw dat je als moeder zou kiezen, als zoiets al mogelijk was.

Nee, mijn vader en zij waren aan elkaar gewaagd geweest: ze waren allebei opportunisten die alleen aan zichzelf dachten Het kon ze geen moer schelen wie ze kwetsten in het leven, als zij het maar goed hadden.

En dat waren mijn ouders – ik was uit hen voortgekomen...

Ik ben heel erg lang op dat balkon gebleven om te proberen te zien waar ik als persoon stond in het kader van de nieuwe kennis die ik over hen had opgedaan; om te proberen mezelf ervan te overtuigen dat hun identiteit geen verschil uitmaakte voor het wezen van mijn persoonlijkheid – dat, wat wetenschappers of psychologen ook mochten geloven, milieu belangrijker was dan afkomst.

Ja, mijn eerste reactie na het programma van Oliver Lyon was juist geweest. Ik had dan misschien het bloed van de prinses in mijn aderen, maar verder hadden we geen enkele verwantschap, mentaal of emotioneel. Tante Biddie was mijn echte moeder, oom Stephen mijn echte vader. Het voorbeeld van hun rechtgeaardheid, hun liefdevolle en vriendelijke aard, hun niet-aflatende ruimhartigheid, had het egoïsme van mijn biologische ouders tenietgedaan.

Wat had ik een geluk gehad. Wat had ik een ellendige jeugd gehad als ik door de prinses was grootgebracht en hoe anders zou mijn leven dan zijn geweest – en mijn persoonlijkheid ook –, wat zou ik dan nu met mezelf overhoop liggen en geen enkel gevoel van stabiliteit hebben.

Ik dacht dat ik bij Nigel ongelukkig was, maar als dochter van de prinses had ik me zeer waarschijnlijk uit wanhoop in een veel slechter huwelijk gestort. Als ik het voorbeeld van mijn ouders was gevolgd, had ik inmiddels misschien wel meerdere echtgenoten gehad, de volgende steeds slechter dan de vorige. Ik moest er gewoon niet aan denken.

En als ik door Filomena was grootgebracht?

Wat voor verschil zou mijn aanwezigheid voor Filomena hebben gemaakt? Zou zij een gelukkiger mens zijn geweest, completer en evenwichtiger, als ze haar leven in gezelschap van Russo's dochter had kunnen doorbrengen? Zou genegenheid voor een medemens het uiteindelijk hebben gewonnen, of zou ik haar voortdurend, tergend, pijnlijk hebben herinnerd aan haar gehate rivale en de man van wie ze had gehouden en die ze was kwijtgeraakt? Zou ze me als een koekoek in haar nest zijn gaan beschouwen – en zou de liefde die ze had gedacht voor me te voelen, uiteindelijk in afkeer zijn omgeslagen?

Wat mij betreft, als ik nou eens op Villa Lontana was opgegroeid? Wat zou ik dan nu aan het doen zijn? Aangenomen dat Filomena voor me was blijven zorgen, zou ze ongetwijfeld erg bezitterig zijn geweest en zou ik het, met mijn aard, bijna onmogelijk hebben gevonden haar te verlaten en de wereld in te trekken. En dan had ik nu misschien voor haar gezorgd, en niet Lucia. Als ik was getrouwd, zou ik in de buurt wonen, misschien wel hier, in San Fortunato, zodat ik haar elke dag op Villa Lontana kon opzoeken.

Was San Fortunato mijn werkelijke thuis? Het was prachtig, maar het was een veel kleinere, nog beslotener gemeenschap dan Avonford. Wat ik wel of niet van mijn ouders had meegekregen, ik had zeker iets van hun rusteloosheid. Alleen met grote moeite zou ik mijn leven in San Fortunato hebben kunnen doorbrengen.

Op dat punt liepen mijn gedachten vast. Wie probeerde ik eigenlijk voor de gek te houden? Ik was twintig geweest toen ik eindelijk uit Avonford was weggegaan en binnen twee jaar had ik de ene soort vastigheid ingeruild voor een andere. Mezelf als avonturier zien, was op enorme schaal zelfbedrog plegen. Ik was een *lief thuisblijvertje*, een *lief, tevreden meisje*, een *lief van-dezelfde-plaats-houdertje*.

Mijn huidige rusteloosheid was niet het gevolg van zwerflust, maar van ontevredenheid over mijn persoonlijke omstandigheden – over Nigel. Als mijn huwelijk beter was geweest, had ik er geen moeite mee gehad om op dezelfde plaats te blijven. Zoals ik tegenover Sherry en Roly had toegegeven, was ik nogal gewoontjes – het belangrijkste in mijn leven was de genegenheid van anderen.

Daarom was ik, als ik was opgegroeid met Filomena als moeder, misschien niet zo erg veel anders geworden dan ik nu was – alleen Italiaanser. En als ik nooit een ander leven had gekend en de juiste man had ontmoet, was ik nu misschien volmaakt gelukkig. Misschien had ik zelfs een sleep kinderen voor wie Filomena oma zou zijn geweest.

Maar waar leidde dit alles toe? Je kon het verleden niet veranderen. Mijn vader en de prinses – mijn ouders – waren de mensen geweest die ze waren. En ik was de persoon die ik was geworden. Mijn ouders waren dood. Van de deelnemers aan die gebeurtenissen van lang geleden waren alleen tante Biddie, Filomena en ik nog over.

Over tante Biddie hoefde ik me geen zorgen te maken. Voor haar geen ellende van een gebroken hart, geen doorvorsen van een gekwelde ziel, geen spijt over een onbeantwoorde liefde en een leven dat was verstild voor het zijn hoogtepunt had bereikt.

Tante Biddie zou je nooit horen zeggen: '*O, waarom moest ik blijven leven? Ik kan alleen maar geloven dat mijn leven een vorm van goddelijke vergelding is. God straft me door me in leven te houden.*' Tante Biddie streed voor het behoud van de kerkklok, maar ze had niet in elke kamer een altaartje voor de maagd Maria staan. Ze was geen Mariana die aan het venster zat en door de deuren gezichten van vroeger zag schemeren, voetstappen van vroeger over de bovenverdieping hoorde gaan, stemmen van vroeger van buiten hoorde roepen – en zat te wachten op de man die nooit zou terugkomen, terwijl ze klaagde:

304

'Ik ben moe, zo moe,
Ik wou dat ik dood was!'

Ik kon het leed dat mijn vader, de prinses en ik – die oude, zij het niet vergeten koeien uit de sloot had gehaald – Filomena hadden aangedaan, niet tenietdoen. Maar er waren een paar dingen die ik wel kon doen. Als ik het dan niet kon goedmaken, kon ik de dingen in elk geval niet erger voor haar maken. Ik kon ophouden met zoeken. En ik kon wat ik van mijn vaders zonden wist voor me houden: omdat mijn eigen illusies waren verstoord, betekende dat nog niet dat ik die van Filomena ook moest verstoren.

Laat ze haar droom van hem maar houden – ook al was het niet veel –, want het was die droom, en die alleen, die haar leven draaglijk had gemaakt.

En er was nog iets wat ik kon doen, iets waar ze nooit iets van hoefde te weten – en iemand anders ook niet. Ik kon dankbaar zijn voor de echtgenoot en de woning en de baan die haar waren onthouden. Hoewel er voor mij iets aan leek te ontbreken, waren ze voor haar het soort leven waar ze naar had verlangd en dat haar was ontzegd.

Zo stond ik in het maanlicht, onder het silhouet van de Sacro Monte, de heilige berg, waar San Fortunato ooit afstand had gedaan van al zijn wereldse bezittingen, en besloot ik, ter wille van Filomena Angelini – in een poging het onrecht te compenseren dat mijn ouders haar hadden aangedaan – niet voor de verleiding te bezwijken.

Ik krijg de kriebels als ik nu lees wat ik in mijn dagboek schreef toen ik weer binnen was, nog steeds in de greep van een bijna vrome bezieling van nobele zelfopoffering en deugdzame zelfverloochening. Toch weet ik nog precies hoe ik me voelde en begrijp ik waarom ik het deed.

Ik zwoer tolerant en volkomen altruïstisch te zijn, het geluk van anderen boven het mijne te stellen. Ik legde de plechtige gelofte af mijn huidige omstandigheden te continueren – mijn baan bij Miles en mijn huwelijk met Nigel, hoe liefdeloos dat misschien ook was. En ik beloofde Tobin op te geven.

Toen ik aan Tobin dacht, wankelde mijn vastberadenheid even en kwam toen weer stevig overeind. Filomena's liefde voor mijn vader was onbeantwoord gebleven en haar liefde voor zijn kind was afgewezen. Toch was ze zijn gedachtenis al die tijd trouw gebleven.

Objectief bezien had tussen Tobin en mij niets dan vriendschap bestaan en had ik mezelf niets te verwijten gehad. Maar zijn kus die nacht aan het

305

eind van de oprit nadat hij me over zijn scheiding had verteld, was niet platonisch geweest. En de nacht dat Nigel en ik seks hadden gehad – ik kon het moeilijk de liefde bedrijven noemen – had ik aan Tobin gedacht, had ik overspel gepleegd, al was het alleen maar in gedachten.

Dus moest Tobin verdwijnen. Ik zou uitleggen dat ik een stevig getrouwde vrouw was en dat wilde blijven ook. Ik zou het portret van Filomena teruggeven, en ja, ik zou ook een cadeautje voor hem meebrengen – iets duurs, maar niet te persoonlijks – zodat ik niet meer bij hem in het krijt zou staan. Ik zou ferm zijn. Ik zou niet bezwijken voor de verleidingen van de duivel en het vlees.

Hoewel Filomena nooit helemaal uit mijn gedachten was, wijdde ik me de volgende drie dagen helemaal aan Stevie, die verrassend goed gezelschap was ondanks ons verschil in leeftijd. Als ik met Nigel op vakantie was, kon ik me – net als thuis – nooit goed ontspannen: ik was altijd ongedurig. Maar ik hoefde me over Stevie geen zorgen te maken.

Het weer bleef ons goed gezind. Op donderdag reden we naar het Comomeer, daarna door de bergen naar Dongo, dat, vermeldde de reisgids, de plaats was van waaruit Mussolini het door Duitsland bezette noorden van Italië na zijn gedwongen ontslag in juli 1943 had bestuurd tot zijn gevangenneming door Italiaanse partizanen, eind april 1945.

'Zullen we proberen de villa van de Conte di Montefiore te vinden?' vroeg Stevie.

'Nee, laten we iets heel anders gaan doen. Ik heb er genoeg van...'

'Mmm,' mompelde Stevie bedenkelijk. 'Waar gaan we dan heen?'

'Naar het uiterste puntje van het meer en dan naar Chiavenna. Kun je dat op de kaart vinden?'

'Gevonden! Kunnen we dan nog verder, helemaal naar de Splügenpas?'

'Dat was ik precies van plan.'

Na Chiavenna kwamen we in een gebied met hoge bergen en ruige dalen, vergeleken waarbij Lugano tam leek, terwijl de weg tussen Campodolcina en Pianazzo een van de opzienbarend mooiste ter wereld moest zijn, hoewel hij doodeng was om te rijden, omdat hij in de steile bergwand was uitgehakt en uitsluitend uit haarspeldbochten en tunnels bestond.

De volgende dag probeerde Stevie het voorbeeld van Hemingway te volgen en ons naar Zwitserland te roeien, met een bijna noodlottige afloop, want toen we de grens bereikten, werd vanaf de oever een salvo van schoten afgevuurd. Ze kwamen niet eens bij ons in de buurt en hadden net zo goed toevallig kunnen zijn, maar Stevie keerde snel de boot en zette koers terug naar San Fortunato. 'Denk je dat ze echt voor ons bestemd waren?' vroeg ze opgewonden, toen we goed en wel weer in Italiaanse wateren waren.

Ik kon me voorstellen dat ergens iemand door een verrekijker zat te kijken en zich kapot lachte. Aan de andere kant stonden we, zoals ik naar voren had gebracht, op het punt illegaal een ander land te betreden.

Die avond liet Stevie me het verhaal aan Giuseppe vertellen, die ons vergastte op verhalen die hij van zijn vader had gehoord, van serieuzere pogingen om in de oorlog Zwitserland binnen te komen, en op verhalen over smokkel, waaronder zijn lievelingsverhaal over een miniatuurduikboot die geregeld tussen het Zwitserse en Italiaanse deel van het meer heen en weer pendelde tot hij uiteindelijk door Zwitserse douanebeambten werd buitgemaakt en een ton salami bleek te bevatten.

Op zaterdag namen we de gebruikelijker route en maakten we per stoomboot een tocht over het meer, waarbij we de reis onderbraken in Campione, een Italiaanse enclave in Zwitserland die beroemd was om zijn casino. Hier kochten we cadeautjes voor thuis. Ik stuitte gelukkig toevallig op een handgemaakt glazen model van een Lamborghini voor Nigel en op een heel duur documentenkoffertje van donkerbruin leer voor Tobin.

Allebei hadden ze een andere, duidelijke boodschap. Die voor Nigel moest zeggen: 'Dit is een vredesoffer. Laten we proberen ons huwelijk te redden.' Die voor Tobin moest zeggen: 'Dit is om je te bedanken voor alles en vaarwel.'

Toen was het zondagochtend en uit verdriet om ons vertrek daalde de temperatuur en verdween de zon achter de wolken. Na een laatste wandeling door het dorp en een tochtje met de roeiboot over het nogal woelige meer, liepen we via het terras terug naar ons appartement en begonnen te pakken.

'Het is zo snel voorbijgegaan,' klaagde Stevie. 'Ik wil nog niet naar huis.'

'Ik ben blij dat je het leuk vond.'

'O, absoluut. Ik wilde alleen dat het met Filomena anders was gelopen. Ik heb het gevoel dat we iets onafs achterlaten.'

'Nee hoor. We hadden verder niets kunnen doen.'

'Ja, je zult wel gelijk hebben,' zei Stevie weifelend, terwijl ze het balkon op liep. 'Denk je dat je hier ooit nog terugkomt?'

'Dat betwijfel ik.'

'Wat zonde.'

'Ja en nee. Ik weet dan wel niet alles over mijn ouders, maar ik weet veel meer dan toen ik hier kwam. Om je eigen woorden te gebruiken, door alles wat ik van Filomena te weten ben gekomen, hoef ik me de rest van mijn leven niet te blijven afvragen wie ik eigenlijk ben. Ik heb gezien waar ik de eerste maanden na mijn geboorte heb gewoond en ik heb de vrouw ontmoet die voor me heeft gezorgd.'

Op dat moment werd er geklopt. Toen ik opendeed, stond Signora Nebbiolo daar met een envelop in haar hand. 'Dit werd vanmorgen voor u gebracht, toen u weg was. Hij is gebracht door Cesare van Villa Lontana.' Ze gluurde naar binnen, knikte tevreden toen ze zag dat we aan het pakken waren en wachtte toen tot ik de brief zou openmaken.

Ze wachtte vergeefs. Ik bedankte haar alleen, deed de deur resoluut voor haar neus dicht en nam de envelop met bonzend hart mee naar het balkon. Even keek ik alleen maar naar het onmiskenbare, duidelijke handschrift, toen ging ik aan het rieten tafeltje zitten en maakte hem open.

'Van wie is hij? Wat is er, Cara?' vroeg Stevie.

'Van Filomena.'

Er zat een kort briefje in.

> *Lieve Cara,*
> *Bedankt voor je vriendelijke briefje, maar ik verzeker je*
> *dat eventuele pijn die je me hebt bezorgd, meer dan goed*
> *werd gemaakt door de vreugde je te leren kennen. Je hebt*
> *er geen idee van hoe dikwijls ik in de loop der jaren aan je*
> *hebt gedacht en me heb afgevraagd wat er van dat baby'tje*
> *was geworden waar ik zoveel van hield. Nu ik je heb ont-*
> *moet, is het net of je vader nog leeft, in jou verder leeft, en*
> *dat maakt me diep van binnen heel gelukkig.*
> *Je een goede reis terug naar Engeland wensend,*
> *Verblijf ik, met veel liefs,*
> *Filomena Angelini*

Toen we klaar waren met pakken, namen we afscheid van onze kamers en brachten onze koffers naar de receptie. Toen ik met Signora Nebbiolo de rekening afhandelde, verscheen Giuseppe en vroeg of hij onze bagage naar de auto kon brengen. Ik gaf Stevie de sleutels en ze gingen samen naar het parkeerterrein.

'Ik hoop dat we u nog eens terugzien,' zei Signora Nebbiolo, toen onze financiële afwikkeling achter de rug was. 'Misschien komt u Signora Angelini nog eens opzoeken?'

'Misschien,' antwoordde ik.

Toen liep ik naar buiten, de zon in. Stevie en Giuseppe stonden bij de auto, diep in gesprek. Arme Giuseppe, dacht ik vluchtig, dat hij had moeten wachten tot we vertrokken voordat Stevie op zijn avances reageerde.

Ik liep langs de hoofdweg tot aan de brug, waar ik bleef staan en door het beboste ravijn naar boven keek, naar de Abbazia e Convento della Madonna della Misericordia aan de ene kant en Villa Lontana aan de andere. Ik stuurde mijn gedachten de heuvel op, naar Filomena toe – een onsamenhangende boodschap van dankbaarheid en liefde.

In de bomen zongen de koekoeken nog steeds, waarbij hun schallende roep boven het kolkende water van de snelstromende bergbeek uit klonk.

Het was laat in de middag toen we op Heathrow landden. We namen de ondergrondse naar Paddington Station, waar ik Stevie op een trein naar Worcester zette en toen een taxi nam voor de rest van de weg naar huis.

Ik keek uit het raampje van de taxi naar de straten van Londen en voelde me vreemd uitheems, alsof ik veel langer dan een week weg was geweest en terug was gekomen als een ander mens dan ik was toen ik vertrok.

In mijn afwezigheid hadden geen feestjes in de flat plaatsgevonden. Hij was nog precies zoals ik hem had verlaten, behalve dat het er wat muf rook en de kamers er vreugdeloos uitzagen, alsof ze verdrietig waren dat ze een week onbewoond en verwaarloosd waren geweest. Ik keek de post door, die ik uit de hal had meegenomen toen ik erlangs kwam, maar het waren alleen rekeningen en folders, dus bracht ik mijn koffer naar de slaapkamer en pakte hem uit, waarbij ik overvallen werd door een gevoel van anticlimax. Na een week in Stevies gezelschap was het vreemd weer alleen te zijn, met niemand om tegen te praten.

Ik gooide de ramen open, schakelde de boiler in, zette water op, trok mijn reiskleding uit en begon net de wasmachine te vullen, toen de telefoon ging.

'Dus je bent er weer!' riep Tobins stem uit.

Ik kneep mijn ogen dicht en stond weer op een maanovergoten balkon, waar het water van het meer onder me kabbelde en de Sacro Monte met de Abbazia e Convento della Madonna della Misericordia boven me uittorende.

Ik probeerde het cool te spelen. 'Met wie spreek ik?'

'Met mij – Tobin.'

'O, hallo. Wat een verrassing. Ik ben net binnen.'

'Hoe is het gegaan?'

'Prima, dank je. We hebben een heerlijke tijd gehad.'

'Heb je al plannen voor vanavond?'

'Even bijkomen. Uitpakken, de was doen, me klaar maken om morgen weer aan het werk te gaan.'

'Nee, nu niet meer. Je gaat uit eten.'

'Dank je, maar– Eerlijk, ik wil eigenlijk liever...'

'Wat is er? Is Nigel thuis?'

'Nee.'

'Wat is er dan?'

'Er is niets, nou ja, niet echt.'

Hij zoog zijn adem in. 'Hoor eens, ik ben over een halfuurtje bij je. Dan gaan we uit eten en kun je me vertellen wat er is gebeurd.'

'Tobin, ik–'

'Zijn we nog vrienden?'

'Ja, nee–' Ik was hem een verklaring schuldig. Maar ik had niet gedacht dat ik die al zo snel zou moeten geven. 'Ja,' zei ik, 'natuurlijk zijn we nog vrienden.'

'Laten er in dat geval dan alsjeblieft geen misverstanden tussen ons bestaan.'

'Nee. Je hebt gelijk.'

Een halfuur later, toen de bel ging, stond ik klaar, met mijn jas aan en zijn cadeau in mijn hand: helemaal gehard, klaar om de verleiding te weerstaan in welke vorm die zich ook zou aandienen.

Toen ik opendeed, bleef hij in het trapportaal staan en keek me vragend aan. Omdat ik me opeens nogal mal voelde, glimlachte ik opgewekt en stapte snel naar buiten, waarbij ik mijn gezicht afwendde toen ik de deur op slot deed, zodat hij me niet kon kussen, en zei: 'Hoi. Het is fijn om je weer te zien. Erg bedankt dat je bent gekomen.' Ik duwde hem zijn cadeau in handen. 'Dit is voor jou. Ik hoop dat je het leuk vindt. Het is niet veel, maar ik dacht dat het wel van pas zou komen.'

Arme Tobin. Hij moet zich hebben afgevraagd wat me in 's hemelsnaam bezielde. Maar hij zei alleen: 'Dank je. Daar had ik niet op gerekend. Als je het niet erg vindt, maak ik het open als we in het restaurant zijn. Ik dacht dat we misschien naar een Italiaans restaurant in Hampstead Village konden gaan. Ik ben er al heel lang niet meer geweest, maar het was altijd erg goed.'

Zijn auto stond naast die van Nigel. Ik zag dat hij een blik op de Porsche wierp en naar de nieuwe kentekenplaat keek, en ik verwachtte dat hij met commentaar zou komen. Maar dat deed hij niet. Hij deed gewoon de deur voor me open en zei: 'Stap in.'

Onderweg naar Hampstead zeiden we geen van beiden iets. Hij reed op zijn normale, ontspannen manier, terwijl ik doodnerveus op mijn stoel zat, met mijn handen over mijn tas geklemd, en me afvroeg hoe ik me nader moest verklaren. Wat in San Fortunato eenvoudig en logisch had geleken, onder invloed van Filomena en de patroonheilige van het dorp, leek nu niet meer zo simpel.

Toen we aan ons tafeltje in het restaurant zaten, met de alomtegenwoordige chiantiflessen als kandelaars en visnetten aan de muren, pakte Tobin zijn cadeau uit.

'Dit is super,' zei hij, terwijl hij zijn handen over het leer liet gaan en er waarderend aan rook. 'Maar het is wel heel ondeugend van je. Hij moet een fortuin hebben gekost.'

'Het is het minste wat ik voor je kon doen na alles wat je voor mij hebt gedaan.' Ik wilde iets zeggen over het schilderij van Filomena, maar hij onderbrak me.

'Ik zal hem meenemen, waar ik ook ga – en aan je denken.' Hij stak zijn hand uit over tafel, trok mijn hand van de menukaart, bracht mijn vingers naar zijn lippen en legde mijn hand toen weer terug.

Er stond opeens een ober naast ons, die Giuseppes broer had kunnen zijn. 'Wilt u een aperitief?'

Tobin keek naar mij. 'Campari met soda?'

Ik kwam in de verleiding iets anders te bestelen, alleen om tegendraads te zijn, maar dat zou onzinnig kinderachtig zijn geweest. 'Ja, graag.'

We bestudeerden de kaart en toen een andere ober onze bestelling kwam opnemen, bleek dat we allebei tot dezelfde gerechten hadden besloten – *hors d'oeuvres* van de kar om te beginnen en *fritto misto* als hoofdgerecht.

En dat was mijn probleem, kort samengevat. Tobin en ik hadden zoveel gemeen. Ik wilde onze vriendschap niet opgeven. Als ik hem moest opgeven, zou het zijn of ik een deel van mezelf kwijtraakte.

'Hoe was het eten in jullie hotel?'

'Uitstekend, dank je. Stevie veroverde het hart van de zoon van de eigenaresse, die een van de obers was, wat inhield dat er heel goed voor ons werd gezorgd.'

'Heeft ze zich vermaakt?'

'Ja, reusachtig. En ze was uitstekend gezelschap.'

We nipten van onze campari.

Toen vroeg hij: 'Wat is er? Waardoor ben je zo van streek?'

'Ik weet niet hoe ik het je moet uitleggen.'

'Heeft het iets met Filomena te maken?'

'Zoiets. Meer door haar.'

'Waarom begin je niet bij het begin en vertel je me alles over haar.'

'Als het je interesseert.'

'In godsnaam, meisje! Wat is er met je? Natuurlijk interesseert het me.'

Dat klinkt misschien als iets wat Nigel kon hebben gezegd, maar hij klonk eerder als tante Biddie – geïrriteerd, maar op een toegeeflijke, lieve, onzekere manier.

Ik liet mijn afwerende houding varen. 'Nou, we zijn haar twee keer gaan opzoeken. De eerste keer was op maandag...' Ik vertelde hem alles over beide bezoeken en ik beschreef het huis. Lucia, Cesare, de schilderijen die er hingen, de altaartjes, Amadores schetsboeken, Filomena's onthullingen – alles, ook mijn eigen overijlde vlucht door de tuin van Villa Lontana het koekoeksbos in en hoe ik op wonderbaarlijke manier aan de rand van het ravijn tot stilstand was gekomen, in dat tafereel dat zo op de nachtmerrie leek die ik had gehad. Het enige wat ik wegliet, was mijn verblijf op het maanovergoten balkon.

Tegen de tijd dat ik klaar was, waren we aan het eind van onze tweede gang en voelde ik me beter, ontspannener, meer zoals bij onze allereerste ontmoeting – voordat kussen en emoties en verlangen en zelfanalyse ertussen waren gekomen.

De ober nam onze borden weg en de wijnober vulde onze glazen bij. 'Wil je iets toe?' vroeg Tobin.

'Eigenlijk niet, dank je.'

De obers vertrokken en lieten ons alleen.

'Arme ziel,' zei Tobin zacht. 'Wat een triest leven.'

'Ik heb zo'n vreselijk medelijden met haar. Het lijkt zo zonde.'

We nipten van onze wijn en ik hield mijn blik van hem afgewend, terwijl ik een sigaret rookte en de as nerveus in de asbak tikte.

Opeens zei Tobin: 'Ik denk dat ik weet wat je eigenlijk dwarszit – behalve Filomena. Het begon al voor je wegging, hè?'

Ik knikte.

'Het begon toen je uit Parijs terugkwam, die avond dat ik je naar huis bracht en je naar mijn huwelijk vroeg.'

'Zoiets, ja,'

'En ik heb het nog erger gemaakt door je het schilderij van Filomena te geven?'

'Mmm.'

'Het spijt me. Ik schijn het allemaal erg slecht te hebben aangepakt. Ik verzeker je dat ik het niet zo heb bedoeld.'

'Nee, dat besef ik wel,' mompelde ik.

'Cara, kijk me eens aan – wil je?'

Ik beet op mijn lip en hief langzaam mijn hoofd op.

Hij leunde naar voren, zette één elleboog op tafel, legde zijn kin op zijn hand en keek heel ernstig. 'Ik weet niet of ik er wel of niet goed aan doe te zeggen wat ik nu ga zeggen, maar het komt me voor dat ik het niet veel erger kan maken dan het al is. En als je mijn kant hoort, zul je tenminste weten waar jij staat wat mij betreft.

Ik hou van je, Cara. Ik heb van je gehouden vanaf het allereerste moment dat ik je zag, toen je in Wolesley House de trap af kwam. En ik ben elk moment van elke dag die sindsdien is verstreken meer van je gaan houden. Ik heb nog nooit voor iemand gevoeld wat ik voor jou voel.

Ik zal je zeggen waarom ik van je houd. Ik houd ervan naar je te kijken. Ik hou van je haar als glanzend goud, de helderblauwe ernst van je ogen en de vreugde en verdrietjes in je gezicht dat voortdurend verandert. Ik hou van je verlegen en nerveuze maniertjes, die je tevergeefs probeert te verbergen onder een laagje wereldwijsheid. Ik hou van je doorzichtige eerlijkheid en je volslagen argeloosheid. Ik hou van je ernst, je intensiteit, je intelligentie, je integriteit, je wezenlijke goedheid. Ik hou van je moed en je vastberadenheid. Bovenal houd ik van je als je lacht – wat je helaas veel te weinig doet.

Ik hou van je omdat je precies het tegenovergestelde bent van wat ik verwachtte toen ik je voor het eerst sprak, al had Oliver me verteld dat hij moeilijk kon geloven dat jij de dochter van de prinses was. Mij kan het niet schelen van wie je een dochter bent. Jij bent jezelf en dat is voor mij voldoende. Maar het kan me schelen om jou – en daarom heb ik gedaan wat ik kon om je te helpen.

Nu ik dat allemaal heb gezegd, ben ik me er ook terdege van bewust dat je getrouwd bent. Ik weet niet of je huwelijk goed is of niet. Ik hoop van wel, omdat je een man verdient die van je houdt en die je koestert.'

Hij zweeg en ik voelde dat ik een brok in mijn keel kreeg.

Toen ging hij verder: 'Zoals ik je al eerder heb geprobeerd te vertellen, heb ik, toen mijn eigen huwelijk mislukte, besloten geen ander huwelijk kapot te maken. Tot ik jou ontmoette, heb ik me daaraan gehouden. Als een vrouw getrouwd was, nodigde ik haar niet eens uit voor een drankje. Maar met jou waren de omstandigheden anders. We hadden een gemeenschappelijk doel. Dat hield ik mezelf tenminste voor. Maar ik kwam op gevaarlijk terrein. En ik ben meermalen te ver gegaan en heb dingen gedaan die ik mezelf naderhand heb verweten – al heb ik er geen spijt van.

Ik weet heel goed dat je je verscheurd hebt gevoeld en dat ik je niet bepaald heb geholpen. Ik besef dat het netter van me zou zijn geweest als ik als de donder uit je leven was verdwenen. Dat heb ik heel wat keren overwogen. Je hebt er geen idee van hoe dikwijls ik naar de telefoon heb gegrepen om je te bellen en dan weer heb neergelegd. Je hebt geen idee hoe dikwijls ik uit Fulham ben vertrokken om je voor je kantoor op te wachten en weer terug ben gegaan. Je hebt geen idee hoe dikwijls ik naar Highgate ben gereden, dan ben omgedraaid en weer naar huis ben gegaan. Dan dook er iets op wat met de prinses te maken had en had ik een heel aannemelijke smoes om je weer te zien.

De afgelopen week heb ook ik veel nagedacht en ik heb beseft dat er één enorm verschil is tussen wat ik voor jou voel en wat ik heb gevoeld voor alle andere vrouwen die ik heb gekend. Ik houd niet alleen van je als vrouw, maar ik vind je ook als mens aardig. Zeker, telkens wanneer ik je zie wil ik je in mijn armen nemen en je kussen. Ik zou zelfs nog veel verder willen gaan. Ik zou dag en nacht bij je willen zijn. Ik zou degene willen zijn die je 's morgens als eerste en 's avonds als laatste ziet.

Maar het is veel belangrijker voor me dat je mijn vriendin blijft dan dat je mijn minnares wordt. Onze vriendschap is me meer waard geworden dan wat ook ter wereld. Ik zou het afschuwelijk vinden die te verliezen. En ik zou graag denken dat we vrienden kunnen blijven, als ik mijn gevoelens tenminste in bedwang kan houden.

Aan de andere kant, als jij vindt dat de situatie die we nu hebben bereikt onmogelijk kan voortduren, zal ik je wensen respecteren. Ik wil niet dat je iets doet waar je later spijt van zou kunnen krijgen. Ik wil je op geen enkele manier pijn doen – nooit van mijn leven. Het enige wat ik wil, is dat jij gelukkig bent.'

Als we niet in een restaurant hadden gezeten, was ik in tranen uitgebarsten. Nu probeerde ik het enorme brok in mijn keel weg te slikken en zocht ik in mijn tas naar een zakdoek. Mijn hart bonsde alsof het vogeltje dat erin gevangen zat zijn uiterste best deed om de muren van zijn kooi te slechten.

'Je bent niet beledigd?' vroeg Tobin.

Ik schudde heftig van nee.

'Geen misverstanden?'

Ik schudde mijn hoofd weer.

'Laten we dan een kopje koffie nemen.' Hij wenkte de ober.

Toen de ober ons espresso's had gebracht, vroeg Tobin: 'Wat heb je met het portret van Filomena gedaan?'

Ik dacht er zelfs niet aan om te liegen. 'Ik kon het niet in de flat houden. Nigel had allerlei vragen gesteld, dus passen Sherry en Roly erop.'

'Ja, ik besefte naderhand dat ik daar niet goed over had nagedacht. Ik kan alleen maar zeggen dat ik het goed heb bedoeld.'

Nu had ik de kans om hem te zeggen dat ik het niet wilde houden, maar ik kon me er niet toe brengen.

Daarna zeiden we geen van beiden meer iets.

Toen de ober de rekening bracht, zei ik: 'Mag ik deze maaltijd alsjeblieft betalen?' Tobin probeerde me niet om te praten. Ik betaalde met mijn creditcard en hij zei: 'Dank je.'

Hij bracht me tot de voordeur, waar hij weer naast Nigels Porsche stopte. 'Ik zal je niet lastigvallen,' beloofde hij. 'Ik zal wachten tot ik iets van je hoor. Als je na vanavond niet meer met me wilt praten of me niet meer wilt zien, begrijp ik dat best.'

Er was zoveel dat ik wilde zeggen. Ik wilde onder andere zeggen: 'Je hebt het mis. Ik ben helemaal niet gelukkig in mijn huwelijk. Ik houd niet van Nigel en ik houd wel van jou.' Ik wilde dat hij me zou kussen. Ik wilde hem kussen. Ik wilde meer dan dat.

Maar de last van de zonden van mijn ouders drukte te zwaar op me. Hoeveel ik ook van Tobin hield, ik kon het niet verdragen in hun voetstappen te treden.

Dus zei ik alleen: 'Dank je dat je zo eerlijk bent geweest. En ik zal zeker wat van me laten horen.'

Toen stapte ik uit en ging naar boven, naar de flat, waar ik prompt in tranen uitbarstte.

HOOFDSTUK 20

Ik had me er niet op verheugd weer aan het werk te gaan, maar toen ik dan weer op kantoor kwam, was het vreemd genoeg goed om begroet te worden door Sergeants vertolking van *Bring me Cornetto*, Dorothy te horen uitweiden over de deugden van haar kleindochter en Juliette te horen zeggen: 'Fijn dat je er weer bent. Ik ben echt eenzaam geweest zonder jou.'

Toen ze me naar Italië vroeg, merkte ik dat ik nuchter kon antwoorden en kon zeggen dat San Fortunato een prachtig dorp was en dat Filomena me heel wat interessante bijzonderheden had verschaft, zonder iets van de gevoelens te tonen die waren losgemaakt.

Daarna moesten we de harde feiten van het dagelijkse kantoorleven weer onder ogen zien en de post, telexen, faxen en telefonische boodschappen van de afgelopen week doornemen, waarbij Juliette uitlegde welke berichten ze belangrijk genoeg had gevonden om naar New York door te sturen en welke ze in afwachting van Miles' terugkomst enkel had bevestigd.

Ik bedankte haar en ze zei: 'Geen probleem. Het had niet beter kunnen uitvallen. Het is een heel rustige week geweest, met Miles en James allebei weg. Weet je, er is beslist iets aan de gang. James blijft nog een week in New York en Miles komt alleen terug. Wat denk je dat ze van plan zijn?'

Ik haalde mijn schouders op en zij lachte. 'Tja, wij zijn waarschijnlijk de laatsten die het te horen krijgen.'

Toen Miles aankwam, keek hij bepaald zelfvoldaan. 'Hoe was Italië?' informeerde hij.

'Geweldig, dank je.'

'Goed. Je hebt een beetje kleur gekregen. Ben je veel buiten geweest?'

'Ja, eigenlijk wel. Was je reis naar New York een succes?'

'Buitengewoon.' Waarmee hij naar zijn eigen kantoor ging en ik hem met agenda, stenoblok en potloden in de hand volgde.

Tussen de middag gingen Juliette en ik naar de sandwichbar en vertelde ik haar wat meer over Italië. Ik had het gevoel dat ik mezelf steeds beter in de hand kreeg en begon me weer een beetje mens te voelen. Miles was nog aan het lunchen toen we terugkwamen, dus greep ik de kans om tante Biddie te bellen.

'Ik heb gisteravond geprobeerd je te bellen,' zei ze, 'maar er werd niet opgenomen.'

'Het spijt me. Ik ben uit eten geweest.'

'O. Is Nigel terug?'

'Nee, ik ben met een – eh – vriend uit geweest.'

'O, leuk. Ik wilde weten hoe je met Filomena bent opgeschoten. Ik heb al met Stevie gepraat en ik heb al het een en ander gehoord van wat er is gebeurd.'

Ik lachte. 'In dat geval neem ik aan dat je het meeste al weet.'

'Als je het zo stelt, ik begrijp dat ze invalide was, dat Connor de oorlog inderdaad in San Fortunato heeft doorgebracht en dat het ernaar uitziet dat de prinses inderdaad je moeder was.'

'Daar ziet het inderdaad naar uit. Maar Filomena heeft een erg geïdealiseerd beeld van hem. Een paar van de dingen die ze me over hem vertelde, stonden lijnrecht tegenover dingen die jij had gezegd. Ze wist bijvoorbeeld niets van Patricia en zijn verhouding met Imogen Humboldt.'

'Cara, ik bezweer je dat ik dat allemaal niet heb verzonnen.'

'Nee, en ik geloof jouw versie ook wel,' verzekerde ik haar haastig. 'Ik bracht alleen de verschillen tussen haar verhaal en het jouwe naar voren. Ze scheen ook te denken dat hij alleen maar naar Spanje was gegaan om aan de prinses te ontkomen, die blijkbaar in 1935 al had geprobeerd hem aan de haak te slaan, toen Dmitri en Imogen naar Amerika gingen.'

'Alles is mogelijk. Je hebt zijn brieven net zo goed gelezen als ik. Ik denk dat hij wel degelijk een politiek geweten had. Maar tegelijkertijd had hij geen enkel besef van zedelijk gedrag. Hij had zich heus niet van een verhouding met de prinses laten afhouden, alleen omdat ze getrouwd was.'

Dat hielp me niet bepaald. Het maakte alleen dat Tobin meer op een heer leek – een heilige zelfs.

Ik stapte op iets anders over. 'Hoe zit het met de kerkklok?'

'O, die opschudding is inmiddels helemaal voorbij. We hebben natuurlijk gewonnen. Dat wist ik wel. De dominee en het kerkbestuur hebben het ten slotte opgegeven. Maar nu is iemand met het wilde idee gekomen

317

om van High Street een voetgangersgebied te maken. Dat is volkomen belachelijk. Ze hebben het erover het gymnasium te sluiten vanwege gebrek aan geld dat ze maar al te graag willen verspillen aan dingen die niemand wil. Daar gaat je bloed toch van koken.'

Miles ging die avond vroeg naar een vergadering in de stad en ik deed de hoes over mijn schrijfmachine en verheugde me erop vroeg naar huis te kunnen, toen de telefoon ging en Dorothy aankondigde: 'Ik heb je man aan de lijn, Cara.'

'Eindelijk!' riep Nigel uit. 'Ik begon me ernstig ongerust te maken. Ik heb je het hele weekend gebeld en er werd nooit opgenomen. Waar ben je geweest?'

'In Italië.'

'O ja, natuurlijk. Je ging met Stevie. Heb je het leuk gehad?'

'Heel leuk. Hoe gaat het bij jou?'

'Beter, nu het weer is opgeklaard. Er was één klein probleempje toen de klant opeens besloot dat de kleren van een van de kinderen hem niet aanstonden, omdat hij vond dat ze te stoer overkwamen. Dus moesten we een paar scènes overdoen. Maar afgezien daarvan is alles kits en zou ik woensdag thuis moeten zijn.'

'Nou, dan zie ik je dan wel en kunnen we bijpraten.'

'Ja, tot dan. Pas intussen goed op jezelf.'

'Jij ook. Dág.'

Pas in de ondergrondse kwam het bij me op me af te vragen waarom hij opeens had besloten me zelf te bellen en het niet aan Tracey over te laten. Het leek te wijzen op een sfeer van *rapprochement*, zowel van zijn kant als van de mijne. En daardoor ging ik me nog bezorgder en verwarder voelen.

Nigel kwam woensdagavond tamelijk vroeg thuis, maar een uurtje later dan ik. Hij dumpte zijn bagage in de gang, gaf me een vluchtige echtelijke zoen, gaf me weer een flesje belastingvrije parfum, liep toen naar de woonkamer en zakte in een stoel. 'Zo, dat is de tweede die klaar is. Nu hebben we er twee gehad en moeten we er nog vier.'

'Dus alles is toch nog goed afgelopen?'

'Ja, prima. Zoals altijd moet in de praktijk nog blijken of het echt goed is en dat weet ik pas als ik morgen de ontwikkelde film zie. En dan moeten we nog monteren.'

'En hoe ging het met Bo?'

'Bo? Hoe bedoel je?'

'De vorige keer had je wat problemen met haar. Ze probeerde je steeds te overtroeven.'

'O, dat is allemaal verleden tijd. Ze is nu wel oké. Ik moet zeggen dat Sven een geweldige vent is. Heel cool. Ik heb veel respect voor hem. Nee, het is een goed team en de ploeg is een geweldig stel. Het enige echte probleem is de verdomde klant, die echt enorm lastig is, maar we krijgen hem wel in het gareel. We hebben hem op een avond meegenomen naar een nachtclub en hem zo dronken gevoerd dat we hem naderhand letterlijk naar een taxi hebben moeten dragen en hem hebben moeten uitkleden en in bed stoppen toen we in het hotel terugkwamen. Maar daarna hebben we niet half zoveel problemen meer met hem gehad.'

Ik lachte, met een stem die zelfs mij ongewoon schril en vals in de oren klonk. Maar Nigel leek het op te vatten als werkelijke geamuseerdheid en ging uitvoerig op de episode in, waarna hij een bezoek aan de rosse buurt beschreef, waar ze de arme man hadden opgezadeld met een prostitué die travestiet was. 'Als we in Kenia problemen met hem krijgen, voeren we hem aan de leeuwen,' ging hij door.

'Gaat je volgende reis naar Kenia?'

'Ja, we vertrekken maandag.'

'Welke reclamespot is dat?'

'Sarafi-sedanrally. Dat zal me wat worden. Ik verheug me er echt op, dat moet ik toegeven. Al spijt het me wel dat ik jou zo verwaarloos. Je neemt het allemaal heel sportief op, moet ik zeggen.'

Nee, dacht ik, ik heb alleen een geweten.

'Nou hebben we het wel genoeg over mij gehad. Vertel me eens over Italië. Waar heb je gezeten?'

'In een dorpje aan het Meer van Lugano, vlak bij de Zwitserse grens. Stevie heeft een heleboel foto's gemaakt. Ze heeft me beloofd er een paar te sturen als de film is ontwikkeld.'

'Geweldig,' zei hij, met een opvallend gebrek aan belangstelling. 'Waar ben je zoal geweest?'

Ik stond even in dubio of ik hem het hele verhaal zou vertellen, helemaal vanaf het begin. Toen geeuwde hij en ik dacht: wat heeft het voor zin? Het is toch allemaal voorbij. Ik zal Filomena nooit meer zien. En ik zal Tobin waarschijnlijk ook nooit meer zien. Laat het rusten.

'Een heleboel,' zei ik. 'We zijn de bergen in gereden en we zijn met een stoomboot rond het meer geweest. O, en ik heb een cadeautje voor je meegebracht.'

Ik liep naar het dressoir en pakte de doos met het handgemaakte glazen model van een auto dat ik in Campione had gekocht.

Hij scheurde het papier eraf en haalde de auto eruit. 'Ja, nou, eh, erg bedankt,' zei hij met een stem waarin elk spoortje van enthousiasme ontbrak.

'Het is Italiaans, het is een Lamborghini.'

'Ja, ik weet heus wel wat het is. Het is een Lamborghini Countach, om precies te zijn.'

'Ik dacht dat het 't soort auto was waar je van hield.'

'Nou, leuk dat je eraan hebt gedacht. Hij is prachtig gemaakt, maar – eh – het is jammer dat je geen ander merk hebt genomen.'

'O, daar heb ik niet aan gedacht. Ik vond dat hij er heel exotisch uitzag.'

'Hij lijkt op iets uit de *Thunderbirds*,' stelde Nigel geringschattend vast en stopte hem weer in zijn doos.

Over de weg naar de hel is geplaveid met goede voornemens gesproken.

Ik merkte dat ik half en half wilde dat Tobin een vlieg op de muur was. Dan hoefde ik het niet uit te leggen en zou hij het begrijpen.

De volgende dagen waren vreemd, of liever, de avonden en nachten waren vreemd, want Nigel was de hele dag weg, hetzij op kantoor, hetzij in de montagestudio. Er was een afstand tussen ons, maar daar was ik haast blij om. Op het balkon in San Fortunato had ik gezworen mijn man trouw te blijven, wat heel iets anders was dan net te doen of ik weer verliefd op hem was.

Hij stelde geen eisen aan me, emotioneel noch lichamelijk. 's Avonds vermeden we, als met onderlinge instemming, elke situatie die kon worden uitgelegd als invitatie of voorspel tot seks. Elke avond ging een van ons eerder naar bed dan de ander, om te vermijden dat we ons in het zicht van de ander zouden uitkleden. Ik had altijd al een nachtpon gedragen en nu begon Nigel in bed een T-shirt te dragen.

'Ik ben eraan gewend geraakt, door in hotels te slapen,' verklaarde hij en ik gaf geen commentaar.

Zo bleven we 's morgens ook niet in bed liggen als de wekker ging, maar stond een van ons op, maakte koffie en ging dan naar de badkamer om zich te wassen en aan te kleden.

Misschien wel het vreemdste was dat onze handelingen heel natuurlijk gingen aanvoelen, hoewel ik toch een bepaald gevoel van onwerkelijkheid had. Ik had zelfs dikwijls het gevoel dat we twee figuren in een toneelstuk waren die een rol speelden, zelfs als het gordijn tussen het publiek

320

en ons was gevallen, hielden we ons – als bij stilzwijgende afspraak – aan onze zelfopgelegde rol en volgden we het draaiboek.

Die vrijdagavond kwam Nigel vroeg genoeg uit zijn werk om met me naar de bioscoop te gaan – voor het eerst in lange tijd – en daarna gingen we uit eten, waarbij we het voornamelijk over de film hadden en over films die we vroeger hadden gezien.

'Ik vond dit een leuke avond,' zei hij, toen we naar huis reden. 'Het was weer eens iets anders. Jammer dat we het niet vaker kunnen doen.'

Op zaterdagochtend bracht de post een brief van Stevie, samen met een stel afdrukken van de foto's die ze in San Fortunato had gemaakt. De hele dag keek ik er af en toe naar en voelde ik een steek van verlangen die wel wat op heimwee leek. Ik wilde dat ik ze aan Tobin kon laten zien, maar in plaats daarvan liet ik ze aan Nigel zien toen hij thuiskwam. Hij deed of het hem interesseerde, maar hij was er met zijn gedachten duidelijk niet bij.

Na het eten gaf hij me het schema van zijn aanstaande reis en vroeg: 'Ben je van plan nog ergens heen te gaan als ik in Kenia ben?'

'Dat betwijfel ik zeer. Voorlopig ben ik even uitgereisd.'

'Nou, als je weer met Stevie weg wilt, vind ik dat helemaal niet erg, hoor. Ik kan deze zomer beslist geen vakantie nemen.'

'Dat besef ik,' zei ik. 'Mij kan het niet schelen. Zolang jij jezelf maar niet ziek maakt door je te overwerken. Je moet wel een keer een verzetje hebben.'

'Misschien, als het allemaal voorbij is. Hoe dan ook, al werk ik dan hard, ik vind het ook leuk. Je weet wat ze zeggen: verandering van spijs doet eten.' Toen geeuwde hij. 'Dat gezegd hebbende, zou ik best vroeg naar bed willen.'

Toen was het zondagavond en was hij weer aan het pakken. En de volgende morgen was hij weg en was ik alleen.

Eind van de middag belde Tracey om me te laten weten dat hij veilig in Nairobi was aangekomen. 'Het is zonde dat je niet met hem mee kunt naar sommige van die plaatsen,' zei ze. 'Ik zou dolgraag naar Kenia willen. Ik ben helemaal gek van dieren. Ik kijk naar alle natuurprogramma's op tv.'

En daar waren we weer, terug bij Tracey en onze vriendschappelijke babbeltjes.

Als die paar dagen dat Nigel thuis was vreemd waren geweest, was de week erna nog vreemder. Tot die tijd had ik niet beseft hoe belangrijk

Tobin eigenlijk voor me was geworden, hoe vaak ik aan hem had moeten denken, zelfs als we elkaar niet zagen, zelfs als we elkaar niet spraken. Hij had in mijn onderbewustzijn gezeten – altijd al, leek het wel – en aan de andere kant van de lijn.

Naarmate de invloed van San Fortunato en Filomena minder werd, ging ik vraagtekens zetten bij de voornemens die ik zo overijld had gemaakt. Gooide ik mijn eigen glazen niet in als ik niets meer met hem te maken wilde hebben? Konden we geen vrienden blijven zoals hij had voorgesteld – en zoals ik wilde?

Hechtte ik wat dat betreft te veel belang aan trouw? Ginette was niet de enige die een buitenechtelijke verhouding had en al voelden anderen zich misschien schuldiger dan zij, waren ze niet veel gelukkiger en voldaner dan ik?

Ik zag de jaren voor me, waarin Nigel en ik steeds verder van elkaar vervreemdden, tot we elkaar helemaal niets meer te zeggen zouden hebben. Dat was geen huwelijk. Dat was geen kameraadschap. Dat was alleen maar een zinloze verspilling van twee levens.

Talloze malen deed ik wat Tobin in het restaurant in Hampstead had beschreven. Ik greep naar de telefoon en legde weer neer. Telkens wanneer de telefoon ging, hoopte ik dat hij het zou zijn. Als ik van Wolesley House wegging, keek ik op St James's Square altijd naar hem uit. Eén keer kreeg ik verderop op straat iemand in de gaten die van achteren op hem leek. Ik rende hem achterna en riep zijn naam, alleen om er tot mijn intense gêne achter te komen dat het iemand anders was – die van voren totaal niet op hem leek.

Toen Juliette en ik een keer tussen de middag bij Chattertons wat dronken, zei de serveerster: 'Wat heb ik u lang niet gezien – en uw vriend ook niet.'

Waarop Juliette natuurlijk de oren spitste. 'Vriend? Cara, leid jij een dubbel leven?'

Ik voelde dat ik vuurrood werd. 'Doe niet zo gek. Natuurlijk heb ik geen vriend.'

Om het nog erger te maken had Sergeant post voor me, toen we in Wolesley House terugkwamen. Toen hij me de post gaf, merkte hij op: 'Ik heb meneer Touchstone al een hele tijd niet meer gezien. Ik hoop dat hij het goed maakt. Het is zo'n welgemanierde heer.'

Juliette wierp me een veelzeggende blik toe. Toen we de trap opliepen, zei ze fluisterend, zodat Sergeant het niet zou horen: 'Het geeft niet, je kunt me vertrouwen. Ik zal het niemand vertellen. Ik neem het je zelfs niet eens kwalijk. Ik moet toegeven dat ik Tobin een stuk vond.'

Op zaterdag haalde ik mijn draagbare schrijfmachine te voorschijn en de map met Het Boek, maar ik kwam er niet toe hem open te slaan. Het leek opeens zinloos. Dus werkte ik mijn dagboek bij aan de hand van de aantekeningen die ik in Italië had gemaakt. Toch leek ook dit me een zinloze bezigheid. Ik wist wie mijn ouders waren. Ik wist wie ik was. Mijn zoektocht was ten einde...

Ik borg de schrijfmachine en het dagboek weer op en pakte de stofzuiger, bij gebrek aan iets beters, want de flat was al smetteloos. Maar omdat ik net zomin zin had in onnodig huishoudelijk werk, zette ik hem weer in de kast en ging naar beneden, naar de auto. In plaats van door te rijden naar Fulham draaide ik bij Hyde Park Corner een rondje om de rotonde en reed terug naar Linden Mansions.

Op zondag belde ik tante Biddie en Miranda, overwoog koffie te gaan drinken bij Sherry en besloot in plaats daarvan in de daktuin te gaan rommelen, stekjes te snijden en planten te scheuren.

Het was eigenlijk een opluchting toen het weer maandag was en ik terug was in de zakenwereld, waar ik dacht vaste grond onder de voeten te hebben.

Kort nadat ik die maandagochtend op kantoor kwam, belde Miles om te zeggen: 'Ik kom niet voor vanmiddag. Zeg mensen die bellen maar dat ik later wel terugbel.'

Juliette stak haar hoofd om de hoek van de deur. 'Heb je een goed weekend gehad?'

'Fijn, dank je. En jij?'

'Goed. Je weet wel, het gebruikelijke, huishouden, wassen, koken.'

'Is James terug?'

'Zo'n beetje. Hij stoof naar binnen en stoof weer weg, terwijl hij iets murmelde over een vergadering met Miles in het Ambassador. Ik ga een weddenschap met je sluiten. Een fles wijn bij Chattertons. Ik wed dat we op het punt staan WWT over te nemen.'

'Als dat zo is, waar zijn die vergaderingen met Sir Utley Trusted en Oswald Jaffe dan over gegaan?'

'Afleidingsmanoeuvres. Of anders wilden ze niet overgenomen worden.'

'Oké, daar kan ik het mee eens zijn. Ik doe mee.'

Naarmate de ochtend vorderde, raakte ik er steeds meer van overtuigd dat Juliette gelijk had. De telefoon stond roodgloeiend en veel van de telefoontjes kwamen van het kantoor van Graig Vidler bij WWT in New York. Andere waren van Kornfeld, Wiley en Vance, de advocaten van de Group in de City, en een paar van Miles' effectenmakelaar.

Miles kwam vlak na de lunch terug en nadat hij iedereen had teruggebeld, sloot hij zich met James, Alan Warburton en Keith Despard in de bestuurskamer op. In de loop van de middag zag ik zowel de secretaresse van Alan als die van Keith. Ze zeiden niets meer dan Dorothy, maar ik kon aan hun gezicht zien dat ze zich er net als Juliette en ik van bewust waren dat er iets belangrijks te gebeuren stond.

Om een uur of vijf ging de vergadering uiteen en riep Miles me naar zijn kantoor. 'Heb je voor vanavond iets op het programma staan?'

Ik schudde mijn hoofd.

'Goed. Want ik wil de directeuren van alle dochterbedrijven woensdag om twaalf uur hier in Londen hebben. Het kan me niet schelen wat ze voor andere plannen hebben. Die zullen ze moeten afzeggen. En het kan me niet schelen hoe ver je moet gaan om ze te vinden. Als je er maar voor zorgt dat ze de boodschap allemaal persoonlijk krijgen.'

'Moet ik logies regelen?' vroeg ik.

'Ik zal ze niet lang hier houden. Afgezien van Bob Drewitz zouden ze in één dag op en neer moeten kunnen. Reserveer voor Drewitz maar een kamer in het Ambassador.'

Hij keek me op zo'n manier aan dat ik dacht dat hij nog iets wilde zeggen. Maar dat deed hij niet. Hij zei alleen: 'Dat is het voor het moment.'

Ik had opmerkelijk veel geluk. De meesten van hen waren of op kantoor, of thuis, hoewel sommigen al in bed lagen en geen van hen was er erg blij mee dat hij werd gestoord. Tegen middernacht had ik ze bijna allemaal gehad, op twee na, van wie het kantoor was gesloten en die thuis niet opnamen. Ik besloot ze tot de volgende ochtend te bewaren en nam een taxi naar huis.

's Morgens waren die twee ook opgespoord en was mijn missie volbracht. Ze hadden allemaal gevraagd waarom ze werden ontboden en ik had ze allemaal hetzelfde antwoord gegeven: 'Het spijt me, ik weet het niet.'

Miles en James hadden die hele dag buiten kantoor doorgebracht. 'De spanning stijgt,' zei Juliette. 'Maar alles zal kennelijk zeer binnenkort worden onthuld. Ik verheug me op die fles.'

Alles werd de volgende morgen onthuld. En Juliette had het mis. De Goodchild Group nam WWT niet over.

Zodra ik binnenkwam, maakte ik de bestuurskamer klaar. Toen ik haastig de laatste hand aan de tafel legde, kwam James binnen en keek rond. 'Een beetje krap, maar het moet maar,' zei hij. 'We hadden beter een van de vergaderzalen van het Ambassador kunnen nemen, maar Miles heeft gelijk. Dat zou te veel aandacht hebben getrokken. Discretie en timing zijn in een situatie als deze van het grootste belang.'

Toen besefte hij kennelijk dat ik nog van niets wist, want wat verlegen kijkend ging hij weer weg.

Een paar tellen nadat ik weer op mijn kantoor terug was, zoemde Miles. 'Wil je even komen, Cara?'

Zoals God weet hoeveel honderden keren eerder, greep ik mijn agenda, mijn stenoblok en mijn potloden en ging naar zijn kantoor.

Miles stond bij het raam, met zijn rug naar me toe over St James's Square uit te kijken. Zonder zich om te draaien, kondigde hij aan: 'Ik heb de Goodchild Group en het grootste deel van mijn aandelen aan WWT verkocht.

De deal is twee weken geleden in New York gesloten en de afgelopen tien dagen hebben de advocaten de contracten opgesteld en de puntjes op de i gezet.' Hij zweeg even. 'Ik treed ook af als voorzitter en directeur.'

'Maar waarom?' kon ik ten slotte uitbrengen.

Miles liep bij het raam weg en ging in zijn grote, zwarte, leren directiestoel aan de andere kant van het bureau zitten. 'Omdat WWT een uitstekende prijs bood. Omdat het een goed bedrijf is met een gezonde manier van leiding geven. Omdat ik zestig ben en iets anders met mijn leven wil doen. Omdat er gemakkelijker manieren zijn om geld te verdienen.'

Ik knikte, omdat ik niet wist wat ik moest zeggen.

Hij legde zijn vingers tegen elkaar en keek erop neer. 'Ik vertrek vrijdag, waarna Craig Vidler het overneemt als bestuursvoorzitter en James Warren als algemeen directeur. Craig heeft zijn eigen secretaresses – drie zelfs – waarvan er één permanent hier zal zitten. En James heeft Juliette natuurlijk. Wat inhoudt, Cara, dat hier geen werk meer voor je is.'

Ik zat daar maar en keek hem dom aan.

'Daarom vond ik dat ik het aan je verplicht was je te laten weten wat er gaat gebeuren voor je het nieuws op een andere manier zou horen. Als ik van plan was om in Londen te blijven, zou ik je vragen op persoonlijke basis voor me te komen werken. Maar dat is vrees ik niet zo. Ik ga in Monte Carlo wonen, en dat is een beetje ver voor je om heen en weer te pendelen.'

Hij keek op. 'James en ik hebben het over een ontslagregeling voor je

gehad, waarvan ik hoop dat je haar redelijk zult vinden. Naast de wettelijke ontslaguitkering, die geloof ik iets in de trant van dertien weken salaris is – een voor elk jaar van je waardevolle diensten – krijg je in plaats
van een opzegtermijn drie maanden salaris in de vorm van een belastingvrije gratificatie.' Hij sloeg een map open en bestudeerde de berekening.
'Volgens James komt dat neer op ongeveer vijfeneenhalf duizend pond
netto.'

Herinneringen aan andere mensen die Miles had ontslagen schoten
door mijn hoofd. Waardigheid, dacht ik. Wees waardig. Dat is het enige
wat er op het moment toe doet. 'Wanneer word ik geacht te vertrekken?'
vroeg ik op afgemeten toon.

'Ik zou willen voorstellen dat we tegelijk gaan. Dat zal ons tijd geven
het archief door te nemen en jou om de zaak aan Juliette over te dragen.'

Ik knikte.

'Ik besef dat het onder de omstandigheden nogal veel gevraagd is, maar
ik zou het op prijs stellen als je deze informatie tot morgen voor je zou
willen houden, als het officieel bekendgemaakt wordt.'

'Natuurlijk.'

Hij wierp een blik op de klok. 'Halfelf. Ik moet Felix Wiley even spreken. Wil je hem voor me bellen?'

Ik liep zijn kantoor uit en ging terug naar het mijne, waar ik de hoorn
opnam en het nummer van Kornfeld Wiley en Vance draaide, werd doorverbonden met de advocaat en hem met Miles doorverbond.

Toen ging ik als in trance zitten en probeerde erachter te komen wat er
in godsnaam was gebeurd. Het was vreemd, het deed niet eens pijn. Niet
toen, niet meteen. Het was net of je jezelf ergens heel hard hebt gestoten.
Na de eerste schrik wordt de kneuzing pas echt pijnlijk als hij na een dag
of twee blauw wordt.

En zo werd ik dus ontslagen – of eigenlijk, werd ik overtollig. Hoe dan
ook, het kwam op hetzelfde neer. Na vrijdag had ik geen baan meer. Aan
bijna veertien jaar kwam zomaar een eind.

Juliette kwam ergens voor binnen en op de een of andere manier slaagde ik erin mijn shock te verbergen. Ik vond het document dat ze nodig had
in een map en lachte toen ze weer over haar weddenschap en de fles wijn
bij Chattertons begon. Maar opeens was het net of er een enorme kloof
tussen ons gaapte – zoals het ravijn bij San Fortunato, dat Villa Lontana
scheidde van de Abbazia e Convento della Madonna della Misericordia.

Aan het eind van deze week zou Juliette nog steeds een baan – mijn
baan – hebben en zat ik zonder werk. Daar kon zij niets aan doen. Ze zou

ontsteld zijn als ze erachter kwam, ze zou het afschuwelijk voor me vinden. Toch bleef het feit dat zij hier nog zou werken en ik niet.

Op de een of andere manier kwam ik de rest van de dag door zonder dat iemand vermoedde dat er iets ongelukkigs was gebeurd. Ik bracht alle directeuren van de dochtermaatschappijen naar de bestuurskamer en nam een uur later weer afscheid van hen. Ik herkende de geschrokken blik op hun gezicht en kon zien dat ze zich stuk voor stuk afvroegen: 'Wat gaat dit voor mij betekenen?' Toen verzamelde ik de blocnotes en pennen en bracht alle stoelen naar hun rechtmatige eigenaar terug.

Toen ik thuiskwam, had ik mezelf nog steeds in de hand. Op het moment dat ik de lege flat binnenkwam, bedacht ik hoe heerlijk het zou zijn als er iemand op me zou zitten wachten. Voor het eerst in weken wilde ik Nigel zien en me door hem laten troosten. Niet dat hij of iemand anders iets kon doen. Niemand kon met een toverstokje zwaaien en me mijn baan teruggeven. Maar het was heerlijk geweest als ik gewoon gezelschap had gehad, als ik niet in mijn eentje had gezeten.

Ik dacht erover naar Sherry en Roly te gaan, maar ik had Miles beloofd dat ik het niemand zou vertellen en het kwam niet bij me op me niet aan mijn woord te houden. Dus dwong ik mezelf iets te eten, spoelde het weg met een groot glas wijn en probeerde de dingen verstandig te bekijken.

Ik herinnerde me hoe ik onderweg terug van Parijs had gedacht dat ik in een sleur zat en dat ik misschien een andere baan moest zoeken. Ik vroeg me af hoe ik me nu zou voelen als de zaken andersom waren en ik net mijn ontslag had ingediend in plaats van de zak te krijgen. Maar ik betwijfelde of ik het ooit zou hebben gedaan. Ik had Miles nooit laten zakken. Wat mijn gelofte in San Fortunato tot een aanfluiting maakte. Het was net zo onwaarschijnlijk geweest dat ik Miles zou verlaten als dat ik bij Nigel zou weggaan. Ik kon gewoon niet loskomen van mijn plichtsgevoel.

Die nacht kwam mijn nachtmerrie terug, extra hevig, want het was niet langer een droom, maar een heropvoering van de werkelijkheid. Ik werd wakker van mijn gegil toen ik aan de rand van het ravijn stond en omdat ik niet meer kon slapen, zette ik een pot thee voor mezelf, maakte wat toast, en bleef in de keuken zitten tot het licht werd.

De volgende dag werd het nieuws bekendgemaakt. Miles en Craig Vidler hielden aan beide kanten van de Atlantische Oceaan tegelijkertijd een persconferentie, waarna bij Dorothy de telefoon roodgloeiend stond.

Juliette draaide helemaal door toen ze hoorde wat er met mij ging gebeuren. James vertelde het haar pas aan het eind van de dag, waarop ze mijn kantoor binnenviel waar ik nog steeds het archief zat door te nemen om Miles' persoonlijke mappen van de zakelijke te scheiden.

'Cara, wat erg voor je!' riep ze uit, met een wit gezichtje en tranen in haar ogen. 'Je realiseert je toch wel dat ik het niet wist, hè? Wat een absolute rotstreek! Miles is een rotzak. Om je zo te behandelen, na alles wat je voor hem hebt gedaan. Dertien jaar bij het bedrijf en dan kun je oprotten, je bureau leegruimen. Het is gemeen. Het is meer dan gemeen, het is–'

'Rustig maar,' zei ik. 'Ik heb een heel royale afkoopsom gekregen.'

'Ik weet precies hoeveel je krijgt. Vijfduizend vierhonderdvijftig en nog wat pond. En met hoeveel vertrekt Miles? Miljoenen, Cara, letterlijk miljoenen.'

'Het is zijn bedrijf, Juliette, hij heeft het opgebouwd.'

'Als hij geen hulp had gehad van mensen zoals jij, had hij het niet kunnen opbouwen.'

'Overdrijf niet zo. Massa's mensen hadden kunnen doen wat ik heb gedaan.'

'Dat is flauwekul! Er zijn niet veel secretaresses die vloeiend Frans en Italiaans spreken, zoals jij. Ik kan het tenminste niet en daarom is het zo belachelijk dat ik het van je over moet nemen.'

Ik schudde vermoeid mijn hoofd. 'Ik heb zo het gevoel dat je het eigenlijk niet van me over gaat nemen. Craig Vidler heeft drie secretaresses, van wie er één hier komt.'

Juliette fronste haar voorhoofd. 'Wil dat zeggen dat Craig Vidler Miles' plaats gaat innemen – en niet James?'

'Ik weet niet hoe de verantwoordelijkheden verdeeld gaan worden. Maar omdat Goodchild van nu af aan maar een onderdeel van WWT wordt en Vidler bestuursvoorzitter van WWT is, zal hij zijn aanwezigheid heus wel voelbaar maken.'

'Jezus! Het wordt steeds erger. O, stop die rotmappen weer in de kast en laten we iets gaan drinken.'

Maar het idee van een melodramatisch verblijf bij Chattertons was meer dan ik aan kon. 'Ik heb dit liever achter de rug.'

Ze knikte, opeens schuldbewust. 'Het spijt me dat ik stoom afblies, maar ik was zo kwaad. Het is zo oneerlijk.'

'Het betekent veel voor me dat je het je aantrekt,' verzekerde ik haar.

Ik kwam die avond op tijd thuis om het journaal van negen uur te zien, maar er werd geen melding gemaakt van de overname.

Het werd vrijdag en daarmee mijn laatste dag op Wolesley House. De

Financial Times wijdde twee kolommen op de voorpagina aan de overname en ook de andere bladen meldden het in hun financiële nieuws. Zowel de aandelen van de Goodchild Group als die van WWT waren sinds de aankondiging kennelijk fors in waarde gestegen.

Die ochtend nam ik alles wat ik maar kon bedenken met Juliette door, terwijl een vrachtwagenchauffeur, onder toezicht van Hawkins en mij, al Miles' persoonlijke bezittingen meenam, inclusief zijn archief. 'Wat gaat er met jou gebeuren?' vroeg ik Hawkins.

'Voor mij verandert er eigenlijk niet veel. Ik ga van nu af aan meneer Vidler rijden.' Het zag ernaar uit dat ik het enige slachtoffer was.

Tussen de middag gaf Juliette een spontaan afscheidsfeestje voor me in de bestuurskamer, maar in wezen was iedereen opgewondener en bezorgder over zijn eigen toekomst dan over de mijne en er werd eigenlijk alleen maar over WWT gepraat.

Helemaal tegen het eind kwam Miles ook nog en hield een kort toespraakje, waarin hij ons allemaal bedankte voor onze steun en onze niet-aflatende inspanning in de loop der jaren en zich enthousiast toonde over de groei- en uitbreidingsmogelijkheden van de Group onder WWT.

Daarna riep James me bij zich op kantoor, waar hij me verzekerde dat het besluit om mij te ontslaan niet lichtvaardig was genomen. Hij probeerde net te doen of het de schuld van Craig Vidler was en of Miles en hij voor me hadden gepleit. Misschien maakte dat, dat hij zich beter voelde, maar ik wist dat mijn lot in nog geen minuut was beslecht. Als bedrijven waarin miljoenen omgaan in andere handen overgaan, is het lot van één secretaresse totaal onbelangrijk. Vidler had misschien terloops opgemerkt: 'Ik breng mijn eigen secretaresse mee.' En toen hadden Miles en James waarschijnlijk gezegd: 'Prima.'

James gaf me mijn cheque, salarisstrookje en formulier met ontslagregeling, en wijdde uit over mijn pensioenbijdragen. Toen zei hij: 'Ik weet zeker dat je zo weer een andere baan hebt. Ik hoef natuurlijk niet te zeggen dat als je een referentie nodig hebt, ik je die maar al te graag zal geven.'

Ik bedankte hem, we gaven elkaar een hand en ik ging weer naar mijn eigen kantoor. Miles stond in de deuropening, klaar om te vertrekken. 'Ik hoop dat dit geen vaarwel is, Cara, maar alleen een tot ziens en dat we elkaar nog eens tegenkomen.'

'Ja, dat hoop ik wel.'

'Het spijt me voor jou dat het zo moest aflopen. Maar zaken zijn zaken.'

'Natuurlijk,' zei ik.

We schudden elkaar de hand en toen liep hij de gang uit en verdween uit mijn leven.

Ik ruimde mijn bureauladen op en deed mijn paar persoonlijke bezittingen – vulpen, puntenslijper, woordenboeken en een doos zakdoekjes – in een draagtas. Ten slotte deed ik de hoes over mijn schrijfmachine. Net een lijkwade, dacht ik grimmig. Toen belde ik Juliette via de binnenlijn en zei dat ik wegging. We spraken af elkaar binnenkort te ontmoeten en ze beloofde me op de hoogte te houden van alles wat er gebeurde nu ik er niet meer was.

Onderweg door de receptie wenste ik Dorothy – en haar kleindochter – alle goeds en ging toen naar beneden, naar de centrale hal.

Sergeant begroette me somber. 'Ik zal je missen, Cara. Je bent altijd opgewekt, daarom mag ik je zo graag.'

'Dank je,' zei ik, geroerd. 'Ik zal jou ook missen.' Impulsief boog ik me over de balie en gaf hem snel een zoen. Tot mijn verbazing werd hij rood tot onder zijn witte haar.

Toen liep ik voor de laatste keer Wolesley House uit.

HOOFDSTUK 21

Die avond nam de verdoving langzaam af en ten slotte kwam de terugslag. Ik kwam de lege flat in en wilde weer dat ik iemand had die me zat op te wachten. Ik schonk mezelf een glas wijn in en liep de gang op en neer, de woonkamer in, de slaapkamers, de werkkamer, de keuken, het dakterras op en weer naar binnen, als een dier dat rusteloos in een kooi in een dierentuin heen en weer loopt.

Waarom hadden Miles en James niet meer gedaan om me te beschermen? Waarom had Hawkins zijn baan wel gehouden, terwijl ik de mijne was kwijtgeraakt? Waarom had Craig Vidler niet eens overwogen om me aan te houden? Waarom was me geen andere baan binnen de Group aangeboden? Waarom had ik geen keus in de zaak gehad – geen zeggenschap over mijn eigen lot?

Hoe meer ik mezelf deze vragen stelde, hoe meer het leek of de fout bij mij lag. Niemand wilde me omdat ik niet deugde. Hoe meer wijn ik dronk, hoe meer medelijden ik met mezelf kreeg. En hoe meer ik op iemands schouder wilde uithuilen.

Waarom belde niemand me? Iemand moest het nieuws toch zeker in de krant hebben gelezen? Zelfs in mijn redeloze toestand wist ik dat het niet waarschijnlijk was dat tante Biddie, Miranda, Jonathan en zelfs Tobin de financiële pagina's zouden lezen, maar ik vond dat een soort zesde zintuig ze er toch van bewust had moeten maken. Maar de telefoon ging niet.

Ik bleef drinken en rare dingen doen, zoals kussens verplaatsen en vazen anders neerzetten. Ik probeerde mezelf positief te laten denken. Ik dacht terug aan alle echt ellendige dingen die me in mijn leven waren overkomen. Zoals het verliezen van de baby. Het overlijden van oom Stephen. Te horen krijgen dat ik nooit meer een kind zou kunnen krijgen. Nigels verhouding met Patti Roscoe.

Dit was lang niet zo erg als een van die dingen. Elke dag raakte ergens wel iemand zijn baan kwijt. En met een cheque van meer dan vijfeneen-half duizend pond op zak was ik beter af dan de meesten. Sommige mensen zouden het zelfs als een triomf beschouwen. Vijfeneenhalf duizend pond was geen kattenpis, wat Juliette ook over Miles' miljoenen had gezegd. Alles was relatief.

Maar niets van dat alles liet de pijn van de afwijzing en de vernedering van het fiasco verdwijnen.

Ik weet niet wat me er uiteindelijk toe bracht om Nigel te bellen. Misschien kwam het idee bij me op nadat ik aan de baby was gaan denken en me had herinnerd hoe dapper en ongelooflijk stom ik was geweest hem niet te bellen nadat de dokter me had verteld dat ik geen kinderen meer kon krijgen. Misschien bracht ik dat in verband met Patti Roscoe en alles wat daardoor was gebeurd.

Als je in zo'n toestand bent, denk je niet rationeel. Ik had inmiddels een hele fles wijn op en begon aan de volgende, zonder iets te eten. Niet dat ik me dronken voelde. Mijn gezichtsvermogen was prima, mijn gang was volkomen zeker. Ik kon me alleen niet goed concentreren.

Dat moet het zijn geweest, anders had ik beter geweten dan te denken dat het Nigel iets zou kunnen schelen. Toch slaagde ik er op de een of andere manier in mezelf ervan te overtuigen dat het hem wel zou kunnen schelen. Ik praatte mezelf aan dat hij het als eerste zou willen weten, dat hij zeer meevoelend zou zijn, dat hij misschien zelfs op een holletje uit Kenia terug zou komen om me te troosten.

Dus haalde ik Tracey's laatste schema uit mijn koffertje, zocht het nummer van Nigels hotel op en belde het. Ik kreeg te horen dat ik moest wachten en uiteindelijk gromde Nigels stem: 'Hallo.'

'Ik ben het,' zei ik, 'Cara.'

Er viel een stilte, bijna alsof hij zich probeerde te herinneren wie ik was. Toen riep hij uit: 'Lieve hemel! Wat is er gebeurd?'

'Miles heeft de Goodchild Group verkocht en ik ben ontslagen.' Nu ik het voor het eerst hardop zei, was ik onder de indruk van de emotieloze kalmte van mijn eigen stem.

'Hij – wat?' Weer viel er een stilte. Zoals zo dikwijls met internationale telefoongesprekken, was de lijn verbazingwekkend duidelijk. Ik hoorde het klikken van een schakelaar en Nigel riep uit: 'Weet je wel hoe laat het is? Het is hier verdomme drie uur in de ochtend.'

'O,' zei ik niet-begrijpend. 'Sliep je?'

'Natuurlijk sliep ik.'

Toen gebeurde het. Heel duidelijk hoorde ik een vrouwenstem, met een Amerikaans accent, luid fluisterend vragen: 'Wat is er? Wat is er aan de hand?'

332

Ik herkende die stem.

Er klonk een ritselend geluid, toen Nigel zijn hand over de hoorn moest hebben gelegd.

Even later, het kan maar een paar tellen later zijn geweest, al leek het wel een eeuwigheid, vroeg hij: 'Ben je daar nog, Cara?'

Achter hem was het stil. Ik wilde neerleggen, maar het leek wel of de hoorn aan mijn hand vastzat.

Weer – 'Ben je daar nog, Cara?'

De woorden kwamen als vanzelf uit mijn mond: 'Bo is bij je in de kamer, hè?'

Ik wachtte tot hij zou liegen, maar hij slaakte alleen een diepe zucht. 'Cara, ga naar bed en haal je nou maar geen dingen in je hoofd. Ik spreek je morgenochtend wel.'

De hoorn maakte zich los uit mijn greep en ik legde neer.

Lange tijd zat ik daar naar de telefoon te staren en me af te vragen of ik me inderdaad dingen in mijn hoofd haalde en Bo toevallig zijn kamer was binnengekomen toen hij aan de telefoon was. Maar om drie uur 's morgens? Hoe dan ook, hij had geslapen.

Nee, ze had bij hem in bed gelegen...

Ik weet niet meer wat ik daarna dacht. Ik neem aan dat ik teruggedacht heb – zoals ik later beslist deed – en probeerde te bedenken wanneer hun verhouding was begonnen en hoe het hem gelukt was me te bedotten. Ik moet de weken ervoor hebben herleefd, sinds ons etentje met Bo in het Ivy, en me verdrietig hebben afgevraagd hoe lang hij me al bedroog.

Maar het enige wat ik me nog goed kan herinneren is een overweldigend gevoel van vermoeidheid, een gevoel dat alles me gewoon te veel was. Ik weet nog dat ik me naar de slaapkamer heb gesleept, me heb uitgekleed en in bed ben gekropen. Ik weet nog dat ik Nigels foto naast de wekker zag staan en dat ik hem door de kamer heb gesmeten. Daarna herinner ik me niets meer, tot de ochtend, toen ik wakker werd omdat de telefoon ging.

Ik rolde mijn bed uit, maar tegen de tijd dat ik bij de telefoon kwam, was hij opgehouden. Herinneringen aan de vorige dag kwamen terug. Ik had geen werk meer. Nigel had een verhouding met Bo.

Slaperig liep ik naar de badkamer. Toen ik me had gedoucht, aangekleed en een kop koffie had gedronken, voelde ik me weer een beetje mens.

Toen de telefoon weer ging, was ik er op tijd bij.

'Hoe gaat het met je?' vroeg Nigel op voorzichtige toon.

'Oké.'

'Heb je geslapen?'

'Min of meer.'

'Als het enige troost is, ik heb helemaal niet meer geslapen sinds je belde.'

Ik weet nog dat ik dacht: hij verwacht toch zeker geen sympathie?

Hij zoog zijn adem in. 'Luister, Cara, ik wilde dat je niet had gebeld. Ik wilde niet dat je er op deze manier achter zou komen. Ik had het je veel liever zelf verteld.'

Hij was kennelijk vergeten waarom ik had gebeld. 'Me wat verteld?'

'Over Bo en mij.'

'Hoe lang is het al aan de gang?'

Stilte, toen met tegenzin: 'Sinds Baker.'

'Ben je verliefd op haar?'

'Wil je de waarheid?'

'Liever wel, ja.'

'Dan is het antwoord ja. Ze is een heel bijzonder iemand.'

'En is ze ook verliefd op jou?'

'Ja.'

'O.'

'Hoor eens, Cara, ik wil nu eigenlijk niet verder in details treden. Ik weet dat het niet eerlijk tegenover jou is, maar ik zou het liever laten rusten tot ik terugkom en we elkaar persoonlijk kunnen spreken.'

'Wanneer zal dat zijn?'

'Over een dag of tien. We zullen beslist niet eerder klaar zijn dan gepland. En ik kan niet midden in een opname weg.'

'Nee, natuurlijk niet. Je werk gaat voor. En omdat Bo daar bij je is, hoef je je voor haar niet naar huis te haasten.'

'Cara, toe, doe niet zo. Je bent niet van gisteren. Je hebt heus wel beseft dat het tussen jou en mij niet in orde was. We zijn steeds verder uit elkaar gegroeid. Zelfs als ik Bo niet had ontmoet, hadden we zo toch niet door kunnen gaan. Wat wij hebben is geen huwelijk.'

Meer kon ik niet hebben. Ik legde neer en merkte dat ik helemaal stond te trillen. Ik haalde diep adem en telde tot tien, maar het trillen wilde niet ophouden. Ten slotte ging ik de woonkamer in en schonk mezelf een glas pure wodka in. Ik moest behoorlijk diep zijn gezonken dat ik om halftien 's morgens al aan de drank was, bedacht ik, toen de sterke alcohol mijn keel in brand zette en door mijn slokdarm omlaag tintelde. Maar het werkte wel. Ik hield op met trillen.

Ik deed die zaterdag iets wat ik nog nooit eerder had gedaan. Nadat ik me aan verdriet, zelfmedelijden, woede en bitterheid had overgegeven, vermande ik me en besloot dat ik uit Linden Mansions weg moest. De flat was te benauwend en te vol van het verkeerde soort herinneringen. Dus ging ik weg, in mijn eentje, zonder doel voor ogen. Ik stapte gewoon in de auto en reed weg.

Mijn eerste ingeving was naar Avonford te gaan, maar ik wist dat dat niets zou oplossen. Mijn familie zou heel lief, heel bezorgd, heel verontwaardigd om me zijn – net als ten tijde van de Patti Roscoe-episode –, maar diep in hun hart zouden ze denken dat ik van mijn fouten uit het verleden had moeten leren. Een gewaarschuwd mens telt voor twee. Hoe dan ook, zij zouden me niet kunnen zeggen wat ik moest doen. Dat kon niemand.

Ik moest ergens in mijn eentje heen, ergens waar niemand me kende, waar ik op neutraal terrein zou zijn, in een plaats die ik niet kende en waar niemand mij kende. Vaag, in mijn achterhoofd, herinnerde ik me dat Juliette me over een weekend in Devon had verteld. *'We hebben in een fantastisch hotelletje gelogeerd, aan een beek. Dat was net iets voor jou geweest...'*

Ik pakte een weekendtas en schreef Sherry een krabbeltje, om te zeggen dat ik een paar dagen wegging, dat ik in haar brievenbus stopte. Toen stapte ik in de auto en reed naar het westen, Bath, Bristol, Watchet en Minehead voorbij, helemaal naar Exmoor, waarbij ik net zo onsamenhangend en richtingloos dacht als ik reed.

Opeens zag ik een bord naar een dorp dat Biddicombe heette en omdat het een voorteken leek, sloeg ik af, een smalle weg in die naar een beschut, bebost dal liep.

Toen ik Biddicombe bereikte, bleek het een heel aardig dorpje, waar een snelstromend beekje midden doorheen liep. Aan de hoofdstraat stonden oude rijtjeshuizen, waarvan de voorgevels in pasteltinten waren geschilderd. Er waren een warenhuis, een postkantoor, een persagentschap, een bakker, een slager en een groentewinkel. In het midden stond de kerk en, vlakbij, een oude herberg. Ik aarzelde even en reed toen door. Aan de andere kant van het dorp was een hoog bruggetje over de beek, met een rietgedekt huis ernaast – Brook Cottage heette het –, het idyllische soort huis dat je op dozen chocolade, verjaardagskaarten en kalenders ziet –, met roze rozen langs de voorgevel en een typisch Engelse plattelandstuin vol bloemen. Er was zelfs een put. En buiten stond een bord 'kamers met ontbijt' met KAMERS VRIJ.

Ik ging naar de kant, stopte en belde aan. Een aantrekkelijke vrouw van middelbare leeftijd, met kort, middelbruin haar en een vriendelijke glimlach deed open en zei: Ja, ze hadden een eenpersoonskamer vrij. Voor de ramen hingen bloemetjesgordijnen, het behang had een patroon met piepkleine roosjes – miniatuurversies van de rozen die door het open raam naar binnen gluurden –, op het bed lag een sprei van patchwork en op de toilettafel stond een schaaltje potpourri. De kamer had zelfs een eigen badkamer. En buiten stroomde het kabbelende beekje.

Mijn gastvrouw stelde zich voor als Veronica Willmott en vroeg of ik thee wilde, terwijl ik uitpakte en me opfriste. Ze bracht een blad met een theepot en een schaal zelfgebakken koekjes op mijn kamer en vertelde me dat ik dat weekend hun enige gast was. Haar man, Paul, en zij aten die avond lamsbout en als ik mee wilde eten, was ik van harte welkom. Anders kon ik ook alleen eten, in een afzonderlijke ruimte. Ik zei dat ik graag mee wilde eten.

Toen ze weer weg was, barstte ik in tranen uit. Dat kwam doordat ze zo aardig was. Dat en haar gebrek aan nieuwsgierigheid. Ik was zomaar komen aanzetten en ze had me opgenomen, me precies het soort kamer gegeven dat bij mijn stemming paste en ze had geen drukte gemaakt, niet opgewonden gedaan, geen vragen gesteld – ze was alleen aardig geweest.

Toen ik was uitgehuild, voelde ik me beter en toen ik mijn neus had gesnoten, wat thee had gedronken, een paar koekjes had gegeten en mijn gezicht en handen had gewassen, voelde ik me nog beter. Ik nam mijn blad mee naar beneden en vond Veronica in de keuken, waar ze aardappels aan het schillen was. We kletsten even over het huis en wat een prachtig deel van de wereld dit was en toen liet ik haar alleen om het eten klaar te maken en kuierde ik de tuin in.

Het was een figuur uit *A Streetcar Named Desire* van Tennessee Williams die zei: 'Ik ben altijd afhankelijk geweest van de goedheid van vreemden.' Datzelfde gold voor mij, zeker tijdens de dagen vlak na mijn ontslag en nadat ik het van Nigel en Bo had ontdekt. Veronica en Paul waren precies het soort vreemden die ik op dat moment nodig had.

Toen mijn eerste avond daar ten einde liep, was ik een boel over hen te weten gekomen en waren ze heel weinig over mij te weten gekomen, behalve dat ik in Londen woonde en onlangs mijn baan was kwijtgeraakt. Zij hadden ook in Londen gewoond en ook Paul was ontslagen. Het was vijf jaar geleden gebeurd, toen hij vijftig was. Hij was metaalhandelaar geweest en de firma waarvoor hij werkte, was overgenomen door een Duits bedrijf. Drie maanden na de overname hadden hij en een aantal andere collega's van zijn leeftijd te horen gekregen dat hun diensten niet langer nodig waren. 'We waren gewoon te oud,' zei hij, nog steeds met iets van bitterheid.

Bij elke baan waar hij naar had gesolliciteerd, had hij zijn leeftijd tegen gehad. 'Werkgevers weigerden te accepteren dat ervaring meer waard was dan jeugdige energie. En dat deed pijn. Het is niet leuk als je ontdekt dat men vindt dat je je beste tijd hebt gehad, als je zelf vindt dat je in de bloei van je leven bent.'

Daardoor was hun huwelijk onder druk komen te staan en in een poging zichzelf terug te vinden, waren ze voor een korte vakantie naar Devon gegaan. Toen ze rondreden, waren ze door Biddicombe gekomen en hadden ze Brook Cottage gezien met een bord TE KOOP in de tuin.

Ze glimlachten naar elkaar. 'En dat was het,' zei Veronica. 'We werden er ter plaatse verliefd op. We hebben onze flat in Londen verkocht en gaven de moordende competitie op. Het huis was in een behoorlijk slechte staat toen we erin trokken, maar we hebben het meeste werk zelf gedaan – behalve het rietdekken. Paul was altijd al heel handig en ik had altijd al een grote tuin willen hebben.

Natuurlijk hebben we het niet zo breed als vroeger en dat is een van de redenen waarom we hebben besloten kamers met ontbijt te verhuren, al is dat niet de enige reden. Het is leuk om nieuwe mensen als jij te ontmoeten. We hebben zoveel nieuwe vrienden gekregen sinds we hier zijn. We hebben gasten die elk jaar terugkomen. Ze zijn bijna familie.'

De volgende morgen ging ik met een rugzak – die zij me hadden geleend – met boterhammen, chocolade, een grote fles water en een wandelkaart op pad. Ik zwierf de hele dag tussen doornstuiken, over hei en door struikgewas, en stopte alleen af en toe om op adem te komen en naar het uitzicht te kijken. Het was bewolkt – tussen de grijze wolken was maar af en toe een streepje blauw te zien –, wat beter bij mijn stemming paste dan warme zonneschijn.

Af en toe kwam ik andere wandelaars tegen, maar de meeste tijd bestond mijn enige gezelschap uit ruwharige schapen en ruwharige wilde pony's. Beenspieren waarvan ik niet meer wist dat ze bestonden, begonnen pijn te doen en mijn voeten voelden heet en pijnlijk aan in mijn sportschoenen. Maar het hielp allemaal wel. Het was iets anders om aan te denken – iets anders dan Goodchild en Nigel.

Ik was doodmoe tegen de tijd dat ik op Brook Cottage terugkwam.

Maar het was een ander soort vermoeidheid en na een heet bad, een goede maaltijd en meer filosofische conversatie met Veronica en Paul ging ik naar bed en sliep als een roos.

De volgende dag liep ik weer, in een iets langzamer tempo, voornamelijk omdat mijn beenspieren duidelijk voelbaar waren. En onder het lopen dwong ik mezelf over mijn situatie na te denken. Aanvankelijk waren mijn gedachten negatief en gingen ze langs dezelfde lijnen als op vrijdagavond nadat ik bij Goodchild was weggegaan.

Twee afwijzingen in bijna evenveel dagen zijn moeilijk te verwerken. Ik voelde me een dubbele mislukking – een mislukking als secretaresse en een mislukking als echtgenote. Ik had net zoveel schuld als Nigel. Ik had ons huwelijk opgegeven. Ik had er geen moeite meer voor gedaan. Ik had hem buitengesloten bij mijn zoektocht naar het leven van mijn ouders. Ik had hem niet over Tobin verteld. Ik had hem niet verteld waarom ik precies naar Parijs en Italië was gegaan. Toen hij met me had gevreeën nadat hij uit Baker was teruggekomen, was ik dichtgeklapt – en toen had ik hem bedrogen door aan een andere man te denken. Als ik me anders had gedragen, had hij zich misschien minder tot Bo aangetrokken gevoeld.

Maar wat gebeurd was, was gebeurd. Nu moest ik over de toekomst nadenken. Ik moest besluiten of ik hem terug wilde, of ik een poging tot verzoening wilde, of dat ik hem gewoon moest laten gaan.

Op Exmoor, onderweg naar Dunkery Beacon, kon ik kilometers ver kijken. Maar in mijn hoofd was het mistig. Ik kon alleen mijn directe omgeving zien en ik had de mijlpalen die de dertien jaar van mijn huwelijk markeerden uit het zicht verloren. Dus terwijl mijn voeten gestaag doorliepen, strompelde ik door mijn hoofd, waar ik rondjes liep.

De derde dag ging het al wat beter. Mijn benen deden niet meer zo'n pijn en in mijn hoofd werd het helderder. Het kwam bij me op dat er praktische dingen gedaan moesten worden. Mijn cheque moest op een bank worden gezet. Maar was het wel verstandig om mijn geld op de rekening te zetten die Nigel en ik gezamenlijk hadden als hij van plan was om bij me weg te gaan? Afhankelijk van hoe snel ik een andere baan zou kunnen vinden, had ik dat geld misschien wel nodig om van te leven.

Hoe stond je ervoor in zaken als deze? Ik had advies van een advocaat nodig. Of moest ik wachten tot Nigel terugkwam, voor ik naar een advocaat holde? Aan de andere kant, maakte het uit wat Nigel van plan was? De werkelijke vragen die ik mezelf moest stellen, waren: wilde ik ons huwelijk proberen te redden of wilde ik opnieuw beginnen?

Ik dacht helemaal niet aan Tobin. Dat wil niet zeggen dat ik hem was vergeten. Hij was er de hele tijd wel, in het diepst van mijn hart. Maar zijn beeld was wazig en ik kon me niet op hem concentreren. Hij was net als mijn vader en de prinses en Filomena. Niet dat ze niet belangrijk waren – er was in mijn huidige omstandigheden alleen geen plaats voor hen. Ze hoorden bij een heel ander bestaan, een andere wereld zelfs.

Als Tobin aan de andere kant van een heuvel opeens voor mijn neus had gestaan, had ik niet geweten wat ik tegen hem had moeten zeggen. Ik was waarschijnlijk weggehold, de andere kant uit. Hij stond los van dit alles – van Nigel en Miles.

Als ik eenmaal wist waar ik met Nigel stond en een andere baan had – ja, daarna –, als alle verwarring uit de weg was en de mist in mijn hoofd was opgetrokken, dan zou ik over Tobin zelf kunnen nadenken. Nu was het nog te vroeg.

Op mijn laatste dag in Biddicombe liep ik een heel andere kant uit, niet over de open hei, maar langs het beekje, door het bos. Het was geen dicht, claustrofobisch soort bos zoals het bos rond Villa Lontana, maar ruim en met lichtvlekken, vol vingerhoedskruid. Er waren zelfs schapen die tussen de bomen graasden en tussen de keien sliepen.

Uiteindelijk boog het pad van de beek af en liep steil tegen een heuvel op, waarna het bos ophield en open hei begon. Ik klom door tot de top van de heuvel en voor me, aan de verre einder, lag de zee.

De lucht smaakte zoutig. Gretig vulde ik er met diepe teugen mijn longen mee en voelde me bijna alsof ik net uit de gevangenis was vrijgelaten en dit mijn eerste voorproefje van de vrijheid was.

Ik draaide me om en keek uit over het dal. Op dat moment gleden er een paar buizerds over mijn hoofd die boven het bos zweefden en toen het dal in doken. 'Van nu af aan,' zei ik hardop, 'ga ik ook zo worden – vrij als een vogel...'

Toen ik die avond op Brook Cottage terug was, zei ik tegen Veronica en Paul dat ik de volgende dag naar Londen terug zou gaan. 'Ben je ervan opgeknapt dat je er even tussenuit bent geweest?' informeerde Veronica vriendelijk.

'Absoluut,' verzekerde ik haar.

'Begrijp je nou waarom wij hier zo gelukkig zijn?'

'Ja.'

'Natuurlijk zou dit soort bestaan niet bij iedereen passen,' zei Paul. 'Heel wat van onze vrienden in Londen dachten dat we gek waren toen we hun vertelden wat we gingen doen. Het hangt er maar vanaf wat je van het leven wilt, nietwaar?'

Toen ik in Linden Mansions terugkwam, lag in mijn brievenbus een krabbeltje van Sherry.

Laat me even weten wanneer je terug bent. Het lijkt wel of iedereen naar je op zoek is. Sherry. XXX

Ik ging naar boven, naar de flat. Die leek niet meer zo benauwend als afgelopen zaterdag. Eigenlijk leek hij helemaal niets meer. Het waren gewoon een paar gemeubileerde kamers – meubels die ik niet erg mooi vond en schilderijen aan de muur die ik ook niet erg mooi vond. Het voelde minder dan ooit als thuis.

Nadat ik de inmiddels bekende routine van het uitpakken, ramen open zetten en boiler aandoen had afgewerkt, belde ik Sherry.

'Ik ben het. Ik ben terug.'

'Alles goed met je?'

'Beter dan toen ik wegging.'

'Waar ben je geweest?'

'Naar Exmoor, naar een dorp dat Biddicombe heet.'

'Goddank dat je een briefje had achtergelaten, anders was ik doodongerust geweest. Ik begon toch al behoorlijk ongerust te worden.'

'Sorry, het was niet de bedoeling dat je over me in zou zitten. Maar ik was niet in de stemming om met iemand te praten.'

'Kan ik boven komen?'

'Natuurlijk.'

We gingen in de daktuin zitten om thee te drinken. 'We hebben een kind aan de telefoon gehad dat Tracey heet,' zei Sherry. 'Ze heeft wel tig keer gebeld. Afgezien van haar hebben we je tante Biddie, Miranda, Jonathan en Juliette van kantoor aan de lijn gehad – en Tobin.'

'O, mijn God,' kreunde ik. 'Dat spijt me.'

'Je hoeft je helemaal niet te verontschuldigen. Het heeft ons leven een stuk opgefleurd. Roly en Tracey zijn goede maatjes aan het worden. Ik denk dat hij haar binnenkort uitnodigt voor een drankje. Nee, maar serieus, Cara, je had ons moeten vertellen dat je bent ontslagen. Dat is iets vreselijks. Geen wonder dat je in alle staten was.'

'Heeft Juliette het je verteld?'

'Ja, ze was heel erg van streek om je. Tobin wist het ook. Hij zei dat hij het in de krant had gelezen en dat hij je op kantoor had gebeld, maar van Juliette te horen had gekregen dat je er niet was.'

340

'Je hebt toch niets tegen tante Biddie en Miranda gezegd?'

'Hemel, nee. Ik heb alleen herhaald wat je in je briefje had gezegd – dat je een paar dagen weg was. Daar zaten ze niet mee.'

Ik aarzelde en vroeg toen: 'En Tracey?'

'Nou, het heeft even geduurd voor we erachter waren wie Tracey was en hoe ze aan ons nummer was gekomen. Toen heeft Roly uit haar losgekregen dat ze Nigels secretaresse was en de taak had gekregen naar je welzijn te informeren. Toen ze je niet op kantoor of thuis te pakken had kunnen krijgen, heeft Nigel haar kennelijk ons nummer gegeven.'

'Je hebt hem helemaal niet gesproken?'

'Nee, alleen Tracey.'

Ik knikte.

'Cara, vertel op. Het is niet alleen je baan. Er is ook iets met Nigel, nietwaar?'

Ze moest het toch een keer te weten komen. 'Ja, hij heeft een verhouding met Bo. Ik belde hem in Kenia nadat ik was ontslagen en stoorde ze toen ze samen in bed lagen. Hij zegt dat hij verliefd op haar is. Daarom ben ik weggegaan. Ik kon de dubbele klap niet aan. Het was me gewoon te veel.'

Haar korenbloemblauwe ogen schoten vuur. 'Wat een rotzak. Het spijt me, Cara, maar dat is hij echt. Weet hij dat je je baan kwijt bent?'

'Daarom belde ik hem juist. Ik wilde het hem net vertellen toen Bo iets zei en ik besefte wat er aan de hand was. Hij belde me de volgende ochtend terug en zei dat ze heel bijzonder was en dat hij van haar hield en dat ons huwelijk hoe dan ook tot mislukken was gedoemd. Ik weet het niet. Ik heb vier dagen lopen denken en denken en ik ben er nog niet uit.'

'Nou, ik ben er wel uit,' beweerde ze. Toen deed ze haar mond stevig dicht.

'Ga door,' zei ik. 'Maak af wat je ging zeggen.'

'Nee. Hij is mijn man niet en het is mijn huwelijk niet.'

'Zeg het toch maar. Ik zal er geen aanstoot aan nemen.'

Ze keek me onderzoekend aan en haalde toen haar schouders op. 'Oké. Naar mijn mening is Nigel een grote klootzak. En als je hem hierna nog terugneemt, ben jij een grote idioot.'

Sherry verbrak de stilte die volgde. 'Waar past Tobin in dit alles?'

'Nergens. Zoals ik al eens heb gezegd, we waren alleen bevriend.'

'Nu ik toch mijn nek al heb uitgestoken, kan ik het net zo goed grondig doen. Misschien ben jij dan alleen "bevriend" met hem – maar hij houdt toevallig wel van jou.'

Ik fronste mijn wenkbrauwen. 'Hoe weet je dat? Dat heeft hij je toch niet verteld, hè?'

'Dat hoefde ook niet. Het was volkomen duidelijk op je verjaardagsfeestje. Waarom denk je anders dat hij je dat schilderij heeft gegeven?'

'Ja, je hebt gelijk. Hij houdt van me – of, tenminste, hij hield van me. Hoe hij er nu over denkt, weet ik niet.'

'En hoe denk jij over hem?'

Ik voelde het bloed naar mijn gezicht stijgen en beet op mijn lip. Toen barstte ik los: 'O, wat denk je? Ik aanbid hem. Dat is de helft van het probleem.'

Ze slaakte een diepe, geërgerde zucht. 'Je bent nogal traag van begrip voor iemand die in wezen zo intelligent is.'

Ik wilde iets zeggen, maar ze hief haar hand op om me tegen te houden. 'Het is al goed. Ik weet het. Het is mij ook overkomen. Ik wil nog maar één ding zeggen en dan houd ik mijn mond. Je hebt maar één leven, Cara. Verspil er niet nog meer van.' Ze zweeg even. 'En nu kan ik je beter alleen laten, zodat je een paar van die mensen terug kunt bellen om ze gerust te stellen.'

'Voor je gaat,' zei ik. 'Kent Roly, of ken jij, een goede advocaat?'

Er kwam langzaam een glimlach op haar gezicht. 'Toevallig wel. Hij heet David Rinder. Hij heeft mijn scheiding behandeld.'

'Ik denk dat ik maar eens met hem moet gaan praten.'

Nadat Sherry openhartig met me had gepraat, voelde ik me zo goed als onder de omstandigheden maar kon. Ik belde tante Biddie en vertelde haar dat ik was ontslagen, maar omdat ik positief klonk en mezelf in de hand had, nam ze aan dat ik dat ook was.

'Dat moet een hele schok zijn geweest,' zei ze. 'Ik vind het heel verstandig van je dat je bent weggegaan om er even uit te zijn. Stel je voor, een dorp dat Biddicombe heet... Nou, je weet wat ze zeggen: achter de wolken schijnt altijd de zon. Misschien is dit wel een verhulde zegen.'

Ze vroeg of ik het Nigel had laten weten en ik zei ja en liet het daarbij. Het had geen zin haar ongerust te maken door in dit stadium in details te treden.

'Je weet dat je van harte welkom bent als je wilt komen logeren,' ging ze verder. 'Maar ik moet je waarschuwen dat mijn vriendin Jessie dit weekend komt. En je weet hoe wij met ons tweeën zijn als we elkaar weer zien.'

'Dat zit wel goed,' verzekerde ik haar. 'Ik houd je later wel aan je aanbod. Intussen heb ik een heleboel te doen.'

Ik had net opgehangen, toen Sherry belde om me David Rinders adres en telefoonnummer te geven. Toen belde Tracey. 'Eindelijk heb ik je te pakken! Alles goed met je?'

'Ja, dank je. En jij?'

'Heel druk, maar prima. Nigel heeft net weer gebeld en zegt dat ik je moet laten weten dat hij zondagavond terugkomt. Zijn vlucht komt om vijf uur aan, dus hij zou om een uur of zeven bij je moeten zijn.'

'O.'

'Ik hoop dat je buurvrouw het niet erg vond dat ik voortdurend belde. Maar Nigel was ongerust over je.'

'Ik ben gewoon een paar dagen weggeweest.'

'Ja, dat zei je buurvrouw al. Ik vind het geweldig lief dat Nigel zich zorgen over je maakt. Ik kan me niet voorstellen dat mijn vriend zo attent zou zijn.'

'Hmm,' bromde ik.

'Nou ja, hij is gauw weer thuis.'

Mijn volgende telefoontje was naar David Rinder, die me nogal overdonderde door te zeggen dat hij de volgende morgen om elf uur nog een gaatje in zijn agenda had.

Daarna greep ik de telefoon om Tobin te bellen – en legde toen weer neer – en besloot hem toen maar te schrijven. Als brief stelde het niet veel voor. Ik bedankte hem alleen voor zijn bezorgdheid en zei dat de afgelopen paar dagen knap akelig waren geweest, maar dat ik over de schrik begon heen te komen. Ik zei dat ik met hem wilde praten, maar dat ik er nog niet aan toe was. Ik tekende met: 'Liefs, Cara.'

Ten slotte ging ik naar de werkkamer, waar ik Nigels foto ondersteboven op het bureau had gelegd, naast de doos met de glazen Lamborghini. Ik keek heel lang naar zijn gezicht en de boodschap op de achterkant, voor ik de foto uit zijn lijst haalde en in kleine stukjes scheurde. Toen bracht ik het model in zijn doos naar de kringloopwinkel in het winkelcentrum vlakbij en gaf het over de toonbank aan, met de woorden: 'Dit is een ongewenst cadeau.'

David Rinders kantoor lag aan Bedford Street, vlak bij de Strand, bij Covent Garden. Hij deed me vaag denken aan een jongere versie van Miles. Hij had dezelfde schrandere blik, dezelfde joodse neus, dezelfde vastberaden uitstekende kin.

'Vertel me maar liever meteen hoe de zaken ervoor staan,' zei hij, nadat zijn secretaresse ons koffie had gebracht.

Ik beschreef zo onaangedaan mogelijk hoe ik was ontslagen en Nigel midden in de nacht had gebeld, en wat hij de volgende morgen door de telefoon had gezegd.

'Prachtig,' zei hij. 'Precies het soort reactie waar je in een crisis op zit te wachten. En sindsdien heb je hem helemaal niet meer gesproken?'

'Nee.'

'Wil je hem terug? Ben je bereid hem nog een kans te geven?'

'Ik geloof van niet. Niet echt.'

'Is er iemand anders in je leven?'

'Min of meer,' gaf ik toe. 'Maar we hebben geen verhouding gehad.'

'En is hij getrouwd?'

'Gescheiden.'

'Kennen hij en je man elkaar?'

'Nee. Mijn man weet niet eens dat hij bestaat.'

'Dat verbaast me niets als hij nooit thuis is. Nou, dan moet ik je nog een paar vragen over jezelf stellen.'

Een halfuur later waren mijn leven en huwelijk samengevat op een paar A4'tjes en keek David Rinder me vanachter zijn bureau meelevend aan. 'Dus in wezen staat er niets op jullie beider naam, behalve jullie lopende rekening bij de bank? De flat staat op naam van je man, en alle spaarrekeningen en hypotheekaflossingen staan ook op zijn naam. Hoe vaak heb ik dat al gehoord? Waarom komen jullie, vrouwen, niet voor jezelf op?'

'Wil dat zeggen dat ik nergens recht op heb?'

'Nee, je wordt beschermd door de Matrimonial Homes Act. En onder de Matrimonial Proceedings and Property Act wordt de bijdrage van elke partij die aan het gezin ten goede komt niet alleen bepaald door betaling in geld, maar ook in termen van de zorg voor het huis en het gezin. Maar omdat er in dit geval geen kinderen bij betrokken zijn, kan het wel eens op een hevige strijd uitlopen als je man besluit om inhalig te worden.'

'O, dat doet hij vast niet,' zei ik. 'Nigel is nooit krenterig geweest.'

David Rinder trok sceptisch een wenkbrauw op. 'Weet je toevallig hoeveel de flat waard is en hoeveel hypotheek er nog op zit?'

Ik schudde mijn hoofd en ging me steeds dommer voelen.

'Dat geeft niet. We zullen hem moeten laten taxeren en de advocaat van je man zal wel zorgen voor de rest van de informatie die we nodig hebben.'

Ik aarzelde en vroeg toen: 'Zonder zelf inhalig te willen klinken, waar heb ik wettelijk recht op?'

'Dat is niet inhalig, dat is realistisch. Er is geen wet van Meden en Perzen. Elk geval is anders. Maar ik zou denken dat alles gelijk wordt verdeeld. Zou je in de flat willen blijven wonen?'

'Ik weet het niet. Waarschijnlijk niet. Afgezien van al het andere zou ik hem in mijn eentje niet kunnen betalen. Zeker niet nu ik geen werk heb. Dat doet me eraan denken. Wat moet ik met de cheque met mijn afkoopsom doen?'

'Op een rekening op je eigen naam zetten, bij voorkeur bij een andere bank.'

'En wat moet ik tegen Nigel zeggen, als ik hem zondag zie?'

'Wat je op het persoonlijke vlak zegt, moet je zelf weten. Maar ik raad je aan je vriend niet te noemen. Het heeft geen zin je man ammunitie te verschaffen. Laat je geen overeenkomst opdringen waar je later misschien spijt van krijgt. Als er een akelige ruzie van komt, probeer dan om niet weg te lopen. En als hij gewelddadig mocht worden, bel je de politie.'

Ik staarde hem vol afschuw aan, terwijl ik me afvroeg wat voor soort huwelijk andere mensen hadden.

Hij glimlachte wrang en citeerde: 'De hemel kent geen grotere woede dan liefde die in haat is omgeslagen.' Toen gaf hij me zijn kaartje. 'Ik hoor wel van je.'

Nigel kwam die zondagavond om precies zeven uur thuis – de eerste keer dat ik me kan herinneren dat hij in al die dertien jaar van ons huwelijk op tijd was, des te opmerkelijker gezien de afstand die hij had afgelegd.

Hij zag er afgetobd uit en hij keek schaapachtig, bijna schuldbewust, van onder zijn breedgerande hoed. We stonden elkaar even aan te staren, toen gingen we allebei zitten, onbehaaglijk, alsof we vreemden waren die elkaar in een onbekende omgeving ontmoetten.

'Hoe gaat het met je?' vroeg hij.

Ik haalde mijn schouders op.

Hij schraapte zijn keel. 'Luister, ik wil mijn kant van de zaak uitleggen.'

'Dat hoeft niet. Ik weet al heel lang dat het niet goed ging tussen ons. Zoals je al door de telefoon zei we zijn steeds verder uit elkaar gegroeid.'

'Ik heb geprobeerd er wat van te maken, Cara.'

'Ik ook, maar–'

Hij negeerde mijn onderbreking. Kennelijk had hij zijn praatje geoefend en was hij vastbesloten het uit te spreken. 'Het is heel belangrijk voor me dat je Bo niet de schuld geeft. Zij is niet tussen ons gekomen; zij

345

is er niet verantwoordelijk voor dat we uit elkaar gaan. Ze maakt zich zelfs erg ongerust over je en het effect dat dit alles op jou zal hebben.'

'Wat fatsoenlijk van haar.'

'Maar zelfs als ik Bo niet had ontmoet, hadden we dit gesprek vandaag waarschijnlijk ook gehad, omdat het voor geen van beide goed zou zijn geweest om zo door te gaan. Het was niet goed voor jou en het was niet goed voor mij. Voornamelijk omdat jij en ik niets meer gemeen hebben. We willen totaal verschillende dingen in het leven.

Als ik terugkijk, denk ik dat de problemen eigenlijk zijn begonnen nadat je de baby bent verloren. Ik denk dat het misschien zou hebben geholpen als we een gezin hadden gehad. Je zou waarschijnlijk een heel goede moeder zijn geweest en een kind zou je als vrouw voldoening hebben gegeven en je tevens een richting en doel in het leven hebben gegeven. Maar nu ben je blijven steken – en eerlijk gezegd ben je daardoor nogal een zeurpiet geworden.

Nou heeft mijn werk niet bepaald geholpen. Dat erken ik. Als ik een normale baan had gehad en niet zoveel hoefde te reizen, hadden we elkaar meer gezien en ik neem aan dat we dan nu misschien dichter bij elkaar hadden gestaan. Maar dat betwijfel ik toch. En dan was ik beslist een stuk beroerder af geweest. Ik heb veel prikkels van buitenaf nodig en de uitdaging van mijn carrière.'

Ik had er meer dan genoeg van. 'Fijn!' zei ik. 'Je hebt je zegje gedaan en kunnen we nu overgaan tot de kwestie waar het allemaal om draait? Heb ik gelijk als ik veronderstel dat je denkt dat je in Bo eindelijk de perfecte partner hebt gevonden?'

Even ontmoetten onze blikken elkaar, toen sloeg hij zijn ogen neer. 'Bo en ik vullen elkaar aan. We hebben hetzelfde beroep. We willen dezelfde dingen in het leven. Misschien klinkt het jou vreemd in de oren, maar het is net of ze mijn alter ego is.'

'In dat geval lijkt me niet dat er nog veel te zeggen valt, anders dan te besluiten wat er nu moet gebeuren. Wil je scheiden?'

'Dat zou ik inderdaad willen. Ik hoop dat je me niet in de weg zult staan.'

'Ik ben al naar een advocaat geweest om advies in te winnen.'

Zijn mond viel open.

'Het ligt voor de hand dat ik nu moet weten wat jij van plan bent.'

Hij deed zijn uiterste best om de situatie weer meester te worden. 'Nou, eh, ik denk dat het 't beste zou zijn er maar meteen helemaal mee te kappen. Afgezien van al het andere zou het niet eerlijk tegenover jou zijn als ik hier bleef wonen.'

'Waar ga je heen?'

'Naar Bo. Ze heeft een enorme flat. Niet dat we daar in de directe toekomst veel tijd zullen doorbrengen. We moeten de rest van de reclamespots nog doen.'

Ik knikte.

'En jij? Ben jij van plan om hier te blijven?'

'Voor het moment zou dat wel helpen, omdat ik anders alleen naar Avonford kan en dat doe ik liever niet.'

'Toen jij me 's nachts belde, zei je toen dat je was ontslagen?'

'Ja, daarom belde ik.'

'Je zit dus zonder werk?'

'Ja.'

'Nou, dan zal ik ervoor zorgen dat de hypotheek elke maand wordt betaald, in elk geval tot we een schikking hebben getroffen. En op langere termijn? Denk je dat je hier zult willen blijven?'

'Ik weet het niet. Ik denk eigenlijk van niet.'

'Je hoeft geen overhaaste beslissingen te nemen. Ik ben niet van plan het dak boven je hoofd te verkopen. Ik hoop dat dat vanzelf spreekt.'

'Dank je. Natuurlijk probeer ik zo gauw mogelijk een andere baan te vinden. Ik ben liever onafhankelijk.'

Hij keek op zijn horloge. 'Nu ik toch hier ben, kan ik net zo goed wat kleren en andere kleinigheden meenemen. Er is een grens aan hoeveel ik in de Porsche krijg, maar ik moet toch een heleboel meenemen.'

Ik stond op en hoorde mezelf vragen, net of hij op locatie ging en het huis niet voor altijd verliet: 'Heb je hulp nodig?'

'Dank je, maar ik red me wel.'

'Wil je koffie?'

'Zou ik best lekker vinden.'

'Melk en suiker?'

Hij kromp in elkaar.

Toen hij was gaan pakken, keek ik naar *Inspiratie* en haalde het met een grimmige glimlach van de muur. Lowrie, Hockney en Warhol haalde ik er ook af. Ik zette ze in de gang en ging toen water opzetten.

Een uurtje later, na verschillende keren de trap op en af te zijn gegaan, was Nigels auto vol. Hij stond, niet op zijn gemak, net binnen de voordeur. 'Jij redt het toch wel zo?'

'Ik overleef het heus wel, hoor.'

Hij greep in zijn zak. 'Hier heb je Bo's adres en telefoonnummer. Als

347

je de post zou willen doorsturen.'

'Natuurlijk. En hier heb je de naam en het adres van mijn advocaat. Hij neemt wel contact met je op.'

'Cara, het spijt me dat het zo moet eindigen.'

Hij deed of hij me wilde kussen, maar ik draaide mijn hoofd weg.

Zonder nog iets te zeggen, stapte hij in de Porsche, startte, maakte toeren en reed toen de weg op. Ik stond in de deuropening en keek hoe hij de oprit afreed, tot hij de hoofdweg bereikte en uit het zicht verdween.

Ik liep de trap weer op en belde bij Sherry aan. 'Ik kom het portret van Filomena halen.'

Ze greep mijn arm. 'Bedoel je...?'

'Ja, hij is weg.'

'O, arme schat. Was het heel erg?'

Ik haalde mijn schouders op. 'Nee hoor. Het was eigenlijk helemaal niets. Ik dacht dat ik meer zou voelen, maar–'

'Kom even iets drinken.'

'Nee, dank je. Als je het niet erg vindt, ben ik liever even alleen.'

'Tuurlijk. Als je van gedachten verandert, weet je ons te vinden. Ik zal het schilderij halen.'

Toen ze ermee terugkwam, zei ik: 'Er is toch iets goeds van gekomen. Er is nu een parkeerplaats vrij. Wil je het Roly zeggen?'

We lachten allebei magertjes.

De volgende paar dagen verkeerde ik in een soort toestand van verdoving, alsof ik op de een of andere manier los stond van de wereld om me heen en niets wat daar gebeurde iets met mij te maken had. Ik herinner me een paar voorvallen, maar van de rest weet ik niets meer. Ik weet nog dat ik naar de bank in het winkelcentrum in de buurt ben gegaan om een nieuwe rekening te openen en dat het allemaal ongelooflijk ingewikkeld was voor zo'n theoretisch eenvoudige handeling, vooral omdat ik probeerde geld te storten. Het kostte zoveel moeite dat ik op een stoel neerzeeg en in tranen uitbarstte, waarop ik snel naar een kantoortje werd gebracht om bij te komen. Op wonderbaarlijke wijze werd de rekening uiteindelijk geopend.

Ik bleef maar huilbuien krijgen.

Ik weet ook nog dat ik David Rinder heb gebeld om hem de uitkomst van mijn gesprek met Nigel te vertellen en dat hij sceptisch zei: 'Laten we hem het voordeel van de twijfel gunnen, maar ik vermoed dat hij zich minder grootmoedig gaat voelen als hij zijn advocaat heeft gesproken.

Wat heeft hij precies meegenomen?'

'Ik weet het niet. Kleren, persoonlijke papieren en een paar schilderijen...'

'Schilderijen? Waren ze waardevol?'

'Dat kan me niet schelen. Ik haatte ze.'

'Ik zou willen voorstellen dat je een ander slot op je voordeur laat zetten.'

'Waarom?'

'Je wilt toch niet dat hij in de flat komt als jij er niet bent, nietwaar – of onaangekondigd binnenkomt, midden in de nacht?'

Ik weet nog dat ik halfgemeend 'nee' zei en wilde dat hij niet zo cynisch en achterdochtig was. Ik liet het slot niet vervangen.

Ik weet ook nog dat ik een exemplaar van *The Times* kocht en de advertenties doornam en niets vond wat ik wilde doen. Ik weet nog dat ik een paar uitzendbureaus belde en te horen kreeg dat banen voor secretaresses die meerdere talen spraken niet voor het oprapen lagen.

Een meisje bij een van die bureaus, dat Debbie heette, zei dat ze een enige baan had, net binnengekomen, bij een verzekeringsmaatschappij, die een gesubsidieerde personeelskantine had en maar twee minuten van Fenchurch Street Station verwijderd was. Ik hoefde maar van halftien tot halfvier te werken, met drie weken vakantie en een prima pensioenregeling. Of, als dat me niets leek, wat vond ik dan van deze baan, bij een Japans cosmeticabedrijf – sprak ik Japans? Nee, nou, wat vond ik hier dan van, werken voor een fondsenwervende bestuurder van een instelling voor gehandicapte kinderen, in Wimbledon? Het betaalde niet zo geweldig, maar het was erg interessant werk.

Ik had niet eens genoeg energie om uit te leggen dat Wimbledon vanuit Highgate aan de andere kant van Londen lag. Ik zei alleen: ja, ik zou me een keer komen inschrijven. Een keer. Niet nu.

Ik weet nog dat ik mijn trouwring en verlovingsring heb afgedaan en ze in een collectebus heb gestopt.

Ik weet nog dat ik al Nigels persoonlijke bezittingen – zijn kleren en boeken en tijdschriften – in de werkkamer heb gezet en de rest van de flat zo probeerde in te richten dat hij gezelliger werd. Ik kocht een heleboel bloemen en hield de hele tijd de radio aan. Maar het maakte nog geen eind aan de huilbuien die ik om onduidelijke redenen nog steeds spontaan kreeg.

Uiteindelijk verzamelde ik de moed om Miranda te vertellen wat er was gebeurd. Het leek gemakkelijker om het haar te vertellen dan tante

Biddie. Ik weet nog dat ze zei: 'Kom maar gauw hierheen' en dat ik zei: 'Nee, dat wil ik niet. Dat helpt niet...'

Ik weet nog dat tante Biddie belde en zei: 'Cara, schat, Miranda heeft het me net verteld. Het spijt me zo. Kom alsjeblieft hierheen. Het idee dat je op zo'n moment helemaal in je eentje in die flat zit bevalt me niets. Je hoeft niemand anders te zien.'

En ik weet nog dat ze ook nog zei: 'Ik zou er niet over hebben gepiekerd iets te zeggen, maar nu dit is gebeurd, vind ik dat ik wel mag zeggen wat ik op mijn hart heb. Nigel hield helemaal geen rekening met je – hij behandelde je of je bij de inboedel hoorde.'

Uiteindelijk ging ik toch naar Avonford. Het was tenslotte mijn thuis.

Als het weer het toestond, zaten we in de tuin, met Tiger in de schaduw van mijn ligstoel en Reynard aan een riem aan onze voeten, terwijl Gordon met 'zijn' kuikens over het gazon heen en weer liep en Chukwa in het slabed wroette.

Toen ik er eenmaal was, was ik blij dat ik was gegaan, want in de tuin van mijn jeugd stortte ik bij tante Biddie mijn hart uit. Het kwam er allemaal uit – alle geestelijke rotzooi die ik sinds mijn kinderjaren had opgespaard, al mijn onzekerheden, al mijn goede bedoelingen, al mijn aspiraties, al mijn remmingen. Ik legde uit dat ik altijd naar het voorbeeld van haar en oom Stephen had willen leven, dat ik hen niet had willen teleurstellen, dat ik – zeker de laatste maanden – niet op mijn vader en de prinses had willen lijken.

Als antwoord zei ze: 'Als Nigel mijn man was geweest, was mijn geduld al lang geleden op geweest. Ik had niet alles geslikt wat jij hebt geslikt. Je hebt jezelf absoluut niets te verwijten.'

Ik vertelde haar ook over Tobin, over mijn gelofte op het balkon in San Fortunato en hoe hij me na mijn terugkeer uit Italië had verteld dat hij van me hield.

En ze vroeg, net als Sherry, of ik van hem hield.

Maar de mist in mijn hoofd zat er nog. Tobins beeld was waziger dan ooit en hij leek elke dag verder van me verwijderd te raken. Ik kon me elk woord herinneren dat Nigel bij onze laatste ontmoeting tegen me had gezegd, maar Tobins liefdesverklaring was net iets wat in een droom was gebeurd.

'Ja,' zei ik, 'of eigenlijk, ik geloof van wel. Ik kan op het moment alleen gewoon niet helder denken.'

'Dat is niet zo verwonderlijk,' zei ze. 'Hoe dan ook, het zou niet verstandig zijn je als reactie in een andere relatie te storten. Dat heb je al eens eerder gedaan, weet je nog?'

Daarna praatten we over werk en wat ik met de rest van mijn leven moest doen. Ze berispte me niet vanwege mijn plotselinge gebrek aan vertrouwen in mijn eigen kunnen. Ze begreep dat ik het gevoel had dat de grond onder me was weggezakt en dat ik geen stap meer vooruit durfde zetten. In plaats van meteen weer een vaste baan te zoeken, stelde ze voor dat ik op tijdelijke basis zou gaan werken – niet zozeer om geld te verdienen als wel om me de flat uit te krijgen en mijn zelfvertrouwen te herwinnen.

Op een goede dag gingen we naar Bredon Hill. De Eveshamvallei onder ons was weelderig groen en in het luchtruim boven ons zongen leeuweriken. Ik keek lange tijd uit over de 'kleurrijke provincies' van Housman en er leek een vredig gevoel over me te komen.

Ik herinnerde me hoe ik, de vorige keer dat we hierboven waren, na het programma van Oliver Lyon, mijn hart had voelen samentrekken en een scherpe steek had gevoeld van iets wat haast angst leek, alsof ik op het punt stond ergens heen te gaan en ik dit tafereel nooit meer zou zien. Intussen had ik inderdaad verre reizen gemaakt – maar ik was toch naar Bredon Hill teruggekomen.

Impulsief sloeg ik mijn arm om tante Biddies middel. Ze draaide zich om, glimlachte naar me en legde haar arm ook om mijn middel. 'Het komt allemaal weer goed,' verzekerde ze me.

En tot mijn verbazing merkte ik dat ik dacht: ja, misschien wel.

HOOFDSTUK 22

Toen ik weer in Londen was, schreef ik me in bij Debbie op het uitzendbureau voor secretaresses, waar ik de vernedering onderging een steno- en typeproef te moeten afleggen. Ik glimlachte flauwtjes toen Debbie me met mijn snelheid feliciteerde en ik werd er prompt op uit gestuurd voor mijn eerste tijdelijke baan.

Van die eerste baan herinner ik me niet veel meer. Ik weet nog dat het in Holborn was, op het hoofdkantoor van een elektronicabedrijf, dat ik voor het hoofd van de marketingafdeling werkte, dat de mensen aardig waren en hun uiterste best deden me te laten zien waar dingen lagen en hoe de kopieermachine werkte en dat soort zaken. Maar ik weet totaal niet meer wat voor werk ik er eigenlijk deed, alleen dat mijn baas verbaasd was over de snelheid waarmee ik er doorheen schoot. De geest heeft goddank reserves waar je op terug kunt vallen als het hoofdbesturingssysteem het laat afweten.

Maar ik bleef daar, of op een van de andere kantoren waar ik tijdelijk werkte, niet lang genoeg om mijn collega's de kans te geven me goed te leren kennen. Ik had het gevoel dat ik in een behaaglijke mantel van anonimiteit gehuld ging, waardoor mijn innerlijke wonden konden helen. Zoals tante Biddie had voorspeld, kreeg ik geleidelijk aan weer vertrouwen in mezelf als secretaresse en daarmee weer een wat hogere eigendunk.

Natuurlijk had ik ook mijn slechte momenten, zoals die keer dat ik thuiskwam, de televisie aanzette en geconfronteerd werd met Nigels eerste reclamespot. Er stond een grondverzetmachine in de woestijn, met een jeep die er door het zand naartoe crosste, op de bekende achtergrondmuziek van 'Wheels of Fire'. De reclameboodschap flitste op en een mannenstem zei: 'Macintyre voor als het lastig wordt.'

Ik zette de televisie uit en begon weer te trillen. Maar ik huilde niet en dat was een enorme stap vooruit.

David Rinders brieven beurden me ook niet echt op. Niet dat ze slecht nieuws bevatten. In tegenstelling tot zijn sinistere voorspellingen zag het er inderdaad naar uit dat Nigel onze scheiding zo redelijk en vriendschappelijk mogelijk wilde laten verlopen. Maar de juridische terminologie maakte dat onze scheiding nog triester leek en verlaagde haar tot het niveau van een armzalige, zakelijke transactie en maakte dat ik me hebberig voelde.

Ik moest wel aan de prinses denken – en aan Tobins ex-vrouw, Dawn, wat dat betreft. Ik haatte het idee dat Nigel op enig tijdstip in de toekomst over me zou zeggen: 'Ze heeft me het vel over de oren gehaald.'

Heel wat keren wilde ik dat ik gewoon uit Linden Mansions kon weglopen en kon afzien van enige aanspraak op onze echtelijke woning. Maar Sherry weerhield me daarvan, door erop aan te dringen dat ik niet emotioneel zou reageren, door me eraan te herinneren dat Nigel veel meer verdiende dan ik en dat ik alleen nam wat me rechtens toekwam.

Sherry was zo lief tegen me – en voor me –, net als vlak nadat ik de baby was kwijtgeraakt. Dat kwam doordat ze zelf een scheiding achter de rug had. Ze wist wat ik doormaakte – emotioneel en in termen van de dagelijkse werkelijkheid.

Ik verdiende zelfs aanzienlijk minder dan ik bij Goodchild had verdiend en ik kon maar met moeite de eindjes aan elkaar knopen, ook al betaalde Nigel de hypotheek. Tijdelijk werk was een aardig vullertje, maar geen oplossing op de lange termijn. Als ik niet oppaste, zou ik heel binnenkort mijn afkoopsom moeten aanspreken. Er was geen twijfel aan dat ik het me niet kon veroorloven om in de flat te blijven wonen, zelfs al had ik dat gewild. Hij zou verkocht moeten worden – en snel ook.

Ik had niets van Nigel gehoord. We communiceerden uitsluitend via onze advocaten. Het was niet zozeer dat ik hem wilde zien of spreken, ik kon alleen niet begrijpen hoe hij zo definitief met me kon breken.

Juliette liet ook niets van zich horen. Afgezien van dat ene telefoontje toen ik in Biddicombe was, had ik niets van haar gehoord. En ik kon me er niet toe zetten haar te bellen. We waren vriendinnen geweest – niet zo dik bevriend als Sherry en ik –, maar toch meer dan alleen collega's. Ik verweet haar niet wat er was gebeurd en ik nam het haar niet kwalijk dat ze bij Goodchild was gebleven, maar ik wilde ook niet weten wat daar gebeurde. Ik wilde niet weten hoe mijn opvolgster was en wat voor veranderingen Craig Vidler had aangebracht. Dat deel van mijn leven was voorbij. Er was een gordijn tussen geschoven – met Juliette aan de ene kant en ik aan de andere.

Misschien, besloot ik, had Nigel hetzelfde gevoel over hem en mij.

Misschien was zijn gevoel van shock net zo groot geweest als het mijne door de snelheid waarmee ons huwelijk was geëindigd. Misschien had onze scheiding hem meer gedaan dan ik voor mogelijk had gehouden. Misschien vond hij het toch erger dan ik had gedacht. En was hij daarom weggebleven.

Tobin liet ook al niets van zich horen.

En zijn afwezigheid begon pijn te doen. Toen de mist in mijn hoofd begon op te trekken, wist ik dat ik van hem hield. Ik wist niet zeker hoeveel ik van hem hield of welke vorm een toekomstige relatie tussen ons zou aannemen, omdat ik niet meer dan een dag vooruit wilde denken. Maar ik wist zeker dat ik hem terug wilde zien.

Maar wilde hij mij wel zien? Als dat zo was, had hij mijn briefje toch onderhand wel kunnen beantwoorden? Had hij spijt gekregen van zijn impulsieve woorden na mijn terugkomst uit San Fortunato? Of had hij mijn stilzwijgen verkeerd geïnterpreteerd en nam hij aan, omdat hij niet wist dat Nigel me had verlaten, dat we gelukkig samenwoonden? Was ik alweer mijn eigen ergste vijand geweest en had ik hem weggejaagd?

Ik hield mezelf voor dat hij, na ons etentje in Hampstead, had gezegd dat hij het aan mij zou overlaten contact op te nemen. Ik hield mezelf voor dat ik in mijn briefje aan hem had gezegd dat ik er nog niet helemaal aan toe was met hem te praten. Het was aan mij om de eerste zet te doen en wel snel, voor het te laat was. Ik hoefde alleen de telefoon maar op te pakken.

Of was het al te laat? Was in mijn afwezigheid een ander bij hem binnen geglipt? Penny misschien – beeldschone, montere Penny – Penny, die het een beetje moeilijk had gehad, Penny, met wie hij zo te doen had gehad...

Het zou al erg genoeg zijn als ik Tobin belde en er werd niet opgenomen. Maar als ik hem belde en er dan achter kwam dat hij met iemand anders was – als ik Penny's stem op de achtergrond zou horen, zoals ik die van Bo had gehoord – zou dat meer zijn dan ik kon verdragen.

Dus schoof ik het maar steeds voor me uit. En hoe langer ik het uitstelde, hoe banger ik werd. Toen de weken verstreken, dwong ik mezelf somber het feit onder ogen te zien dat Tobin – net als Nigel en Goodchild – tot het verleden behoorde.

Op de zaterdag van bankholiday in augustus bracht de post een grote manilla envelop. Er zat een briefje van Tobin in, een catalogus van Christie's en twee fotokopieën.

Tobins briefje luidde:

Lieve Cara,
Ik heb je wensen gerespecteerd en me niet aan je opge-
drongen. Maar nu is er iets gebeurd waarvan ik vind dat je
het moet weten. Bijgaande twee brieven spreken voor zich.
Ik hoef je niet te zeggen dat Oliver en ik op de ochtend van
28 augustus bij Christie's zullen zijn. Als je je bij ons
gezelschap zou willen aansluiten, ben je van harte welkom.
Als ik je voor die tijd zou kunnen spreken – of liever nog,
zien –, zou dat nog beter zijn. Ik hoop echt dat ik je niet in
verlegenheid breng door dit briefje en de inhoud van de
envelop naar je huisadres te sturen.
Als altijd,
Tobin

In mijn hart klapwiekte het zangvogeltje, dat heel lang stil was geweest, in zijn kooi en stootte een paar voorzichtige, melodieuze klanken uit.

De brieven waren getikt op een schrijfmachine waarvan het lint versleten was. Er stonden meerdere tikfouten in, waar ofwel overheen getikt was of die waren doorgestreept. Beide brieven waren niet ondertekend. De eerste was, volgens het rubberstempel boven aan de pagina, op 4 augustus ontvangen, de tweede op de 21ste.

Geachte heer Lyon,
Ik heb eerder dit jaar uw interview met prinses Hélène
Shuiska gezien.
Op pagina 30 van de catalogus van Christie's voor de
verkoop van Russische kunstwerken en iconen die op 28
augustus in Kensington zal plaatsvinden, staat een icoon
die wordt beschreven als eigendom van de prinses.
Volgens de catalogus behoorde deze icoon aan de familie
Shuiska in St.-Petersburg. Dat is niet waar. De icoon
behoorde aan de familie van mijn moeder.
Het was een van de vele leugens die Hélène vertelde en
het bedrog dat ze pleegde. Andere waren ernstiger. Ik weet
zeker dat de erfgenaam van de prinses, de huidige graaf
van Winster, een fatsoenlijk man is die niets weet van de
schandalige geheimen in het leven van Hélène en niet zou

willen dat ze voortduurden.

*Als u zo benieuwd bent naar de waarheid als ik denk dat
u bent, zult u belang stellen in de informatie die ik over
haar heb. Laat uw belangstelling dan blijken door op 9
augustus een kleine advertentie in The Times te plaatsen in
de rubriek 'persoonlijk', met de tekst: 'La belle dame sans
merci.'*

Geachte heer Lyon,
*Ik zal op 28 augustus 's morgens bij Christie's zijn om
nog eens naar het erfstuk van mijn familie te kijken. Als ik
u niet op de verkoop tref, weet ik dat het u niet kan schelen
of oud zeer wordt rechtgezet.*

Voor ik enig excuus voor mezelf kon bedenken en zonder mezelf tijd te
geven om na te denken over wat ik zou gaan zeggen, belde ik Tobin. Hij
nam al op toen de telefoon voor de tweede keer overging.
'Met Cara,' zei ik.
Hij slaakte een diepe zucht. 'Hoe gaat het met je?'
'Ik ben niet erg lekker geweest, maar het gaat nu een stuk beter.'
'Ik heb over je ingezeten.'
'Dank je. En bedankt voor het sturen van de brieven en de catalogus.'
'Daar hebben we het zo nog wel over. Vertel me eerst eens, of je al een
andere baan hebt?'
'Min of meer. Ik werk voor een uitzendbureau.' Ik zweeg even. 'Er is
iets anders gebeurd nadat ik ben ontslagen. Nigel en ik zijn uit elkaar.'
'Jullie zijn wat?'
'We zijn uit elkaar. We gaan scheiden.'
'Jezus Christus! Wat is er gebeurd? Of wil je er niet over praten?'
'Nee, ik wil er best over praten. Het was op dat moment een schok,
maar ik begin er overheen te komen.'
'Wat spijt me dat vreselijk.'
'Dat hoeft helemaal niet. Het was al een hele tijd geen erg goed huwe-
lijk. Maar je weet hoe het gaat. Je gaat gewoon door, in de hoop dat het
beter wordt. Maar dat werd het niet. Hij zei dat hij toch bij me zou zijn
weggegaan, ook als hij Bo niet had ontmoet.'
'Wie is Bo?'
'Bo Eriksson. Ze is eigenaar van het productiebedrijf waar hij mee
werkt voor de reclamespots van Macintyre.' Ik zweeg weer even en

besloot toen om maar schoon schip te maken, zodat hij meteen precies wist hoe de zaken ervoor stonden. 'Ik heb hem de avond dat ik bij Goodchild was ontslagen in Kenia gebeld. Ze lagen samen in bed. Toen hij terugkwam, zei hij dat hij bij haar introk. Dat is het eigenlijk wel. Nu regelen de advocaten de scheiding.'

'Arm kind...'

Dat ik antwoord kon geven, gaf aan hoe ik vooruitging. 'Mmm, erg leuk was het niet. Het was eigenlijk meer de schok, vooral omdat het nog boven op mijn ontslag kwam.'

Tobin zweeg even en vroeg toen: 'Kunnen we elkaar weer zien, of is het nog te vroeg?'

'Wil je me dan nog zien?'

'Heb je nog meer van die stomme vragen?'

Ik lachte spijtig. 'Sorry, maar ik weet het niet. Ik ben nergens meer zeker van. Het is zo lang geleden dat we elkaar hebben gezien.'

'Ik zal je precies zeggen hoe lang. De laatste keer dat ik je zag, was op één juni. Dat is twee maanden en drieëntwintig dagen geleden.'

Het vogeltje in mijn hart klapwiekte heel energiek.

Een halfuur later ging de bel en daar was hij. We stonden elkaar even alleen maar aan te kijken, toen nam hij me in zijn armen. We stonden daar heel lang in het trapportaal met onze armen om elkaar heen, met mijn hoofd op zijn schouder, met zijn wang tegen mijn haar.

Ten slotte maakte hij zijn omhelzing losser, draaide mijn gezicht naar zich toe en kuste me. Maar het was niet de kus die ik na zijn omhelzing had verwacht. Hij was warm, teder, maar op de een of andere manier ingetogen en zonder hartstocht. Een deel van me was teleurgesteld. Een ander deel van me was opgelucht.

Ik bood hem een kop koffie aan, maar hij sloeg het aanbod af en vroeg: 'Heb je plannen voor de rest van de dag?'

'Nee.'

'Zullen we dan ergens heen rijden? We zouden naar de kust kunnen gaan om de zee te zien.'

'Ja, dat zou leuk zijn. Dat zou ik wel willen.'

'Het is koud buiten. Neem maar liever een jack of een anorak mee.'

In de auto waren we niet helemaal op ons gemak, zoals te begrijpen was. Er hingen vragen in de lucht die we elkaar allebei wilden stellen, maar die te belangrijk waren om meteen mee te beginnen. Dus hadden we het tijdens de rit voornamelijk over het onderwerp dat ons in de eerste plaats bij elkaar had gebracht – de prinses en de anonieme brieven.

'Wie denk je dat ze heeft geschreven?' vroeg Tobin.

'Ik weet het niet,' zei ik, met mijn gedachten meer bij ons dan bij de brieven.

Hij keek even naar me. 'Wil je het mysterie nog steeds tot op de bodem uitzoeken? Of wil je er liever mee ophouden?'

Weer spookte mijn verblijf in het maanlicht in San Fortunato me door het hoofd. Maar het lot had de spot gedreven met mijn andere geloften van die nacht en hoe dan ook, de icoon en het Russische verleden van de prinses hadden niets met Filomena te maken.

'Ik wil graag doorgaan,' zei ik.

'Ik denk dat die brieven misschien van de chanteur komen,' ging hij door. 'De brieven die we in de schrijftafel van de prinses vonden, waren op hetzelfde type schrijfmachine geschreven.'

Mijn bezoek aan Beadle Walk in februari leek erg lang geleden. 'Ben je nog iets meer te weten gekomen over die oude, aristocratische, Russische dame over wie Consuela me vertelde?' vroeg ik.

'Helemaal niets.'

'Heeft je broer deze brieven gezien?'

'Ja, ik heb hem ook kopieën gestuurd. Zijn eerste reactie was dat we de politie moesten waarschuwen, maar het is me gelukt hem dat uit het hoofd te praten. De schrijver van die brieven stelt niet echt eisen – hij geeft alleen heel goede aanwijzingen. En het zou toeval kunnen zijn. Ik weet zeker dat de prinses in haar leven meer dan één vijand heeft gemaakt.

Uiteindelijk was hij het met me eens dat onze anonieme briefschrijver het voordeel van de twijfel moet krijgen – onschuldig tot schuld is bewezen, zogezegd. Als hij of zij niet alleen de morele maar de wettige eigenaar van de icoon is, dan zal hij of zij moeten bewijzen dat de prinses er op onwettige wijze aan is gekomen. In dat geval moet Harvey de icoon misschien van de veiling terugnemen en met een paar duizend pond minder genoegen nemen dan hij had gedacht. En wat dan nog? Te oordelen naar de taxaties in de catalogus van Christie's zal hij aan de veiling waarschijnlijk heel wat overhouden en hij is al niet bepaald arm. Nee, het belangrijkste is wat dit voor jou zou kunnen betekenen.

Herinner je je die paragraaf waar de schrijver het heeft over leugens en bedrog? Dat zou kunnen inhouden dat hij of zij van je bestaan af weet. Zou je donderdag vrij kunnen nemen?'

'Ik zie niet in waarom niet, zolang ik het maar van tevoren laat weten.

358

Een van de voordelen van tijdelijk werk is dat je eigen baas bent. Als je niet werkt, krijg je ook niet betaald.'

'Nou, hopelijk zal het de moeite waard blijken.'

Toen we Eastbourne naderden, dacht ik vluchtig aan Nigels ouders in het nabije Bexhill, van wie ik niets had gehoord sinds Nigel was vertrokken, zelfs geen briefje om te zeggen dat het ze speet.

In de buitenwijk van de stad stopten we bij een winkel om een stokbrood, boter, kaas, tomaten, fruit en een fles wijn te kopen. Toen reden we naar de kaap ten noorden van de vuurtoren van Beachy Head, waar we de auto lieten staan en we met onze picknick langs de krijtrotsen vertrokken.

'Wat heb jij gedaan sinds ik je voor het laatst heb gezien?' vroeg ik, terwijl ik er haastig aan toevoegde: 'Wat werk betreft, bedoel ik.'

'Ik heb het erg druk gehad. Ik had je toch verteld dat mijn oude vriendin, Penny, een nieuwe serie kinderboeken over de natuur op stapel had staan?' Nou, daar is de eerste van verwezenlijkt. Het is een dierenboek – dieren in velden en bossen – alles van mollen en spitsmuizen tot herten. O, en konijntjes natuurlijk.' Hij lachte.

Ik lachte mee, al klonk het nogal hol.

'En jij?' vroeg hij. 'Hoe vind je het om van het ene baantje naar het andere te gaan nadat je zo lang voor Goodchild hebt gewerkt? Nogal wisselvallig zeker?'

'Nu ik eraan gewend ben, vind ik het eigenlijk wel leuk om in verschillende bedrijven te werken en te zien hoe ze functioneren. In dat opzicht zou je bijna kunnen zeggen dat tijdelijk werk de geest verruimt. Of zou verruimen als sommig werk dat ik moet doen niet zo vreselijk saai was. Ik heb één baantje gehad – dat gelukkig maar drie dagen duurde – waar ik de hele dag rekeningen moest typen. En ook een waarbij ik alleen het archief moest bijwerken. Maar waar ik nu zit, is het wat beter. Ik vervang twee weken iemand op de personeelsafdeling van een ingenieursbureau.'

Tijdens onze picknick werd het ijs gebroken. Toen we in de beschutting van wat hakhout onze draagtas uitpakten, beseften we dat we geen borden of glazen hadden en het enige mes Tobins zakmes was, waar gelukkig een kurkentrekker aan zat.

Toen we ons allebei hadden verontschuldigd omdat we er niet aan hadden gedacht, barstten we in lachen uit en vanaf dat moment was het hek van de dam. Ik kan me geen maaltijd herinneren die beter smaakte, of geen wijn die lekkerder was dan die uit de fles waar we om de beurt uit dronken, waarbij we ieder de hals pietluttig met een tissue schoonveegden nadat we eruit hadden gedronken, maar ons er tegelijkertijd van bewust waren dat we onze lippen zetten op de plek waar die van de ander waren geweest. Ja, die picknick had een intimiteit die geen door kaarsen verlicht restaurant ooit had kunnen geven.

Toen we verder gingen, liepen we gearmd. Het golvende platteland van Downland deed me in zekere zin aan Exmoor denken en ik vertelde hem over Biddicombe en mijn lange wandelingen – niet over mijn gemoedstoestand – maar over de schapen, pony's, buizerds, Brook Cottage, Veronica en Paul.

Bij Birling Gap liepen we de gammele trap naar het strand af en keilden steentjes over de golven, tot de onverwacht kille wind ons weer de krijtrotsen op joeg en we terugliepen naar de plaats waar we de auto hadden geparkeerd.

Onderweg terug naar Londen stopten we bij een dorpscafé voor het avondeten en Tobin vroeg: 'Heb je al iets afgesproken voor morgen?'

'Nee, niets.'

'Ik vroeg me af of je misschien naar Avonford ging.'

'Nee, daar ben ik een paar weken geleden geweest. Tante Biddies vriendin Jessie logeert dit weekend bij haar.'

'Wat dacht je er in dat geval van om een fietstocht te maken?'

'Een fietstocht?'

'Je kunt toch wel fietsen?'

'Ik kon het vroeger altijd wel.'

'Nou, ik heb een fiets en mijn buurvrouw heeft een extra fiets, die ze ons vast wel wil lenen. We zouden over het jaagpad naar Richmond of Teddington Lock kunnen gaan.'

Ik ging achteruit zitten, omdat ik nog niet wist waar ik aan toe was en daarom niet goed wist hoe ik moest reageren.

'We zouden ook iets anders kunnen doen,' zei hij. 'We hoeven niet te gaan fietsen. Dat was gewoon het eerste wat bij me opkwam.' Hij zweeg even. 'Of wil je me soms niet meer zien?'

'Jawel, maar–'

Hij schoof zijn mes en vork tegen elkaar en haalde toen zijn vingers door zijn haar. 'Het is al goed, zeg maar niets meer. Ik ben echt de grootste stommeling op aarde, niet? Ik heb domweg aangenomen dat vandaag voor jou net zo geweldig is geweest als voor mij.'

'Dat is ook zo. Ik heb van elke minuut genoten.'

'Maar je wilt niet dat we ermee doorgaan?'

Ik beet op mijn lip.

Hij haalde zijn sigaretten te voorschijn. 'Vooruit, neem een sigaret. Dan bestellen we koffie en daarna breng ik je naar huis.'

Ik schudde mijn hoofd. 'Weet je nog, die avond dat ik uit San Fortunato terugkwam en we uit eten zijn geweest?'

'Ja, die herinner ik me nog heel goed.'

'Je zei toen dat er geen misverstanden tussen ons moesten bestaan.'

'Ik meen me te herinneren dat ik toen ook nog een heleboel andere dingen heb gezegd. En ik kan maar net zo goed meteen toegeven dat er niets is veranderd. Ik houd nog steeds even veel van je. Maar ik ga me niet aan je opdringen.'

'Geef me toch maar een sigaret.'

Hij stak hem voor me op.

Toen vroeg ik aarzelend: 'Hoe zit het met Penny?'

'Penny? Wat heeft die ermee te maken?'

'Nou, ik dacht misschien... Weet je, die avond toen je mij had ontmoet, ging je met haar eten en–'

'O, hemel. Ja, ik denk dat ik wel weet wat je denkt. Maar je had er niet verder naast kunnen zitten. Penny en ik hebben inderdaad een verhouding gehad, heel, heel lang geleden. Maar daarna is ze getrouwd en haar man Michael en zij zijn een van de gelukkigst getrouwde stellen op aarde.'

'Maar je zei dat ze het moeilijk had.'

Tobin knikte. 'Ze heeft het nog steeds moeilijk. Ze wordt behandeld voor borstkanker.'

Er ging een koude rilling van schaamte door me heen. 'O, mijn God. Het spijt me.'

'Gelukkig is de kanker in een vroeg stadium ontdekt en de behandeling lijkt te werken. Maar het is haar niet gemakkelijk gevallen daarmee om te gaan, nog afgezien van het feit dat ze een huishouden moet runnen en een veeleisende baan wil aanhouden. Michael en de kinderen zijn geweldig geweest en sinds ze mij de waarheid heeft opgebiecht, doe ik wat ik kan om in ieder geval morele steun te bieden. Ze weet tenminste dat ze zich over de illustraties voor deze nieuwe serie boeken geen zorgen hoeft te maken. En Freddie, mijn agent, heeft haar aan een stel andere heel goede kunstenaars voorgesteld die in een soortgelijke stijl werken.'

Ik tikte de as van mijn sigaret en voelde me ellendig omdat mijn verdenkingen zo volkomen ongegrond waren geweest.

Een serveerster haalde onze borden weg en Tobin bestelde koffie.

'Nou, nu we dat uit de weg hebben geruimd,' zei hij, 'wat is er nog meer?'

'Niets, alleen...'

'Vooruit, voor de dag ermee.'

'Alleen weet ik niet goed wat ik wil of hoe ik over dingen denk. Ik wil graag dat we weer vrienden zijn. Ik heb je vreselijk gemist. Maar ik heb tijd nodig om de dingen voor mezelf op een rijtje te zetten.'

Hij draaide zijn wijn in zijn glas rond. 'Ik hoop dat je me ooit een keer over Nigel wilt vertellen. Ik weet niet hoe hij eruitziet, hoe oud hij is, wat voor soort mens hij is – het enige wat ik weet is dat hij in de reclame zit.'

'Ik wil het vanavond liever niet over hem hebben.'

'Prima. Maar op een keer. Ja?'

'Ja, op een keer.'

De serveerster bracht onze koffie.

Toen ze weg was, zei Tobin: 'Laten we afspreken dat we eerlijk tegen elkaar zijn. Als jij het gevoel hebt dat ik je onder druk zet – of als ik je per ongeluk hoe dan ook van streek maak –, heb ik liever dat je me dat eerlijk zegt dan dat je smoesjes verzint om me niet te zien. We hebben allebei geleden onder het bedrog van anderen, laten we dat elkaar dus niet aandoen.'

Ik knikte.

'Mag ik daarnaast voorstellen dat we elke dag nemen zoals hij komt en ervan genieten – zoals we van vandaag hebben genoten? Voor wat het waard is, ik weet heus wat je doormaakt en het allerlaatste wat ik wil is je dwingen tot iets waar je later misschien spijt van krijgt.'

'Dank je.'

'En jij bedankt dat je me vanmorgen hebt gebeld. Laten we het dan nu over iets anders hebben.'

'Laten we het over die fietstocht hebben,' zei ik. 'Ik vind het een leuk idee.'

Toen we bij Linden Mansions kwamen, zei hij: 'Over morgen, zou je het erg vinden om naar mijn huis te komen?'

'Natuurlijk niet.'

'Dan kan ik je maar beter vertellen hoe je er moet komen.'

Hij kuste me weer voor we uit elkaar gingen – een kus die warm en teder was, maar niet overdonderend. Toen ik uitstapte, zei hij: 'Ik ben blij dat je er weer bent.'

De straat waar Tobin woonde, leek op talloze andere straten in de buitenwijken van Londen en zijn huis zag er precies zo uit als alle andere in die straat – dezelfde kleur baksteen, dezelfde vorm ramen, hetzelfde grijze leistenen dak, hetzelfde gietijzeren hek voor hetzelfde piepkleine voortuintje.

Toen deed hij open en werd zijn huis uniek in zijn soort. 'Welkom in mijn nederige stulp,' zei hij, terwijl hij me binnenliet. 'Laat ik je om te beginnen voorstellen aan Bandito, die zo wordt genoemd omdat hij eruitziet als een maffioso.'

Bandito was een zwart met witte kat die op een stoel in de hal had liggen slapen tot hij zijn naam hoorde, waarop hij opstond, zijn rug kromde, me van onder tot boven opnam, geeuwde en toen rechtop ging zitten, waardoor hij er heel parmantig en statig ging uitzien.

Ik ging op mijn hurken zitten en streelde hem. 'Hallo, Bandito. Wat ben jij knap.'

'Laat je niet beetnemen door zijn manier van doen,' zei Tobin. Als je zin hebt overdreven aandacht aan hem te schenken, vindt hij dat helemaal niet erg. Integendeel. Hij vindt niets zo lekker als door een aardig meisje te worden geknuffeld.'

Als om dat te bevestigen begon Bandito luid te spinnen en ik nam hem op. Hij nestelde zich tegen mijn schouder en neuzelde tegen mijn wang.

'Zie je wel,' stelde Tobin vast. 'Hij en ik hebben een boel gemeen.' Hij wreef de achterkant van Bandito's hals en boog zich toen voorover om me op mijn andere wang te kussen. 'Het is heerlijk dat je er bent. Ik heb het me dikwijls voorgesteld. Zou je het huis willen zien?'

'Graag,' zei ik en hoorde hoe mijn stem net iets te vrolijk klonk. Bij Tobin thuis zijn was iets heel anders dan hem bij mij thuis hebben. Dit was onbekend en vreemd terrein, vol mogelijke valkuilen en risico's voor mijn kwetsbare hart.

Daarin had ik geen ongelijk. Zijn huis was precies het tegenovergestelde van mijn flat. Zijn persoonlijkheid sprak overal uit: uit de boeken, waarvan er veel te veel waren om op de planken te passen en die op de tafels, de stoelen en de grond lagen; uit het meubilair, waarvan het meeste kennelijk uit tweedehandswinkels afkomstig was en dat hij zelf had geschuurd en geschilderd of gelakt; en bovenal uit de schilderijen die er hingen...

Die schilderijen waren puur betoverend. Ze gaven me hetzelfde soort gevoel als de schilderijen van Amadore Angelini, hoewel ze heel anders van inhoud en stijl waren. Dit waren landschappen, die er bijna uitzagen als foto's en een ongelooflijke sfeer uitstraalden.

'Heb jíj die geschilderd?' vroeg ik.

'Ik ben bang van wel. Ik heb ze voor mezelf gemaakt – niet in opdracht.

Een paar jaar geleden heb ik een soort verlof genomen en ben ik het land door gereden om landschappen te schilderen. Om ze zo op te hangen is een beetje een egotrip, dat besef ik wel, maar ik vind ze mooi, omdat ze me doen denken aan plaatsen waar ik van houd.

Dat is Derbyshire,' zei hij en wees er een aan waarop zwarte donderwolken zich boven kale heuvels samenpakten. 'En dat is Morthoe, aan de noordkust van Devon, niet ver van waar jij bent geweest, in Biddicombe. De branding was die dag ongelooflijk. En deze is natuurlijk van Norfolk. Ik weet dat klaprozen nogal een cliché zijn, maar ik ben er dol op. En kom nou eens mee...'

Hij nam me mee naar boven en daar, op de overloop, hing een landschap dat ik heel goed kende. 'Dat is vanaf Bredon Hill,' bracht ik haperend uit.

Hij grijnsde en trok een deur open. 'Kom maar kijken waar ik werk.'

Het was geen groot vertrek en, vergeleken met de rest van het huis en als je bedacht dat het een atelier was, opmerkelijk netjes. 'Niet ideaal,' zei hij, 'maar geschikt voor zijn doel. En dit is het soort werk waar ik mijn dagen mee doorbreng.'

Op een ezel stond een gedetailleerd schilderij van dwergmuizen tussen korenaren, waarvan je elk haartje en elke snorhaar kon zien. 'Dat is ook prachtig,' zei ik. 'Ik had geen idee...'

Hij glimlachte breed. 'Vooruit, zeg op, hoe dacht je dan dat mijn werk eruit zou zien?'

Dat was net zoiets als gevraagd worden hoe je je iemand had voorgesteld als je hem net voor het eerst hebt gezien. Je hebt er een vaag idee van, maar als je eenmaal met de werkelijkheid bent geconfronteerd, vervaagt die onnauwkeurige indruk en kun je je hem alleen maar herinneren zoals hij is.

'Nou, ik had eigenlijk niet veel om op af te gaan,' draaide ik eromheen. 'Maar ik moet toegeven dat ik, toen je het over paashazen had, meer dacht...'

'Ah. Ik zal je eens een paar van mijn haasjes laten zien. Ik heb hier een van de eindproducten, hoewel ik helaas moet toegeven dat ik de inhoud heb opgegeten.'

Hij greep op een plank en haalde er een chocoladedoos af, prachtig versierd met levensechte konijntjes en voorjaarsbloemen.

'Oliver Lyon had gelijk,' zei ik. 'Je verspilt je talent. Je zou in de Royal Academy moeten hangen.'

'Dat heeft Oliver toch niet echt gezegd, hè?'

'Hij heeft de Royal Academy als zodanig niet genoemd, maar hij zei wel dat je je talent verspilde.'

'Wel heb ik ooit.'

We wilden het vertrek net verlaten, toen hij op een schilderij wees dat met zijn voorkant naar de muur stond. 'Dat is trouwens Angelini's portret van de prinses. Eerlijk gezegd weet ik niet waar ik het moet laten. Het is niet iets waar ik elke dag naar wil kijken. Dus laat ik het je nogmaals vragen. Wil jij het hebben, om het naast het schilderij van Filomena te hangen?'

'Dank je, maar ik wil het echt niet.'

Hij zweeg even. 'Heb je het portret van Filomena al terug?'

'Ja. Het hangt in de woonkamer.'

'Goed.'

Ik vond dat ik iets meer moest zeggen, om het uit te leggen, maar ik wist niet wat of hoe. Dus in plaats daarvan stelde ik voor: 'Waarom laat je het niet veilen, samen met de rest van de spullen van de prinses?'

'Daar is het een beetje laat voor. Maar ik kan het altijd nog aan Ludo Zakharin geven.'

'Nou, wat je ook besluit, ik wil het niet hebben,' herhaalde ik vastberaden.

Hij knikte. 'Het is al goed. Ik begrijp het.'

Toen we weer op de overloop stonden, ving ik door een andere deur, die op een kiertje stond, een glimp op van het voeteneind van een bed. Tobin wees echter op een derde deur. 'Daar is de badkamer, als je die nodig mocht hebben.' Toen gingen we weer naar beneden.

'Wil je nog koffie voor we vertrekken' vroeg hij, 'of zullen we maar gaan?'

Ik klink misschien krankzinnig, maar ik was niet alleen onzeker van mezelf, ik was zelfs jaloers op zijn huis. 'Laten we gaan,' zei ik.

Tobins fiets stond in een kleine ruimte achter de keuken. 'In vroeger tijden het buitentoilet,' legde Tobin uit, 'en nu een rommelhok zoals jouw tante Biddie zou zeggen.

Hij reed zijn fiets naar buiten en vroeg me toen hem vast te houden, terwijl hij afsloot en naar de buren ging voor de mijne. Zijn buurvrouw – een jonge vrouw, gevolgd door een klein kind – bracht hem naar de deur en glimlachte tegen me.

Ik bedankte haar voor het lenen en beloofde dat ik zou proberen hem helemaal heel terug te brengen.

'Zit daar maar niet over in,' zei ze lachend. 'Niets te danken. Veel plezier allebei.'

Toen vertrokken we richting rivier, waarbij ik aanvankelijk nogal wiebelig reed, iets waar Tobin om moest lachen. Ik voelde me beter hier, in de open lucht. Toen we het jaagpad aan de overkant van de rivier bereikten, reed hij met een kalm gangetje en de meeste tijd konden we naast elkaar fietsen en praten.

Het kwam bij me op dat Nigel en ik in ons hele huwelijk nooit samen waren wezen fietsen. Na die eerste en enige wandeling, Bredon Hill op, hadden we zelfs nooit meer samen gewandeld. Nu ik erover nadacht kon ik me zelfs niet herinneren wanneer we voor het laatst twee hele dagen samen hadden doorgebracht.

Tussen de middag stopten we bij een café voor de lunch en daarna fietsten we op ons gemak terug. Het was een perfecte dag geweest, eenvoudig en ongecompliceerd.

'Blijf je eten?' vroeg hij, toen we weer in Fulham waren en mijn fiets aan zijn rechtmatige eigenaar was teruggegeven.

In mijn hoofd rinkelde een alarmbelletje. Niet dat ik Tobin niet vertrouwde, maar meer omdat ik er niet op vertrouwde dat ik niet met mijn onzekerheden te koop zou lopen en alles zou verknoeien.

'We kunnen ook uit eten gaan, als je dat liever wilt,' zei hij.

Ik bleef aarzelen en hij lachte. 'Vooruit, laten we hier eten. Ik zal proberen je niet te vergiftigen.'

Toen moest ik ook wel lachen.

Terwijl hij ons eten klaarmaakte, zat ik aan de keukentafel kleine slokjes wijn te drinken en toe te kijken hoe hij kalkoenfilets met broodkruim paneerde en aubergines, courgettes en tomaten hakte om ratatouille te maken. Bandito zat aan zijn voeten hoopvol te wachten of er een lekker hapje te verschalken viel en het tafereel deed me zo aan The Willows denken, en stak zo schril af bij mijn huwelijk met Nigel, dat mijn hart schreeuwde om al die dingen die in mijn leven zo lang hadden ontbroken.

We aten in de keuken – net als bij tante Biddie op The Willows –, ook zo'n gewoonte waar Nigel een hekel aan had.

Toen we zaten te eten, vroeg Tobin: 'Ben je van plan in Linden Mansions te blijven wonen?'

Ik schudde mijn hoofd en hij knikte. 'Je kunt beter finaal met het verleden breken en helemaal opnieuw beginnen, hoewel ik weet dat dat gemakkelijker is gezegd dan gedaan. Verhuizen is al nooit leuk en als een huwelijk stuksloopt is het helemaal moeilijk. Ik heb toch herinneringen...'

Opeens besefte ik dat hij dacht dat ik nog steeds van Nigel hield op het moment dat hij bij me was weggegaan. Hij wist niets van mijn thuiskomst uit Parijs. Hij dacht dat ik een gebroken hart had.

Toen ik niet reageerde, ging Tobin verder: 'In een ideale wereld, als geld geen rol speelde, waar zou je dan willen wonen?'

Ik haalde me The Willows, en Holly Hill Farm en Veronica en Paul in Brook Cottage voor de geest. 'Op het platteland,' zei ik zonder enige aarzeling.

'Ergens in het bijzonder?'

'Nee hoor. Het zou alleen heerlijk zijn om een echte tuin te hebben en landerijen in de buurt, en misschien een hond en een kat.'

'Er is niets om je ervan te weerhouden te gaan waar je maar wilt.'

'O, dat is maar een droom. Ten eerste zitten mijn vriendinnen in Londen. En ten tweede moet ik nog steeds mijn brood verdienen.'

Hij knikte en zei toen: 'Neem nog wat ratatouille.'

Na onze maaltijd kletsten we tot een uur of tien. Toen zei ik: 'Het wordt tijd dat ik ga.'

Hij probeerde me niet tegen te houden. Het enige wat hij zei was: 'Zien we elkaar morgen weer?'

HOOFDSTUK 23

Tobin en ik bracht de bankholiday-maandag in Kew Gardens door, waarna we elkaar de donderdag erop pas weer zagen. Op de dag van de veiling troffen we elkaar voor het ontbijt in een restaurant aan Old Brompton Road, tegenover de hoofdingang van Christie's. In een opwelling had ik de hanger van de prinses omgedaan.

De kijktijd was vanaf negen uur en de veiling zelf begon om elf uur. We zaten aan een tafeltje bij het raam koffie te drinken en croissants te eten, terwijl we de straat in de gaten hielden. Een gestage stroom mensen ging het veilinghuis binnen, maar er was geen oude dame bij die paste bij de vage beschrijving van Consuela.

Er stopte een taxi en Oliver Lyon stapte uit. 'Nou, dan kunnen wij ook maar beter gaan,' zei Tobin. Hij wenkte de serveerster en vroeg om de rekening.

Ik greep de kans om naar het toilet te gaan. Er was maar één toilet en toen ik er uitkwam, werd ik geconfronteerd met een zeer onconventionele verschijning die in de spiegel keek hoe ze eruitzag. Ik ving een glimp op van een zeer oud en overdadig opgemaakt gezicht voor ze een zwarte, gevlekte voile liet vallen die vastzat aan een zwart rond hoedje dat op een paar sprietige, krulletjes stond die asblond gebleekt waren. Ze was erg klein – ze kwam nauwelijks tot mijn schouders – en droeg een knielange zwarte cape.

'Goedemorgen,' zei ze met een hoog stemmetje, als van een jong meisje, met een sterk Frans accent.

Er hing een sterke geur van Chanel nr. 5.

Ik groette terug, breed glimlachend, zoals je onder dergelijke omstandigheden doet, om een mogelijk beledigende eerste indruk van verschrikte verbazing weg te nemen. Zij ging het toilet in en ik waste haastig mijn handen en ging toen weer naar beneden om me bij Tobin te voegen. 'Heb je die vrouw gezien, die na mij naar het toilet ging?'

Hij lachte. 'Het spijt me, ik ben nu eenmaal geen voyeur en ik ben geneigd mijn blik daar discreet van afgewend te houden.'

'Ze was niet te geloven! Ik snap niet hoe je haar hebt kunnen missen.'

We wachtten even, maar mijn dame met de voile kwam niet te voorschijn, dus verlieten we het restaurant. Bij Christie's gingen we door de dubbele deuren de Hanger Gallery in, waar de kavels voor de veiling van die dag stonden uitgestald. Het was een grote ruimte met een glazen dak, vol mensen, en hij bevatte een aantal nissen, in één waarvan porselein stond, in een andere glas, in weer een andere zilver, en zo verder. Aan de muren hingen schilderijen, net als in elke gewone galerie.

'Ah, ik zie Oliver aan de overkant,' zei Tobin, 'dus waarschijnlijk hangt daar de icoon. Het ziet ernaar uit dat hij alleen is.'

We baanden ons langzaam een weg in zijn richting, terwijl we naar de voorwerpen keken die verkocht zouden worden. Opeens herkende ik een bekend voorwerp. 'Kijk, Tobin, is dat niet de samowaar van de prinses?'

'Ja, het arme ding. Het lijkt een nogal triest lot, hè?'

We liepen door naar de icoon en weer werd ik getroffen door de liefhebbende uitdrukking op het gezicht van de madonna. Ook andere herinneringen kwamen terug, aan de altaartjes op Villa Lontana en Filomena die uitriep: *Ik wilde je. Ik wilde je als mijn eigen dochter opvoeden...*'

Oliver Lyon kuierde op ons af. 'Wat een verrassing! Kom je een laatste blik op de schatten van de prinses werpen?' vroeg hij Tobin, terwijl hij de rol speelde die we hadden afgesproken, voor het geval de anonieme briefschrijver in de buurt zou zijn.

Hij schudde mij de hand en zei: 'Leuk om je weer te zien, Cara. Ik heb de indruk dat we een heel eind zijn gekomen sinds we elkaar hebben ontmoet.'

Ik keek hem doordringend aan, omdat ik me afvroeg of zijn bewering een dubbele betekenis had, maar als dat zo was, wees niets in zijn uitdrukking op iets anders dan hoffelijke vriendelijkheid.

Even later ontstond er beroering onder de kijkers en werden hoofden nieuwsgierig naar de ingang van de galerie gedraaid. Door het vertrek, met haar cape strak om zich heen getrokken en met een met juwelen bezet avondtasje in haar zwartgehandschoende handen geklemd, kwam mijn dame met de voile aanwankelen op zwarte naaldhakken waarboven zielig magere beentjes in dunne zwarte kousen staken.

'Dat is de vrouw die ik op toilet heb gezien,' fluisterde ik tegen Tobin.

'Ik denk dat ik naar de icoon terugga,' zei Oliver Lyon zacht.

Ze bleef even bij de samowaar staan en liep ons toen straal voorbij, hoewel iets me zei dat ze zich van mijn aanwezigheid bewust was. Bij de icoon bleef ze staan. We liepen onopvallend achter haar – en haar parfumgeur – aan en bleven voor een ander schilderij staan.

Oliver Lyon raadpleegde zijn catalogus, draaide zich toen om en zei iets tegen haar, met wapperende wimpers, waarop ze naar hem opkeek met haar hoofd schuingehouden als een vogeltje. Hij bleef praten, waarbij hij dikwijls naar de icoon keek, terwijl zij door haar voile naar hem opkeek.

Het werd steeds voller in de galerie. De verkoop was kennelijk van groot belang voor handelaars en verzamelaars van Russische kunst en kunstvoorwerpen. Vooral de icoon trok veel belangstelling en een aantal mensen bekeek hem van dichtbij, waarbij verscheidenen hem zelfs van de muur namen om hem grondiger te kunnen inspecteren. Af en toe werden er nieuwsgierige blikken op Oliver Lyon en zijn metgezellin geworpen.

Opeens stond Oliver Lyon achter ons en zei met zachte stem: 'Het is goed, jullie kunnen ophouden met de schertsvertoning. Ik heb uitgelegd waarom jullie hier zijn en ik heb zo het gevoel dat ze weet wie Cara is. Maar ga voorzichtig met haar om. Ze heeft zich nogal overstuur gemaakt.'

Ze keek me strak aan toen we op haar af liepen.

Oliver Lyon zei: 'Madame, mag ik u mijn vriend voorstellen, meneer Tobin Touchstone, de broer van de huidige graaf van Winster. En dit is mevrouw Cara Sinclair. Tobin, Cara, dit is Madame Sophie Ledoux.'

Tobin knikte en ik glimlachte aarzelend, omdat ik niet wilde laten merken dat we elkaar al hadden ontmoet.

'De icoon wordt pas eind van de middag geveild, dus mag ik voorstellen dat we in de tussentijd ergens heen gaan waar het rustiger is, zodat we kunnen praten?' zei Oliver. Met zijn hand onder de elleboog van Sophie Ledoux leidde hij ons de menigte door die opzij ging om ons kleine gezelschap door te laten. Ik hoorde hier en daar mompelen: 'Dat is Oliver Lyon' en: 'Ik vraag me af wie zij is?'

Buiten stak Oliver niet over naar het restaurant waar we kortgeleden vandaan waren gekomen, maar liep een eindje door tot we bij een hotelletje kwamen. Er was gelukkig niemand in de foyer.

Toen een ober ons koffie had gebracht en thee met citroen voor Sophie Ledoux, zei Oliver: 'Cara, zou jij het erg vinden om te beginnen en willen uitleggen hoe je Tobin en mij hebt ontmoet?'

'Nee, natuurlijk niet,' zei ik. Ik wilde dat Sophie Ledoux haar voile zou terugslaan, omdat ik het nogal verontrustend vond om tegen een uitdrukkingsloos hoofd te praten.

Toch begon ik maar weer aan mijn verhaal, dat ik zo eenvoudig mogelijk hield, en legde eerst uit wat ik over mijn ouders had geweten voordat ik Olivers interview had gezien en hoe geschokt ik was geweest toen ik hoorde dat de princes ten tijde van mijn geboorte met mijn vader was getrouwd.

Madame Ledoux' schouders schokten en ik dacht dat ze misschien iets wilde zeggen, maar dat deed ze niet.

'Toen Cara het televisieprogramma had gezien, heeft ze mij gebeld en ik heb haar met Tobin in contact gebracht,' zei Oliver. 'En als ik het goed heb, is ze er via Tobin in geslaagd in contact te komen met de zoon van prins Dmitri, Ludo Zakharin. Dat klopt toch, hè?'

Tobin vertelde over de portretten en hoe meneer Ffolkes hem Ludo Zakharin had aanbevolen als kunstexpert voor die periode. 'Omdat Cara wist dat haar vader voor de oorlog in Parijs met de Angelini's bevriend was geweest, is ze naar Paris gegaan om Ludo Zakharin te ontmoeten.'

De gehandschoende vingers trokken nerveus.

Ik nam het verhaal weer over. 'Omdat Ludo Zakharin in Amerika is geboren en maar iets ouder is dan ik, kon hij me niet veel verder helpen. Het meeste van wat hij over zijn vader en de prinses wist, had betrekking op hun leven na de oorlog. Maar een paar weken na mijn bezoek schreef hij Tobin om te zeggen dat het hem was gelukt om de dochter van Amadore Angelini op te sporen.

In mei ben ik haar in Italië gaan opzoeken. Helaas is ze invalide en heeft ze me niet veel informatie kunnen verstrekken, maar ze bevestigde dat mijn vader en de prinses de oorlogsjaren in haar villa boven het dorp San Fortunato hadden doorgebracht. En ze heeft me genoeg verteld om me te doen geloven dat de prinses mijn moeder was.'

Sophie Ledoux sprak voor het eerst, met haar hoge stem, maar op barse toon. 'Het is mogelijk dat Hélène een kind heeft gekregen. En als dat het geval was, verbaast het me niet dat ze u in de steek heeft gelaten. Dat zou typisch iets voor haar zijn. Ze had totaal geen geweten. Haar bestaan was gebaseerd op een leugen.'

'Een leugen? Hoe bedoelt u?'

In plaats van antwoord te geven, stak ze haar hand uit naar haar theekopje, maar omdat ze waarschijnlijk inzag dat ze moeilijk kon drinken zonder haar voile terug te slaan, trok ze haar hand weer terug. Ik had het gevoel dat haar ogen achter het gevlekte gaas rusteloos heen en weer gingen en uiteindelijk op Tobin bleven rusten.

Hij glimlachte haar geruststellend toe en vroeg: 'Mag ik vragen waar u de prinses voor het eerst heeft ontmoet?'

'In Parijs, na de Eerste wereldoorlog.'

'En bent u in Londen – eh – kennissen gebleven?'

Ze ging achteruit zitten en trok haar cape beschermend om zich heen.

'Dat vraag ik,' verduidelijkte Tobin, 'omdat haar huishoudster na haar dood zei dat de prinses één trouwe vriendin had die naar het huis aan Beadle Walk kwam, die ze ontving hoewel ze ieder ander wegstuurde. Het was Consuela – de huishoudster – duidelijk dat deze bezoekster de prinses heel na stond, want de prinses gaf haar dikwijls kleine geschenken. Consuela had de indruk dat deze vriendin financieel aan de grond zat en dat de prinses probeerde haar te helpen, omdat ze dol op haar was. Ik vroeg me af of u enig licht op de identiteit van deze geheimzinnige vriendin zou kunnen werpen.'

Sophie Ledoux keek neer op haar handen. Ten slotte vroeg ze: 'U weet niet hoe deze bezoekster heette of hoe ze eruitzag?'

'Helaas was Consuela niet erg opmerkzaam. En ze sprak heel weinig Engels. Ze beschreef de bezoekster als een aristocratische dame. Dat is alles wat we weten.'

Ze schudde resoluut haar hoofd. 'Als u denkt dat ik een vriendin van Hélène was, vergist u zich zeer. Onze vriendschap, als je daar tenminste van kunt spreken, was al jaren voorbij.'

Ik kon voelen hoe die ogen door de voile heen onderzoekend op me rustten. Ik keek onverschrokken terug, alsof ik haar wilde dwingen me te vertrouwen. Ten slotte zei ze: 'Ik herkende u zodra ik u zag. U bent zonder enige twijfel uw vaders dochter.'

'Kende u mijn vader dan?'

'Ik kende hem niet goed, maar in Parijs hebben onze wegen elkaar gekruist.'

We wachtten tot ze hier verder over uit zou weiden, maar toen ze dat niet deed, zei Oliver: 'Zou u het erg vinden als we teruggingen naar het oorspronkelijke doel van onze ontmoeting? In de eerste brief die u me schreef, zei u dat de icoon die vandaag wordt geveild aan de familie van uw moeder behoorde en u impliceerde dat de prinses hem op – eh – oneerlijke wijze had verkregen.'

De gehandschoende vingers fladderden naar haar mond en gaven de indruk van een vlinder die in een net gevangen zit. Ik had onwillekeurig medelijden met haar. 'Vertrouw ons alstublieft,' smeekte ik. 'U hoeft ons niets te vertellen wat u niet wilt.'

Ze haalde bijna berustend haar schouders op en sloeg haar voile terug, die ze boven op haar hoedje legde, waardoor de overmatig opgemaakte trekken te voorschijn kwamen waarvan ik eerder een glimp had opgevangen: een dikke laag poeder in een poging diepe rimpels te verbergen, met plekken rouge op haar wangen, vegen blauwe oogschaduw op haar oogleden, dik opgebrachte mascara rond diepliggende, donkere ogen, en vuurrode lippenstift om een fraai gewelfde bovenlip te maken waar nauwelijks nog lip was. Het effect, in combinatie met de gebleekte krullen en de bizarre kleding, zou grotesk zijn geweest als het niet zo tragisch was.

Ze nam haar kopje op en boog haar pink toen ze met kleine slokjes van de koude thee dronk. Toen verkondigde ze: '*Eh bien*, ik zal u vertrouwen... Maar waar moet ik beginnen...?'

'Met de familie van uw moeder?' stelde Oliver voor.

'Ja, misschien wel. Weet u nog dat Hélène in uw televisie-interview een paar foto's liet zien van een man en een vrouw van wie ze beweerde dat het haar ouders waren? Nou, die mensen waren haar ouders niet. Ze waren familie van mij.'

'Van u? Maar hoe – waarom?'

'Ze had hun beeltenis liever dan die van haar eigen ouders.' Ze zuchtte even. 'Ja, ik moet helemaal bij het begin beginnen en uw geduld vragen als mijn verhaal lang lijkt...

Alors, mijn moeder is in St.-Petersburg geboren als jongste dochter van prins en prinses Trubetskoy. Haar naam was Natasha Petrovna Trubetskaya. Zoals alle Russische adellijke families uit die tijd reisden mijn Russische grootouders en hun hele familie veel door Europa. We hebben het dan over de tijd voor de Eerste Wereldoorlog en de Revolutie, toen je gemakkelijk en zeer comfortabel per trein door heel Europa kon reizen.

Tijdens een bezoek aan Frankrijk, toen mijn moeder achttien was, ontmoette ze mijn vader. Hij was de oudste zoon van de Comte de Chatelard-Beaumont. Ze werden verliefd en na een tijd trouwden ze. Na hun huwelijk bracht mijn moeder al haar liefste bezittingen naar Frankrijk over – waaronder de icoon.

Die icoon heeft voor mij een heel bijzondere betekenis. Hij was eeuwenlang in mijn moeders familie geweest en had in haar slaapkamer gehangen sinds ze klein was. Toen ik klein was, hing hij ook in mijn slaapkamer. Als ik ernaar keek, stelde ik me altijd voor dat de madonna mijn moeder was en ik het kind in haar armen.'

Tobin fronste zijn voorhoofd. 'Maar dat was wat de prinses...'

Sophie Ledoux knikte, maar reageerde niet. In plaats daarvan wendde ze zich tot mij. 'Weet u, Madame Sinclair, net als u heb ik mijn moeder nooit gekend. Ze stierf tijdens mijn geboorte. Ik heb mijn vader ook nooit gekend. Hij was zo kapot van haar dood dat hij het niet kon verdragen in Frankrijk te blijven, maar voor de *Gouverneur général* van Senegal in Dakar ging werken. Toen ik een jaar of vijf was, kwam het nieuws dat hij aan koorts was overleden. Is het niet opmerkelijk, madame, hoe onze levens op elkaar lijken?'

Ik knikte verstrooid. Ik twijfelde er niet aan dat ze de waarheid sprak en ik vroeg me af waar ze eigenlijk heen wilde.

'Ik ben door mijn Franse grootouders opgevoed op hun château in Plessis-St Jacques, een dorpje in Normandië. Ik heb een gelukkige jeugd gehad. Mijn grootouders – vooral mijn grootmoeder – waren zeer ontwikkelde mensen. Van hen heb ik alles over literatuur, muziek en kunst geleerd. Ik werd erg verwend. Ik hoefde maar met mijn vingers te knippen en ik kreeg wat ik maar wilde. Ik had prachtig speelgoed, kleren, een pony, een hond.

Maar ik verveelde me dikwijls, want er waren geen kinderen van mijn leeftijd om mee te spelen – mijn grootouders waren oud en de jongere broer van mijn vader, mijn oom Louis, had het druk met de zorg voor het landgoed en de boerderijen. Afgezien daarvan waren er alleen bedienden en dieren – voornamelijk koeien. Ja, soms was het saai.

Maar elk jaar werd ik aan het begin van de zomer door mijn gouvernante naar St.-Petersburg gebracht om mijn Russische familie te bezoeken. Dat was de opwindendste gebeurtenis van mijn leven. Ik verlangde er meer naar dan naar wat dan ook. Ik vond het heerlijk om naar Rusland te gaan, want daar voelde ik me deel van een grote familie. Ik had veel neefjes en nichtjes en met hen en hun vriendjes viel altijd een boel te beleven. We gingen naar de schouwburg, concerten, het ballet en de opera. Er waren diners en, toen ik er oud genoeg voor was, bals.

Mijn grootvader en een paar van mijn ooms hadden een positie aan het hof en soms werd onze familie uitgenodigd op het paleis in Tsarskoe Selo. Mijn neefjes en nichtjes stonden op zeer vriendschappelijke voet met de jonge groothertoginnen.'

We gingen allemaal een beetje op het puntje van onze stoel zitten.

'Ik heb prins Dmitri Nikolaevitch Zakharin voor het eerst in St.-Petersburg ontmoet. De Zakharins waren goede vrienden en buren van mijn familie. Ze hadden drie zonen – Vladimir, Dmitri en Ivan – wilde, stoutmoedige jongens, die altijd kattenkwaad uithaalden. Bij hen verveelde je je absoluut nooit. Hun vader, prins Nikolai Zakharin, was gardeofficier en toen de jongens oud genoeg waren, gingen ze alledrie in dienst. Net als hun vriend, graaf Konstantin Fedorovitch Makarov. Ik zal

374

u straks meer over Konstantin vertellen.

Naast hun paleis in St.-Petersburg en hun herenhuis buiten de hekken van het keizerlijk paleis in Tsarskoe Selo hadden mijn Russische grootouders twee grote buitenhuizen: het ene lag in Pavlovskoe, in Zuid-Rusland, aan de Don en het andere in Finland.'

Ze zweeg even en keek naar de hanger om mijn hals.

'Het Finse buitenhuis heette Teisko en lag aan een meer, midden in de bossen, in het district Karelia, helemaal niet zo ver van St.-Petersburg. Als u op een kaart kijkt, ligt het tussen Viipuri en Kotka. Als ik bij mijn Russische familie logeerde, maakten we dikwijls uitstapjes naar Teisko, al was het maar voor een paar dagen, en vaak gingen de Zakharins met ons mee, zodat we met een groot gezelschap waren.

Onze villa daar was heel ruim en erg eenvoudig. Het leven was er heel informeel, heel natuurlijk. Wij, jonge mensen, zwommen en zeilden, terwijl mijn grootvader en ooms in het bos gingen jagen. Er was een Fins echtpaar dat voor het buitenhuis zorgde. Ze hadden twee jonge kinderen, een jongen en een meisje.'

Ze zweeg weer en nam nog een paar slokjes thee.

'Op een keer, toen we in Teisko waren, kuste Dmitri Nikolaevitch me en zei dat hij verliefd op me was. We waren pas veertien, maar Dmitri Nikolaevitch was al heel groot en volwassen, lang, knap, debonair en charmant. Ja, zelfs op veertienjarige leeftijd was hij al *très galant*. Ik geloofde hem en lange tijd droomde ik er alleen maar van met hem te trouwen.

Daarna, toen ik weer in Frankrijk was, ontmoette ik Marcel de Prideaux, die echt verliefd op me werd. Ach, Marcel... Hoe kan ik hem beschrijven? Hij was net een jonge god. Bij hem vergeleken leek Dmitri Nikolaevitch slechts *divertissement* – tijdverdrijf.

Mijn grootmoeder mocht Marcel graag. Hij was van goeden huize en kreeg een toelage van zijn ouders die hem in staat stelde zijn beroep als schrijver uit te oefenen. Hij was knap, ontwikkeld en zeer getalenteerd. Er was niets wat hij niet kon. Hij kon schrijven, hij kon schilderen, hij kon pianospelen. Als hij was blijven leven, had hij Cocteau beslist overtroffen, zo veelzijdig was hij. Hij was een briljant causeur. Je kon bij hem elk onderwerp aansnijden en hij wist ervan. Maar hij was nooit opscheperig of geaffecteerd.

Marcel en ik trouwden in 1910, toen ik zeventien was en hij vijfentwintig. Mijn grootmoeder was blij met de verbintenis – mijn grootvader was toen al overleden. We woonden in Parijs en waren heel gelukkig zolang ons huwelijk duurde. We waren jong en verliefd. We hadden geen zorgen. Mijn grootmoeder zorgde ervoor dat het me aan niets ontbrak. Marcel had plannen voor een boek dat, *hélas*, nooit geschreven is. Maar hij schreef artikelen voor kunsttijdschriften die zeer gerespecteerd werden en die het werk van veel kunstenaars onder de aandacht van het publiek brachten. Ja, hij had veel invloed.

Toen, in 1914, begon de Eerste Wereldoorlog en werd Marcel opgeroepen, net als duizenden anderen. Dat was het begin van een erg tragische periode in mijn leven. Twee jaar later was Marcel dood. Ik ging kapot van verdriet terug naar Plessis-St Jacques, waar ik de rest van de oorlog bij mijn grootmoeder bleef. Een jaar na de oorlog overleed mijn grootmoeder. Het landgoed in Normandië ging in zijn geheel naar mijn oom Louis, maar mijn grootmoeder liet me goed verzorgd achter. Ik erfde een prachtig herenhuis in Parijs aan de rue de Varennes en ik had een goed inkomen. In werkelijkheid was ik buitengewoon vermogend. Maar geld is niet alles. Ik was alleen op de wereld...

Ik ging weer in Parijs wonen en nam al mijn persoonlijke bezittingen uit Plessis-St Jacques mee, waaronder de dingen die van mijn moeder waren geweest – zoals de icoon en haar juwelen. Weer hing de icoon in mijn slaapkamer en deed hij me aan haar denken.

Natuurlijk was het tijdens de oorlog onmogelijk geweest om naar Rusland te gaan en toen brak de revolutie uit. Ik had het contact met mijn Russische familie verloren en wist niet wat er met hen was gebeurd. U kunt zich voorstellen hoe opgetogen ik was toen ik in Parijs Russische *émigrés* ontmoette die de revolutie waren ontvlucht en hoe verdrietig ik was toen ik maar al te vaak hoorde van de dood of het verdwijnen van familieleden en vrienden.

Onder de *émigrés* was tot mijn grote vreugde graaf Konstantin Fedorovitch Makarov. Hem terug te zien, deed me denken aan de gelukkigste tijd van mijn jeugd in St.-Petersburg. *Hélas*, hij had ook tragisch nieuws. Mijn grootouders Trubetskoy, hoorde ik, waren naar Pavlovskoe gevlucht – omdat ze dachten dat ze daar veilig zouden zijn –, maar hun huis was leeggehaald en ze waren door de bolsjewieken omgebracht. Veel van mijn ooms, tantes, neven en nichten waren eveneens dood of verdwenen. Prins Nikolai Zakharin, Vladimir Nikolaevitch en Ivan Nikolaevitch waren alledrie gesneuveld. Dmitri Nikolaevitch zelf was zo lang vermist geweest dat men dacht dat hij wel dood zou zijn.

Konstantin was heel dapper geweest en had tot het laatst met het witte leger in Zuid-Rusland gevochten, was over zee van de Krim naar

Constantinopel ontkomen en had uiteindelijk Parijs bereikt. Stel je voor, hij had niets meer, behalve de kleren die hij aan had. Toch lachte hij. Dat was wat mij betreft het opmerkelijkste aan hem. Ik had alles en ik voelde me ellendig. Hij had niets en toch lachte hij. "Ik leef," zei hij. "Is dat geen reden om te lachen?"

Hij leefde, maar het gevaar was voor hem nog niet voorbij. De situatie in Frankrijk met betrekking tot de Russische *émigrés* was nogal onduidelijk. Ze werden voor het merendeel met respect bejegend als aristocraten die hun positie waren kwijtgeraakt, zeker door de gegoede burgerij. Maar de regering beschouwde hen als vluchtelingen die geen rechten hadden en zonder enige waarschuwing het land uit konden worden gezet. Om genaturaliseerd te worden, moesten ze aan strenge voorwaarden voldoen – waarvan niet de minste was dat ze werk moesten hebben en moesten kunnen aantonen dat ze zichzelf en een gezin konden onderhouden.

Als ze Frankrijk werden uitgezet, waar moesten ze dan heen? Als Frankrijk hen niet accepteerde, zouden Engeland en de Verenigde Staten hen vast ook niet opnemen. Dat liet alleen de mogelijkheid open naar Rusland terug te gaan, waar bijna zeker de dood door de bolsjewieken wachtte, tenzij je communist werd – waar een man als Konstantin niet toe bereid was.

Natuurlijk werden de *émigrés* die over de middelen beschikten om zichzelf te onderhouden in Frankrijk warmer ontvangen dan degenen die die middelen niet hadden. Zoals ik al zei, had Konstantin niets. De buitenhuizen van zijn familie in Rusland waren door de bolsjewieken ingepikt en anders dan Dmitri Nikolaevitch had zijn familie geen huis in Parijs of bankrekeningen in het buitenland. En hij had ook geen beroep, behalve dat van soldaat.

We raadpleegden de advocaat die mijn zaken regelde en hij deelde ons mee dat er een ondergrondse handel in naturalisatiepapieren was. Konstantin zou betrekkelijk eenvoudig aan papieren kunnen komen die bewezen dat hij Frans staatsburger was – voor een bepaalde prijs natuurlijk.

Aan de andere kant woonde ik, als Française, als jonge weduwe, helemaal alleen in een groot huis – en ik was erg eenzaam. Niemand kon in mijn hart Marcel ooit vervangen – maar Marcel was dood en zou nooit meer terugkomen. En Konstantin was een dappere, knappe, manhaftige jongeman die me deed denken aan de mensen en de plaatsen die me het liefst waren geweest en die nu verloren waren.

Dus trouwden we en zo kreeg Konstantin zijn staatsburgerschap. Om te beginnen uitte hij zijn dankbaarheid door een hartstochtelijk minnaar en een attente echtgenoot te zijn. Maar toen, een paar maanden later, kwam Dmitri Nikolaevitch in Parijs aan. Konstantin kwam hem tegen in de stad en bracht hem natuurlijk mee naar de rue de Varennes. Wat was dat een hereniging! Dmitri was nog dezelfde charmante, debonaire figuur die ik me uit mijn jeugd herinnerde. We zaten de hele nacht bij te praten...'

Sophie Ledoux zweeg en wendde zich tot Oliver Lyon. 'Zou ik nog wat thee kunnen krijgen? Mijn keel is er droog van. Ik ben het niet gewend zoveel te praten. Ik woon tegenwoordig alleen en er zijn vaak dagen dat ik niemand spreek.'

'Natuurlijk!' Oliver sprong overeind en ging op zoek naar een ober.

Toen hij weg was, vroeg ze me: 'Die hanger. Waar komt die vandaan?'

'Ik heb hem van Tobin gekregen. Hij is van de prinses geweest.'

Ze knikte langzaam.

Oliver kwam terug met de ober met een blad met koffie en thee. Sophie Ledoux nipte van haar thee en zei toen: '*Alors*, waar was ik? O ja... Dmitri Nikolaevitch... Nou, hij vertelde dat hij in de oorlog adjudant van een generaal in het witte leger was geweest, generaal Yudenitch, die St.-Petersburg bezet had gehouden tot de komst van Trotsky. De generaal had zijn hoofdkwartier toen naar Helsinki in Finland verplaatst. Maar ook Finland kreeg al gauw met burgeroorlog te kampen en de Finse communisten namen Helsinki in. Uiteindelijk had Dmitri Nikolaevitch, nadat hij vele malen op het nippertje aan de dood was ontsnapt, geprobeerd naar St.-Petersburg terug te komen, maar tevergeefs. Toen had hij het voorbeeld van andere *émigrés* gevolgd en was maar naar Frankrijk gegaan.

Een dag of twee na zijn aankomst in Parijs kwam Dmitri Nikolaevitch weer bij me langs. Deze keer had hij een jonge vrouw bij zich, die ik niet herkende. Hij stelde haar voor als zijn nicht, prinses Hélène Romanovna Shuiska, en vertelde dat hij haar had gevonden toen ze op de vlucht was voor de bolsjewieken, nadat ze tijdens de revolutie haar familie was kwijtgeraakt – dezelfde verklaring die Hélène in haar televisie-interview gaf.

Haar naam kwam me net zo min bekend voor als haar gezicht. St.-Petersburg was net een dorp, waar iedereen alles van iedereen wist. Het bestaan van een nicht – zeker zo'n knappe – kon niet onopgemerkt zijn gebleven.

Dmitri vertelde dat Hélène, omdat ze als kind een slechte gezondheid had gehad, het grootste deel van haar leven op het platteland had gewoond en dat ik daarom niet van haar bestaan op de hoogte was. Dat leek aannemelijk. Het verklaarde ook waarom haar Frans niet erg goed was. De Russische adel sprak onderling namelijk altijd Frans, maar Russisch met de boeren. Als Hélène op het platteland had gewoond, had ze meer Russisch dan Frans gesproken. Ik sprak helemaal geen Russisch, dus kon ik niet beoordelen of ze die taal wel vloeiend sprak.

Desondanks kon ze zich heel goed staande houden en had ze een voorkomen van arrogante *grandeur* zoals dat een adellijke jonge vrouw betaamt. Toch had ze ook een bepaalde nederigheid over zich. Ze leek verlegen en timide, wat me aantrok. Ze keek me met grote ogen aan, met wat ik aanzag voor een smeekbede om hulp en begrip.

Dmitri vertelde verder dat zijn nicht in haar paniek om aan de rode verschrikking te ontvluchten, geen papieren had meegenomen en haar identiteit dus niet kon bewijzen. Omdat hij van Konstantin had gehoord dat ik een goede advocaat kende, hoopte hij dat ik bereid zou zijn mijn invloed aan te wenden om Hélène te helpen een *carnet d'authenticité* te krijgen.'

Sophie Ledoux trok een moedeloos gezicht achter haar dikke lagen make-up. 'Mijn aanvankelijke argwaan verdween toen Dmitri zei dat het niet gepast was als een jong meisje alleen bij een man woonde, zelfs al was ze zijn nicht, en vroeg of ik daarom bereid zou zijn haar bij mij in de rue de Varennes te laten logeren.

En als ze dan toch bij me logeerde, kon ik haar dan onder mijn hoede nemen en haar klaarstomen om te worden opgenomen in de Parijse high society? Door haar opvoeding was ze niet op de hoogte van steedse manieren en het ontbrak haar aan raffinement. Kon ik haar opleiden voor recepties en partijen, haar leren hoe ze moest spreken en hoe ze zich moest kleden, haar inwijden in de literatuur, muziek en kunst?

Ik had wel een hart van steen moeten hebben om hem dat te weigeren. Dus omwille van Dmitri kwam Hélène bij Konstantin en mij aan de rue de Varennes wonen. Verder vroeg ik mijn advocaat een notaris aan te bevelen die bereid zou zijn de nodige verklaringen van haar op te nemen, zodat ze bij de politie een *carnet* zou kunnen aanvragen. Ik pleegde zelfs meineed door een verklaring te tekenen waarin ik stelde dat ik haar voor de oorlog in Rusland had gekend en dat ze inderdaad prinses Hélène Romanovna Shuiska was.

Bah! Wat was ik een stommeling! Maar zoals het oude spreekwoord zegt: *L'amour est aveugle; l'amitié ferme les yeux.* Begrijpt u?' vroeg ze me.

Ik knikte. 'Liefde is blind; vriendschap sluit de ogen.'

'*Oui, exactement.* Hoe dan ook, je kiest ervoor niet te zien wat je recht in het gezicht staart. En de grootste ironie is dat ik Hélène voor de oorlog inderdaad had gekend, maar in de tien jaar dat ik niet in Rusland was geweest, was ze van kind vrouw geworden, waardoor ik haar niet meer herkende.'

Ze zweeg even. Ze had het warm gekregen van het vertellen van haar verhaal en door de poeder op haar voorhoofd en bovenlip braken druppeltjes zweet door. Ze trok haar cape los, waaronder een zwart jurkje met korte mouwen zichtbaar werd. Om haar hals had ze een gouden, nauwsluitende halsketting die glinsterde van de diamanten.

'Dus speelde ik professor Higgins als tegenspeler voor Hélène in de rol van Eliza. Ik gaf haar boeken om te lezen – de klassieke en de modieuze. Ik nam haar mee naar het Louvre, de Comédie Française, de Opéra Garnier. Ik genoot van onze uitjes. Konstantin gaf niet om cultuur. Hij ging liever naar de Moulin Rouge, de Lapin Agile of de Boeuf sur le Toit dan naar ballet of opera. En, eerlijk gezegd streelde de oefening mijn ijdelheid. Ik beschouwde Hélènes opvoeding als een uitdaging. Het gaf me een gevoel van macht en het idee dat ik iets nuttigs deed door iemands karakter te vormen.

Ik was ook gevleid door de belangstelling die ze in me stelde. Ze vroeg altijd naar mijn familie, mijn jeugd, wat ik in St.-Petersburg had beleefd. Ze bekeek vooral graag mijn oude fotoalbums. Ze zei altijd hoezeer het haar speet dat ze geen eigen aandenkens had om haar te herinneren aan de familie die ze was verloren. Uiteindelijk liet ik haar een paar foto's van leden van mijn familie houden, van wie ze zei dat ze op haar eigen familieleden leken.'

Ze zweeg en keek naar Oliver. 'Dat waren de foto's die ze in uw televisieprogramma liet zien, meneer Lyon. Dat waren niet haar ouders, maar een oom en tante van mij, die ze zelfs nooit had ontmoet.'

'Waarom dan–?'

'Dat wordt u zo duidelijk. Laat ik eerst afmaken wat ik zei...'

'Ja, natuurlijk. Het spijt me. Ik wilde u niet onderbreken.'

'Hélène was niet lui. Ze had een goed stel hersens en ze was leergierig. Ze hongerde naar kennis en ervaring en leerde heel snel, omdat ze goed oplette hoe ik alles deed en me precies nadeed. Ze was vooral een goede imitator en pikte woorden en uitdrukkingen op die iemand uit de hogere klasse onderscheidt van iemand uit de *classe ouvrière*. Ze zou een succesvol actrice zijn geweest.

En wat voor elke Parisienne het belangrijkst is, ze werd zelfverzekerd en elegant. Dat had ze niet toen ik haar voor het eerst ontmoette.

380

Zelfverzekerdheid en elegantie. De kunst van een goed gesprek voeren is niet anderen je eigen standpunt opdringen, maar de juiste vragen stellen en je geïnteresseerd tonen in de antwoorden. Deze kunst leerde ze heel snel. Ze leerde ook hoe ze moest binnenkomen, met een gebaar een ober of een taxi moest roepen, geld moest uitgeven zonder de munten uit te tellen. O ja, ze werd heel goed in geld uitgeven. Mijn geld.

Ze verzekerde me dat ze alles wat ik voor haar deed niet als vanzelfsprekend aannam. Ze beloofde me dat ze me op een dag mijn vriendelijkheid en gulheid zou vergelden. En dat heeft ze ook gedaan, al was het misschien niet helemaal zoals ze had bedoeld.

Ik betaalde voor japonnen die speciaal voor haar door Poiret en Chanel werden ontworpen, voor bont van Heim, voor juwelen van Cartier. Ze had een goed figuur voor de mode van die tijd en ze bewoog zich met een natuurlijke gratie – als een kat. Ja, ze leek heel erg op een kat – op een tijger of een luipaard – en ten slotte, toen ik haar alles had geleerd wat ik kon, beet ze de hand die haar voedde...'

Haar ogen fonkelden achter hun puntige, zwarte wimpers. 'Ze verleidde Konstantin. Ik vond ze samen in bed. Stel je voor! Ze lagen niet eens in haar bed, maar in het bed dat ik met Konstantin deelde.'

Ze stak een trillende hand naar haar thee uit.

'Ze probeerde Konstantin de schuld te geven en voerde aan dat ze een onschuldig meisje was dat hij had verleid. Bah! Er is een heel eenvoudige repliek, deelde ik haar mee, op dat soort situaties. Men gebruikt het woord *"Non"*. En als de man niet naar dat woord luistert, slaat men hem om de oren en rent gillend de kamer uit.

Ze vertrok vrijwillig – met alle kleren en juwelen die ik voor haar had gekocht – natuurlijk! Toen ze weg was, ontdekte ik de waarheid over haar. Konstantin heeft het me verteld. Hij was bang dat ik hem eruit zou gooien en hoopte weer bij me in de gunst te komen.

Wat moeten ze me achter mijn rug hebben uitgelachen. Wat moeten ze de spot met me hebben gedreven. Want Konstantin had de hele tijd geweten wie ze was – die zogenaamde prinses Hélène Romanovna Shuiska.

Ze was gewoon een avonturierster, zei hij, alsof dat zijn gedrag vergoelijkte. Ze was geen nicht van Dmitri. Ze was zeker geen prinses. Ze was gewoon een boerenmeisje, de dochter van de *conciërge* van Teisko, het Finse buitenhuis dat aan mijn grootouders Trubetskoy had behoord.'

Met deze dramatische noot hield Sophie Ledoux op en keek van Oliver naar Tobin en ten slotte naar mij. Toen zei ze: 'Wat dit voor u betekent, Madame Sinclair, is dat, zelfs als Hélène uw moeder was, u niet de dochter van een Russische prinses bent.'

Er klonk triomf in haar stem, alsof ze een laatste overwinning op haar gehate rivale had behaald door elke illusie van grandeur die ik misschien zou hebben gehad, weg te nemen.

'Wat was er dan precies gebeurd?' vroeg Oliver.

Ze haalde haar schouders op. 'Kennelijk was Dmitri op de terugweg van Helsinki naar St.-Petersburg op Teisko gestopt. Weet u nog dat ik u vertelde dat het stel dat voor het buitenhuis zorgde twee jonge kinderen had, een jongen en een meisje? Nou, dat meisje heette Helena – Helena Suomela. Ze was tien jaar toen ik haar voor het laatst zag. Nu was ze twintig en hunkerde ernaar de wereld te zien. Ze overreedde Dmitri haar mee te nemen naar Parijs, ze haalde hem ertoe over te proberen haar voor een Russische prinses te laten doorgaan.

Toen ik Dmitri daarmee confronteerde, deed hij geen moeite om het verhaal te ontkennen. Het idee had hem wel aangestaan, zei hij. En het was zo gemakkelijk geweest. Toen ik niet alleen was bedot, maar had toegestemd als zijn onwetende handlanger op te treden, had hij besloten de klucht vol te houden.

Hij had totaal geen berouw over het effect dat zijn daden op mij hadden, over het feit dat ik meineed had gepleegd, dat ik haar in goed vertrouwen zoveel cadeaus had gegeven, dat ze mijn gulheid had beloond door mijn echtgenoot te verleiden. Hij lachte deze dingen weg alsof ze niets te betekenen hadden. En toen ik vroeg wat hij nu aan Hélène ging doen, zei hij: "Ze moet maar voor zichzelf zorgen. Ze begon me eigenlijk al te vervelen tegen de tijd dat we in Parijs kwamen."

Op dat moment haatte ik hem bijna net zo erg als ik haar haatte. Maar op Dmitri kon je niet lang kwaad blijven. Hij had zoveel charme dat je de minder respectabele kanten van zijn persoonlijkheid al snel vergat. Hij gaf je het gevoel of je van een mug een olifant maakte en lachte je slechte humeur weg. Dus vergaf je hem – zoals ik Konstantin zijn slippertje vergaf. Wat kon ik anders? Het was net zo goed mijn fout geweest als die van Konstantin dat we hem in verleiding hadden gebracht. Ik had moeten beseffen dat hij die niet zou kunnen weerstaan.'

Ze zweeg even om op adem te komen en terwijl ik met mijn vingers langs de hanger ging, vroeg ik: 'Had ze deze uit Finland meegebracht?'

'Ja, dat was haar enige sieraad toen ze in Parijs kwam. Doordat ik in Finland was geweest, herkende ik hem natuurlijk en ik vond het vreemd dat ze een zo typisch Fins sieraad droeg. Toen ik haar ernaar vroeg, zei ze dat ze hem van een vriend had gekregen. Als ze hem haar hele leven heeft bewaard, betekent dat misschien dat ze toch gevoel had. Maar dat geloof ik niet. Ik denk dat ze hem eerder als aandenken heeft bewaard – om haar in momenten van zwakte te herinneren aan het leven dat ze de rug had toegekeerd en waarnaar ze niet van plan was terug te keren. Het is een heel eenvoudig ding – het tegenovergestelde van alles waar ze naar streefde.'

Ik wreef het tweekoppige paard tussen mijn vingers – de enige schakel met het werkelijke verleden van mijn moeder.

'Wat heeft ze gedaan nadat ze uit de rue de Varennes weg was?' vroeg ik.

'Ze heeft als model gewerkt en voor schilders als El Toro geposeerd. Voor hem poseerde ze naakt. Waarschijnlijk verleende ze hem ook nog andere diensten. Toro was een passende naam voor hem. Hij was een stier waar het vrouwen betrof. Veel jonge meisjes waren zo door hem gebiologeerd dat ze alles deden wat hij vroeg. Het schilderij van Hélène dat u eerder noemde, is omstreeks die tijd gemaakt. Er hangt ook een schilderij in de Tate Gallery – een enorm doek. Het model daarop is Hélène.'

'Heeft ze voor Angelini ook naakt geposeerd?'

'Dat is heel goed mogelijk. Ze vond het geen schande haar lichaam te laten zien. Maar het verschil tussen Angelini en Toro is dat Angelini zijn schilderijen geheim zou hebben gehouden, terwijl Toro ze aan iedereen zou hebben laten zien. Angelini was een *bon père de famille*. Ik heb over hem nooit enig schandaal gehoord, terwijl Toro erom bekend stond.'

'Hebt u er enig idee van waarom die portretten zo belangrijk voor prins Dmitri kunnen zijn geweest dat hij ze kort voor zijn dood met een kaartspel van Hélène probeerde te winnen?'

Ze was duidelijk verbaasd.

'Ze had hem blijkbaar wat geld te leen gevraagd, dat hij haar weigerde te geven. In plaats daarvan zette hij de som die ze nodig had in tegen die twee schilderijen.'

Ze schoof ongemakkelijk op haar stoel heen en weer. 'Ik begrijp het niet. Tenzij het was om haar te plagen, door haar eraan te herinneren dat hij wist hoe ze haar geld had verdiend.'

'Maar het portret van Angelini is heel anders én het is veel later geschilderd.'

'Ja, maar weet u, dat portret was net als die oude foto's – het was een *carnet d'authenticité* – een bewijs dat ze een prinses was, met haar tiara en haar juwelen. Omdat Angelini niet zo beroemd is als Toro, betwijfel ik of zijn schilderijen veel waard zijn, maar voor haar was het van grote waarde.'

'Waren er mensen in Parijs die wisten hoe ze in haar onderhoud voorzag in de tijd dat ze voor El Toro poseerde?'

'Er moeten mensen zijn geweest die het hebben geweten. Er werd in ieder geval veel over haar geroddeld. Maar er waren altijd roddels over de aristocratie in omloop, net als over de zeer rijken. Dat gaf haar iets geheimzinnigs, wat haar prestige deed toenemen. Ze speelde haar rol met zoveel overgave dat niemand ooit vermoedde dat ze geen prinses was. O ja, ze wisten zeker dat ze een prinses was, maar ze waren niet zeker van de andere schandalen over haar. Daardoor werd ze een mythe, een levende legende – een trendsetter, zouden we tegenwoordig zeggen. Alle vrouwen wilden *la belle Hélène* imiteren – haar kleren, haar haar, haar manier van doen –, omdat ze een ideaal vertegenwoordigde – als een filmster. En onder de mannen hadden ze vele bewonderaars.

Zoals u weet trouwde ze uiteindelijk met baron Léon de St-Léon, die veel ouder was dan zij, een weduwnaar met twee kinderen uit zijn eerste huwelijk. Van beroep was *monsieur le baron* rijksambtenaar bij het *Ministère des Affaires étrangères* – een machtig politiek man. Hij was ook erg rijk. Hélène werd een beroemd society-gastvrouw. Daarnaast had ze haar kleine intriges, waarmee ze *le baron* gek van jaloezie maakte. Ten slotte is ze te ver gegaan.'

Na nog een slokje thee ging ze verder: 'Wat mij betreft, ik heb afstand van haar genomen. Konstantin was dol op reizen en we brachten veel tijd buiten Parijs door – in Italië, Zwitserland, de Midi, Biarritz. We brachten de wintermaanden dikwijls in Egypte, in Alexandrië, door. We logeerden altijd in de beste hotels en veroorloofden ons elke luxe. Zoals ik al zei, mijn grootmoeder had me goed verzorgd achtergelaten en het kwam dus niet bij me op de *sous* te tellen of dat we misschien boven onze stand leefden. 's Avonds gingen we naar het casino om te spelen. Konstantin leek onder een gelukkig gesternte te zijn geboren. Hij leek altijd te winnen. Dat dacht ik tenminste.

Toen, in 1929, verdween Konstantin. Hij verdween letterlijk. We waren in Monte Carlo en die avond had ik hoofdpijn en ging ik vroeg naar bed. Ik weet nog dat Konstantin bijzonder bezorgd was over mijn gezondheid. Toen ik hem verzekerde dat ik me beter zou voelen als ik wat had geslapen, zei hij dat hij naar het casino ging.

Hij is nooit teruggekomen. 's Morgens, toen ik wakker werd en merkte dat hij er niet was, heb ik zijn bediende naar het casino en de andere hotels gestuurd om navraag te doen, maar er was geen spoor van

Konstantin te bekennen. Uiteindelijk had ik geen andere keus dan de politie te waarschuwen. Om te beginnen waren ze niet erg geïnteresseerd. Ik denk dat ze dachten dat hij vast ergens een meisje had gevonden en dat hij wel terug zou komen. Toen ik van het casino hoorde van de speelschulden die hij had gemaakt, begon mijn nachtmerrie. De politie trok het na bij de douane en ontdekte dat Konstantin de nacht dat hij was verdwenen de Italiaanse grens was overgestoken.

Dat was dat. Ik heb hem nooit meer gezien en ook nooit meer iets van hem gehoord. Ik heb geen idee wat er met hem is gebeurd. Ik neem aan dat hij vanaf Genua een schip heeft genomen naar een afgelegen deel van de wereld, Zuid-Afrika misschien.

Ik heb zijn schulden betaald en ben naar Parijs teruggegaan. Toen begonnen al zijn andere schuldeisers op te eisen wat hen toekwam en werd de ware omvang van zijn schulden duidelijk. Hij was iedereen geld schuldig, van zijn kapper en zijn kleermaker tot zijn vrienden, mannen als Dmitri Nikolaevitch, met wie hij had gegokt en aan wie hij schuldbekentenissen had gegeven. Het was vreselijk. Hij had voor miljoenen franken schuld.

Dmitri Nikolaevitch was ruimhartig en schold de schuld kwijt. Anderen waren minder genereus, wat begrijpelijk is. Ik had geen andere keus dan mijn huis aan de rue de Varennes en de meeste van mijn bezittingen te verkopen. Dat was het moment waarop Hélène de icoon van mijn moeder van me kocht. Ja, ze heeft hem gekocht. Ze heeft er voor betaald. Ze heeft hem niet gestolen.

Maar toen ze hem meenam, samen met mijn moeders juwelen en – o, dingen die gevoelswaarde hadden, zoals mijn samowaar – verkneukelde ze zich over mijn ongeluk. Ze stuurde haar dienstmeid of butler niet om de spullen te halen, maar ze kwam zelf en deed of ze met me meeleefde, terwijl ze inwendig lachte. Eindelijk had ze Russische voorwerpen die haar werkelijk *authenticité* gaven.

Moi-même, ik had niets meer – alleen mijn trots. Ik was zevenendertig en ik had nog nooit van mijn leven gewerkt. Maar tot mijn verbazing ontdekte ik dat ik nog een paar ware vrienden had. Mijn oom Louis nodigde me bijvoorbeeld uit naar Plessis-St Jacques terug te komen en bij hem en zijn gezin te komen wonen. Maar dat verbood mijn trots. Ik was niet van plan zijn gezin de rest van mijn leven tot last te zijn.

Om het allemaal nog erger te maken, was dit het begin van de depressie. De aandelenmarkt van Wall Street was ingestort en in heel Europa zat het mensen financieel tegen omdat banken hun leningen incasseerden.

Het was zo ongeveer de slechtste tijd om te proberen geld te lenen of op zoek te gaan naar werk.

Dmitri Nikolaevitch was degene die me te hulp kwam. Hij kwam net als altijd met een glimlach uit het economische *débâcle* te voorschijn. Met een weddenschap had hij een verzameling schilderijen van een medegokker gewonnen, een Amerikaan die in Parijs woonde. Hij was van plan een galerie te openen en stelde voor dat ik die zou runnen. Boven de galerie was een klein appartement waar ik kon wonen.

Dat was de oorspronkelijke Galerie Zakharin aan de rue du Faubourg St Honoré. Ik verdiende de kost, al zeg ik het zelf. Ik bleek een goede *négociante* – misschien omdat ik zo onlangs de waarde van geld was gaan beseffen en omdat ik besefte dat het niet mijn geld was dat door mijn handen ging. Ook genoot ik van mijn werk en vond ik de kunstenaars die ik ontmoette aardig. Velen van hen, zoals El Toro, kende ik al uit de tijd van mijn huwelijk met Marcel. Nu ontmoette ik er nog meer, omdat de ene kunstenaar me aan de andere voorstelde. Via Toro maakte ik bijvoorbeeld kennis met Amadore Angelini.

En via Angelini ontmoette ik uw vader, Madame Sinclair. Het spijt me voor u dat ik hem niet erg goed heb gekend. We waren niet meer dan oppervlakkige kennissen en het kwam niet bij me op dat hij later belangrijker zou blijken dan hij toen leek. Hoe dan ook, ik werd volledig in beslag genomen door een andere schrijver – Bastien Ledoux.'

'Bastien Ledoux!' riep Oliver uit. 'Dat had bij me moeten opkomen toen u me uw naam noemde, maar ik zag het verband niet. Was u–?'

Ze knikte blij. 'Ja. Toen het me eindelijk was gelukt om van Konstantin te scheiden – en dat was niet gemakkelijk, dat kan ik u wel vertellen – ben ik met Bastien Ledoux getrouwd. Ik kende hem al van voor de Eerste Wereldoorlog, toen hij een vriend van Marcel was. Maar na de oorlog was Bastien teruggegaan naar Haûte Savoie en was ik natuurlijk met Konstantin getrouwd. Dus waren we het contact verloren. Toen liep Bastiens huwelijk stuk en kwam hij terug naar Parijs. Zo hebben we elkaar weer ontmoet.'

'Jullie weten toch wie Bastien Ledoux was, hè?' vroeg Oliver Tobin en mij.

Ik schudde spijtig mijn hoofd en was opgelucht toen ik zag dat Tobin dat ook deed.

'Dan hebben jullie iets gemist wat ik zal moeten rechtzetten. Ik heb thuis een exemplaar van zijn beroemdste boek, *De vallende ster*, dat ik jullie zal lenen. Het is een geweldig verhaal voor kinderen, naar mijn idee net zo goed als *De kleine prins*. Maar om de een of andere reden is er geen acht op geslagen. Eigenlijk een beetje zoals Connor Moran verdiende ook Bastien Ledoux het niet om onbekend ten onder te gaan.'

Hij wendde zich weer tot Sophie Ledoux. 'Het spijt me dat ik u heb onderbroken, Madame.'

'Dat geeft niet. Integendeel, het doet me goed dat Bastien nog niet helemaal vergeten is.'

'Niet door mij, dat kan ik u verzekeren. Maar gaat u alstublieft verder. U vertelde ons over de Galerie Zakharin en de kunstenaars die u ontmoette.'

'Ach, ja... Ik zei hoezeer ik het gezelschap van kunstenaars en schrijvers liever had dan de rijke *beau monde* die mijn clientèle was. De meesten waren snobs die op me neerkeken en me als oud vuil behandelden, terwijl ze nog niet lang daarvoor mijn gastvrijheid hadden genoten. Bah! Ik vond het leuk hun meer te vragen dan een schilderij waard was.

Er waren natuurlijk uitzonderingen. Baron de St-Léon was bijvoorbeeld altijd erg hoffelijk. Ik denk dat hij misschien besefte hoeveel pijn het me had gedaan om mijn moeders bezittingen aan Hélène af te staan en hij probeerde het goed te maken.

Een van mijn beste klanten was echter de Amerikaanse vrouw, Imogen Humboldt, met wie Dmitri Nikolaevitch er naar Amerika vandoor is gegaan. Wat heeft hij zich in een wespennest gestoken! Voor mij betekende het dat ik geen werk meer had, want op dezelfde manier als Dmitri Nikolaevitch de galerie met een kaartspel had gewonnen, raakte hij haar ook weer kwijt. De nieuwe eigenaar ontsloeg me. Maar dat was niet zo erg. Tegen die tijd werd mijn scheiding toegewezen op grond van verlating en trouwde ik met Bastien, die me kon onderhouden.

Maar Hélène... Ha! Ik zal nooit vergeten hoe woedend ze was!' Ze lachte kakelend van blijdschap, toen betrok haar gezicht weer. 'Maar daar mag ik eigenlijk niet om lachen. Het was niet echt grappig.

Jullie hebben een gezegde: "Niets is zo erg als de woede van een afgewezen vrouw". Ik geloof dat Hélène van Dmitri Nikolaevitch hield. Ik geloof dat ze verliefd op hem werd toen ze nog klein was en haar hele leven van hem is blijven houden. Misschien heb ik het mis, maar dat denk ik niet. In zekere zin was het de aantrekkingskracht van het onbereikbare. Ze moet altijd hebben geweten dat hij nooit met haar zou trouwen, maar ze hield toch van hem.

Toen Dmitri Nikolaevitch met Imogen Humboldt naar Amerika ging, liet ze iedereen in haar omgeving lijden. Uit wraak voor de pijn die hij haar had gedaan. Ze werd schaamteloos in haar ontrouw. Een man hoefde maar bij haar in de buurt te komen, of ze nam hem al als minnaar. Ze maakte zich in de hele stad *renommée*.

Toen verscheen Rüdiger von Herrnstadt op het toneel. Dat was, laat eens kijken, omstreeks de tijd dat de Duitse troepen het Rijnland binnenvielen.'

Ze keek naar Oliver, die de datum gaf: 'Negentienzesendertig.'

'Ja, dat kan wel kloppen. Ik ben nooit erg goed geweest in data van politieke gebeurtenissen. Het komt alleen door Bastien dat ik nog weet wat er gebeurde. De dreiging van Duitsland vond plaats omstreeks de tijd dat Franco de gebeurtenissen aan het rollen bracht die tot de Spaanse Burgeroorlog hebben geleid. Bastien haatte fascisten en hij haatte communisten. Of misschien zou het juister zijn te zeggen dat hij een echte Fransman was, die in *Liberté, Egalité en Fraternité* geloofde.

Rüdiger von Herrnstadt was attaché aan de Duitse ambassade. Hij was een heel gedistingeerde, knappe man. Hij heeft eens een schilderij bij me gekocht en ik weet nog hoe verbaasd ik was over zijn goede smaak en zijn goede manieren. Hij sprak vloeiend Frans en werd door de elite van de Parijse society geaccepteerd, dus neem ik aan dat hij uit een oud Duits geslacht kwam en geen omhooggevallen nazi was, hoewel hij, zoals Bastien te berde bracht, wel met de nazi's moet hebben gesympathiseerd, anders was hij nooit in hun dienst uitgezonden.

Zijn naam stond altijd in de roddelrubrieken van de kranten. Hij was op alle modieuze bijeenkomsten, bij de races, bij premières van toneelstukken en operavoorstellingen, op diners en bals. Ik verkeerde niet meer in dat gezelschap, maar zelfs ik moest we wel bewust zijn van de bezigheden van Rüdiger von Herrnstadt. Het moest me ook wel opvallen dat zijn naam dikwijls werd genoemd in samenhang met baron de St-Léon en *la Princesse* Hélène Shuiska.

Ze noemde zich altijd *la Princesse* Hélène Shuiska – nooit *la Baronne* de St-Léon. Ik heb zelf altijd de naam van mijn man aangenomen, zoals dat een echtgenote betaamt. Nu ben ik gewoon Madame Ledoux. Maar Hélène verraadde zichzelf – het moest altijd *la Princesse, la Principessa,* de prinses zijn...

Toen in september negentiennegenendertig de oorlog uitbrak – dat jaartal weet ik nog wel – werd Rüdiger von Herrnstadt naar Duitsland teruggeroepen, samen met al het andere personeel van de ambassade. Heel kort daarna begon het gerucht de ronde te doen dat de vriendschap van baron de St-Léon met Rüdiger von Herrnstadt hechter was geweest dan men had beseft en dat de baron een stiekeme nazi-sympathisant was die geheime informatie naar de Duitsers had doorgespeeld. Er zal wel iets zijn voorgevallen waarbij hij was betrokken, maar ik weet echt niet meer wat het was.

Voor de Franse wet is iemand onschuldig tot zijn schuld is bewezen. Hoewel *le baron* de beschuldigingen ontkende, nam hij ontslag bij het ministerie en heel kort daarna kwam hij om bij een auto-ongeluk. Zijn dood werd als zelfmoord gezien en als bewijs van zijn schuld uitgelegd.

Toen kwamen er nieuwe geruchten in omloop. Mensen gingen zeggen dat het niet de baron was, maar Hélène die de bijzondere vriendschap met Rüdiger von Herrnstadt had onderhouden. Ze hadden twee of drie jaar een verhouding gehad, waarvan Léon de St-Léon niets had geweten. Toen Léon werd beschuldigd, had Hélène het tegenover hem toegegeven. Daarom had hij ontslag genomen bij het ministerie, en om zijn eer te redden en de reputatie van zijn vrouw te beschermen, had hij zelfmoord gepleegd.

Er was geen bewijs dat het zo is gegaan, maar opeens wist heel Parijs het en Hélène deed erg weinig moeite om haar schuld te ontkennen. Toen kreeg ze de schrik van haar leven. Het bleek dat de baron voor zijn dood zijn testament had veranderd. In plaats van alles aan haar na te laten, had hij alles aan de kinderen uit zijn eerste huwelijk nagelaten. Hélène was niet zo berooid als toen ze pas in Frankrijk was en ook niet zo arm als ik was geweest toen Konstantin verdween, maar ze zwom niet langer in het geld. Ze had haar kleren, haar juwelen, "haar" Russische schatten – maar dat was alles.

Om het nog erger te maken, was haar Russische afkomst niet langer een onverdeeld genoegen. Daladier, die destijds premier was, begon een campagne tegen communistische en fascistische ondergrondse groeperingen. Dat had u in Engeland ook. Het communisme kwam oorspronkelijk uit Rusland en de Duitsers hadden een vriendschapsverdrag met de Sovjetunie gesloten. Iedereen van Russische afkomst werd verdacht. Sommigen werden als ongewenste vreemdeling geïnterneerd. Hélène liep dubbel gevaar en ze had baron de St-Léon niet meer om haar te beschermen.'

Ik keek naar Oliver die ernstig knikte.

'Verder verdwenen haar voormalige vrienden na de dood van de baron, net zoals dat mij was overkomen. Niemand wordt graag met mislukking in verband gebracht. En hoe hoger je bent geklommen, hoe dieper je valt. Hélène nam haar intrek in het Ritz Hotel en dineerde alleen. Toen kwam Connor Moran naar Parijs terug en binnen veertien dagen na zijn terugkomst was ze met hem getrouwd.

Maar waarom ze met hem trouwde en waarom hij met haar trouwde, weet ik helaas niet, Madame Sinclair. Misschien kan Madame Angelini u meer vertellen. Ik had in die tijd belangrijker dingen aan mijn hoofd dan wat er met Hélène gebeurde.

Toen er oorlog dreigde, werd Bastien opgeroepen en kreeg hij een ondersteunende functie bij het Opperbevel. Ik moet misschien vertellen dat Bastien een oude kameraad van Général de Gaulle was. Ze waren even oud en hadden in de Eerste Wereldoorlog bij hetzelfde regiment onder kolonel Pétain gediend. De Gaulle was in dienst gebleven, terwijl Bastien naar de burgermaatschappij was teruggekeerd nadat hij het *Croix de Guerre* had gekregen. Hij deed altijd erg bescheiden over zijn prestaties, misschien uit consideratie met mij, omdat Marcel was gesneuveld en hij het had overleefd.

Toen de Duitsers door de Franse linies waren gebroken, zijn Bastien en ik samen met de Franse regering uit Parijs vertrokken. Ondanks al hun gepraat over wonderen en in Frankrijk geloven namen de politici als een haas de benen en lieten Parijs aan zijn lot over. We zijn eerst naar Tours en daarna naar Bordeaux gegaan. Er waren heel wat meningsverschillen tussen de politici en de generaals – daar hoef ik u niets over te vertellen – ze staan allemaal uitgebreid in de geschiedenisboeken besproken.

Het vreselijkste was het besluit van maarschalk Pétain – dat was hij geworden – niet tegen de Duitsers te vechten, maar een wapenstilstand te sluiten en Parijs tot open stad te verklaren, zodat de Duitsers er ongehinderd door konden trekken. Bastien ervaarde dit – net als Général de Gaulle – als verraad.

Er werd besloten vanuit Londen door te vechten. Bastien en ik voeren met een vrachtschip van Bordeaux naar Engeland. Heel smerig, heel ongerieflijk. *Mais tant pis*, het gaf niet. In Londen hielpen we de "Vrije Fransen" vormen en werkten we op het *Bureau Central de Renseignements et d'Action* dat door Général de Gaulle aan Duke Street was opgezet. Onze verantwoordelijkheid was verbinding maken met het verzet. Bastien werd meermalen naar Normandië gevlogen en per parachute midden in vijandelijk gebied gedropt. Dat was heel roekeloos, maar als oudere man was hij minder verdacht. Op een keer kwam hij niet terug.'

Ze haalde een zakdoek uit haar tasje en depte haar ogen.

'Toen de oorlog voorbij was, bleef ik in Londen. Ik was de moed verloren en ik verlangde niet terug naar Parijs. Ik leidde hier een heel rustig

390

bestaan. Ik ontving een klein pensioentje en een tijdje kreeg ik royalties van Bastiens boeken. Toen zijn boeken minder populair werden en niet meer werden herdrukt, liepen de royalties af. Natuurlijk speet me dat, maar meer om hem dan om mij. Ik was niet inhalig. Ik verhuisde naar een kleiner appartement en zette de tering naar de nering.

En zo zou mijn leven zijn doorgegaan en zouden we hier vandaag niet zitten als Hélène niet naar Londen was gekomen. Ik weet nog dat ik in een tijdschrift een foto van haar zag met het onderschrift: "Prinses Hélène Shuiska en haar goede vriend, de graaf van Winster". Toen kwam het nieuws van haar huwelijk.'

Ze zakte achteruit in haar stoel en leek opeens heel klein, net een geknakte pop.

Tobin boog zich naar haar toe en legde zijn hand op de hare. 'Madame Ledoux,' zei hij vriendelijk, 'wat er daarna ook is gebeurd, geen van ons zal het u verwijten. Oliver en ik hebben haar allebei gekend toen ze met de graaf van Winster was getrouwd. We weten hoe ze was. En Cara heeft weinig illusies over haar. Maak uw verhaal af en dan zult u, denk ik, merken dat het eindelijk allemaal voorbij is.'

Ze keek hem met vermoeide ogen aan en haalde toen met een berustend gebaar haar schouders op. '*Eh bien*, ze werd een obsessie voor me. Ik ging elke dag naar de bibliotheek om alle kranten en tijdschriften door te nemen om iets over haar te weten te komen. Ze leek altijd in kranten en tijdschriften te staan, in de column van William Hickey, in de *Tatler*.

Ik kwam erachter waar ze woonde en ging erheen. Ik bleef bij haar huis staan wachten, alleen om te kijken, om een glimp van haar op te vangen. Toen, op een dag, liep ze alleen over straat. Ik zei: "Hélène." Ze schrok, omdat ze me niet herkende. "Ik ben Sophie," zei ik, "ken je me niet meer?" Ze keek naar me of ik vuil was. "Sophie wie?" vroeg ze.

"Ik ben nu Sophie Ledoux," zei ik, "maar toen je bij mij in Parijs woonde, was ik Sophie Makarova, de vrouw van Konstantin Fedorovitch." De verandering in haar was opmerkelijk. Ik las zowel haat als angst in haar ogen. "Wat wil je?" wilde ze weten. Tot die tijd had ik eigenlijk niet geweten wat ik wilde. Als ze aardig was geweest en me binnen had gevraagd voor een kop koffie en een gesprek, had ik waarschijnlijk geweigerd en was ik weggegaan en had ik haar nooit meer lastiggevallen. Maar nu wilde ik opeens wraak.

Ik wist waarom ze bang was. Als ik de waarheid over haar aan het licht zou brengen, als ik zou onthullen dat ze een charlatan was, zou haar reputatie in het geding komen en zou ze in de hogere kringen belachelijk worden gemaakt. Ze kon niet weten of Dmitri Nikolaevitch het niet leuk zou vinden om mijn verhaal te bevestigen, of hij mijn kant niet zou kiezen tegen haar.

Ze duwde me het huis binnen, haar salon in. Wat een schrik kreeg ik daar. Het was of ik weer in St.-Petersburg was. Daar hing mijn moeders icoon aan de muur, samen met de schilderijen van El Toro en Angelini.

Hélène ging naar het kabinet en haalde er een paar *bibelots* uit – een paar siervoorwerpen van Fabergé – en duwde me die in handen. "Is dit genoeg?" wilde ze weten. "Zal dit je helpen te vergeten?"

In het Frans hebben we de uitdrukking *faire chanter quelqu'un*. Het betekent iemand laten zingen. Het was zo gemakkelijk. Ik hoefde geen eisen te stellen. Ik hoefde maar bij haar aan de deur te komen, of ze gaf me weer iets. Zelfs onder ons hielden we vol dat ze me beloonde voor mijn hulp in het verleden en ze me hielp omdat ik het moeilijk had. Dat mag dan waar zijn, maar het ontslaat mij niet van schuld.'

De oude dame ging geagiteerder en meer idiomatisch praten, met een sterker accent. 'Hoe meer mijn dorst naar wraak werd gevoed, hoe groter hij werd, tot hij mijn hele *raison d'être* werd. Het krankzinnigste was dat ik niets kon doen met wat ik kreeg. Deze ketting die ik draag, was van haar. Ik wilde hem niet. Ik wilde mijn moeders juwelen terug. Ik heb hem een keer geprobeerd te verkopen om aan wat geld te komen en de winkelbediende riep de manager erbij, die me er vragen over stelde, waar en hoe ik hem had gekocht en dergelijke. Ik werd bang. Ik dacht dat hij misschien een manier wist om mijn verhaal te verifiëren. Dus verontschuldigde ik me en nam hem weer mee. Daarna gaf Hélène me geld.'

'Dus u was de geheimzinnige bezoekster van Beadle Walk?' zei Tobin.

Ze keek naar haar lege kopie. 'Ja, maar ik was geen vriendin van Hélène. Ik was de vijand over wie ze het in haar laatste zin had.'

Ik schonk haar nog wat thee in.

Ze bedankte me en wendde zich tot Oliver. 'Toen ze overleed... Ik heb uw televisieprogramma gezien, meneer Lyon, en ik heb de foto's van mijn familie gezien en een deel van mijn eigen jeugd horen vertellen. Het voelde aan of ze zelfs mijn ziel had gestolen.'

In de stilte die volgde, vroeg Oliver: 'Hebt u er enig idee van waarom ze in dat interview toestemde?'

'Nee. Ik weet het niet. Misschien had het iets te maken met de dood van Dmitri Nikolaevitch. Misschien heeft die haar bang gemaakt, haar bewust gemaakt van haar eigen sterfelijkheid.'

'Het ironische is dat als ze de waarheid over zichzelf had verteld, die

392

interessanter was geweest dan de fictie. Zestig jaar lang heeft ze met succes een rol gespeeld. Wat zou het een triomf zijn geweest als ze zelf –
voor een nationaal gehoor van televisiekijkers – het bedrog dat ze had
gepleegd, had ontmaskerd. Wat heeft ze een geweldige kans gemist op
een zwanenzang.'

Sophie Ledoux schudde heftig haar hoofd. 'Nee, meneer Lyon, dat was
misschien voor u een triomf geweest, maar voor haar niet. U begrijpt het
nog steeds niet. Ze had graag van geboorte prinses willen zijn. Omdat ze
dat niet was, wilde ze als prinses sterven en zo de eeuwigheid ingaan.'

'Wat heeft u er uiteindelijk toe gebracht me te schrijven? Waarom hebt
u er zolang mee gewacht?'

'Na haar dood had ik het gevoel dat ik geen enkele reden meer had om
te leven. Mijn dagen waren leeg. Er was niets om 's morgens voor wakker
te worden. Toch was de woede in me nog net zo groot als vroeger. Toen
ik hoorde dat Hélènes bezittingen zouden worden verkocht, heb ik een
catalogus gekocht en daarin stond de icoon van mijn moeder. Dat was
gewoon te veel.'

Tobin vroeg vriendelijk: 'Zou u de icoon terug willen hebben? Als u dat
wilt, kan hij uit de verkoop worden teruggetrokken.'

Ze spreidde nietszeggend haar handen. 'Dank u. Dat is erg vriendelijk
van u. Maar nu Hélène dood is, ben ik vrij om de dingen te verkopen die
ze me heeft gegeven. Ik heb zelf voldoende geld om alles terug te kopen.
En toch wil ik ze eigenlijk niet. Ik ben woensdag naar het veilinghuis
gegaan, op de eerste kijkdag en heb lang naar de icoon zitten kijken. In
het beeld van de madonna zag ik mijn moeder niet. Ik zag alleen een heel
oude, godsdienstige schildering. En de samowaar was gewoon een samowaar. Begrijpt u? Nu Hélène dood is, lijken ze niet zo belangrijk meer.'

'Waarom uitte u in uw brief dan bedekte dreigementen?' vroeg Oliver.

'Ik weet niet goed meer waarom. Ik denk dat ik niet verwachtte dat u zo
aardig zou zijn. Ik dacht niet dat u me zou geloven.'

'Ik denk dat we u allemaal geloven,' zei ik. 'Ik tenminste wel. En ik ben
u erg dankbaar dat u de moed hebt gevonden om ons de waarheid te vertellen.'

'Pff. Moed – ik heb geen benul van moed. Alleen van schaamte.'

'We doen allemaal dingen waar we later spijt van hebben.'

'Ja, misschien wel, maar...'

Daarmee hief ze haar hoofd op met een zweem van haar vroegere trots
en trok haar cape om zich heen. 'Nu mag ik u niet langer ophouden.'

'We hebben geen haast.'

Maar ze stond met een resoluut gebaar op.

Oliver zei: 'Laat ik een taxi voor u roepen.'

'Dank u, maar dat hoeft niet. Ik woon niet ver hiervandaan.'

We stonden allemaal op. Tobin en Oliver schudden haar de hand, maar ik kon de verleiding niet weerstaan me te bukken en haar op haar wang te kussen.

Ze nam mijn hand in de hare en keek me strak aan. 'Als ik u van streek heb gemaakt, spijt me dat. Hélènes karakter moet ook kanten hebben gehad die ik niet kende. Ze was niet door en door slecht, net zomin als ik door en door slecht ben. Iedereen heeft wel iets goeds in zich.' Toen liet ze mijn hand los en liep de foyer door, wankelend op haar hoge hakken.

Oliver haastte zich achter haar aan. De ober kwam onze kopjes weghalen. Oliver kwam terug en zei: 'Ik weet niet hoe het met jullie zit, maar ik heb behoefte aan een borrel.'

We bestelden iets te drinken en toen begonnen Tobin en Oliver over de onthullingen van Sophie Ledoux te praten, terwijl ik er stilletjes bij zat en probeerde me neer te leggen bij deze verdere onthullingen over het karakter van mijn moeder. De afscheidswoorden van Sophie Ledoux konden het gevoel niet verzachten dat mijn moeder, waar ze maar ging, de haat had gewekt van iedereen die ze had ontmoet.

HOOFDSTUK 24

We gingen niet naar de veiling terug. Oliver vertrok en Tobin en ik kuierden arm in arm via Exhibition Road naar Hyde Park, waar we zwijgend wandelden tot we bij de Serpentine kwamen.

Daar gingen we in het gras zitten en ik trok mijn knieën tegen mijn borst, terwijl ik uitkeek over het meer waar mensen zwommen en zeilden en roeiden.

'Dat kwam allemaal nogal als een schok, hè?' zei Tobin. 'Wat vreselijk om oud en alleen te zijn en verteerd te worden door haatgevoelens. Oud en alleen zijn is al droevig genoeg.'

Ik dacht aan een ander meer, honderden kilometers weg, waarop werd uitgekeken vanuit een villa die hoog op een beboste helling stond en ik hoorde een stem roepen: 'O, waarom moest ik blijven leven? Ik kan alleen maar geloven dat mijn leven een vorm van goddelijke vergelding is. God straft me door me in leven te houden.'

Er waren zoveel ongelukkige mensen op aarde en er was zoveel ellende – echte ellende, zoals het ongeluk dat Filomena aan een rolstoel had gekluisterd.

En de dood kon zo snel komen. *'Twee jaar later was Marcel dood... Konstantin verdween... Ik heb hem nooit meer gezien en ook nooit meer iets van hem gehoord. Ik heb geen idee wat er met hem is gebeurd... Bastien werd meermalen naar Normandië gevlogen en per parachute midden in vijandelijk gebied gedropt. Dat was heel roekeloos, maar als oudere man was hij minder verdacht. Op een keer kwam hij niet terug...'*

'Rosso is nooit meer teruggekomen... Hij is hier nooit meer teruggekomen. Ik heb hem nooit meer gezien...'

Dan had je mijn vader op een veerboot over Het Kanaal, die werd opgeblazen door een mijn toen de oorlog al voorbij was...

Dan had je oom Stephen, het ene ogenblik springlevend en het volgende gestorven aan een hartaanval...

Dan had je mijn baby, die zelfs nooit had geleefd...

Dan had je de prinses – mijn moeder –, die voor haar eigen dood de dood van vier echtgenoten had meegemaakt.

Maar ik leefde en ik was jong en gezond van lijf en leden. Vergeleken bij Filomena's leed en alles wat Sophie Ledoux had meegemaakt, leken mijn eigen problemen – dat ik mijn baan kwijt was en dat Nigel de benen had genomen met Bo – onbelangrijk. In wezen waren ze, zoals Tobin het effect had beschreven dat Dawns weglopen met Mark had gehad – niet meer dan een dreun voor mijn ego. Ik had toen niet begrepen wat hij bedoelde.

Het leven leek opeens geweldig kostbaar.

'Spijt het je dat je geen tsarenbloed in je aderen hebt?' vroeg Tobin.

'Nee, dat is tenminste iets goeds wat uit vandaag is voortgekomen. Ik kan beter omgaan met het idee dat ik afstam van een Finse boerendochter dan van een Russische prinses.'

'Zou je naar Finland willen om te kijken of je meer over haar te weten kunt komen?'

'Nee,' zei ik langzaam. 'Je moet ergens stoppen en ik denk dat dat hier is.'

Hij stak voor ons allebei een sigaret op. 'Weet je, door wat we vandaag hebben gehoord, begin ik nogal medelijden met haar te krijgen. Ik neem aan dat ze uit Finland wegliep omdat ze verliefd was op Dmitri. Toen hij haar na aankomst in Parijs dumpte, moet dat behoorlijk pijn hebben gedaan. In 's hemelsnaam, ze was twintig en alleen in een vreemd land. De rest van haar leven was eigenlijk niets dan wraak. Eigenlijk was het om tegen hem te zeggen: "Daar zul je van staan kijken." En hij vond het alleen maar vermakelijk.

Naar mijn mening komt Dmitri er nog het slechtst af. Hij heeft de prinses – sorry, ik blijf haar toch prinses noemen – tot het einde toe geplaagd. Ik weet zelfs niet zeker of Dmitri niet Sophies kant zou hebben gekozen als Sophie Ledoux haar dreigement om haar te ontmaskeren had uitgevoerd. Ik ben blij dat ik hem nooit heb ontmoet. Ik denk dat hij een van de zeer weinige mensen op aarde zou zijn geweest die ik zou hebben gehaat.

Toegegeven, de prinses heeft een boel mensen ongelukkig gemaakt, maar ze is er zelf niet gelukkig door geworden. Alles wat we te weten zijn gekomen in aanmerking genomen, neem ik zelfs een paar van de dingen terug die ik aanvankelijk over haar relatie met Howard heb gezegd.'

Ik draaide me naar hem toe en stak mijn hand uit. 'Dank je. Maar het geeft niet. Nu ik zoveel weet over haar karakter en achtergrond, kan ik beter begrijpen waarom ze me niet wilde. Het is zoals ik aanvankelijk na Olivers interview dacht – ik was een vergissing. Die dingen gebeuren nu eenmaal. Ik ben in dat opzicht de enige niet. Er zijn duizenden geadopteerde kinderen op aarde. Ik ben er niet bitter over.'

We zwegen even, toen zei ik: 'Ik zou graag willen dat je tante Biddie leert kennen.'

'Ik zou haar ook heel graag willen leren kennen. En Miranda, Jonathan en vooral Stevie. Ten slotte was zij er indirect de oorzaak van dat we elkaar hebben ontmoet.'

'Zou je echt met me mee willen naar Avonford?'

'Natuurlijk wil ik dat.'

'Ik moet je waarschuwen dat ze je misschien zien als...' Ik wist niet goed hoe ik verder moest gaan.

'Bedoel je dat ze me als mogelijke echtgenoot zullen zien?'

'Nou, ja, ik ben bang van wel.'

'Ik denk dat ik dat wel aan kan. Als Jonathan me apart neemt en me naar mijn bedoelingen vraagt, zal ik hem verzekeren dat ze strikt eerbaar zijn.'

'O, zo zijn ze helemaal niet. Ze hebben vreselijk goede manieren.'

Tobin stak voor ons allebei een sigaret op. 'Ooit, in mijn verre, waardeloze jeugd, heb ik een vriendinnetje gehad dat Janet heette en dat – zonder snobistisch te willen klinken – van arbeidersafkomst was. Ik was nog maar een paar keer met haar uit geweest, toen ze zei dat ze me aan haar familie wilde voorstellen. We ontmoetten ze in een kroeg. Het waren er zeker wel dertig. Janet en ik werden aan een tafeltje midden in de bar gezet, alsof we daar ter bezichtiging zaten, en van alle kanten werden vragen op me afgevuurd. Ik moest een soort derdegraads verhoor ondergaan over mijn werk, mijn vooruitzichten, mijn politieke overtuiging, mijn mening over sport, mijn godsdienst, mijn familie natuurlijk – ze had hun over Howard verteld en dus werd ik als een goede vangst beschouwd – en ten slotte, aan het eind van de avond, kondigde haar grootmoeder aan: "Ik denk dat je heel goed voor haar zult zijn." Waarop haar grootvader zei: "Nee, je moet het goed zeggen. Zij zal heel goed voor hem zijn." En haar zus vroeg Janet: "Wat voor ring gaan jullie kopen?".'

Ik glimlachte. 'Wat heb jij gedaan?'

'Wat denk je? Ik heb gemaakt dat ik wegkwam. Arme Janet.'

'Het moet heel apart zijn om uit een grote familie te komen. Ik kan het me niet voorstellen. Met Kerstmis is het vast hartstikke leuk.'

'En duur.'

'Ja, alles heeft natuurlijk ook een nadeel.'

We rookten onze sigaret op en toen zei hij: 'Zullen we nog een eindje lopen?' Hij stond op, trok me overeind en hand in hand liepen we door tot we, alsof het lot ons erheen had gebracht, bij het beeld van Peter Pan kwamen.

Ik hoorde Filomena zeggen: 'Hij had de gave zich in de wereld van het kind te verplaatsen. Ik geloof eigenlijk niet dat hij ooit echt volwassen is geworden. Hij leek Peter Pan wel. Hij vertelde altijd de prachtigste verhalen.'

Op die griezelige manier die Tobin had om mijn gedachten te lezen, zei hij: 'Ga je Filomena schrijven om haar te vertellen dat je prinses geen prinses was?'

Ik schudde mijn hoofd. 'Ik denk van niet.'

'Het zou toch jammer zijn als je helemaal geen contact meer met haar zou hebben – om jullie allebei. Je betekende kennelijk veel voor haar.'

'Misschien. Maar ik denk nog steeds dat ik genoeg schade heb aangericht, zonder nog meer geesten op te roepen of nog meer onplezierige geheimen bloot te leggen.'

Tobin probeerde me niet op andere gedachten te brengen.

We lieten Peter Pan achter en wandelden terug langs de Serpentine. Onderweg stopten we bij een café voor koffie met een broodje, voor we naar Zuid-Kensington teruggingen. 'Probeer niet te piekeren,' zei Tobin, toen we uit elkaar gingen.

'Nee, zal ik niet doen. Maak je maar niet ongerust.'

Hij kuste me zacht op de lippen.

Toen ik weer in Linden Mansions was, schreef ik alles op wat Sophie Ledoux ons had verteld en wat ik na de ontmoeting zelf allemaal had gedacht.

Die dag werd een keerpunt in mijn leven. Vanaf dat moment werd ik gestaag sterker. Dingen die me hadden dwarsgezeten, waarvoor het me aan energie en geestelijke moed had ontbroken om er zelfs maar over na te denken, leken opeens niet onoverkomelijk meer.

De volgende ochtend sprak ik met David Rinder over het verkopen van de flat en hij belde me kort daarna terug om te zeggen dat hij met Nigels advocaat had overlegd, die geen bezwaar had, en dat ik dus vrij was om de flat te koop te zetten.

Hij kon me ook een vaag idee geven over hoeveel geld ik zou kunnen beschikken als aanbetaling op een ander huis. Tegen de tijd dat de rest van de uitstaande hypotheek was afgetrokken van de verkoopprijs van Linden Mansions, samen met alle wettelijke kosten, en het verschil eerlijk tussen Nigel en mij was verdeeld, zou ik ongeveer vijfduizend pond hebben. Dat klinkt nu niet zoveel, maar het was destijds een heleboel geld. Samen met mijn afkoopsom zou ik voldoende hebben om een aanbetaling te doen op bijvoorbeeld het soort huis waar Tobin in woonde.

Daarna belde ik een plaatselijke makelaar en sprak af dat hij de flat zaterdagochtend zou komen bekijken. Zoals zoveel andere dingen in het leven, was het allemaal veel gemakkelijker dan ik had gevreesd.

Diezelfde middag, nadat de makelaar me had verzekerd dat het geen enkel probleem zou zijn de flat te verkopen en ik alle kamers had opgemeten en de gegevens van mijn advocaat had meegenomen, gingen Tobin en ik op huizenjacht.

Allereerst bezochten we alle makelaars tussen Highgate en Fulham, van wie we stapels gegevens mee kregen, die ons de hele avond zoet hielden. De volgende dag, nadat we de helft van de huizen hadden afgekeurd, gingen we kijken.

Als ik alleen was geweest, zou het nogal deprimerend zijn geweest, want niets kwam overeen met het knusse, idyllische huis dat ik in gedachten had. Maar Tobin maakte het leuk. Bij de meeste huizen waar we heen gingen, dachten de bewoners dat we man en vrouw waren en in plaats van zich gegeneerd te voelen, leefde Tobin zich in zijn rol van echtgenoot in en noemde me 'lieverd' en zei dingen als: 'Wat denk je, lieverd? Vind je die keuken niet een beetje klein?' Of: 'Er zijn wel weinig kasten. Dan kan ik mijn golfclubs nergens kwijt.'

Toen we weer op straat stonden, zei hij: 'Ik vind het enig om bij andere mensen rond te snuffelen. Het geeft je zoveel inzicht in hun manier van denken. Als je die mensen van dat laatste huis had leren kennen, zou je dan hebben gedacht dat hun badkamer helemaal paars geschilderd zou zijn en sterren op het plafond zou hebben? En het huis daarvoor – een kamer met planken vol lege whiskyflessen. Dat geeft verzamelen een heel andere dimensie. Het is een hobby waar ik best zelf aan zou willen beginnen.'

Ik lachte, maar de schrik sloeg me om het hart.

Toen we weer in zijn huis in Fulham waren, vroeg ik: 'Wat moet ik doen als Linden Mansions wordt verkocht voor ik iets anders heb?'

'Je kunt altijd doen wat ik heb gedaan en een tijdje ergens iets huren.'

'Ik denk niet dat ik tijdelijk werk en tijdelijke woonruimte aankan.'

'Natuurlijk wel. Ik zeg ook niet dat je naar een zitslaapkamer moet verhuizen. Maar een klein tweekamerflatje, terwijl je besluit waar je echt heen wilt.'

'Het is een idee,' gaf ik niet erg enthousiast toe.

'Nu we het toch over je werk hebben, blijf je bij het uitzendbureau of ga je op zoek naar iets vasts?'

'Ik kan nog geen keus maken. Debbie belt me steeds over de een of andere geweldige baan die ze net binnen heeft, maar ik kan voor geen enkele baan enthousiasme opbrengen. Eigenlijk wil ik helemaal geen secretaresse blijven. Als ik eerlijk ben, begon ik dat al te denken voor ik werd ontslagen. Ik geloof dat ik veel meer kan dan alleen de woorden van anderen opnemen en op een schrijfmachine rammen.'

'Zoek dan een baan op een ander vlak.'

'Dat is gemakkelijker gezegd dan gedaan. Eens secretaresse, altijd secretaresse, vinden de meeste werkgevers. Hoe dan ook, ik wil niet negatief doen, maar ik heb geen enkele specialistische kennis die me in staat zou stellen naar management te switchen. Dan zou ik me moeten omscholen en er is eigenlijk niets waarin ik me wil omscholen.'

Het is opmerkelijk hoe dingen soms lopen. De week na dat gesprek vroeg Debbie al of ik wilde overwegen ergens langer te werken, voor de duur van een zwangerschapsverlof. Het werk, voor een seniorpartner van een firma van headhunters, klonk oneindig veel interessanter dan alles wat ik tot dusverre had gedaan. Het was ook verantwoordelijker werk, waarvoor iemand nodig was die niet alleen goed in steno was en snel kon typen, maar er ook aan gewend was met mensen op directieniveau om te gaan en van wie men erop aan kon dat ze vertrouwelijke informatie voor zich zou houden. Verder betaalde het een pond meer per uur dan ik nu betaald kreeg.

Ik aarzelde niet. De volgende dag ging ik tussen de middag voor een informeel sollicitatiegesprek met de personeelschef naar Grosvenor Management Consultants en werd voorgesteld aan Douglas Curtis-Hooper, een man van achter in de veertig, die onder de indruk was van het feit dat ik voor Miles had gewerkt en dat ik zo lang bij Goodchild in dienst was geweest.

'Het is een hard wereldje,' merkte hij op. 'Nou, wat mij betreft vind ik het geweldig dat je het tijdens Yvonnes afwezigheid van haar overneemt. Als je aanstaande maandag kunt beginnen, kan ze je inwerken, wat je leven gemakkelijker zal maken. Of, liever gezegd, het mijne gemakkelijker zal maken.'

Ik raakte betrekkelijk snel thuis bij Grosvenor Management

Consultants. Een hoogzwangere Yvonne werkte me heel efficiënt in en hoewel het me aan het eind van de dag duizelde, merkte ik de volgende ochtend, toen ik opstond, dat ik me verheugde op de dag die voor me lag, wat niet meer het geval was geweest sinds ik bij Goodchild weg was. Ik was dan nog wel secretaresse, maar ik kreeg tenminste iets om mijn tanden in te zetten, in plaats van uittikken, bandjes uitwerken en fotokopiëren.

Douglas was een dynamische vent met het encyclopedische geheugen dat voor zijn werk nodig is. Ik kwam er al gauw achter dat hij de drijvende kracht achter Grosvenor Management Consultants was en dat hij in het internationale zakenleven groot aanzien genoot. Zijn klantenlijst was heel indrukwekkend en bevatte veel grote, beursgenoteerde bedrijven en een paar ambtelijke departementen.

Net als Miles had hij niet veel geduld met sufferds en ik was dankbaar voor zowel mijn tijd bij Goodchild als mijn ervaring met tijdelijk werk, die me een veel breder inzicht had gegeven in de werking van handel en industrie, zodat ik niet voortdurend vragen hoefde te stellen die Douglas' toorn en anders toch zeker zijn ongeduld zouden hebben gewekt.

Ik begon me op kantoor al gauw thuis te voelen en mijn collega's werden eerder vrienden dan aardige vreemden.

Intussen was er een bod uitgebracht op Linden Mansions dat voor zowel Nigels advocaat als de mijne acceptabel was, door een stel met een klein kind, dat graag een groot deel van de inboedel wilde overnemen. Ze hadden in het buitenland gewoond en kwamen terug naar Engeland omdat hun zoontje binnenkort naar school moest. Ik was blij dat de flat eindelijk door een echt gezin bewoond ging worden.

Maar daardoor nam de druk op mij toe om iets te vinden waar ik in kon trekken. Ik bekeek verscheidene kleine huizen die niet veel verschilden van Tobins huis, in goede bouwkundige staat en redelijk afgewerkt, maar hoewel ik ze kon betalen, merkte ik dat ik me onmogelijk vast kon leggen. Het idee om een huis naar mijn eigen smaak in te richten trok me geweldig, maar in mijn achterhoofd wist ik dat een huis nog geen thuis was.

Half oktober gingen Tobin en ik naar Avonford. Ik reed, want we gingen met mijn auto: Tobin had meer dan genoeg voor me gedaan – het werd tijd dat ik wat minder afhankelijk van hem werd en zelf een paar bijdragen leverde.

Wat maakte het een verschil om tijdens die lange rit een passagier te hebben. We vraten gewoon kilometers en wat helemaal mooi was, was dat Tobin zei: 'Je rijdt erg goed. Maar dat had ik kunnen weten.'

Het is vreemd hoe een dergelijk complimentje je kan opbeuren. Nigel had me nooit laten rijden als we samen uit waren.

Toen reden we de brug over de Avon over, langs de uiterwaarden, door Bridge Street, High Street in, langzaam Priest's Lane door en rechtsaf door de hoge hekken die tante Biddie goddank al voor ons had opengezet.

En toen ik de binnenplaats op reed, kwam tante Biddie zelf uit de serre, met een brede glimlach om elke ongerustheid die ze misschien voelde, te verbergen. 'Wat heerlijk dat jullie zo vroeg zijn!' riep ze uit. 'Ik verwachtte jullie nog in geen uren.'

Ze kuste me snel en wendde zich tot Tobin toen hij uitstapte en wierp hem een snelle, onderzoekende blik toe. Ik stelde hen aan elkaar voor en hij nam haar hand in zijn beide handen en zei: 'Ik ben vreselijke blij u te ontmoeten, mevrouw Trowbridge. Ik heb zoveel over u gehoord dat ik het gevoel heb dat ik u al ken.'

'Cara, wat heb je gezegd?'

Tobin lachte. 'Alleen goede dingen, dat verzeker ik u.'

Ze glimlachte. 'Nou, in dat geval hoef je me geen mevrouw Trowbridge te noemen. Zeg maar liever Biddie. En kom nu mee naar binnen. Omdat ik niet wist hoe laat jullie hier zouden zijn, heb ik een ovenschotel gemaakt.'

Ik hoef dat weekend niet tot in alle bijzonderheden te beschrijven. Het is voldoende te zeggen dat het tussen Tobin en tante Biddie meteen klikte en dat hij op het eerste gezicht verliefd werd op het huis. Hij werd ook meteen goede maatjes met Tiger, Joey en Reynard. Hij bewonderde Gordon en haar inmiddels volwassen jongen die Michael, Simon en Timothy waren genoemd. Hij maakte precies de juiste soort tsj-tsj-geluidjes tegen Nutkin en voor het weekend voorbij was, had hij een speciale winterslaapdoos voor Chukwa gemaakt.

Wat tante Biddie betrof, hoefde hij geen enkele moeite te doen om de juiste dingen te zeggen om haar een plezier te doen: de woorden kwamen als vanzelf. Lang voor het eten die eerste avond voorbij was, was het of ze oude vrienden waren en had ik moeite om er een woord tussen te krijgen.

Maar ik moet wel een paar voorvalletjes vermelden. Het eerste vond plaats na het eten, toen Tobin de kamer uit was om gevolg te geven aan de roep der natuur en tante Biddie tegen mij zei: 'Ik wist niet precies wat je verwachtte qua slaaparrangement, dus heb ik zowel het tweepersoonsbed in de blauwe kamer als je eigen bed opgemaakt.'

Ik bloosde diep. 'Dat is heel attent van je, maar we slapen apart.'

Tante Biddie keek me vreemd aan – zoals ze me vroeger wel aankeek als ik het over Nigel had, of zelfs toen ik nog klein was en bij de volwassenen bleef hangen in plaats van weg te rennen om te spelen zodra ik van tafel mocht opstaan – alsof ze wilde zeggen: 'Wat is er met jou aan de hand?'

Het ontging me niet dat ze Tobin zelfs een andere kamer had gegeven dan de kamer waar Nigel en ik vroeger sliepen.

Maar Tobin sliep alleen in het tweepersoonsbed en ik sliep in mijn kamertje, met Tiger op de kruik op mijn buik, waar Teddy, Groot en Klein vanaf de vensterbank ernstig naar me keken. En zo hoorde het ook. Zelfs als Tobin en ik bij elkaar hadden geslapen, had ik op The Willows geen bed met hem kunnen delen. Het had altijd al vreemd aangevoeld er met Nigel te slapen. Er met een man te slapen die mijn echtgenoot niet was, leek verraad – hoewel ik eigenlijk niet weet van wat – van de onschuld van mijn jeugd, neem ik aan.

Het andere voorval vond zondagochtend plaats. Nadat tante Biddie Tobin het hele huis en de tuin had laten zien, inclusief de stal waar Phoebus stond en Oude Harry zijn manden vlocht, ging tante Biddie de lunch klaarmaken, terwijl Tobin en ik een eindje op de rivier gingen punteren – Tobin boomde en ik hoosde het water weg dat door de verrotte bodem gutste.

'De volgende keer dat we hier komen – als er een volgende keer is – zal ik proberen dit te repareren,' zei hij. Toen ging hij door: 'Wat heb jij geboft dat je hier bent opgegroeid. Geen wonder dat je er moeite mee hebt om een huis te kiezen. Na dit en Linden Mansions moet al het andere je tegenvallen.'

Ik antwoordde niet, maar bleef hozen.

'Wat me doet denken aan iets wat ik je al een hele tijd wil vragen. Wat is er met Het Boek gebeurd? Ik neem aan dat je de laatste tijd niet in de stemming bent geweest om ermee door te gaan?'

'Ik ben bang dat ik ben blijven steken.'

'Jammer. Maar ik zou het toch graag lezen.'

'Ik heb je al gezegd dat het niet erg goed is. Het is onderweg zo'n beetje in duigen gevallen en het zegt niet wat ik wilde zeggen.'

'Ik kan altijd proberen tussen de regels door te lezen.'

Weer reageerde ik niet.

Tijdens de lunch vertelde tante Biddie Tobin over de kerkklok en ging tekeer over het voetgangersgebied dat er – helaas! – toch leek te komen. 's Middags gingen we naar Holly Hill Farm, waar het tussen Tobin en Miranda, Jonathan en Stevie meteen net zo klikte. En 's zondags beklommen we Bredon Hill.

Toen het tijd was om te vertrekken, ging tante Biddie op haar tenen staan en kuste Tobin op zijn wang, waarop hij haar in zijn armen nam en stevig omhelsde. 'Je bent helemaal te gek, Biddie,' verklaarde hij.

Ze bloosde van plezier. Toen omhelsde ze mij extra hartelijk, gaf me een kus en zei: 'Ik hoop echt dat jullie allebei gauw weer komen.'

Tijdens de rit terug naar Londen zeiden we geen van beiden veel. Ons stilzwijgen had niets ongemakkelijks. Er waren geen onderliggende spanningen, we hadden niet het gevoel dat we moesten praten om het praten. Dat maakte deel uit van de magie als ik bij Tobin was.

Ik weet niet wat híj dacht. Wat mij betreft, ik bekeek mijn situatie nog eens kritisch. Dat weekend had me iets duidelijk gemaakt. Ik had geen extravagante dromen over het soort huis dat ik wilde. Ik wilde gewoonweg niet ergens in mijn eentje wonen, al was het dan ook naar mijn smaak ingericht. Ik wilde bij Tobin wonen.

Toen ik weer in Linden Mansions was, haalde ik Het Boek uit zijn map en las het vanaf het begin door. Ik had meer geschreven dan ik dacht: mijn verslag liep tot Nigel bij Massey Gault & Lucasz ging werken.

De laatste paragraaf luidde:

Hij had zijn doel in het leven ontdekt. De duizelingwek-
kende hoogten van het professionele succes riepen hem
toe. Zijn carrière was van het grootste belang geworden.
En tegen zo'n rivaal kon ik niet op.

Het was frustrerend om te worden geconfronteerd met mijn eigen beschrijving van mezelf, zeker in het licht van alles wat er de laatste maanden was gebeurd. Ik was niet erg ingenomen met de ik die eruit te voorschijn kwam. Maar al te vaak kwam ik mezelf zwak, nogal dwaas en erg dom voor, zonder pit, altijd de weg van de minste weerstand nemend, bijna bang voor mijn eigen schaduw. Het leek volslagen belachelijk om te denken dat ik de dochter van een prinses was – Russisch of anderszins. Dat ik mijn vaders dochter was, was al onwaarschijnlijk genoeg.

Geen wonder dat Nigel de voorkeur had gegeven aan Patti Roscoe en

Bo Eriksson.

De zondag erop nam ik Het Boek en mijn dagboek mee naar Fulham en gaf ze met bonzend hart aan Tobin. Hij bedankte me ernstig en zei dat hij tot de avond zou wachten, als hij alleen was, voor hij ze ging lezen.

We gingen die dag niet op huizenjacht, maar reden Kent in en parkeerden op de North Downs. Het was nogal fris en het blad begon al te verkleuren toen we met stevige pas Pilgrims' Way namen. Onder ons strekte het Weald zich uit tot de wazige verte. Aan braamstruiken langs de weg zaten dikke, sappige bramen en af en toe bleef Tobin staan om er een te plukken en in mijn mond te stoppen.

Ze waren bitterzoet op mijn tong en ik genoot van elke braam, zoals ik van elke minuut van die najaarsdag genoot, als de dood dat het de laatste zou zijn die Tobin en ik samen zouden doorbrengen.

Toen ik de volgende avond uit mijn werk kwam, stond hij buiten tegen de balustrade te wachten, met een ernstig gezicht dat niet veel goeds voorspelde en me in de verleiding bracht mijn kantoor weer in te hollen en me te verstoppen tot zijn geduld opraakte en hij weg zou gaan. Toen zag hij me en veranderde zijn uitdrukking. In zijn ogen blonk tederheid en zijn mondhoeken vertrokken zich tot een glimlach. Hoop – aarzelend, breekbaar, nog niet erg vol vertrouwen – nestelde zich weer in mijn hart.

Zonder iets te zeggen nam hij mijn hand en terwijl hij me stevig vasthield, trok hij me over straat naar zijn auto. Nog steeds zonder iets te zeggen reed hij naar Fulham, waar hij parkeerde en weer mijn hand nam en me het huis in trok.

Op de koffietafel in de woonkamer lagen de map met Het Boek en mijn dagboek. Tobin keek er even naar voor zijn blik op mij bleef rusten. 'Je bent een dommertje,' zei hij zacht. 'Waarom heb je het me niet eerder verteld? Waarom heb je me laten denken–?'

Ik schudde mijn hoofd.

Toen zei hij niets meer, maar nam me in zijn armen en kuste me op een manier waarvan ik nooit had geweten dat het zo kon zijn. En mijn armen kropen om hem heen en ik beantwoordde zijn kus en probeerde hem zo al die dingen duidelijk te maken die ik niet onder woorden kon brengen, al mijn liefde en dankbaarheid, mijn toewijding, mijn hunkeringen, mijn hoop en verlangen.

Onder het kussen voelde ik tranen op mijn wangen, waarvan het zout op onze lippen terechtkwam. En toen besefte ik dat het Tobins tranen waren – en ik wist dat het tranen van geluk waren – en toen huilde ik ook en huilden en kusten we tegelijk...

We hapten even naar adem, gelijktijdig huilend en lachend. En Tobin zei: 'O, mijn lieveling, mijn allerliefste Cara, ik houd zo van je.'

En ik antwoordde, niet bang meer: 'Ik houd ook van jou, Tobin. O, Tobin.'

En dat vogeltje, dat zo lang in mijn hart gevangen had gezeten, begon opeens luidkeels te zingen.

We kusten elkaar steeds weer en gaven ons over aan de pure, bedwelmende extase van onze monden op elkaar, alsof we allebei uitgehongerd waren geweest en ons eindelijk konden verkwikken.

Ten slotte hapte Tobin weer even naar adem en trok me mee naar boven. In de slaapkamer tilde hij me op, legde me op het bed, ging naast me zitten en keek op me neer. Mijn lippen tintelden van onze kussen, ik trilde over lijf en leden en mijn hart bonsde.

Hij legde zijn hand op mijn hart, ik kwam tot in het diepst van mijn wezen tot leven en ik gaf me sidderend aan zijn aanraking over. Ik hief mijn armen op en legde ze om zijn hals, trok zijn hoofd naar me toe en gaf hem met zachte, warme lippen mijn antwoord.

Ik ging die avond niet naar Linden Mansions terug, maar sliep in zijn armen. Af en toe werd ik wakker, als Tobin zich in zijn slaap bewoog en me dichter naar zich toe trok. Dan bleef ik doodstil liggen, omdat ik mijn geluk niet op kon, omdat ik dacht dat het een droom was en dat mijn droom bij het ochtendgloren voorbij zou zijn.

De droom ging niet voorbij. Toen het ochtendlicht door de ramen stroomde, lag ik nog steeds in Tobins armen. Nog heerlijker, we kwamen weer tot vrijen, een ander soort vrijen, warm en teder, een moeiteloos in elkaar opgaan van twee lichamen die in volmaakte harmonie versmelten.

Daarna namen we een douche en ontbeten we samen, Tobin met een handdoek om en ik in zijn badjas.

Ik was nog maar net op mijn werk – en hoopte dat het niemand zou opvallen dat ik dezelfde kleren als de vorige dag droeg, waarna het me opeens niet meer kon schelen als het wel opviel –, toen Tobin belde.

'Ik hou van je,' zei hij.

Gelukkig was de deur tussen Douglas' kantoor en het mijne dicht.

'Ik houd ook van jou,' fluisterde ik.

'Ik heb vannacht zo raar gedroomd.'

'Was het een fijne droom?'

'Heel fijn. Ik droomde dat ik met een engel sliep.'

'Dat is gek. Dat heb ik ook gedroomd.'

'Kan ik je tussen de middag zien?'

'Moet jij niet werken?'

'Ja. Maar ik heb er geen zin in. Ik wil die engel terugzien. Om één uur voor je kantoor?'

'Dat zou heerlijk zijn.'

'Zeg nog eens dat je van me houdt.'

'Echt. Heus. Ik hou van je. O, Tobin, ik hou zoveel van je.'

'En ik houd voor altijd en eeuwig van jou.'

We kochten broodjes en aten ze op een bank in Hyde Park, heel dicht naast elkaar, met onze benen en schouders tegen elkaar. En Tobin zei: 'Nu wil ik een paar dingen serieus met je bespreken. Ten eerste Het Boek en je dagboek.'

Omdat ik bang was voor vragen die ik niet wilde beantwoorden, gooide ik wat broodkruim naar de duiven die zich aan onze voeten verdrongen.

'Ik wil het niet over Nigel hebben,' ging hij verder. 'Een andere keer misschien. Dat mag jij bepalen. Maar niet nu. Er is iets veel belangrijkers.'

Hij zweeg en ik hield mijn blik op de duiven gericht die naar de kruimels pikten.

Hij nam mijn hand in de zijne. 'Je doet jezelf groot onrecht. Maar zo ongeveer het grootste onrecht dat je jezelf hebt aangedaan, was toen je me zei dat Het Boek niet erg goed was. Dat is niet waar. Ik heb alles wat je erin hebt geschreven – en in je dagboek – wel drie keer doorgelezen. En zelfs als ik je niet had gekend, had ik die bladzijden onmogelijk kunnen wegleggen.

Het kan me niet schelen of je op school de beste of de slechtste was. En het kan me niet schelen of je vader de grootste dichter was die ooit heeft geleefd – of niet meer dan een klaploper die zichzelf dichter noemde. Ik ben ervan overtuigd dat jij, zelf, een groot schrijver gaat worden. Je hebt een geweldig beschrijvend talent en een verbazingwekkend inzicht in je medemensen. Jij laat met je woorden mensen en taferelen op papier tot leven komen. Je beschikt over een groot talent, Cara. Alsjeblieft, ik smeek je vanuit de grond van mijn hart, verspil het niet.'

Er prikten tranen in mijn ogen en ik probeerde ze terug te dringen. Toen drupte er een traan uit mijn ogen op Tobins hand. Ik bracht zijn hand naar mijn lippen en kuste het natte plekje. 'Dank je,' snikte ik onderdrukt. 'O, dank je.'

'En nu het andere,' zei hij. 'Houd alsjeblieft op met snotteren.'

Hij stond op van de bank, waardoor de duiven uit elkaar stoven, en zakte op één knie voor me neer. Toen vroeg hij: 'Wil je met me trouwen?'

HOOFDSTUK 25

Ik wilde dat ik kon zeggen dat vanaf dat moment – nadat Tobin en ik elkaar onze liefde hadden verklaard en hij me ten huwelijk had gevraagd en ik ja had gezegd – al mijn problemen verdwenen en we nog lang en gelukkig leefden, zoals dat in films en romans gebeurt. Het is een feit dat het langer duurt om aan geluk te wennen dan eraan te wennen dat je ongelukkig bent. Als je erg bezeerd bent, zoals ik door Nigel, ben je als de dood dat je dezelfde fouten nog eens maakt. Allereerst moet je leren vertrouwen en daar is tijd voor nodig.

Dus hoewel Tobin me vroeg of ik meteen bij hem wilde intrekken, deed ik dat niet. Ik had eigenlijk vanaf het begin mijn bedenkingen om bij hem in te trekken. Ik hield van hem en ik wilde bij hem wonen, maar ik wilde radicaal met het verleden breken en ons leven samen beginnen in een omgeving die voor ons allebei nieuw was.

Zo waren Nigel en ik namelijk begonnen. Ik was bij hem ingetrokken, in zijn flat in Islington, en vanaf dat moment had hij een voorsprong op me gehad. Natuurlijk was Tobin Nigel niet en was zijn huis in Fulham Nigels flat in Islington niet, maar de situatie was dezelfde.

Ze was zelfs bijna identiek, want net zoals ik heel weinig van mezelf had meegebracht toen ik bij Nigel was ingetrokken, zou ik ook heel weinig meenemen als ik Linden Mansions verliet. Nigels advocaat deelde David Rinder mee dat Nigel graag alle meubels uit Linden Mansions wilde hebben die ik niet hoefde en ik zei dat hij ze allemaal mocht hebben. Ze waren toch al niet mijn keus geweest en ik wilde ze niet, waar ik ook ging wonen.

Dat wil nog niet zeggen dat Tobin en ik de situatie niet bespraken. Integendeel. We waren allebei heel openhartig tegen elkaar. Ik legde mijn bedenkingen uit en hij gaf toe dat hij ook wel enige bedenkingen had. Tenslotte woonde hij al zeven jaar alleen en had hij zijn huis aan zijn behoeften aangepast. Hij had bijvoorbeeld geen logeerkamer. Als hij gasten had, sliepen ze op een bank in de zitkamer. Ja, ook hij had tijd nodig om aan het idee te wennen.

Maar het was wel verstandig om dingen niet overhaast te doen. Eerst moest ik uit Linden Mansions weg. Half november werden de akten getekend en de nieuwe eigenaars wilden er graag voor Kerst in. Zo vlak voor Kerstmis dachten weinig mensen aan verhuizen, tenzij het absoluut niet anders kon. Dus besloten we dat het beter was om te wachten tot de onroerendgoedmarkt in het nieuwe jaar weer zou aantrekken voor we op zoek gingen naar een eigen huis. Tegen die tijd zou onze financiële situatie ook duidelijker zijn en zouden we een beter idee hebben van wat we ons konden veroorloven.

Dat was ook zoiets – geld. Ik werd door mijn scheiding en het advies van David Rinder niet opeens geldbelust. Ik nam geen houding aan van wat van mij is blijft van mij. Integendeel zelfs. Ik was vastbesloten zoveel mogelijk in mijn eigen onderhoud te voorzien.

Tot afschuw van David Rinder stond ik er zelfs op dat Nigel de aflossingen van de hypotheek die hij had betaald toen ik nog in Linden Mansions woonde, zou terugkrijgen. David Rinder mocht me dan gek vinden, maar wat zou dat? Ik haatte het idee dat ik op enige manier bij Nigel in het krijt zou staan.

Door mijn vastberadenheid om financieel onafhankelijk te blijven, kregen Tobin en ik bijna ruzie. Dat gebeurde nadat Yvonne naar kantoor belde om iedereen te laten weten dat ze een zoontje had gekregen en ze mij tijdens het gesprek in bedekte termen te kennen gaf dat ze in dubio stond of ze na haar zwangerschapsverlof wel weer wilde gaan werken. Natuurlijk vertelde ik het Tobin en ik vroeg of hij vond dat ik bij Douglas moest blijven werken als mij de baan werd aangeboden.

Hij was ertegen. 'Als je mijn eerlijke mening wilt, dan vind ik dat je je termijn moet uitdienen en dan helemaal geen tijdelijk werk meer moet doen. Ik geloof echt dat je carrière kunt maken als schrijver. Ik zou willen dat je probeerde een echt boek te schrijven.'

'En als het niet deugt en niemand het wil uitgeven?'

'Als dat het geval zou zijn, wat ik zeer betwijfel, heb je het op zijn minst geprobeerd.'

'En hoe moet ik dan aan geld komen, terwijl ik het schrijf?'

'Ik wil je maar al te graag bijstaan.'

'Maar ik wil niet worden onderhouden.'

'Gebruik je afkoopsom dan. Daar was hij tenslotte voor bedoeld.'

'Maar die hebben we misschien nodig als we verhuizen. Ik kan geen vijfduizend pond aan een gok vergooien. Nee, het is heel lief van je dat je zoveel vertrouwen in me stelt, maar ik deel je overtuiging niet.'

Gelukkig drong hij niet aan en we spraken af dat we later zouden bespreken of ik wel of niet bij Grosvenor Management Consultants zou blijven, als Yvonne had besloten of ze al dan niet zou terugkomen. Intussen zou mijn afkoopsom blijven waar hij was.

Tegen deze achtergrond vond de geleidelijke overgang van mijn oude leven naar het nieuwe plaats. Doordeweeks woonden Tobin en ik apart. Tenzij we uitgingen – naar de schouwburg, een concert of een tentoonstelling – ging ik uit kantoor naar Linden Mansions. En in de weekenden ging ik naar Tobin en bleef bij hem slapen.

Alles bij elkaar genomen had ik het eigenlijk erg druk en dat was maar goed ook, want zo had ik niet al te veel tijd om te piekeren en te tobben. Hoewel Nigel en ik lang niet zoveel rommel hadden verzameld als tante Biddie op The Willows, hadden we in de loop der jaren toch een verrassend aantal bezittingen vergaard die allemaal moesten worden uitgezocht, sommige weggegooid en de rest in dozen gepakt – de meeste voor Nigel en een paar voor mij. Alleen al voor de keuken had ik een week lang elke avond nodig. En omdat ik de flat uitnodigend wilde laten zijn voor de nieuwe eigenaars, maakte ik kasten en kamers die ik had opgeruimd meteen grondig schoon, geschrokken als ik was van de hoeveelheid vuil, stof en spinnenwebben die ik ontdekte.

Bovendien moesten er inkopen voor Kerst worden gedaan en moesten er kerstkaarten worden verstuurd, waarbij de laatste een klein probleem vormden. Niet dat ik veel kaarten moest schrijven, want de meeste die ik in het verleden had verstuurd, waren naar Nigels vrienden, kennissen en familie gegaan. Maar ik had wel eigen vrienden die ik ervan op de hoogte moest stellen dat Nigel en ik uit elkaar waren.

Uiteindelijk koos ik de weg van de minste weerstand en schreef er een regeltje bij om te zeggen dat er het afgelopen jaar een boel was gebeurd, dat ik 20 december uit Linden Mansions zou verhuizen en gauw iets van me zou laten horen.

Mijn weekenden met Tobin waren op de een of andere manier onwerkelijk. We deden niet alle gewone weekendklusjes als boodschappen doen, wassen en schoonmaken, omdat Tobin die door de week al had gedaan. Daardoor waren onze weekenden eerder vakantiedagen en voelde ik me in Fulham meer te gast dan de toekomstige vrouw des huizes.

Dit gevoel van onwerkelijkheid werd nog versterkt doordat we veel werden uitgenodigd, omdat Tobin me aan zijn vrienden wilde voorstellen en zij me graag wilden leren kennen. Ze waren allemaal vreselijk aardig, heetten me welkom bij hen thuis en praatten niet over me, zoals Nigels vrienden hadden gedaan, maar maakten dat ik me interessant en zelfs belangrijk voelde. Het was zonneklaar dat ze allemaal om Tobin gaven en ze lieten duidelijk merken dat ze blij waren dat hij gelukkig was.

Ik herinner me vooral Penny's reactie, toen we bij Michael en haar gingen eten. Ze greep mijn hand en zei: 'Ik heb zoveel over je gehoord sinds Olivers interview met de prinses, maar ik begon me af te vragen of we elkaar ooit zouden ontmoeten. Het spijt me dat je zoveel hebt moeten doormaken, maar ik ben blij dat het nu allemaal voorbij is en dat Tobin en jij een nieuwe start kunnen maken.'

Ze was zo lief en aardig dat ik me, toen ik haar had ontmoet, niet kon voorstellen dat ik haar ooit als rivale had beschouwd. Omdat ik niet goed wist hoeveel ik geacht werd over haar eigen problemen te weten, zei ik aarzelend: 'Ik geloof dat je niet goed bent geweest. Gaat het nu beter?'

'Veel, veel beter,' verzekerde ze me. 'De vooruitgang in de medische wetenschap is werkelijk wonderbaarlijk.'

Om Penny's verhaal af te maken, ze is volkomen genezen. Tegen de tijd dat ik dit schrijf, heeft ze zich nog niet zo lang geleden uit Rambler Books teruggetrokken. Michael en zij zijn het weekend bij ons geweest...

In die tijd ontmoette ik ook Tobins kinderen, die heel wat moeilijker in te palmen waren – Pamela in elk geval. Joss was eigenlijk geen probleem. Op zijn twintigste verjaardag, begin december, gingen we naar Canterbury en namen hem mee uit eten. Hij leek griezelig veel op Tobin en had dezelfde extraverte persoonlijkheid. Joss was geen jongeman die met zijn mond vol tanden stond en verlegen was als hij niet onder leeftijdgenoten was. Als hem iets werd gevraagd, gaf hij uitvoerig antwoord en nog opmerkelijk verstandig ook, moet ik toegeven. Ik vond het leuk om te zien hoe hij Tobin met tolerante genegenheid bejegende, bijna of hun situatie andersom was en hij de vader was en Tobin de zoon.

Tijdens de rit terug naar Londen lachte Tobin. 'Over de appel en de stam gesproken. Hij lijkt zo op mijn vader en Harvey dat het gewoon niet normaal is. Maar hij is er tenminste niet pompeus bij – nou ja, nog niet tenminste... Het lijdt geen twijfel waar zijn toekomst ligt. Als hij advocaat wordt – wat ik aanneem – zal hij jury's om zijn vinger winden.'

Joss mocht dan te zijner tijd jury's om zijn vinger winden, zijn zus wond mannen al om de hare. Ze was klein en erg knap, met blond haar en enorme blauwe ogen. Ook zij hoorde zichzelf erg graag praten, maar anders dan Joss, die interessant over een hele reeks onderwerpen kon praten, bracht Pamela het gesprek steeds weer op zichzelf. Daarbij werd ze geholpen door haar huidige vriendje, Benjamin, die lang, donker en knap was, maar een broeierige, introverte indruk maakte. Hij hield tijdens de maaltijd in een restaurant in Covent Garden, waar we ze mee naartoe namen, voortdurend een arm om haar schouders of zijn hand op haar dij en deed de hele avond nauwelijks zijn mond open.

Pamela maakte zijn stilzwijgen meer dan goed. We kregen alles te horen over haar vorderingen op de balletopleiding, haar problemen om haar gewicht onder controle te houden (het had me verbaasd als ze vijftig kilo woog) en een afschuwelijke pukkel op haar kin (nagenoeg onzichtbaar). Ze slaagde erin het verrassend vaak over haar moeder en Mark te hebben. Als ze het over haar moeder had, was dat op een liefkozende toon die duidelijk bedoeld was om mij te laten weten dat ik heus niet hoefde te denken dat ik haar kon vervangen. Als ze het over Mark had, kwam de boodschap luid en duidelijk over dat ze vond dat Tobin haar in de steek had gelaten en haar had overgeleverd aan een wrede stiefvader.

Als ik aannam dat ze op haar moeder leek, was het geen wonder dat Tobin problemen met Dawn had gehad.

Tot mijn opluchting liet Tobin zich er niet door van de wijs brengen. Toen we weer in Fulham waren, zei hij: 'Het spijt me. Ik had je moeten waarschuwen, maar ik had niet gedacht dat het zo erg zou zijn. In werkelijkheid liggen Dawn en zij altijd overhoop omdat ze elkaar proberen te overtreffen, terwijl ze met Mark eigenlijk heel goed kan opschieten. Dat was voornamelijk toneelspel, om indruk op je te maken.'

Misschien, maar als toekomstige stiefdochter had ik toch liever een meisje gehad dat meer op Stevie leek. Maar als troost werd ik tenminste niet geconfronteerd met het vooruitzicht mijn woning met haar te moeten delen.

De volgende keer dat ik Pamela ontmoette, was na Kerst, en tegen die tijd was ik al bij Tobin ingetrokken. Ze kwam ons in Fulham opzoeken – in haar eentje –, want Benjamin behoorde inmiddels tot het verleden. 'Hij was zo bezitterig,' klaagde ze. 'Als ik maar met een andere man praatte, werd hij al jaloers. Ik bedoel maar, hij was zelfs jaloers op papa.' Ze keek koket naar haar vader en trok tegen mij uitdagend haar kleine wenkbrauwen op.

Nee, Pamela was niet bepaald een lieverdje. Maar hoewel ze het niet wist, leerde ze me wel een lesje. Vanaf dat moment voelde ik geen enkele jaloezie meer voor Dawn en had ik alleen nog maar medelijden met Tobin vanwege alles wat hij in zijn huwelijk moest hebben meegemaakt.

Intussen was de verkoop van Linden Mansions 9 rond. De avond voor ik verhuisde, nodigden Sherry en Roly Tobin en mij uit voor een afscheidsdineetje – hoewel we allemaal ons uiterste best deden om te benadrukken dat we niet zozeer een einde herdachten als wel een nieuw begin vierden. Toch besefte ik dat de vriendschap tussen Sherry en mij er wel degelijk onder zou lijden. Fulham lag wel niet ver van Highgate af, maar toch wel zo ver dat het afgelopen was met het informele even bij elkaar aanwippen.

Ik dronk een beetje te veel of misschien steeg de wijn me gewoon sneller naar het hoofd dan anders, maar opeens stond ik een sentimentele toespraak te houden over hoeveel Sherry voor me betekende, hoe dankbaar ik was voor alles wat ze in de loop der jaren voor me had gedaan en dat ze eigenlijk mijn allerbeste vriendin was. En toen, omdat ik besefte dat mijn woorden Tobin misschien van streek maakten, begon ik uit te leggen dat ik er niets tegen hem mee bedoelde, dat ik met hart en ziel van hem hield, maar dat ik ook van Sherry hield, op een andere maar even belangrijke manier. Op dat moment zei Roly – heel verstandig – dat ik mijn mond moest houden en ging hij voor ons allemaal koffie zetten.

De volgende dag vond het laatste ritueel plaats. Nigel stuurde een verhuiswagen om de meubels en de rest van zijn spullen te halen. Ik vroeg me af of hij zelf zou komen, maar hij kwam niet. Ik zei de verhuizers dat ze ons bed ook moesten meenemen, hoewel hij uitdrukkelijk had gezegd dat hij het niet wilde.

Mijn eigen spullen – mijn boeken, kleren, platen, wat potten en pannen, Miranda's aardewerk, tante Biddies wijnglazen, Angelini's portret van Filomena en een paar andere dingen van voornamelijk sentimentele waarde die ik in de loop der jaren had vergaard – pasten in de Fiesta met de achterbank neergeklapt. Ik weet dat materiële bezittingen geen overmatig grote rol zouden moeten spelen: toch leken de mijne zielig weinig voor mijn vijfendertig jaar.

Ik had niet gedacht dat het me iets zou doen om de flat te verlaten, maar toen het zover was, voelde ik me toch op een vreemde manier verdrietig. Tenslotte symboliseerde hij zeven jaar van mijn leven en was er veel met me gebeurd toen ik daar woonde, al was het weinig gelukkigs.

En toen ik in Fulham kwam, was ik blij dat Tobin me daar opwachtte. In mijn afwezigheid had hij kastruimte vrijgemaakt voor mijn kleren – of tenminste een deel ervan – en 's zondags hing hij nieuwe planken op voor mijn boeken. Angelini's portret van Filomena kwam in de zitkamer boven de open haard te hangen.

Ondanks alle moeite die Tobin deed, had ik toch even een moment van blinde paniek bij het gevoel dat de geschiedenis zich herhaalde. Dit was het dan. De teerling was geworpen. En ik deed precies datgene wat ik het minst had willen doen. Ik had me gelukkig moeten voelen. In plaats daarvan had ik een afschuwelijk gevoel van déjà vu.

Maar toen was het bijna meteen Kerstmis.

De dag voor Kerst gingen we naar Avonford, waar we op tijd waren voor de lunch, waarna we de boom optuigden met alle oude, vertrouwde versierselen uit mijn jeugd en op de radio naar de kerstliederen van King's College uit Cambridge luisterden. Tobin hing langs de bovenkant van alle schilderijen papieren slingers en hulst, en hij hing een maretak in de hal, waaronder hij tante Biddie en mij kuste.

Na de thee lazen we om beurten hardop gedichten voor – iets wat ik niet meer had gedaan sinds ik met Nigel was getrouwd – alle oude lievelingsgedichten, zoals 'De dame van Shallot', 'De dorpssmit' en 'Lochinvar'. Toen las tante Biddie 'De Kleermaker van Gloucester' voor, net als vroeger, toen ik nog klein was. Toen ze aan het eind kwam, bij het stuk over de steken die zo klein waren dat ze eruitzagen of ze door muisjes waren gemaakt, zat ik te snotteren.

Als allerlaatste las Tobin 'Een bezoek van de kerstman' voor:

'Op de avond voor Kerstmis, toen in het hele huis niets meer bewoog, zelfs geen muis;
    toen kousen voorzichtig boven de schouw waren gehangen...'

De volgende ochtend, toen ik in mijn kamertje wakker werd, hing er een kous aan het voeteneind van mijn bed. Ik ging naar beneden en zette voor ons allemaal thee. Ik bracht tante Biddie als eerste haar thee en zag dat ook zij een kous had. Toen maakte ik Tobin wakker en hij lachte. 'Wil je zeggen dat je niet in de kerstman gelooft? Schaam je.'

Hij en ik gingen bij tante Biddie op bed zitten om onze kousen uit te pakken. Alles zat erin – een kooltje, een sinaasappel, een appel, een oud stuivertje – zelfs een muis van suikerwerk.

Miranda, Jonathan en Stevie kwamen vlak na het ontbijt en brachten cadeautjes mee voor onder de boom. We lieten het aan tante Biddie en Miranda over om voor de lunch te zorgen en gingen een wandeling maken. Jonathan en Tobin liepen voorop en hielden een mannengesprek, en Stevie en ik liepen er achteraan.

'Ik wist in San Fortunato al dat je van hem hield,' vertelde Stevie me.

'Dat verzin je maar,' zei ik beschuldigend.

'Nee, nietwaar. Je bent gewoon niet goed in smoesjes maken.'

'Nou, en...?'

'O, mijn toestemming heb je,' zei ze luchtig. 'Ik begreep toch al nooit wat je in Nigel zag. Hij was zo'n zak.'

Na de lunch volgden we de aloude Willowstraditie en gingen de koks zich omkleden, terwijl de rest van ons de afwas deed. Toen verzamelden we ons voor de televisie om naar de toespraak van de koningin te kijken en een toast uit te brengen, waarna we onze cadeaus openmaakten. Tobin had voor iedereen een cadeautje en ze hadden allemaal een cadeautje voor hem. Hij gaf tante Biddie *The Country Diary of an Edwardian Lady* en mij een schilderij.

Het stelde Villa Lontana en de Abbazia e Convento della Misericordia voor, vanaf het meer gezien, geschilderd naar een van Stevies foto's. Het gaf precies de sfeer van San Fortunato weer, alsof hij bij ons in de roeiboot had gezeten. Ik kon de zon gewoon op mijn huid voelen en ik kon de koekoeken in het bos horen...

Na de thee speelde tante Biddie piano en zongen we met ons allen, net als toen ik nog klein was.

Eerste kerstdag brachten we op Holly Hill Farm door en Miranda zei: 'Tobin en jij verdienen elkaar.'

We bleven tot nieuwjaarsdag in Avonford. Tobin ontdekte een massa kleine klusjes die in huis moesten worden gedaan, van piepende scharnieren en lampen die vervangen moesten worden tot de punter die hij begon te repareren. Tante Biddie hield vol dat hij geen van die dingen hoefde te doen, maar hij zei: 'Ik kan niet de hele dag zitten niksen. Nee, praten jullie, meisjes, maar bij en laat mij mijn gang maar gaan. Ik vind het heerlijk om te rommelen, dus maak je over mij maar geen zorgen.'

Eigenlijk hadden tante Biddie en ik ook niet zoveel tijd om te zitten niksen. Afgezien van de normale huishoudelijke klusjes en de zorg voor haar menagerie, ontvingen we een aanhoudende stroom bezoekers, van buren die alleen even kwamen aanwippen voor een kop koffie tot het exclusieve gezelschap dat op de thee werd gevraagd. Het nieuws van de scheiding van Nigel en mij had kennelijk als een lopend vuurtje onder tante Biddies vriendinnen de ronde gedaan en ze waren allemaal nieuwsgierig naar mijn nieuwe vriend.

Ik weet niet meer hoe vaak ik te horen kreeg: 'Wat spijt me dat nou van jou en je man, Cara. Die dingen gebeuren nu eenmaal, vrees ik. Maar ik hoor dat je al een ander hebt?'

Dan gaf tante Biddie een zelfvoldaan glimlachje en zei ze: 'Ja, Tobin is zo'n aardige man. Hij is heel goed voor Cara. En hij is buitengewoon handig in huis. Weet je hoe lang ik al klaag dat ik de deur van de provisiekast niet meer dicht krijg? Ik heb Tom gevraagd er voor me naar te kijken toen hij in het voorjaar kwam schilderen, maar hij is er nooit aan toegekomen. Nou, Tobin heeft het in een halfuurtje gefikst en hij sluit weer perfect.'

Op deze manier schepte ze op tegen haar vriendinnen, werd het mij bespaard nieuwsgierige vragen over mijn toekomst te beantwoorden en kwam Tobin glansrijk voor de dag zonder aan een nauwkeurig onderzoek te worden onderworpen.

Toch slaagden tante Biddie en ik erin wat tijd voor onszelf te vinden, waarin ik mijn bedenkingen beschreef over het idee om bij Tobin in te trekken. Ik vertelde haar ook over Tobins reactie op mijn pogingen tot schrijven en dat hij vond dat ik moest proberen een echt boek te schrijven.

Heel verstandig waagde ze zich niet aan een eigen mening, maar knikte alleen meevoelend en zei: 'Ja, dat begrijp ik best.'

We zagen Dingle's Gate voor het eerst op oudejaarsdag. Tobin was klaar met zijn klusjes en we waren een eindje gaan toeren, de kant van Malvern uit, waar we over kronkelige landweggetjes reden, toen we ver van de bewoonde wereld opeens op een huis stuitten. Tobin bracht de auto tot stilstand en we staarden er allemaal naar.

Het was een mengeling van een poorthuis en een Victoriaans gebouw, het lag een paar honderd meter van het begin van een oprijlaan met aan weerskanten bomen en was in de vorm van een overwelfde doorgang gebouwd, met aan weerskanten twee verdiepingen en een kamer die de ruimte ertussen overbrugde, waar de oprijlaan in het verleden waarschijnlijk doorliep, die nu aan de voorkant van het huis ophield. Het had duidelijk vroeger bij de toegang tot een landhuis gestaan, maar was nu een zelfstandig pand. Elk van de zijvleugels had een puntig torentje, met een galerij met kantelen. Het dak boven de poort had eveneens kantelen.

'Dat is nou precies het soort huis dat jullie nodig hebben,' verklaarde tante Biddie. 'Dan kan Cara in de ene helft schrijven en jij in de andere schilderen, Tobin. En als jullie elkaar willen zien, is er een hal of gang in het midden.'

Het was een plaatje. Nee, het was meer dan dat. Het was mijn droomhuis. Zonder het zelfs van binnen gezien te hebben, wist ik dat alles eraan klopte: het formaat, de ligging, de tuin en het lag in de buurt van

417

Avonford en Holly Hill. Ik zat daar in de auto aan het begin van de oprijlaan en hunkerde ernaar zoals ik nog nooit naar iets materieels had gehunkerd.

'Het spijt me, schat,' zei Tobin, die mijn uitdrukking juist interpreteerde, 'maar het ziet er erg bewoond uit.'

'Misschien is het wel te koop,' zei tante Biddie. 'Mensen zetten niet altijd een bord in hun tuin.'

Ik schudde mijn hoofd. 'Zelfs al was het te koop, dan zouden we het ons toch niet kunnen veroorloven.'

Toen we op The Willows terugkwamen, dronken we thee bij de open haard in de zitkamer en aten we warme, beboterde toast met honing. Ik zat afwezig te dagdromen over Dingle's Gate en stelde me Tobins helft voor, ingericht met zijn meubels uit Fulham en mijn helft, ingericht naar mijn eigen smaak.

Hoeveel kamers waren er? vroeg ik me af. Zeg dat er aan allebei de kanten vier kamers waren. De keuken en de eetkamer zouden naast elkaar liggen, en waarschijnlijk lag de badkamer boven de keuken, wat inhield dat er aan die kant één slaapkamer zou zijn. In de andere helft zouden dan twee ontvangkamers zijn, met erboven nog twee slaapkamers, met in het midden de centrale hal. Dat moest een geweldige ruimte zijn, met ramen voor en achter. En dan die torentjes. O, ik zou er een helemaal voor mezelf kunnen hebben, ingericht en aangekleed precies zoals ik wilde.

Dan kon ik in mijn torentje boeken zitten schrijven. Ik zou een bureau onder een raam zetten dat uitkeek op de Malverns en zou schrijven.

Op dat punt stokten mijn gedachten, omdat ik me opeens mijn vader voorstelde die Patricia's gulheid verachtte en Imogen Humboldt vertelde dat hij onvergelijkelijke poëzie zou kunnen schrijven als hij maar uit Londen weg kon. En nu zat ik hier dezelfde fantasieën te hebben, met nog minder om ze te schragen dan mijn vader. Hij had tenminste geweten dat hij enig talent had, terwijl ik alleen Tobins verzekering had, gebaseerd op de kracht van Het Boek en mijn dagboek.

Toen kreeg ik in de gaten dat Tobin en tante Biddie het over mij hadden.

'Ik respecteer haar wens om onafhankelijk te blijven en ik begrijp dat ook best,' zei Tobin. 'Maar het lijkt zo zonde van haar talent.'

'Ja, ik weet het,' zei tante Biddie instemmend. 'Maar ik voel wel mee met haar standpunt. Wat voor soort boek denk je dat ze moet schrijven?'

'Een historische roman, denk ik, met bedachte figuren tegen een feitelijke achtergrond.'

'Ze heeft het afgelopen jaar in ieder geval genoeg interessante mensen ontmoet om een uitgangspunt te hebben. En omdat ze zoveel van Frankrijk en Italië weet, zou ze het verhaal in een van die landen kunnen laten spelen. Dat zou het interessanter maken. Ik ben altijd dol op boeken die me niet alleen aangenaam bezighouden, maar waar ik nog iets van leer ook.'

'Maar je had volkomen gelijk met wat je vandaag zei,' ging Tobin verder. 'Ze heeft echt een eigen kamer nodig. Ik denk dat ik van de eetkamer een werkkamer voor haar maak als we in Fulham terugkomen.'

'Heb ik er ook nog iets over te zeggen?' wilde ik weten.

'Ja natuurlijk, lieverd,' zei tante Biddie.

'Nou, jullie vertrouwen in me is heel roerend, maar ik ga nog steeds mijn werk niet opgeven om een boek te schrijven waarvan ik geen enkele garantie heb dat het ooit zal worden uitgegeven.'

'Dat zeggen we ook helemaal niet,' verzekerde tante Biddie me. 'Maar zoals Tobin net zei, heb je kennelijk in je avonden en weekenden heel wat bereikt met schrijven. Je zou in elk geval kunnen beginnen een roman te plannen.'

'En als we mensen te eten krijgen?'

Tobin lachte. 'Dan eten ze maar met een blad op schoot.'

's Avonds kwamen Miranda, Jonathan en Stevie. Om middernacht stonden we in de voordeur te luisteren hoe de kerkklokken het nieuwe jaar inluidden. Ik moest onwillekeurig denken aan dat afschuwelijke feest bij Liam Massey een jaar geleden. Ik had me toen niet kunnen indenken dat mijn leven zo zou veranderen.

Toen Miranda, Jonathan en Stevie waren vertrokken en tante Biddie naar bed was, bleven Tobin en ik in de zitkamer voor de smeulende resten van het haardvuur zitten. Hij hief zijn glas naar me op. 'Op onze toekomst.'

Ik stootte aan. 'Bedankt voor alles.'

'Ik hoop dat je vanmiddag niet het gevoel hebt gekregen dat we tegen je samenspanden. Het moet er wel op geleken hebben, maar we houden allebei nu eenmaal heel veel van je.'

Ik glimlachte. 'Ja, dat weet ik wel. En ik ben er dankbaar voor. Ik ben alleen bang dat ik niet aan je verwachtingen zal voldoen.'

Toen hij volgens tante Biddies instructies het vuur had uitgemaakt en de vonkenvanger eromheen had gezet, nam hij me in zijn armen en hield me heel dicht tegen zich aan. 'Ik begrijp best dat je hier niet met we wilt slapen voordat we getrouwd zijn, maar mijn bed is zo groot en zacht. Kan ik je er niet toe verleiden het een tijdje met me te komen delen? Je ziet er vanavond zo mooi uit. En ik houd zoveel van je.'

Ik ging met hem mee naar de blauwe kamer en op de een of andere manier leek het helemaal geen verraad. In de kleine uurtjes sprong Tiger op het bed en maakte ons wakker, waarop ik weer naar mijn eigen kamertje sloop. Wie zegt dat dieren geen zesde zintuig hebben? En wie zegt dat oude dametjes dat ook niet hebben? Toen tante Biddie me mijn thee bracht, vroeg ze niet hoe ik had geslapen, zoals ze anders altijd wel deed. Ze zei alleen: 'Het is een prachtige dag vandaag' en glimlachte voldaan.

De meeste van mijn akelige voorgevoelens over bij Tobin wonen bleken gelukkig ongegrond, hoewel ik zou liegen als ik zei dat ik me in Fulham ooit helemaal thuis ben gaan voelen. Maar net als met zoveel andere dingen bleek het vooruitzicht erger dan de werkelijkheid. Natuurlijk, sommige van mijn bezittingen bleven in hun doos en sommige van mijn kleren in een koffer, wat me aanvankelijk een vreemd gevoel van ontwrichting gaf, maar omdat het allemaal dingen waren die ik niet meteen nodig had, verdween dat gevoel na een tijdje.

Omdat we ons allebei bewust waren van mogelijke valkuilen, deden we ons best ze te vermijden. We respecteerden vooral elkaars privacy. Ik deed mijn best Tobin niet te storen bij zijn werk als dat niet absoluut nodig was en altijd te kloppen voor ik zijn atelier binnenging. En toen de eetkamer eenmaal mijn domein was geworden, was hij jegens mij net zo voorkomend. Niet dat ik de eetkamer helemaal overnam. Tenslotte had ik niet veel ruimte nodig – alleen maar een plekje voor mijn draagbare schrijfmachine, voor papier en voor de boeken die ik begon te verzamelen toen ik mijn eerste roman ging plannen. Die konden allemaal gemakkelijk op het dressoir worden gezet, zodat we dan wel niet op grootse manier, maar toch met gemak mensen konden ontvangen.

Want ik luisterde wel degelijk naar de bemoedigende woorden van Tobin en tante Biddie en besloot dat mijn roman over Witrussen in Parijs in de jaren twintig en dertig moest gaan. Praten over de figuren en de plot bezorgde Tobin en mij afleiding als we stonden te koken of zaten te eten, en ik gebruikte mijn tochten met de ondergrondse om meer boeken over die tijd te lezen.

Half januari kondigde Yvonne aan dat ze niet terugkwam op het werk. Douglas bood mij toen haar baan aan, voor een aanzienlijk beter salaris dan ik als tijdelijke kracht verdiende en ik nam hem aan, op voorwaarde dat hij begreep dat ik niet van plan was de rest van mijn leven voor

Grosvenor Management Consultants te blijven werken.

'Ik mag hopen van niet,' antwoordde hij. 'Wij werken met arbeidskrachten, weet je nog? Als je een beter aanbod krijgt, verwacht ik zeker dat je het aanneemt.'

Daar liet ik het bij.

Toen ik Tobin vertelde wat ik had gedaan, zei hij alleen: 'Nu je bent gaan denken aan het schrijven van een boek, is dat het enige wat telt. Ik wilde je alleen maar op weg helpen.'

Het eerste etentje dat we gaven, was op Tobins zesenveertigste verjaardag op 23 januari, en dat was tevens de dag waarop ergens een rechter zijn vonnis wees voor een voorlopige echtscheiding tussen Nigel en mij, wat inhield dat ons huwelijk over zes weken en één dag eindelijk voorbij zou zijn. Dus eigenlijk was het dubbel feest.

Onze gasten waren Penny en Michael, Oliver en zijn vrouw, Tobins agent Freddie met zijn vriendin, en Sherry en Roly. Aan het eind van de maaltijd hield Oliver een toespraakje. 'Cara en Tobin zijn mijn eerste en enige poging tot koppelen,' verklaarde hij. 'Hoewel ik moet toegeven dat ik, toen ik Tobin voor het eerst over Cara vertelde, niet echt verwachtte dat het ooit iets zou worden. Ze pasten duidelijk precies bij elkaar, maar er waren nogal wat obstakels. Af en toe, als ik van de zijlijn toekeek, wilde ik wel dat ze wat minder – eh, zal ik zeggen – deugdzaam waren? Maar uiteindelijk heeft de liefde overwonnen.'

Verbaasd wendde ik me tot Tobin en vroeg: 'Wat heeft hij je over mij verteld?'

'Nou, hij heeft je in geuren en kleuren beschreven. Hij beschreef je haar als glanzend goud en zei dat je buitengewoon intelligent was – en nog een paar andere dingen die ik overigens al snel zelf ontdekte toen ik je eenmaal had ontmoet.'

'Je vergeet nog iets,' zei Oliver. 'Ik heb je ook gezegd dat het er niet naar uitzag dat Cara gelukkig getrouwd was.'

'Hoe ben je daar in godsnaam achter gekomen?' wilde ik weten. 'Ik geloof niet dat ik Nigel zelfs maar heb genoemd. Ik weet eigenlijk wel zeker van niet.'

'Je had de gewoonte nerveus met je trouwring te zitten draaien,' deelde Oliver me poeslief mee. 'Vrouwen die dat doen, proberen meestal een boodschap over te brengen, al is het dan onbewust. Soms is het een waarschuwing om te zeggen: "Handen thuis. Ik ben niet beschikbaar." In jouw geval was het duidelijk een teken van onzekerheid en nervositeit. Natuurlijk had je nerveus kunnen zijn over onze ontmoeting. Maar hoewel dat vleiend zou zijn geweest, leek het onwaarschijnlijk, omdat je in elk ander opzicht zo zelfverzekerd was.'

'Misschien was ik wel gespannen doordat ik achter het bestaan van de prinses was gekomen.'

'O ja, dat besefte ik natuurlijk wel. Maar toen we het over haar hadden, zat je niet aan je trouwring te wriemelen.'

Ik lachte spijtig. 'Nou, ik kan alleen maar zeggen dat ik buitengewoon blij ben dat je ons met elkaar in contact hebt gebracht, om welke reden dan ook.'

Gebeurtenissen als dat etentje hielpen aanzienlijk om me het gevoel te geven dat ik deel uitmaakte van Tobins leven. En ik moet toegeven dat het heerlijk was om aan het eind van een werkdag bij hem thuis te komen.

In die tijd gingen we ook weer op huizenjacht, maar ik was niet meer zo enthousiast als eerst. Ten eerste kon ik Dingle's Gate niet uit mijn hoofd zetten. En ten tweede kon ik me er niet toe brengen vaste plannen voor de toekomst te maken voor mijn scheiding definitief en mijn huwelijk eindelijk voorbij zou zijn. Hoewel er geen reden was waarom er in dit stadium nog een kink in de kabel zou komen, denk ik dat ik het noodlot niet wilde tarten. Tot ik die kostbare papieren in handen had, bleef ik stiekem bang dat er op het laatste moment iets mis zou gaan.

Op 14 maart 1981 was de scheiding er eindelijk door en was het of er een enorme last van mijn schouders viel. Nigel was voor altijd verdwenen. Ik was vrij.

Tobin nam me mee uit eten om het te vieren en toen hij over trouwen begon, merkte ik opeens dat ik onze toekomst in een veel positiever licht kon zien.

Helaas hadden we allebei een ander idee over hoe onze bruiloft eruit moest zien. Omdat we allebei gescheiden waren, was een kerkelijk huwelijk uitgesloten en moest het een burgerlijk huwelijk worden. Daar waren we het volkomen over eens. Waar we het niet over eens waren, waren de plaats en het aantal gasten.

Tobin wilde een heel sobere plechtigheid, bijvoorbeeld ergens op het stadhuis van Chelsea, met maar een paar getuigen – Sherry en Oliver, stelde hij voor.

'Maar ik kan niet trouwen zonder tante Biddie, Miranda, Jonathan en Stevie uit te nodigen,' stribbelde ik tegen.

'Nee, ik neem aan van niet,' gaf hij toe. 'Maar als we hen uitnodigen, moeten we mijn kinderen en Harvey en Gwendolen ook vragen.'

'En waarom niet?' vroeg ik. 'Het is niet meer dan juist dat Joss en Pamela erbij zijn en wat Harvey en Gwendolen betreft, die heb ik nog niet eens ontmoet.'

'Dat is omdat ik het beste met je voor heb.'

'Wat houdt dat in?'

'Ze zijn zacht gezegd nogal overweldigend.'

'Wil je zeggen dat ze op me neer zouden kijken?'

'Nee, niet precies, maar–'

'Als dochter van prinses Hélène Romanovna Shuiska hoop ik dat ik opgewassen ben tegen de graaf en gravin van Winster,' wierp ik tegen.

Hij lachte droog. 'Oké, *touché*. Nou, als we getrouwd zijn neem ik je wel een keer mee naar Kingston Kirkby Hall.'

'Maar waarom kunnen ze niet op de bruiloft komen? Schaam je je voor me?'

'Lieve hemel, nee! Ik zou onze trouwdag alleen zo rustig mogelijk willen houden. Het is tenslotte een privé-kwestie tussen jou en mij.'

Ik knikte, terwijl ik mijn teleurstelling probeerde te verbergen.

'Luister, schat, toen Dawn en ik trouwden, hadden we het hele circus – kerkelijk huwelijk, bruidsmeisjes en een receptie met honderd gasten. Ik wil geen herhaling van dat alles.'

Ik knikte weer en speelde met mijn eten.

Er hing even een stilte tussen ons en toen zei hij: 'Het spijt me, ik ben nogal egoïstisch bezig. Waarom zeg je niet wat jij in gedachten hebt?'

In keek op. 'Nou, ik wil ook dat onze trouwdag anders is dan toen ik met Nigel trouwde. Ik zeg niet dat ik er massa's mensen bij wil hebben. Ik wil niet dat het uitloopt op een groot feest. Maar ik wil eigenlijk niet voor de burgerlijke stand in Londen trouwen. Dat hebben Nigel en ik al gedaan.'

'Wat had je dan in gedachten? Gretna Green?'

Ik aarzelde en besloot er toen maar voor uit te komen. 'Eigenlijk zou ik het liefst in Avonford willen trouwen.'

'Als dat alles is, heb ik niet het minste bezwaar.'

'En dan zouden we naderhand een kleine receptie kunnen geven. Ik wil tante Biddie niet te veel drukte bezorgen, dus misschien in een hotel.'

Hij ging achteruit zitten en grijnsde. 'Wat is het probleem dan? Waarom zitten we te ruziën? We trouwen in Avonford. Dat is afgesproken. Nu de volgende vraag. Wanneer zullen we het doen? Wat vind je van je verjaardag in mei?'

'Ik weet niet op wat voor dag mijn verjaardag valt. Wacht even, ik heb een agenda in mijn tas. O, dat is een vrijdag. Dat is niet zo gunstig. Dat wil zeggen dat mensen moeten werken. Waarom trouwen we dan niet op de zaterdag ervoor, dan zijn we met mijn verjaardag op huwelijksreis. Dat wil zeggen – ik neem aan dat we op huwelijksreis gaan?'

'Dat mag ik hopen! Ik had gedacht dat we misschien naar Italië zouden kunnen. Tenzij jij een beter idee hebt?' voegde hij er snel aan toe.

Ik schudde mijn hoofd. 'Ik ga dolgraag met je naar Italië.'

'Je zou me San Fortunato kunnen laten zien. Als we het goed plannen, zouden we op je verjaardag zelfs in San Fortunato kunnen zijn. Wat vind je daarvan?'

'Dat klinkt geweldig.'

'Wil je dan, in ruil voor alle concessies die ik heb gedaan, iets voor me terug doen?'

'Wat je maar wilt,' beloofde ik overhaast.

'Wil je Filomena Angelini schrijven om te vertellen dat je gaat trouwen en dat we op onze huwelijksreis naar Italië gaan?'

'Waarom?'

'Om dezelfde reden die ik je al eerder heb gegeven. Omdat je kennelijk veel voor haar betekent. Ik begrijp dat. Je bent mij ook heel dierbaar.'

Dus schreef ik haar, zij het met enige twijfel, en tot mijn verbazing schreef ze terug, om me geluk te wensen op mijn trouwdag en me te vragen haar alsjeblieft te komen opzoeken – en mijn nieuwe echtgenoot mee te brengen – als we in Italië waren.

Met Pasen gingen we naar Avonford en kondigden onze plannen aan. Tante Biddie was in vervoering. 'Maar als jullie denken dat jullie je receptie in een hotel kunnen houden, zitten jullie er mooi naast,' verklaarde ze. 'Die houden we hier. De dochter van mevrouw Tilsley doet aan catering. Ze is erg goed en haar prijzen zijn heel redelijk.'

Op paaszondag geschiedde het wonder.

We konden het niet nalaten naar Dingle's Gate te gaan kijken en toen we er kwamen, stond er tot onze verbazing een bord TE KOOP in de tuin. Wat helemaal mooi was, was dat de eigenaar naar buiten kwam terwijl wij ons daar stonden te vergapen. Voor we het wisten werden we rondgeleid.

Binnen was het bijna precies zoals ik me had voorgesteld, met vier kamers aan weerskanten en een hal ertussenin. 'Ik ben bang dat er heel wat aan gedaan moet worden,' zei de eigenaar verontschuldigend. Hij heette meneer Simpson en hij was niet zo piep meer, waarschijnlijk van tante Biddies leeftijd, maar lang niet zo fit. Hij liep nogal gebogen en met behulp van een stok. Hij legde uit dat hij erge last van artritis had, die er niet beter op werd doordat Dingle's Gate geen centrale verwarming had.

Er moest inderdaad nodig worden geschilderd en er moest het een en ander aan worden opgeknapt. Vooral de torentjes waren in slechte staat. De dakpannen lekten kennelijk nogal, want de muren hadden natte plekken en de vloerplanken waren aan het wegrotten.

'Hoe lang woont u hier al?' vroeg ik.

'Ik ben hier pas sinds de oorlog,' zei hij. 'Maar mijn vrouw is hier opgegroeid. Haar grootvader was poortwachter in de tijd dat dit het poorthuis van Hartley Manor was. Zijn naam was Dingle, daarom werd het Dingle's Gate genoemd. Het geval wilde dat de Desmonds, die Hartley Manor bezitten, net als veel andere adellijke families te lijden hadden van hoge belastingen en successierechten. Ze werden gedwongen veel van hun land en onroerend goed te verkopen. Omdat ze mijn vrouw kenden, verkochten ze ons Dingle's Gate voor een heel schappelijke prijs. Ach, we zijn hier gelukkig geweest en ik moet toegeven dat het pijn doet om ervan te moeten scheiden. Maar zo is het leven nu eenmaal, nietwaar?'

We knikten allemaal meelevend en aangemoedigd ging hij verder: 'Mijn vrouw is vorig jaar overleden, ziet u, en sindsdien dringt mijn oudste zoon erop aan dat ik bij hem kom wonen. Hij is goed terechtgekomen, echt waar. Hij is voorman bij de Jaguarfabriek in Coventry en hij woont in een groot, modern huis. Nu zijn dochters getrouwd en het huis uit zijn, is het te groot voor zijn vrouw en hem, net als dit huis te groot voor mij is. Dus is het zinnig om bij elkaar te gaan wonen. En de afgelopen winter is me bijna te veel geworden, dat moet ik toegeven. Ik heb zo'n zware griep gehad.'

'Ja, ik ben bang dat we allemaal langzamerhand oud worden,' zei tante Biddie. 'Ik vind dat u er heel verstandig aan doet. In uw plaats zou ik precies hetzelfde doen.'

'Hebt u al veel kijkers gehad?' wilde Tobin weten.

'Nog maar een paar en ik geloof niet dat er iemand echt geïnteresseerd was. Het ligt voor de meeste mensen te ver van de bewoonde wereld en het heeft een grote tuin.'

'Hoeveel grond hoort erbij?'

'Ongeveer vierduizend vierkante meter. En nogal overwoekerd, dat ziet u wel. Ik was vroeger een enthousiast tuinier, maar ik kan het gewoon niet meer.'

We bleven een uurtje, terwijl meneer Simpson erop los praatte, kennelijk blij met ons gezelschap. Toen we ten slotte vertrokken en de oprijlaan afliepen, terug naar de auto, merkte tante Biddie op: 'Je zou nog altijd ezels kunnen houden. Om het gras kort te houden.'

Ik keek naar Tobin en hij keek naar mij. 'Ik kan overal werken,' zei hij. 'Maar zou jij bereid zijn je werk bij Grosvenor Management Consultants op te geven?'

'We weten niet eens hoeveel hij ervoor wil hebben,' wierp ik tegen.

'Laten we dan naar de makelaar gaan om erachter te komen.'

De makelaar zat in Malvern en hij was nog open ook. Verder had de man die over Dingle's Gate ging die ochtend warempel dienst. 'Ah, ja, Dingle's Gate, prachtig gelegen, heel landelijk. Moet een beetje worden gemoderniseerd, maar, eh...'

'Meneer Simpson heeft ons al rondgeleid,' zei Tobin. 'Het enige wat we hoeven te weten is de prijs.'

'Tut, tut, hoogst ongebruikelijk, maar hij is nogal een vreemd heerschap. Nou, de vraagprijs is negenenveertigduizend vijfhonderd, wat buitengewoon redelijk is, het aantal kamers en de hoeveelheid grond in aanmerking genomen.'

Het was minder dan ik had gevreesd, maar ik wist nog steeds niet of we het ons wel konden veroorloven.

Ik keek naar Tobin en hij keek naar mij. Toen grijnsde hij. 'We willen graag een bod doen,' zei hij tegen de makelaar.

'Voor de vraagprijs, meneer?' vroeg de makelaar, terwijl hij probeerde zijn verbazing te verbergen.

'Zoals u zei, die lijkt heel redelijk.'

'Ik moet u erop wijzen dat het op de monumentenlijst staat, voor het geval u van plan was het terrein te bebouwen.'

'Ik ben heel blij te horen dat het op de monumentenlijst staat. Elke verandering die we aanbrengen, zal alleen zijn om het te behouden, niet om het te veranderen.'

'Hebt u een hypotheek nodig?'

'Ja, ik ben bang van wel.'

'In dat geval moet ik u erop wijzen dat met het oog op de leeftijd van het pand en de nogal, eh, vervallen staat, de meeste hypotheekbanken waarschijnlijk nogal behoudend zullen zijn met het bedrag dat ze bereid zijn te lenen.'

'Dat verbaast me niets. Maar dat hoeft geen probleem te zijn.'

'Mag ik in dat geval een paar gegevens noteren, meneer?'

Toen we weer buiten stonden, sloeg ik mijn armen om Tobins hals en gaf hem een zoen. 'O, dank je wel. Het is het aller, allergeweldigste wat me ooit is overkomen – nou ja, afgezien van jou ontmoeten natuurlijk.'

'Ik ben blij dat je dat er even bij zei.'

'Maar weet je zeker dat we het ons kunnen veroorloven?'

'Waar een wil is, is een weg. Maak je geen zorgen, we vinden het geld wel ergens.'

'Jullie zouden ook schapen kunnen houden,' zei tante Biddie.

Toen we dinsdag weer in Londen waren, verzamelde ik al mijn moed en vertelde Douglas dat ik ging trouwen en dat we waarschijnlijk uit Londen weggingen. Hij keek even lichtelijk ontstemd en haalde toen zijn schouders op. 'Nou, je hebt me gewaarschuwd. En bedankt dat je het me ruim van tevoren vertelt. Wanneer wil je weg?'

'Pas als we gaan verhuizen, en dat duurt nog wel een maand of drie denk ik. Het hangt er van af hoe snel mijn verloofde zijn huis kan verkopen. Maar ik zou blij zijn als ik vrij kan krijgen voor een huwelijksreis. Natuurlijk verwacht ik niet dat je me doorbetaalt.'

'In godsnaam!' riep hij uit. 'Wie denk je wel dat ik ben? Miles Goodchild? Natuurlijk word je doorbetaald als je op huwelijksreis bent. Zorg alleen voor een goede tijdelijke kracht terwijl je weg bent. Je hebt niet toevallig een tweelingzus, hè?'

Toen ik die avond thuiskwam, wachtte Tobin me met een brede grijns op. 'Je mag drie keer raden wie ik vandaag heb gesproken.'

'Een makelaar.'

'Ja, ik heb een makelaar gesproken – een paar zelfs. En ik heb dit huis te koop gezet. Ik heb ook onze vriend in Malvern gesproken en meneer Simpson heeft ons aanbod met veel genoegen aanvaard. Hij zei dat hij hoopte dat wij Dingle's Gate zouden kopen, omdat wij het juiste soort mensen leken. Maar dat is niet het antwoord op mijn vraag. Probeer het nog eens.'

'Eh, de hypotheekbank.'

'Ja, dat heb ik ook gedaan. En afgezien van een taxatie ziet het er niet naar uit dat dat een probleem wordt. Maar dat is het ook niet. Vooruit, raad nog eens.'

'Ik weet het niet. Tante Biddie?'

'Nee. Zij is zo ongeveer de enige die ik vandaag niet heb gesproken. Nou, dan zal ik het je maar vertellen. Ik heb Ludo Zakharin gesproken, die je overigens heel vriendelijk laat groeten en opgetogen is over ons aanstaande huwelijk.'

'Waarom heb je hém gesproken?'

'We hebben Angelini's portret van de prinses nog, weet je nog wel? Natuurlijk heb ik niets met hem afgesproken voor ik er met jou over kon praten, maar hij is bereid ongeveer tienduizend pond voor dat portret te bieden, wat genoeg moet zijn voor het meeste, zo niet al het werk dat aan Dingle's Gate moet worden gedaan.'

'Tienduizend pond,' verzuchtte ik. 'Waarom heb je niet gewoon ja gezegd?'

'Omdat het net zo goed jouw besluit is als het mijne. Ze was jouw moeder.'

'Poeh! Het spijt me, maar als ik moet kiezen tussen haar en Dingle's Gate – nou, dan valt er niets te kiezen.'

In dat geval stel ik voor dat we naar Italië rijden en onderweg in Parijs stoppen om het portret af te leveren. Dan kunnen we meteen je vriendin Ginette opzoeken, als we er toch zijn. Ik zou haar graag ontmoeten. Het klinkt of ze een leuke meid is.'

Hoewel we niet in de kerk zouden trouwen, werd voor onze bruiloft toch een zekere hoeveelheid traditie ten tonele gevoerd, voornamelijk door Stevie, gesteund door tante Biddie. Om te beginnen mochten Tobin en ik de nacht tevoren niet in hetzelfde huis doorbrengen, dus logeerde hij op Holly Hill Farm, terwijl ik op The Willows sliep.

We hadden een vol huis op The Willows. Voor het eerst in tientallen jaren was elke kamer bezet, omdat tante Biddie weigerde mensen in een hotel te laten slapen als zij meer dan genoeg ruimte had. De andere slaapkamers – het rommelhok niet meegerekend – werden bezet door Sherry en Roly, Oliver, Freddie, Penny en Michael, en Joss. Pamela – het schatje – was met het smoesje gekomen dat ze het te druk had met de voorbereiding van examens om bij de bruiloft aanwezig te kunnen zijn. Tobin noch ik vond dat vreselijk erg.

Tante Biddie was door deze plotseling toestroom van gasten totaal niet van haar stuk gebracht. Ze was juist in haar element, zeker nu ze zo'n beroemde televisiepersoonlijkheid als Oliver Lyon onder haar dak had. Ze maakte een enorm stuk vlees klaar, met alles erop en eraan, gevolgd door schuimpudding, waarbij ze het gezelschap vergastte op het verhaal dat het Connors lievelingstoetje was geweest en hoe zij en ik het recept hadden teruggevonden toen we op zoek waren naar zijn dichtbundel. Omdat het zo'n vrolijke avond was, kreeg ik nauwelijks de kans om me nerveus te voelen.

Toen we allemaal naar bed gingen, kwam Sherry mee naar mijn kamer en ging naast Groot en Klein in de vensterbank zitten, terwijl ik op bed zat en Tiger streelde, die zich al lekker tegen de hete kruik nestelde. 'Ben je gelukkig?' vroeg ze.

'Heel gelukkig.'

'Ik ook – voor jou.' Ze zweeg even. 'Ik weet niet of ik je dit vanavond wel moet vertellen, maar ik doe het toch. Ik liep Nigel laatst tegen het lijf, in Camden. Hij vroeg naar je. Hij had zo'n – o, zo'n gladde en neerbuigende – manier van doen en zo'n medelijdende ondertoon in zijn stem toen hij je naam noemde – dat ik bang ben dat ik het niet kon weerstaan hem te vertellen dat je binnenkort ging trouwen. Ik hoop dat je het niet erg vindt?'

'Helemaal niet. Wat zei hij?'

Sherry glimlachte breed. 'O, ik wou dat je zijn gezicht had kunnen zien. Hij schrok zich een ongeluk. "Trouwen?" vroeg hij. "Met wie?" "Met een man, natuurlijk," antwoordde ik. "Maar *welke* man?" vroeg hij. "Het soort man met wie ik zonder aarzelen zou trouwen als ik niet al met Roly was getrouwd," deelde ik hem mee. "Hij is lang, knap, buitengewoon lief – en hij is van adel." Ik weet wel dat dat eigenlijk niet waar is, maar ik kon het niet laten.'

Ik moest lachen. 'Zei hij iets over Bo?'

'O ja. Ik vroeg hem, heel liefjes natuurlijk, hoe zijn vriendin en hij het maakten en hij zei dat, eh, ze er op het moment niet was, dat ze een reclamespot opnam in de Verenigde Staten – maar dat ze heel binnenkort terug zou komen.'

'Dus de bedrieger is bedrogen,' zei ik zacht. 'Nu is hij de onbestorven weduwnaar.'

'Je bent toch niet boos op me, hè?' vroeg Sherry.

'Natuurlijk niet.'

'Nou, dan laat ik je nu alleen voor je schoonheidsslaapje.' Ze stond op, kwam de kamer door en gaf me een kusje. 'Vergeet Nigel en droom van Tobin.'

Toen we 's morgens naar het bureau van de burgerlijke stand gingen, stonden er een stuk of tien mensen buiten, van wie ik verschillende gezichten herkende.

We gingen met twee auto's – tante Biddie, Oliver en ik met Sherry en Roly in zijn Volvo – en de andere vier in Freddies auto. Tante Biddie, gekleed in een turkooiskleurig pakje met een bijpassende, tulbandachtige hoed, deed me aan de koningin-moeder denken, toen ze vanachter het raampje met een witgehandschoende hand naar de toeschouwers wuifde.

Wat mij betreft, ik droeg – op Stevies aandringen – iets ouds, iets nieuws, iets geleends en iets blauws, hoewel ik een beetje vals speelde.

Het iets ouds, iets geleends en iets blauws had de vorm van een broche van tante Biddie, die van haar moeder was geweest. Het was een prachtig dingetje, in de vorm van een libelle en ingelegd met piepkleine saffiertjes.

Voor het bureau van de burgerlijke stand stonden nog meer toeschouwers. Tante Biddie had het nieuws ongetwijfeld bekendgemaakt.

Het gezelschap van Holly Hill Farm was er al en stond ook in de zon: Tobin en Jonathan zagen er piekfijn uit in donkergrijs wandelkostuum, Miranda droeg een losvallende, Indische jurk en Stevie zag eruit als een plaatje in een lichtgele overgooier, met haar glanzende, donkerbruine haar tot op haar middel.

Tobin kwam haastig op ons af toen we stopten. Hij gaf me een kus en lachte. 'Ik dacht dat we een rustige, besloten plechtigheid zouden hebben.' Toen ging er een opgewonden gemompel door de toeschouwers en hij zei zacht: 'O, mijn God... Nou, zeg niet dat ik je niet heb gewaarschuwd.'

Achter onze kleine stoet kwam een glanzende Rolls Royce met chauffeur tot stilstand. De chauffeur in uniform stapte uit en opende de deuren, terwijl hij ons een hooghartige blik toewierp.

Uit de ene deur kwam een dame in een marineblauw pakje, dat me deed denken aan het pakje dat de assistente van Ludo Zakharin had gedragen – dus was het waarschijnlijk Chanel – met een bontstola om haar schouders en een 'bruiloftshoed' schuin op haar onberispelijke kapsel. Ze was aanzienlijk groter dan Ludo Zakharins kleine assistente, maar dat deed niets af aan haar elegantie.

De heer, wiens gelaatstrekken wel iets op die van Tobin leken, maar die een voller gezicht, een kortere gestalte en een ronder figuur had, droeg een parelgrijs ochtendkostuum en een hoge hoed.

Tobin nam me bij de arm. 'Kom, dan zal ik je aan Harvey en Gwendolen voorstellen.'

Gelukkig was er geen tijd om ons uitgebreid aan elkaar voor te stellen en lang te blijven praten. De deuren van het bureau van de burgerlijke stand gingen open en we dromden naar binnen. Ik moest echter wel horen hoe tante Biddie haar kennissen luid fluisterend meedeelde, toen ze hen voorbijliep: 'Dat zijn de graaf en gravin van Winster. Hij is de broer van de bruidegom.'

Ik was zo overrompeld door het uiterlijk van Harvey en Gwendolen, dat ik bijna vergat dat ik nerveus was omdat ik ging trouwen.

Het bureau van de burgerlijke stand was prachtig met bloemen versierd en de ambtenaar was een charmante vrouw die de korte, formele plechtigheid zo persoonlijk mogelijk maakte en klonk of ze het werkelijk meende toen ze ons aan het eind allebei geluk wenste. Toen nam Tobin me in zijn armen, kuste me en zei: 'Ik hou van je, mevrouw Touchstone.'

Toen we buiten kwamen, werden we opgewacht door een fotograaf. Omdat hij Harvey voor de bruidegom aanzag, benaderde hij hem en zei: 'Dick Smith, van de *Avonford Gazette*. Sta me toe u en uw nieuwe vrouw geluk te wensen.'

'Meneer Smith!' riep tante Biddies stem. 'Dat is de verkeerde heer. Dit is de bruidegom, hier, met mijn nicht.'

'Hoe komt de plaatselijke pers hier?' wilde Tobin van haar weten.

Tante Biddie zette onschuldige ogen op. 'Ik heb geen flauw idee. Maar nu meneer Smith hier toch is, moeten we hem maar een paar foto's laten maken. Hij is heel goed, weet je. Hij heeft een paar prachtige foto's gemaakt tijdens onze campagne om de kerkklok te redden.'

We gingen allemaal op een kluitje staan en de fotograaf klikte er lustig op los. Toen maakte hij een paar foto's van Tobin en mij, gevolgd door een paar van Oliver en Tobins broer en schoonzus. Toen ik naar Harvey keek, had ik het gevoel dat hij het niet leuk vond.

Toen de foto's waren gemaakt, kwam de groep die ons geluk kwam wensen naar voren. De mensen gaven Tobin en mij een hand en ik werd door een aantal oudere dames gekust. Diverse mensen benaderden Oliver om zijn handtekening, terwijl Harvey en Gwendolen met ontzag werden bekeken.

Toen we ten slotte op The Willows terugkwamen, werden we bij binnenkomst opgewacht door een serveerster met een blad met glazen champagne en bracht een andere serveerster ons naar de woonkamer, waar een prachtig buffet was uitgestald.

Het volgende kwartier werden de gasten die elkaar nog niet kenden aan elkaar voorgesteld en namen Tobin en ik felicitaties in ontvangst. Daarna gingen de twee serveersters met borden en opgemaakte schotels rond en viel het gezelschap in groepjes uiteen.

Bij het raam stond Joss met een bewonderende blik in zijn ogen met Stevie te praten, terwijl zij naar hem opkeek met dezelfde gefascineerde uitdrukking die in San Fortunato Giuseppes hart had gestolen. Dat waren twee mensen over wie ik me tenminste geen zorgen hoefde te maken, dacht ik bij mezelf.

Roly was bij Freddie, Penny en Michael gaan staan en ze leken een gemeenschappelijk onderwerp van gesprek te hebben gevonden, want ze zagen er heel tevreden uit. Sherry stond bij Miranda en Jonathan en lachte ergens over met hen. En midden in de kamer waren Harvey en Oliver hun kennismaking aan het hernieuwen, terwijl Tobin en Gwendolen er vlakbij stonden te praten. Tante Biddie bleef maar rondhollen om er bij iedereen op aan te dringen nog wat te eten en te vragen of iemand de tuin in wilde, waar tafeltjes en stoelen klaarstonden.

Tobin wenkte me en ik ging naar hem en Gwendolen toe. Hij legde zijn arm om mijn schouders en Gwendolen zei, met een vreselijk bekakt accent: 'Tobin heeft me net verteld wie je bent. Ik was me er niet van bewust dat je familie van de prinses bent. Dat heeft Harvey me helemaal niet verteld. Hij is het vast vergeten. Jullie moeten van de zomer bij ons komen logeren.'

Naast ons zei Harvey, zonder te proberen zijn stem te dempen: 'We vonden dat we even ons gezicht moesten laten zien. Ik had niet gedacht dat het er zo informeel aan toe zou gaan. Maar Tobin kennende, had ik er wel een idee van kunnen hebben.'

Ik keek naar Tobin en terwijl ik nog een slokje champagne nam, wilde ik dat ik acht had geslagen op zijn waarschuwing.

Sherry moet naar me hebben staan kijken en mijn ongeruste gezicht hebben gezien, want ze kwam naar me toe, met Miranda en Jonathan in haar kielzog. Op de een of andere manier, zonder dat ik precies in de gaten had hoe het gebeurde, slaagde ze erin Gwendolen en Jonathan in een gesprek over paarden te betrekken.

Ik trok me terug en Miranda haakte haar arm door de mijne. 'Kijk niet zo bezorgd. Iedereen vindt het leuk.'

'Ik hoop het,' zei ik weifelend.

'Natuurlijk wel.'

Maar ik wist zeker dat ze het allemaal veel leuker hadden gevonden als Harvey en Gwendolen er niet waren geweest.

Tobin en ik bleven circuleren, maar ik was me de hele tijd bewust van de stemmen van Harvey en Gwendolen, die boven alle andere uit te horen waren. Gwendolen had het nog steeds over paarden en Harvey stond nog met Oliver te praten, die hij duidelijk de enige vond die zijn aandacht waard was.

Opeens hoorde ik een vreemd geluid in de hal en getrippel op de mozaïekvloer. Tante Biddie had het vast ook gehoord, want ze draaide zich om en riep dringend: 'Nanny? Wat doe jij hier?'

Daarna ging alles heel snel. Natuurlijk verwachtten degenen die tante Biddie hadden gehoord, een oude kindermeid te zien. In plaats daarvan kwam er een geit binnenstruinen – met een halsband om haar nek waar een gerafeld stuk touw aan hing.

Nanny negeerde tante Biddies vermaning en liep regelrecht naar de tafel, waarop tante Biddie zich op haar stortte, waarbij haar tulband afviel. Ze slaagde er niet in de geit te pakken te krijgen, die, geschrokken, vaart meerderde, haar kop liet zakken en Harvey in zijn achterwerk stootte, waardoor hij voorover wankelde en de inhoud van zijn glas en chocolademousse over Oliver uitgoot.

Tante Biddie deed nogmaals een vergeefse poging om het dier te pakken te krijgen en riep: 'Nanny, kom hier, stoute meid.'

Jonathan schoot haar te hulp, greep de halsband en nadat hij haar een geruststellende aai had gegeven, trok hij haar met ferme hand terug naar de deur. Als om te laten zien dat ze er totaal geen spijt van had, nam Nanny tante Biddies hoed van de grond en verliet de kamer met de hoed stevig tussen haar kaken geklemd.

'O, hemel, wat spijt me dat nou!' riep tante Biddie uit. 'Ze stond vastgebonden in het verste deel van de tuin, maar ze moet haar touw hebben doorgebeten. O, lord Winster, het spijt me vreselijk, het spijt me echt – is alles goed met u?'

Harvey voelde zich duidelijk helemaal niet goed. Zijn gezicht was rood van verontwaardiging en zijn lippen vormden geluidloze woorden.

Op dat moment kraamde Joey uit: 'Wat ben jij een knappe jongen! Kra, kra!'

Oliver, bij wie de champagne van één schouder droop en de andere onder de chocolademousse zat, bracht zijn hand naar zijn mond om een glimlach te verbergen. Op dat moment klonk er een luidruchtig gniffelende lach door de kamer, gevolgd door nog een en weer een. 'O, zoiets lolligs heb ik van mijn leven nog niet gezien!' kreet Gwendolen. 'Harvey, wat was jij een geweldig doelwit!' Er ging weer een lachkramp door haar heen. 'Ik word vast nog jaren te eten gevraagd, alleen om dit verhaal.'

Oliver nam zijn hand voor zijn mond weg en lachte ook. Net als Tobin. En, bij het raam, Joss en Stevie ook. Hun gelach werkte aanstekelijk en de rest van ons deed moeite ons gezicht in de plooi te houden. Intussen stond tante Biddie Olivers jasje nerveus met een servet te bewerken, terwijl Harveys gezicht nog beledigder ging staan.

De tranen liepen Gwendolen over de wangen en ze greep naar haar borst. 'Harvey, kijk niet zo, je maakt het alleen maar erger. Je had jezelf eens moeten zien, zoals je tegen Oliver stond te oreren en die geit achter je opdook en je tegen je derrière stootte. En die grasparkiet. Wat ben jij een knappe jongen! O, ik kan me niet herinneren wanneer ik voor het laatst zo heb gelachen.'

Het was een dubbeltje op zijn kant. Harvey zoog zijn adem in. 'Ik ben blij dat ik je zoveel plezier heb verschaft, Gwendolen.'

'Het kwam niet door jou,' verklaarde ze, 'het kwam door die geit. Zoals ze haar kop liet zakken en je aanviel. Dat was zo grappig. O, vooruit, Harvey, waar is je gevoel voor humor?'

Harvey dwong zijn gezicht tot een glimlach en we begonnen ons allemaal te ontspannen.

'Laat me je glas bijvullen, ouwe jongen,' zei Tobin, die zelf nog lachte. 'En wees blij dat Nanny er niet met jouw hoed vandoor is gegaan.'

Jonathan kwam breed grijnzend weer binnen. 'Nanny staat weer veilig vast, deze keer aan een ketting. Trouwens, Biddie, Gordon ziet er bepaald broeds uit. Ik denk dat je binnenkort weer jonge gansjes hebt.'

Tante Biddie fleurde op. 'Geweldig! Tobin en Cara kunnen ze krijgen voor Dingle's Gate. Wat me eraan doet denken, jullie twee, dat ik twee schapen heb besteld als huwelijkscadeau.'

Gwendolen droogde haar ogen en zei: 'Eerst een geit, dan een gans die jongen krijgt, en ik heb nog nooit gehoord dat iemand schapen als huwelijkscadeau geeft. Tobin, ik weet niet in wat voor familie je bent getrouwd, maar ik begin ze steeds aardiger te vinden.'

Tante Biddie draaide zich om om haar een brede glimlach te geven, waardoor Harveys net bijgevulde glas champagne uit zijn hand vloog, over Olivers schoenen heen...

Deze keer barstten we allemaal in lachen uit – zelfs Harvey.

Tegen zes uur, toen Tobin en ik vertrokken, waren alle barrières tussen onze gasten geslecht en zag het ernaar uit dat het feest nog uren zou duren. Het mocht dan onze bruiloft zijn, maar tante Biddie was de echte ster. Ik zag dat Oliver meerdere malen zijn opschrijfboekje te voorschijn haalde om een paar woorden op te krabbelen en het leek me niet onmogelijk dat we tante Biddie misschien op enig tijdstip in de toekomst als gast in een van zijn programma's zouden zien. Intussen had Gwendolen haar op Kingston Kirkby Hall uitgenodigd en was Joss voor de rest van het weekend op Holly Hill Farm gevraagd.

Tobin en ik namen van iedereen afscheid en gingen naar de auto, die was volgeplakt met stickers met PAS GETROUWD erop, en waar de verplichte sliert blikjes achter hing. 'Wie heeft dit op zijn geweten?' vroeg Tobin lachend.

De reactie bestond uit handenvol confetti en rijst van Stevie en Joss.

Die avond – nadat we aan de andere kant van de brug waren gestopt om de stickers met PAS GETROUWD en de blikjes te verwijderen – reden we door tot een dorpje buiten Oxford, waar we de nacht doorbrachten. Toen we naar bed gingen, moesten we nog lachen om de gebeurtenissen van die middag. Het kan niet slecht zijn om je huwelijksleven zo te beginnen.

De volgende ochtend reden we door naar Dover, staken Het Kanaal over en reden op ons gemak naar Parijs. Onderweg overnachtten we in een verbouwd château. Maandagavond troffen we Ginette om samen te gaan eten.

'Dus ik had toch gelijk,' zei ze met een veelbetekenende glimlach. 'Maar waarom moest je het verpesten door met hem te *trouwen*?'

Ik vroeg naar Jean-Pierre en ze haalde haar schouders op. 'Hij brengt de nacht door bij zijn schoonouders. Vandaag zijn ze vijfentwintig jaar getrouwd. Maar hij heeft net een auto voor me gekocht, dus wie ben ik om te klagen?'

De volgende morgen meldden we ons bij Galerie Zakharin. Ludo Zakharin begroette ons met steedse hoffelijkheid, liet ons plaatsnemen aan de art deco-tafel met vogels in plaats van poten, die midden in het vertrek stond, terwijl hij wegging om het schilderij te bekijken. Toen hij terugkwam, zei hij: 'Ik ben blij dat ik kan zeggen dat ik mijn bod gestand doe, meneer Touchstone. Ik heb een cheque voor u klaarliggen.'

Toen wendde hij zich tot mij. 'Hoe gaat het met uw zoektocht? Bent u Signora Angelini nog gaan opzoeken?'

Ik kon niet liegen, maar ik was ook niet bereid hem de hele waarheid te vertellen. 'Ja, dat wel, maar ze was invalide en ze kon me niet veel verder helpen, vrees ik.'

'Wat jammer.'

Op dat moment kwam zijn assistente uit een van de deuren aan de andere kant van het vertrek. 'Als u me even wilt excuseren,' zei hij.

Hij kwam terug en zei: 'Ik moet u helaas verlaten. Ik heb een belangrijke cliënt aan de telefoon. Ons gesprek kan wel even duren.'

Dus namen we afscheid en lieten de prinses opnieuw op Zakharin-terrein achter – Ludo Zakharin was verder niets over haar ware afkomst te weten gekomen.

Van Parijs reden we naar Zwitserland, waar het koud was en de wolken zo laag hingen dat de bergen onzichtbaar waren. In het Berner Oberland sneeuwde het en waren mensen aan het skiën. Dus reden we door naar Ticino en staken de grens over naar Italië, waar we terechtkwamen in wat wel een andere wereld leek.

Toen we Hotel del Lago in San Fortunato bereikten en uit de auto stapten, scheen de zon warm en uitnodigend.

HOOFDSTUK 26

Het was een heel windstille middag en er hing een blauwe waas over het Meer van Lugano toen Tobin langzaam de smalle, kronkelende weg van Varone naar Granburrone reed. Af en toe zagen we tussen de bomen door de Abbazia e Convento della Madonna della Misericordia aan de andere kant van het dal. We reden Granburrone door en daar, voorbij de volgende bocht, lag Villa Lontana met daarachter de onherbergzame bergketen.

Tobin parkeerde waar ik vorig jaar had geparkeerd, naast de Fiat van Cesare. We stapten uit en bleven even staan neerkijken op de daken van San Fortunato met hun rode dakpannen en het blauwe, wazige meer erachter, terwijl we de frisse berglucht inademden en luisterden naar die indringende roep van de koekoeken.

Toen liepen we naar de voordeur en trok ik aan de bel. De deur ging bijna meteen open en daar stond Lucia. Ik stak mijn hand naar haar uit en na enige aarzeling schudde ze hem. Ik las bezorgdheid in haar ogen en voelde dat ze tegen ons bezoek was geweest. Toch wenste ze me een goedendag en terwijl ze Tobin toeknikte, zei ze: '*Entrate, per favore, Signore.*'

'Hoe gaat het met de Signora?' vroeg ik.

'*Molto agitata*. Maar ze houdt vol dat ze zich goed genoeg voelt om u te ontvangen.'

'Ik zal proberen haar niet op te winden.'

Ze haalde haar schouders op, alsof ze zich neerlegde bij het feit dat mijn bezoek geen ander gevolg kon hebben.

We liepen de marmeren gang door en door de deur naast het beeldje van de maagd Maria, met een flakkerend kaarsje ervoor, de kamer met zijn witte en goudkleurige licht. Filomena zat op precies dezelfde plaats als bij mijn eerste bezoek en staarde over het balkon heen naar buiten.

Ze draaide haar rolstoel en ik liep de kamer door, zakte naast haar door de knieën en nam haar twee broze, koude handen in de mijne. Ze trilden licht en ik kon de agitatie voelen waar Lucia het over had gehad.

'Ik was zo blij met je brief,' zei ik. 'En ik ben heel blij dat ik je weer zie.'

'Ik ben ook blij dat ik jou zie, Cara.' Ze keek langs me heen naar de plek waar Tobin met Lucia stond. 'En is dit je nieuwe echtgenoot?'

Ik wenkte Tobin en stelde hem voor. Filomena hield zijn hand in de hare terwijl ze naar hem op keek en met haar ogen zijn gezicht af zocht. Toen knikte ze en liet zijn hand los.

Achter me vroeg Lucia: 'Willen de *Signore* koffie?'

Ik keek vragend naar Filomena, die haar hoofd schudde. 'Voor mij niet. Maar neem alsjeblieft.'

Toen Lucia weg was en wij zaten, zei Filomena: 'Vandaag ben je jarig. Hartelijk gefeliciteerd. Het is lief van je om op jouw speciale dag te komen.'

Omdat ik haar niet van streek wilde maken, slikte ik in wat ik impulsief wilde zeggen, namelijk dat dit de juiste plaats leek om op mijn verjaardag te zijn en beperkte me tot een glimlach.

'En vertel me nu over jezelf. Ik wist niet dat je gescheiden was, toen je vorig jaar hier was.'

'Dat was ik ook niet. In juni, nadat ik bij je was geweest, heb ik een vervelende tijd doorgemaakt. Ik ben mijn baan kwijtgeraakt en mijn man heeft me verlaten voor een andere vrouw.'

Ze schudde verdrietig haar hoofd.

'Wees maar niet ongerust,' smeekte ik. 'Het was al een hele tijd geen goed huwelijk meer. Natuurlijk was ik geschokt toen het op zo'n manier eindigde, maar toen ik van de schrik was bekomen, besefte ik dat het zo het beste was.'

'En toen heb je Signor Touchstone ontmoet?'

'We kenden elkaar al. Daarna raakten we hechter bevriend. Hij is buitengewoon lief en begrijpend geweest.'

Ze keek naar Tobin. 'Ja, dat geloof ik best. Hij heeft een goed gezicht. Hij is schilder, zei je. Wat voor soort schilderijen maakt hij?'

'Voornamelijk landschappen.' Ik dook in mijn tas. 'Dit is een foto van een van zijn schilderijen. Misschien herken je het.'

'*Bontà de cielo!* Is hij al eens in San Fortunato geweest?'

'Nee, hij heeft hem gemaakt naar een foto die Stevie vorig jaar heeft genomen.

Ze schudde vol ontzag haar hoofd en zei toen tegen Tobin: '*È belissimo.*'

'Wil je deze foto houden?' vroeg ik.

'Dat zou heel aardig zijn,' Ze staarde er mijmerig naar. 'Wat vreemd dat je juist met een schilder bent getrouwd en nog wel een wiens stijl niet zoveel verschilt van die van mijn vader. Of, anders gezegd, ze schilderen allebei wat ze zien.'

Ze wees op het portret van de schilder aan de muur. 'Ik weet niet of ik je dat de vorige keer heb laten zien. Dat is mijn vader – een zelfportret. En de vrouw die daar hangt, is mijn moeder.'

Ik vertaalde het voor Tobin en hij liep erheen om ze te bekijken.

'En jij, Cara,' vroeg Filomena, 'schilder jij niet?'

'Ik ben bang van niet.'

Ze keek neer op haar magere handen met hun dikke blauwe aderen en toen trok ze van onder de deken die over haar benen lag een rozenkrans te voorschijn. Terwijl ze de kralen door haar handen liet gaan, zei ze: 'Ik weet zeker dat je een creatief talent hebt.'

Ik aarzelde en gaf toen toe: 'Tobin en mijn tante hebben me ervan overtuigd dat ik talent heb om te schrijven. Ik ben van plan een roman te schrijven.'

Op dat moment bracht Lucia onze koffie en een glas water voor Filomena. Ze keek bezorgd naar ons, van de een naar de ander, en toen ging ze weer weg, met een waarschuwende blik naar mij.

'Maar werk je nog wel?' vroeg Filomena. 'Heb je een andere baan gevonden?'

'O ja. Dat was niet moeilijk.'

Ik verklaarde verder dat we bezig waren een huis op het platteland te kopen – niet ver van waar ik mijn jeugd had doorgebracht, en daarna kletsten we nog een uurtje – of liever, zij stelde vragen over mijn leven in Engeland, over Stevie en de rest van mijn familie en het huis dat we gingen kopen. Ze stelde oprecht belang in mijn antwoorden. Maar toch – misschien omdat het een eigenschap was die ik in mezelf herkende – had ik de hele tijd het gevoel dat ze eigenlijk een ander onderwerp wilde aansnijden, maar het niet goed aandurfde, dat ze aarzelde, dat ze een akelig moment zat uit te stellen.

Maar ik had Lucia's waarschuwing om geen oude koeien uit de sloot te halen niet nodig... Ik hoefde maar over het balkon naar het koekoeksbos te kijken en aan mijn onbesuisde vlucht naar de rand van het ravijn te denken – om in gedachten Filomena's smartelijke stem weer te horen roepen: '*Rosso wilde je. Rosso aanbad je. En ik wilde je. Ik wilde je als mijn eigen dochter opvoeden... Maar hij vond het niet goed*' – om te weten hoe gevaarlijk het kan zijn akelige oude herinneringen op te halen, zeker op zo'n beladen dag als vandaag, mijn verjaardag.

Toen begon de zon te zakken en luidden de klokken van de Abbazia om de gelovigen naar de vespers te roepen. Lucia kwam terug en ik wist dat het tijd was om afscheid te nemen.

'We kunnen maar beter gaan,' zei ik met tegenzin.

Filomena knikte. 'Hoe lang blijven jullie in San Fortunato?'

'Dat weten we nog niet. In ieder geval een paar dagen.'

'Ik heb iets voor je. Iets van je vader. Ik had het je de vorige keer dat je hier was moeten geven, maar ik was zo van streek dat ik er niet aan heb gedacht. Maar met het oog op wat je me vanmiddag hebt verteld, lijkt het me heel passend.'

'Iets van mijn vader?'

'Dat zul je wel zien. Ik heb ze al die jaren bewaard, maar ik kan er niets mee. Het is veel beter dat jij ze hebt.'

'Wat het ook is, dank je wel.'

'Ik hoop dat je niet teleurgesteld zult zijn.'

Ik liep naar haar toe en ging weer naast haar op mijn hurken zitten. Ze liet haar rozenkrans in haar schoot vallen, stak haar armen uit en trok mijn hoofd op haar schouder. 'Van harte gefeliciteerd met je verjaardag, Cara *mia*,' zei ze zacht.

In de hal gaf Lucia me een draagtas waar een pakje in zat, in bruin papier, met een touwtje erom. 'Deze keer was het beter,' zei ze goedkeurend, met zachte stem. 'Ik wil u wel vertellen, *Signora*, dat het vorig jaar na uw bezoek meer dan een maand duurde voor ze was hersteld.'

'Dat spijt me,' verzekerde ik haar. 'Het laatste wat ik wil is haar van streek maken.'

Ze haalde berustend haar schouders op, alsof ze wilde zeggen: jij kunt er niets aan doen.

Toen we weer op straat stonden, nam Tobin de tas van me over en legde hem in de auto. 'We hebben nog zeker een uur voor het donker wordt. Zullen we een wandeling maken?'

Hand in hand liepen we de weg op, van Granburrone af, tot we bij een voetpad kwamen dat rechtsaf het bos in liep. 'Is dit het pad naar de abdij?' vroeg hij.

'Ik denk van wel.'

Het was net breed genoeg om naast elkaar te lopen.

'Ik kon wel zo ongeveer volgen wat jullie zeiden,' zei Tobin, 'in ieder geval genoeg om de indruk te krijgen dat je eigenlijk alleen maar een

440

beleefd gesprek voerde.'

'Wat vond je van haar?'

Hij gaf niet meteen antwoord op mijn vraag. In plaats daarvan zei hij: 'Onder dat rustige uiterlijk was ze heel nerveus. Heb je gemerkt hoe ze aan haar rozenkrans wriemelde en langs ons heen keek, alsof ze op nog iemand zat te wachten?'

'Dat is me niet zo opgevallen. Maar ik vond wel dat ze terughoudend was.'

'Ik denk dat dat kwam doordat ik erbij was. Ik had niet met je mee moeten gaan.'

'Dat ben ik niet met je eens. Ze wilde je zien. Het was belangrijk voor haar dat ze wist hoe je eruitzag, zoals ze ook echt benieuwd was naar ons leven in Engeland.'

'Mmm, dat zal wel.'

Hij verzonk in stilzwijgen. Na een tijdje werd het bos minder dicht en liepen we aan de rand van het ravijn, over het pad dat Stevie en ik vanaf de Abbazia hadden gezien, naar het bruggetje over de waterval.

We liepen tot het bruggetje, waar we over de houten balustrade leunden en op de woeste waterval onder ons neerkeken, terwijl de zon achter Villa Lontana begon te verdwijnen. Ik huiverde, maar niet van de kou, en Tobin legde zijn arm om mijn schouders. 'Ja, deze plek heeft iets griezeligs. Laten we maar weer naar de auto gaan.'

Toen we in Hotel del Lago terug waren, gingen we op het balkon zitten en trok Tobin een fles wijn open, terwijl ik mijn pakje uitpakte. Ik haalde het bruine papier eraf en er zaten twee dikke mappen in, met daarin–

'O, mijn God, Tobin, kijk eens!'

Voor me lagen twee dikke hompen manuscript, in mijn vaders handschrift. Op het eerste blad van de eerste map stond:

De toverhoed
Een roman door
Connor Moran

Het titelblad van de tweede map luidde:

Italiaanse nachten
Korte verhalen
door Connor Moran

Toen ik de manuscripten zelf vluchtig doorkeek, zag ik al dat ze niet gemakkelijk te lezen zouden zijn. Mijn vaders handschrift veranderde voortdurend van stijl, van groot en sierlijk – zoals in zijn brieven aan tante Biddie – tot piepkleine krabbels waarin de afzonderlijke letters nauwelijks te ontcijferen waren. De bladzijden waren duidelijk vele malen gecorrigeerd, want er waren woorden doorgestreept en nieuwe bijgeschreven. Er stonden hele zinnen in de kantlijn gekrabbeld, omcirkeld en door pijlen verbonden met punten waar ze thuishoorden. Er waren hele alinea's – hele delen zelfs – waarbij stond aangegeven dat ze ergens anders thuishoorden. Eén ding was meteen duidelijk: mijn vader had geen ordelijke geest gehad.

Een ongepubliceerde roman en de memoires van een dode lezen kan maar voor weinig mensen de ideale manier zijn om een huwelijksreis door te brengen, maar dat is wat Tobin en ik de volgende drie dagen voornamelijk deden. 's Morgens na het ontbijt maakten we een wandelingetje of een roeitochtje, daarna gingen we op het balkon zitten en begon ik aan *De toverhoed*, terwijl Tobin *Italiaanse nachten* las. Daarna ruilden we, maar vertelden we de ander niets over de inhoud van wat we hadden gelezen.

Dit is niet de juiste plaats om de inhoud van *De toverhoed* uitvoerig te beschrijven. Laat het voldoende zijn als ik zeg dat de held een eigenzinnige, robuuste, dorpse boer was die Fortunatus heette en een magische toverhoed kreeg en dat het verhaal een sprookje was, gebaseerd op de legende van San Fortunato Rocca en een Italiaans sprookje uit de Middeleeuwen. Het was prachtig geschreven, dichterlijk zonder bloemrijk te zijn. Er was maar één ding mis mee: het verhaal hield midden in een alinea op.

Italiaanse nachten was een heel ander soort boek. Het was wat het beweerde te zijn – een reeks korte verhalen waarin voorvallen werden beschreven die mijn vader of anderen hadden beleefd – het leek wel een beetje op mijn eigen dagboek.

Amadore, Bettina en Filomena werden er meermalen in genoemd. Amadores moeder kwam er ook in voor; soms noemde mijn vader haar *la nonna* – de grootmoeder –, maar meestal was ze *la strega* – de heks. Benedetto en Emilio werden één keer vermeld – en de prinses stond er helemaal niet in.

De grootste vriend van mijn vader en zijn metgezel in San Fortunato scheen een man te zijn geweest die hij simpelweg *il dottore* noemde, met wie hij vele avonden had zitten schaken en met wie hij filosofische discussies had gevoerd.

Er waren karakterschetsen van andere plaatselijke personages, zoals Don Giovanni, de eigenaar van de Albergo del Lago – wat het toen nog was, voor het een hotel werd; een visser die toepasselijk Pietro werd genoemd; een volkse stroper die nota bene Archangelo heette; Don Matteo, de vrome priester van de kerk van San Fortunato Rocco; en Suora Serafina, een teerhartige en hardwerkende zuster van barmhartigheid van de Abbazia e Convento della Madonna della Misericordia.

Naarmate het boek vorderde, veranderde de inhoud van nogal zonderlinge anekdotes tot serieuzere verhalen over de oorlog, met heftige uitvallen tegen Mussolini, koning Victor Emmanuel, maarschalk Badoglio, Hitler en de nazi's.

Pas nadat de Italianen in 1934 waren overgelopen en Noord-Italië door de Duitsers was bezet, werd *Italiaanse nachten* een echt pakkend verhaal. Het was de tijd dat Mussolini in Dongo, aan het Comomeer, onder bescherming van de nazi's een nieuw hoofdkwartier had opgezet. Omstreeks diezelfde tijd was de Conte di Montefiore in zijn villa verschenen, ook aan het Comomeer. En omstreeks dezelfde tijd was Emilio Angelini gesneuveld en was Benedetto Angelini naar een werkkamp in Duitsland gestuurd. Mijn vader had om geen van beide broers een traan gelaten.

Vanaf de zomer van 1943 speelde mijn vader een actieve rol in de vijandelijkheden. *Il dottore* en hij richtten de *Brigata Cucola* op – de Koekoeksbrigade –, een van de vele partizanengroepen die onder auspiciën van het ondergrondse Nationale Bevrijdingscomité in Turijn hadden gewerkt. Het signaal tussen leden van de *Brigata Cucola* was de roep van een koekoek. Hun taak – zoals mijn vader het stelde – was exploderende eieren in het nest van de vijand leggen.

Het hoofdkwartier van de *Brigata Cucola* was Villa Lontana en hun wapens werden opgeslagen in de grot waar, volgens de legende, San Fortunato had gewoond nadat hij al zijn wereldlijke bezittingen had afgezworen. Daar werd een waar arsenaal vergaard – revolvers, geweren, machinegeweren, mortieren en kisten ammunitie, sommige door de geallieerden gedropt, andere ingenomen bij overvallen op de Duitsers en de *Brigata Nera*, evenals vaten benzine en een walkietalkie.

Toen ik het boek las, moest ik vaak denken aan een bende scholieren die oorlogje speelden – cowboys en indianen, bewapend met echte geweren. En de grootste deugniet van allemaal was mijn vader – Rosso – de leider van de bende.

Toch was het gevaar dat ze liepen echt. Hun grootste vijand was de *Brigata Nera*, de Zwarte Brigade – Mussolini's fascistische guerrillastrijders die probeerden de verzetsbeweging te vernietigen, terwijl de Duitse legers probeerden de oprukkende geallieerden terug te dringen. Een aantal van hun leden werd bij sabotageacties gewond en zelfs gedood, en mijn vader ontsnapte diverse keren maar ternauwernood aan de dood. Als ze gevangen werden genomen, moesten ze aanvaarden dat ze naar een Duits concentratiekamp werden gestuurd of, waarschijnlijker, ter plaatse werden geëxecuteerd.

Er dreigde ook gevaar uit een andere hoek – door informanten –, want in deze bergstreken zaten nog steeds fervente aanhangers van Mussolini. Terwijl bijvoorbeeld de abt en de moeder-overste van de Abbazia partizanen, ontsnapte krijgsgevangenen en joden medische hulp verleenden en onderdak boden, steunde Don Matteo de fascisten.

Politieke ideologie leek echter pas na persoonlijke wrok te komen – na persoonlijke vetes en vendetta's, ruzies over land, vrouwen en meisjes. Recente gebeurtenissen hadden het Italiaanse volk maar weer eens bewezen dat de vijand die je vandaag op het slagveld treft de bondgenoot van morgen kan zijn. Het aangeven van een oude persoonlijke vijand die van partizanenactiviteiten werd verdacht, was een prima manier om een oude schuld te vereffenen.

Leden van de *Brigata Cucola* bereikten Villa Lontana meestal via de Via San Fortunato Rocca – het pad naar de abdij, gemarkeerd door de veertien staties van de kruisweg van de heilige –, want deze route voerde, behalve langs de abdij, door onbewoond gebied. Het enige hachelijke moment was het oversteken van de voetbrug. De grot van San Fortunato was ook veilig, want die lag diep in de bossen die bij Villa Lontana hoorden en hoewel veel mensen van het bestaan ervan wisten, wisten weinigen – zelfs toen – waar hij precies lag.

Op die brug – waar Tobin en ik drie avonden tevoren hadden gestaan – had mijn vader in de allerlaatste oorlogsmaanden bijna zijn leven verloren. Hij bracht twee ontsnapte RAF-piloten van de abdij naar Villa Lontana, waar de stroper Archangelo – in het gestolen uniform van een SS-officier – hen zou oppikken en door de bergen over de grens naar Zwitserland zou smokkelen.

De twee Engelse piloten hadden gelukkig de overkant bereikt, maar mijn vader had de overkant nog niet bereikt toen de brug in de lucht vloog – waarschijnlijk door een bom die door de *Brigata Nera* was geplaatst.

Mijn vader viel in de ijzige bergstroom, waardoor hij werd meegevoerd. Alleen door een wonder slaagde hij erin zich aan een rotsblok vast te klampen en zich aan land te slepen. Hij vatte kou, die op zijn longen sloeg, die al ernstig waren verzwakt door de verwonding die hij in de Spaanse Burgeroorlog had opgelopen, en hij kreeg dubbele longontsteking.

In *Italiaanse nachten* zegt hij dat hij het aan Filomena te danken heeft dat hij zich door deze bijna fatale ziekte heeft gesleept. Dan schrijft hij: 'Ik ben vast een kat. Als dat inderdaad zo is, en als ik goed heb geteld, ben ik acht van mijn negen levens kwijt. Maar het negende heb ik nog, en dat is meer dan heel wat arme sloebers hebben.'

Toen Tobin en ik allebei de manuscripten hadden gelezen, pakten we ze voorzichtig in en verlieten we zonder iets te zeggen samen het hotel en gingen via de steile Via San Fortunato Rocco op weg naar de Abbazia.

We gingen niet helemaal naar de top van de Sacro Monte, maar stopten bij de achtste statie van de kruisweg, waar een bank op een zonnige open plek uitzicht bood op het koekoeksbos aan de overkant van het ravijn.

'Heb je nu een beter gevoel over je vader?' vroeg Tobin.

'Ja zeker, en tegelijk voel ik me nog verwarder. Denk je dat hij zichzelf als Fortunatus zag?'

'Stopt niet elke romanschrijver aspecten van zijn eigen persoonlijkheid in zijn figuren?'

'Ik weet het niet. Ik heb nog nooit een roman geschreven.'

'Nog niet. Maar dat komt nog wel.' Hij zweeg even en ging toen door: 'Ik heb geen flauw idee of een van die boeken het moderne publiek nog aanspreekt. Het is mogelijk dat er zoveel oorlogsmemoires geschreven zijn dat geen enkele uitgever belang zal stellen in *Italiaanse nachten*, hoewel deze memoires heel anders zijn. Maar *De toverhoed* is een andere zaak. Dat verhaal is nog net zo relevant als toen je vader het schreef. Ik zou het dolgraag illustreren.'

Hij zuchtte verlangend. 'Zie je Fortunatus niet gewoon voor je, als hij waggelend uit de kroeg komt en zijn rijkdom met gulle hand uitdeelt, als hij in zijn prachtige rijtuig rijdt – naar verre landen reist en de hele tijd zijn verbazingwekkende hoed draagt?'

'Ik wist niet dat je mensen tekende.'

'Ik weet niet of ik het kan. Maar ik zou het dolgraag proberen.'

'Waarom doe je het dan niet? Als ik het manuscript nou uittik – wat ik toch zou willen doen...'

'Er moet meer aan worden gedaan dan alleen uittikken. Het moet terdege worden gecorrigeerd en het heeft ook een eind nodig. Maar daar ben jij heel goed toe in staat.'

'Dat weet ik nog zo net niet.'

'Natuurlijk wel.' Hij zweeg even en ging toen door: 'Ik wil je een voorstel doen. Dankzij Ludo Zakharin hebben we jouw afkoopsom niet nodig voor de aanbetaling op Dingle's Gate of voor werk dat eraan moet worden gedaan. Wil je dat geld alsjeblieft gebruiken om je nieuwe carrière te financieren, in plaats van een andere baan te zoeken als we verhuizen? Ik heb je al eerder gezegd dat het daarvoor is bedoeld.'

'En als het me niet lukt?'

'Dat kun je van mijn illustraties ook zeggen.'

Ik staarde naar het bos waar ergens de grot moest liggen waar San Fortunatus als kluizenaar had geleefd en de *Brigata Cucola* in de oorlog zijn wapens had verborgen.

En toen werd me opeens het werkelijke belang van *De toverhoed* duidelijk, dat ver boven het literaire belang uitging en dat wat het voor de carrière van Tobin en mij zou kunnen betekenen.

Er waren meer dan tweehonderd pagina's intensief bewerkt manuscript, het resultaat van maanden – zo niet jaren – werk. Het boek hield midden in een alinea op. Het had geen eind.

Als mijn vader niet van plan was geweest naar San Fortunato terug te keren als hij mij naar Avonford had gebracht, zou hij zijn memoires en zijn onvoltooide roman toch zeker hebben meegenomen? Maar hij had ze niet meegenomen. Hij had ze op Villa Lontana gelaten.

HOOFDSTUK 27

Mijn brief aan Filomena, om haar te bedanken voor de manuscripten, leidde twee dagen later tot een telefoontje van Lucia, die me verzocht nog een keer naar Villa Lontana te komen. Naar haar toon te oordelen had ze zich met hand en tand tegen haar meesteres verzet.

Deze keer ging ik alleen en liet ik Tobin op ons balkon achter, met een schetsboek en een potlood, om fantastische afbeeldingen van Fortunatus te tekenen.

Lucia begroette me met samengeknepen lippen, maar bespaarde me haar vermaningen en bracht me enkel via de kamer met het witte en goudkleurige licht naar de binnenplaats, waar Filomena al in haar rolstoel zat te wachten.

Ze was doodsbleek en toen ik haar wang kuste, was die zo koud als steen.

'Wat stond er in Rosso's papieren?' vroeg ze.

'Weet je dat dan niet?'

'Rosso heeft het me niet verteld – en ik kan geen Engels lezen.'

'In de ene map zat een verhaal over een man die Fortunatus heet.' Ik gaf haar een idee van de plot en voegde eraan toe: 'Het was niet af. En de andere ging over mijn vaders belevenissen hier, op Villa Lontana, tijdens de oorlog – over de *Brigata Cucola*.'

Ze knikte. 'Vertel me precies wat Rosso heeft gezegd.'

Ik deed mijn best me alle bijzonderheden te herinneren.

'Hij heeft de prinses niet genoemd?'

'Nee, niet één keer.'

'En waarmee is hij geëindigd?'

Ik beschreef het voorval bij de brug, maar zei niets over zijn negen levens.

'En stond er verder niets in?'

'Nee, dat was het eind.'

Ze schudde haar hoofd. 'Nee, dat was het eind ook niet.'

Ze zweeg een hele tijd en zei toen: 'Ik kan je niet weer laten weggaan zonder je de waarheid te vertellen. Elke keer als ik dat wilde, had ik er de moed niet voor. Ik heb je geen leugens verteld, maar ik heb je wel in een waan gelaten. Ik ben nog steeds bang, maar omdat ik je nu beter ken, durf ik te hopen dat je het zult begrijpen. Ik smeek je om me rustig en zo mogelijk met mededogen aan te horen.'

Ik legde mijn hand op de hare. 'Je kunt me niets vertellen waardoor mijn genegenheid voor jou zal veranderen.'

'Wacht maar voor je zo'n overhaaste belofte doet.'

Ze zweeg weer. Ik liet mijn hand op de hare liggen en keek omlaag naar het koekoeksbos.

Ten slotte ging ze verder: 'Ik heb je beschreven hoe we in de zomer van 1940 Parijs verlieten en hierheen kwamen, naar Villa Lontana. Ik heb je verteld dat je vader en de prinses bij ons waren. En ik heb je verteld hoe de prinses haar vriendschap met de Conte di Montefiore hernieuwde en hoe je vader en ik in haar afwezigheid hechter bevriend raakten. Ik heb je verteld dat ik aldoor van je vader heb gehouden. Dat was allemaal waar. Maar er zijn nog andere dingen gebeurd. Een heleboel andere dingen.

Om te beginnen hadden we niet echt last van de oorlog, behalve dan dat Emilio en Benedetto weg waren om te vechten. Af en toe kregen mijn ouders brieven van hen en brachten ons de boodschap over dat het goed ging met onze twee dappere soldaten. Wat ons betreft, hier in de bergen vielen geen bommen en er werd niet gevochten, dus kon ik me de gruwelen van de oorlog niet voorstellen. Je moet bedenken dat er geen televisie was, we gingen nooit naar de bioscoop en ik was te jong om de implicaties van radioverslagen te begrijpen. Ik kon me geen beeld vormen van wat ik niet kon zien. Hoe dan ook, veel van het nieuws was propaganda. We kregen te horen wat Mussolini ons wilde laten geloven – dat Italië op weg naar de overwinning was.

Soms kwam Rosso, heel boos, terug van het huis van *il dottore* in het dorp met verhalen van de vreselijke dingen die elders in de wereld plaatsvonden. Dan zei hij dat *il dottore* de enige beschaafde man in de verre omtrek was, de enige met wie hij een behoorlijk gesprek kon voeren.

Nee, onze eigen problemen waren van puur huishoudelijke aard. De prinses zat altijd te klagen en mijn grootmoeder stak altijd de draak met haar, en met mij. Rosso bewaarde de vrede tussen ons. Zolang ik bij Rosso was, voelde ik me veilig en was ik gelukkig. Ik regelde mijn leven naar het zijne, zodat we zoveel mogelijk dingen samen deden. De prinses vergeleek me wel met een puppy die zijn meester overal op de voet volgt.

Ze greep elke kans aan om me te kleineren en me belachelijk te maken.

Als Rosso in de tuin werkte, vond ik wel een reden om hem op te zoeken – om groente te plukken of hem een glas water te brengen. We gingen samen naar het dorp om inkopen te doen. Toen hij aan zijn boek was begonnen, ging ik bij hem zitten als hij schreef, gewoon omdat ik het prettig vond om te kijken hoe hij rimpels in zijn gezicht kreeg als hij nadacht en om zijn pen woorden op papier te zien zetten.

Ik geloof niet dat de prinses jaloers was of achterdochtig dat we vrienden waren, ze was eerder narrig dat niemand aandacht aan haar schonk. En ze verveelde zich hier dood. Vergeleken met haar leven in Parijs bood Villa Lontana in San Fortunato maar heel weinig vertier. Ik denk dat ze af en toe wel probeerde te flirten, maar de mannen hier keken wel uit om Rosso voor het hoofd te stoten. Hij was een grote kerel met een opvliegend karakter. En hoewel de prinses zich zo opmaakte dat ze er jeugdig uitzag, was ze dat niet. De jongemannen hadden liever meisjes van hun eigen leeftijd. De meesten hadden meer belangstelling voor mij dan voor haar, wat haar humeur niet ten goede kwam.

Mijn grootmoeder was scherpzinniger. Ze maakte er een gewoonte van me verhalen met een moraal te vertellen over gevallen vrouwen – bijbelse verhalen en waar gebeurde verhalen. Ze kwam zelden de deur uit, maar haar vriendinnen hielden haar op de hoogte van alles wat er in Granburrone en San Fortunato gebeurde. Dus hoorde ik van een meisje dat een verhouding met een getrouwde man had gehad, of een kind had gekregen zonder dat ze getrouwd was – en wier vader haar daarom de deur had gewezen. Ja, mijn grootmoeder zorgde er wel voor dat er bij mij geen twijfel bestond aan het loon der zonde.

Maar ik had mezelf toen niets te verwijten, afgezien van mijn toenemende afschuw van de prinses. Die probeerde ik te overwinnen en elke week als ik ging biechten, biechtte ik mijn gevoelens over haar op en dan liet Don Matteo me boete doen door me gebeden voor de madonna te laten zeggen om genade en vergeving te vragen. Maar mijn liefde voor Rosso was nog die van een kind voor een lievelingsoom en ik vond het niet nodig de priester over een dergelijk onschuldig gevoel te vertellen.

Zo was ons leven dus tot het verloop van de oorlog in de zomer van 1943 veranderde. Toen begon de oorlog voor ons pas echt. Nadat de Duitsers Noord-Italië hadden bezet, richtten Rosso en *il dottore* de *Brigata Cucola* op.

Soms hielp ik de *Brigata Cucola* door boodschappen naar het hoofdkwartier van andere partizanengroepen te brengen, informatie die via de *radiotèlefono* was ontvangen of van de geallieerden was verkregen over het verloop van de oorlog en over Duitse troepenbewegingen, evenals instructies aangaande vijandelijke doelen.

Omdat ik een meisje was, kon ik gaan en staan waar ik wilde, terwijl de mannen – zeker de jongere mannen – zich schuil moesten houden. Als ze door de Duitsers werden opgepakt, zouden ze – net als Benedetto – naar een werkkamp in Duitsland worden gestuurd. Toch vond ik het nog steeds doodeng. Er was geen rechtsgang en in de bergen wemelde het van de guerrillastrijders, bandieten en smokkelaars.

Af en toe kregen we bezoek van Amerikaanse en Engelse soldaten die per parachute waren gedropt. Dan was er een heerlijk diner, met veel wijn, en werd er veel gelachen. Ik weet nog dat ik het vreemd vond dat Rosso Engels sprak. Met de prinses sprak hij altijd Frans, met mijn grootmoeder Italiaans en met mij Frans of Italiaans. Ik had hem nog nooit Engels horen spreken. Het maakte dat hij een ander mens leek, een vreemde.

Mijn grootmoeder was erg boos over dit alles en de prinses ook. Zij verweten Rosso dat hij ons in groot gevaar bracht. Als de *Brigata Nera* of, nog erger, de Duitsers ontdekten waar ons huis voor werd gebruikt, konden we allemaal worden gearresteerd, of zelfs worden gedood. Bewakers van de *Brigata Cucola* patrouilleerden in het bos en op straat, maar het waren amateurs vergeleken met de getrainde soldaten van de *Brigata Nera* en het Duitse leger.

Je wist niet wie je kon vertrouwen. Voor veel mensen in San Fortunato en Granburrone waren Rosso, de prinses en ik vreemden en ze sloegen ons met achterdocht gade. Er waren heel wat incidenten als leden van de *Brigata Cucola* in een hinderlaag liepen en duidelijk werd dat iemand hen had verraden.

Toen ontstond geleidelijk een patroon. Telkens wanneer er een aanval op de *Brigata Cucola* plaatsvond, was de prinses op bezoek geweest bij de Conte di Montefiore. Rosso en de prinses hadden een geweldige ruzie, waarna zij woedend uit Villa Lontana vertrok.

Filomena zweeg en sloeg haar ogen ten hemel, waar de eerste sierlijke zwaluwen duikelingen en glijvluchten maakten. Toen liet ze haar hoofd weer zakken.

Pas nadat de prinses bij de Conte di Montefiore was ingetrokken, werden Rosso en ik minnaars. Het gebeurde heel gewoon, heel moeiteloos, zoals dergelijke dingen gebeuren tussen een man en een vrouw die heel lang bevriend zijn geweest en elkaar onvoorwaardelijk vertrouwen. Mijn hoofd zei dat wat we deden verkeerd was, maar mijn hart en mijn lichaam zeiden dat het juist en natuurlijk was.

Toen ik de zondag erna te biecht ging, vertelde ik Don Matteo niet wat er tussen Rosso en mij was gebeurd. Als we in Parijs waren geweest, had ik het misschien tegen een vreemde opgebiecht, maar Don Matteo was een te goede kennis en het dorp was te klein om iemand zo'n belangrijk geheim toe te vertrouwen.

Misschien vermoedde mijn grootmoeder iets, maar we namen alle mogelijke voorzorgen opdat ze er niet achter zou komen. Ik wachtte altijd tot ik zeker wist dat ze sliep en ging dan naar Rosso's kamer om de nacht bij hem door te brengen. Dat wil zeggen, de nachten dat hij er niet op uit was. Op dergelijke nachten bleef ik altijd wakker en wachtte ik tot ik het hek en zijn voetstappen door de tuin hoorde.

We leefden als man en vrouw, alleen waren we niet getrouwd. Maar hij beloofde dat hij, als de oorlog voorbij was, van de prinses zou scheiden en met mij zou trouwen. "Maar eerst moeten we de oorlog winnen," zei hij. "Dat is het belangrijkste. Vrijheid is belangrijker dan wat ook ter wereld."

De eerste tijd was hij altijd voorzichtig dat ik niet in verwachting zou raken. Maar ik was ook maar een mens. Ik snakte ernaar zijn kind te krijgen. Dat leek me de ultieme uiting van liefde. En als ik de moeder van zijn kind was, zou dat me ook boven de prinses plaatsen, die geen kinderen kon krijgen. Weet je, er was iets met haar aan de hand waardoor het onmogelijk was.'

Even leek het of mijn hart stilstond. Mijn greep op haar hand werd strakker en ze keek me stil en smekend aan.

'Met Kerst 1944 werd ik er zeker van dat ik een kind verwachtte. Tot mijn grote opluchting was Rosso niet boos – hij was zelfs heel erg blij –, hoewel hij bang was om mij, vanwege het stigma dat het krijgen van een onwettig kind met zich meebracht. Aan de andere kant waren allebei mijn ouders toen al overleden, dus kon het hen niet meer schokken. En wat mijn grootmoeder betreft, wat kon zij doen, behalve met boze woorden komen? Dus bleef alleen de prinses over en zij woonde toen al de meeste tijd bij de Conte di Montefiore.

Maandenlang was er niets van mijn toestand te zien. Omdat ik zo'n actief leven leidde, was ik heel slank en ik kon de bolling van mijn buik onder mijn dikke winterkleren verbergen. Maar toen mijn tijd naderde kon het niet langer geheim blijven. Mijn grootmoeder was woedend en maakte me uit voor alles wat lelijk was. Voor ik het wist was het nieuws in het hele dorp bekend. Iedereen wist dat ik in verwachting was en ze wisten allemaal wie de vader was.

Eind april 1945 hield het vechten op. De Duitsers gaven zich over. Mussolini en zijn maîtresse werden opgepakt en opgehangen. Een paar dagen later begonnen mijn weeën. Rosso nam me mee de brug over, naar de nonnen van het Convento.

Daar, op acht mei 1945, kwam je ter wereld als Cara Angelini. We kozen ervoor je Cara te noemen, omdat het in het Italiaans "lief meisje" betekende en omdat het eveneens een Ierse naam was, zodat je door het leven zou gaan met de wetenschap dat er veel van je werd gehouden en dat je met allebei je ouders was verbonden.'

Ze hield op, maar alleen om een slokje water te nemen en op adem te komen. Ik zei niets, maar keek over het dal naar de Abbazia e Convento della Madonna della Misericordia – naar de plek waar ik geboren was...

'Toen ik was hersteld, kwam Rosso ons halen om ons mee naar huis te nemen. Hij hield je in zijn armen, terwijl hij met verwondering en liefde naar je keek. Ik had nog nooit een man zo op het vaderschap zien reageren. Hij aanbad je vanaf het moment dat hij je voor het eerst zag. Jij werd het allerbelangrijkste in zijn leven. Als je 's nachts huilde, werd hij wakker en stond al naast je wiegje voor ik er was.'

Ze kruiste haar handen over haar borst. 'Tot mijn grote schande had ik weinig melk en kon ik je dus niet erg lang voeden. *Il dottore* raadde een min aan, maar Rosso weigerde een andere vrouw bij zijn dochter in de buurt te laten komen. In plaats daarvan betaalde hij voor babymelk en voedsel op de zwarte markt. Hij zei me wanneer het tijd was om je te voeden en dikwijls gaf hij je zelf de fles. Hij had je het liefst ook in bad gedaan en je luiers verschoond, maar dat wilde ik niet hebben. Het was niet gepast als een man dergelijke dingen deed.

Intussen ging hij naar de prinses en vertelde haar dat hij wilde scheiden. Ik weet nog dat ze naar Villa Lontana kwam om de bezittingen die ze hier nog had op te halen. Ik had nog nooit met zoveel kwaadaardigheid te maken gehad. Ik had wel van het boze oog gehoord, maar ik had het nog nooit meegemaakt.

Maar toen was ze uit ons leven verdwenen en ik dacht dat onze problemen voorbij waren. Omdat ze met de Conte di Montefiore wilde trouwen, had ze erin toegestemd van Rosso te scheiden en ik geloofde dat hij en ik en jij mettertijd een echt gezinnetje zouden kunnen vormen. Natuurlijk zou ons huwelijk niet door de Kerk worden erkend – maar ik hield zoveel van hem dat dat me niet kon schelen.

Vier maanden lang woonden we gelukkig en rustig samen. Mijn grootmoeder raakte geleidelijk aan onze situatie gewend. Rosso ging verder met zijn boek en bleef in de tuin werken. Door de dood van mijn vader hadden we een klein inkomen, genoeg om heel bescheiden van te leven. En toen kwam Benedetto terug.'

Haar stem brak en ze trok haar hand onder de mijne vandaan en liet hem over de rand van haar stoel vallen.

Ten slotte ging ze met doffe, krachteloze stem verder: 'Ja, Benedetto kwam terug. Hoe kan ik zijn terugkomst beschrijven? Hij had drie jaar in de oorlog gevochten. Hij was twee jaar krijgsgevangene geweest in Oost-Pruisen, waar hij onder ellendige omstandigheden in een munitiefabriek voor de Duitsers had gewerkt.

Hij was bevrijd door de Russen, maar de Russen hadden er geen haast mee oorlogsslachtoffers naar huis terug te sturen. Benedetto was van een krijgsgevangenenkamp van het ene kamp voor vluchtelingen en ontheemden naar het andere gestuurd. Zijn kleren waren aan flarden. Hij was moe. Hij was hongerig. En hij was nijdig.

Hij was nijdig over alles. Hij was nijdig over de verspilde jaren van zijn leven, over zijn behandeling door de Duitsers en de Russen, over de totale ommezwaai van de koning en Badoglio toen ze van bondgenoten van de Duitsers opeens hun vijand werden, over de uitslag van de oorlog, over het feit dat de Russen tot de overwinnaars behoorden. Hij was nijdig over de dood van Emilio en over de dood van onze ouders. Hij was nijdig over de rol van de partizanen, die, beweerde hij, hadden bijgedragen aan Mussolini's nederlaag.

Maar zijn nijdigheid over al deze dingen was niets vergeleken met zijn woede toen hij ontdekte dat ik een ongehuwde moeder was geworden. Toen ontstak hij in razernij. Hij kende Rosso al van voor de oorlog en hoewel ze niet zulke goede vrienden waren geweest als mijn vader en Rosso, had Benedetto hem best gemogen.

Nu zou je hebben gedacht dat Rosso de duivel in eigen persoon was. Hij beschuldigde Rosso ervan dat hij een lafaard was, omdat hij niet in de oorlog had gevochten, en een hoereerder, omdat hij een jong meisje had misbruikt. Het werd nog erger toen hij achter het bestaan van de *Brigata Cucola* kwam.

Het maakte geen verschil dat de prinses Rosso had verlaten. In Benedetto's ogen maakte dat Rosso alleen maar minder mans. Een echte man zou hebben teruggevochten om zijn eer te verdedigen. Maar omdat de Conte di Montefiore een loyaal aanhanger van Mussolini was geweest

– ook al was hij overgelopen toen duidelijk werd dat een nederlaag onafwendbaar was – moest de prinses naar Benedetto's mening worden vergeven dat ze hem liever had dan Rosso.

Niet dat Benedetto deze gevoelens allemaal tegelijk duidelijk maakte. Hij werd zo door zijn woede verteerd dat hij niet in staat was redelijk te denken. Hij moest iets doen. Hij moest ergens naar uithalen. En Rosso en ik waren het gemakkelijkste doelwit. Hij werd aangemoedigd door mijn grootmoeder, die bang was dat hij haar misschien verantwoordelijk zou houden.

Bij zijn terugkomst werd Benedetto het officiële hoofd van het gezin. En omdat ik nog minderjarig was, pas twintig, was hij mijn wettige voogd. Hij wilde me je niet laten houden. Hij zei dat jij naar een weeshuis moest en ik naar een klooster. Hij sprak er zelfs met Don Matteo en de moeder-overste van de Abbazia over.

Rosso weigerde je te laten wegsturen. Benedetto en hij hadden een afschuwelijke vechtpartij. Rosso was de grootste van de twee, maar hij was ook de oudste en hij was erg verzwakt door zijn longontsteking. Benedetto trok een mes – ik dacht dat hij Rosso zou vermoorden. Maar iets weerhield hem. Ik geloof niet dat het zijn geweten was, dus misschien was het de angst dat als hij Rosso vermoordde, de *Brigata Cucola* de moord zou wreken door hem te doden.

Dus nam Benedetto een andere strategie aan. In plaats van met Rosso te vechten, richtte hij zijn geweld tegen jou en mij. Hij dreigde dat als we Villa Lontana zouden verlaten, hij ons zou volgen waar we maar gingen. Vanaf dat moment sliepen we 's nachts met ons drieën in dezelfde kamer, met de deur op slot en de ramen dicht.

Op een dag hadden we je even alleen gelaten en begon je te huilen. Ik hoorde je uit de verte en haastte me naar je terug. Je gilde toen al. Ik kwam net op het moment dat Benedetto je over de rand van het balkon hield en je naar beneden wilde gooien de tuin in. Door jouw geschreeuw en mijn eigen gegil kwam Rosso net op tijd aanhollen om zich op Benedetto te werpen en hem tegen de grond te werken, terwijl ik je uit zijn handen rukte en je leven redde.

Toen wisten we dat we niet langer met Benedetto in hetzelfde huis konden blijven. We bleven de hele nacht wakker om te bespreken wat we moesten doen. Het was niet gemakkelijk. We hadden weinig geld. Nu Benedetto terug was, ging mijn vaders geld naar hem. Als we wegliepen, zou Benedetto ons gemakkelijk kunnen vinden. Hij had de wet aan zijn kant. Rosso was een buitenlander. De voor de hand liggende oplossing was naar het buitenland gaan, maar ik had geen paspoort. Toen we vanuit Parijs naar Italië waren gekomen, had ik op de reisdocumenten van mijn ouders gestaan.

Uiteindelijk, na diep nadenken, besloten we dat jouw veiligheid voorop stond. Als jij veilig was, konden we beter voor onszelf zorgen. We hadden een auto en er was nog benzine in de grot van San Fortunato. We besloten dat Rosso je de volgende nacht in zijn auto over de grens naar Zwitserland zou brengen en vandaar met de trein naar zijn zus in Engeland.

Met twee of drie dagen zou hij weer terug zijn. Hij zou de auto ophalen van waar hij hem had achtergelaten en naar Italië terugkomen. Dan zou hij me een boodschap sturen om me te laten weten waar ik hem moest ontmoeten en dan zou hij me ergens mee naartoe nemen. Twee volwassenen konden zich beter schuilhouden zonder een baby. We zouden een paspoort voor mij bemachtigen en ons dan bij je voegen. Als ik een dergelijke boodschap niet kreeg, moest ik elke avond om zes uur naar de voetbrug over de rivier gaan.

Intussen moest ik tegenover Benedetto net doen of Rosso me in de steek had gelaten, of hij zonder mijn medeweten met jou was weggelopen. Als Benedetto geloofde dat ik door mijn minnaar was verlaten, dachten we dat hij me vast geen kwaad zou doen.

Zo smeedden we onze plannen. Rosso verzette de auto en liet hem zo staan dat hij de berg af zou rollen zonder dat hij hem hoefde te starten, zodat Benedetto niet wakker zou worden van het geluid van de motor.

Die nacht ging Rosso met je weg. Ik zag de auto langzaam de berg af rollen en hoorde de motor ten slotte starten toen hij Granburrone bereikte. Door de bomen zag ik de koplampen. En toen was hij weg. Jij was weg. Ik had het gevoel dat mijn hart zou breken, maar ik wist tenminste dat jij veilig zou zijn.

's Morgens moest ik Benedetto onder ogen komen. In plaats van dat hij zich triomfantelijk voelde dat hij Rosso had weggejaagd, voelde hij zich tegengewerkt en verslagen. Eerst viel er een stilte, zoals de stilte voor een storm. Toen brak de storm los. Hij greep me beet en begon me te slaan, me op mijn lichaam en in mijn gezicht te stompen. Alsof hij krankzinnig was geworden. Ik slaagde erin me los te rukken en rende het huis uit, de tuin door en het bos in. Hij kwam achter me aan. Ik dacht niet na bij waar ik heen ging. Ik rende alleen maar. En opeens stond ik aan de rand van het ravijn. Hij haalde me in en toen ik probeerde aan hem te ontkomen, viel ik het ravijn in.

Hij ging weg en ik weet nog hoe ik daar lag en verging van de pijn, met mijn benen verfrommeld onder me en dacht dat hij me daar zou laten liggen tot ik dood was. Maar ten slotte kwam hij terug met een paar mannen uit Granburrone. Ze lieten zich langs de rand van het ravijn zakken en slaagden er op de een of andere manier in me eruit te tillen. Daarna herinner ik me niets meer tot ik bijkwam in een bed in het klooster, waar ik door de zusters van barmhartigheid werd verzorgd.

Het verhaal dat Benedetto hun had verteld, was het verhaal dat ik hem had gegeven, dat Rosso met mijn baby was weggelopen. Gek van verdriet was ik het bos in gelopen en had me in het ravijn geworpen.

Ik heb wekenlang in het kloosterziekenhuis gelegen, zwevend tussen leven en dood. Als ik bij bewustzijn was, vroeg ik de nonnen of ze Rosso op het pad tussen de abdij en Villa Lontana hadden gezien.

Ten slotte verdween de koorts en kwam ik weer op krachten, alleen om te horen dat mijn ongeluk me voor het leven had verminkt. Tegenwoordig, met de moderne geneeskunde en chirurgische technieken, had ik misschien weer kunnen lopen, maar in die maanden vlak na de oorlog waren zulke chirurgen en zulke operatietechnieken niet beschikbaar.

Ik zat elke dag bij het raam naar het voetbruggetje te kijken en hoopte tegen beter weten in dat ik er op een dag Rosso zou zien die op me stond te wachten. De nonnen waren heel lief maar het was duidelijk dat ze dachten dat ik door mijn tegenspoed geestelijk gestoord was geraakt.

Soms kwam Don Matteo me opzoeken. Hij zei dat het uitsluitend aan de Madonna della Misericordia te danken was dat mijn leven was gered, omdat ze medelijden had gekregen met een arme zondares. Hij besefte niet dat het leven zonder Rosso – en zonder jou – voor mij helemaal geen zin meer had.

Toen ik eindelijk uit het ziekenhuis werd ontslagen en hier terugkwam, op Villa Lontana, ontdekte ik dat Benedetto naar Saronno was gegaan om in de zijdefabriek te gaan werken. Alleen mijn grootmoeder en Lucia, die Benedetto in dienst had genomen om ons huishouden te verzorgen, waren er. Lucia kwam uit Domodossola, dat zover weg lag dat ze niets wist van de schandalen die in onze familie hadden plaatsgevonden, en schreef mijn gemoedstoestand natuurlijk aan mijn ongeluk toe. Net als de nonnen was ze heel lief en heel beschermend, maar ze begreep het niet.

Al Rosso's papieren lagen waar hij ze had laten liggen, maar het adres van zijn zuster in Engeland kon ik nergens vinden. Ik wist dat ze getrouwd was, maar ik wist haar achternaam niet en ook niet waar ze woonde. Als ik had kunnen lopen, had ik naar Engeland kunnen gaan en had ik je misschien kunnen vinden, maar nu was ik een gevangene in mijn eigen huis. Er was niets wat ik kon doen.

Het zal twee of drie jaar later zijn geweest dat *il dottore* me kwam opzoeken en een krant meebracht met nieuws van het huwelijk van de prinses en de Conte di Montefiore. Er stond in dat de voormalige echtgenoot van de prinses in 1945 in Het Kanaal was verdronken.

Haar stem daalde tot een fluistering. 'Ik nam aan dat je met hem was gestorven, dat jullie bij elkaar waren toen het schip zonk. Het enige wat ik daarna kon doen, was tot de Madonna della Misericordia bidden voor jullie twee zielen. Het was een wonder toen de brief van Ludo Zakharin kwam met het nieuws dat je nog leefde en een nog groter wonder toen ik je stem door de telefoon hoorde – toen ik je hoorde zeggen: "U spreekt met Cara." En toen was je hier opeens bij me – en je leek zo op Rosso.'

Haar stem stierf weg. Ik knielde naast haar neer, begroef mijn gezicht in haar schoot en voelde haar handen mijn haar liefkozen.

'Kun je me vergeven?' zei ze zacht.

'Er is niets te vergeven. Je had niets anders kunnen doen.'

'Ik had je vorig jaar de waarheid moeten vertellen. Dat was ik ook van plan, maar ik had er de moed niet toe. Je was er zo zeker van dat de prinses je moeder was. En jij leek zelf zo evenwichtig, zo zelfverzekerd, zo wereldwijs, dat ik bijna ging geloven dat je inderdaad haar dochter was. Ik was zo bang dat ik je weer zou kwijtraken en ik dacht dat het misschien beter was als je bleef geloven dat zij je moeder was. Ik haatte haar, maar ze was nog steeds een aristocrate, verwant met de tsaar van Rusland. Op zo'n moeder kon je trots zijn, terwijl op mij...'

Ik dacht er even aan het verhaal van Sophie Ledoux te herhalen, maar ik wist dat dat verkeerd zou zijn. Misschien zou ik haar later een keer vertellen dat de prinses nooit een prinses was geweest, maar niet nu. Nu moest ze in haar eigen waarde worden hersteld in plaats van een andere vrouw door het slijk te horen halen.

'Ook ik ben bang geweest,' zei ik, terwijl ik naar haar opkeek. 'Vanaf het eerste moment dat ik je zag, hoopte ik dat jij mijn moeder was. Maar ik durfde mezelf niet al te zeer te laten hopen, uit angst voor teleurstelling.'

'Meen je dat?'

'Ja. Ik had nooit van de prinses kunnen houden. Maar voor jou heb ik vanaf het begin een heel diepe genegenheid gevoeld.'

'En nu?'

'Nu voel ik alleen liefde.'

Op dat moment kwam Lucia door de deur onder de loggia naar buiten en stond ongerust naar ons te kijken.

'Het is goed, Lucia,' zei ik met rustig gezag. 'De *Signora* maakt het prima.'

Filomena draaide haar hoofd. 'Ja, Lucia, alles is weer goed. En van nu af aan zal alles goed zijn. Want weet je –' Ze zweeg en op haar gezicht brak een glimlach door – een werkelijk stralende glimlach. 'Want weet je, ik heb mijn dochter terug.'

Toen ik Villa Lontana verliet, stond de zon laag aan een hemel vol karmijnrode, roodachtig blauwe en opgloeiende gouden vlekken. De klokken van de Abbazia e Convento della Madonna della Misericordia riepen de gelovigen naar de vespers en door de lucht galmde het avondlied van de vogels, en de koekoeken riepen het hardst.

Ik stapte in de auto en reed terug naar San Fortunato, waar Tobin op me wachtte en, met hem, het begin van de rest van mijn leven.

NASCHRIFT

De toverhoed verscheen in 1983 in het Engels, met op het omslag mijn vader als schrijver en ik als redacteur. Oliver Lyon schreef het voorwoord en Tobin maakte de illustraties. Een jaar later verscheen de roman in Italiaanse vertaling. *Italiaanse nachten* volgde in 1985. Beide boeken zijn meermalen herdrukt en Connor Moran heeft eindelijk zijn rechtmatige plaats in de literaire hiërarchie gekregen. Mijn eigen eerste roman, *Een Russische ziel*, verscheen in 1987 en sindsdien heb ik nog vier historische romans geschreven.

Elk jaar in mei gingen we bij Filomena op Villa Lontana logeren tot in mei 1996 ons bezoek een verdrietiger doel had – namelijk haar te ruste te leggen in het Chiostro del Paradiso van de Abbazia e Convento della Madonna della Misericordia.

Toen we weer thuis waren, haalde ik Het Boek en mijn dagboek uit de la waar ze al die tijd hadden gelegen en las ik mijn ruwe aantekeningen van lang geleden nog eens door. Nu het Filomena geen pijn meer kon doen, was het een verhaal dat eindelijk verteld kon worden.

Maar met het schrijven van *Italiaans verleden* wilde ik meer dan alleen informeren en vermaken. Met dit boek heb ik geprobeerd alle mensen van wie ik houd te bedanken, ook Filomena – maar vooral Tobin en jou, lieve, allerliefste tante Biddie. Uit de grond van mijn hart, bedankt dat je bent die je bent.

C.T.
Dingle's Gate
september 1997

HET HUIS ACHTER DE HEUVEL

Een schitterend, ontroerend verhaal over families, verloren liefdes, gemiste kansen en een nieuwe toekomst.

HET HUIS ACHTER DE HEUVEL

JENNY GLANFIELD

Als Sebastian Devere op een veiling een antieke boekenkast koopt krijgt hij er ook een aantal oude boeken bij. Tussen de boeken vindt hij een fotoalbum uit 1930 dat hij aan zijn dochter Pippa geeft. Pippa werkt bij een fotograaf en raakt gefascineerd door de bijzondere kwaliteit van de foto's in het album. Wat haar daarnaast intrigeert is dat de achternaam van de fotograaf ook Devere is. Ze wil weten of de fotograaf nog leeft en via het echtpaar dat haar vader in de oorlog heeft grootgebracht komt ze uiteindelijk bij haar grootmoeder terecht waarvan ze het bestaan niet kende.

De ontmoeting met haar kleindochter is voor Kitty het gelukkigste moment in haar leven, temeer ook omdat ze daarin een mogelijkheid ziet om de breuk met haar zoon weer te helen.

Als Pippa haar vraagt naar Gawaine Devere wordt Kitty onwel, valt en belandt in het ziekenhuis.

Bij het verder zoeken naar Gawaine Devere ontdekt Pippa steeds meer over 'haar' familie, de mysterieuze rol van het prachtige landgoed Yondover en de geheimen die de familie verscheurd hebben.

"HET HUIS ACHTER DE HEUVEL behoort tot de mooiste boeken die ik ken. Nostalgisch en melancholiek, maar nooit sentimenteel."
TIJDSCHRIFT BRIGITTE BIJ VERSCHIJNEN VAN HET BOEK IN DUITSLAND

UITVOERING: PAPERBACK   OMVANG: 400 PAGINA'S   PRIJS: ƒ 34,90   ISBN: 90.5695.051.7